NA COZINHA

Monica Ali

NA COZINHA

Tradução
Waldéa Barcellos

Título original
IN THE KITCHEN

Este romance é uma obra de ficção. Todos os personagens, nomes de lugares e acontecimentos descritos são produtos da imaginação da autora, e qualquer semelhança com pessoas vivas ou não é mera coincidência.

Primeira publicação na Grã-Bretanha em 2009
pela Doubleday, um selo da Transworld Publishers

Copyright © 2009 *by* Monica Ali

Monica Ali assegurou seus direitos sob o Copyright, Designs and Patents Act 1988 de ser reconhecida como autora desta obra.

Direitos para a língua portuguesa reservados
com exclusividade para o Brasil à
EDITORA ROCCO LTDA.
Av. Presidente Wilson, 231 – 8º andar
20030-021 – Rio de Janeiro – RJ
Tel.: (21) 3525-2000 – Fax: (21) 3525-2001
rocco@rocco.com.br/www.rocco.com.br

Printed in Brazil/Impresso no Brasil

preparação de originais: SÔNIA PEÇANHA

CIP-Brasil. Catalogação na fonte.
Sindicato Nacional dos Editores de Livros, RJ.

A39n   Ali, Monica, 1967-
        Na cozinha / Monica Ali; tradução de Waldéa Barcellos.
        – Rio de Janeiro: Rocco, 2010.

        Tradução de: In the kitchen

        ISBN 978-85-325-2574-1

        1. Romance inglês. I. Barcellos, Waldéa, 1951–. II. Título.

10-2434   CDD-823
                                         CDU-821.111-3

Para Kim

Capítulo 1

EM RETROSPECTIVA, ELE TINHA A IMPRESSÃO DE QUE A MORTE DO ucraniano era o ponto no qual as coisas tinham começado a desmoronar. Não podia afirmar que ela era a causa; nem mesmo poderia dizer que ela era uma causa, porque os acontecimentos que se seguiram pareceram ser ao mesmo tempo inevitáveis e totalmente aleatórios. E, embora pudesse armar uma sequência narrativa e de algum modo se reconfortar com isso, ele já tinha mudado o suficiente àquela altura para perceber que aquela era apenas uma história que ele sabia contar; e que em geral não se devia confiar em histórias. Fosse como fosse, ele fixou o início no dia da morte do ucraniano, apesar de ter sido no dia seguinte que, se é que se pode dizer que uma vida tem um ponto de virada, sua própria vida começou a girar.

Naquela manhã de final de outubro, Gleeson, o gerente do restaurante, sentou-se com Gabriel para sua reunião de rotina. Ele parecia ter perdido, em algum lugar, o untuoso encanto profissional.

– Você se dá conta de que foi no seu território – disse Gleeson.

– Você percebe isso, não?

Era a primeira vez que Gabe o via agir em desacordo com a imagem que gostava de projetar. E o auxiliar de limpeza da noite, sem dúvida, estava no "território" de Gabe. Nesse caso, qual era o motivo da preocupação de Gleeson? Nesse ramo de atividade, enquanto não se vissem todos os ângulos, era melhor manter a boca fechada. Gabe bateu de leve no vaso de cristal que estava na mesa entre os dois.

– Flores de plástico – disse ele – são para restaurantes de beira de estrada e funerárias.

Gleeson coçou o couro cabeludo e examinou ligeiramente as unhas.

– Sim ou não, Chef? Sim ou não?

Seus olhos eram de um azul apagado e vigilantes de um modo que lançava suspeitas sobre ele. O cabelo, porém, ele usava com um repartido lateral nítido e uma retidão fervorosa, como se toda a sua simulação de honra dependesse dele.

Gabe olhou para o restaurante vazio, por sobre as toalhas de mesa de um leve tom rosado e as cadeiras de espaldar de couro; os talheres que cintilavam aqui e ali nas nesgas do sol de outono; o candelabro, feio como uma idosa coberta de joias; o bar de carvalho polido que, sem um único cotovelo apoiado, estava escuro demais e contaminado demais pela solidão para que se conseguisse olhar para ele por muito tempo. Nas circunstâncias, decidiu Gabe, não era prudente fazer a menor concessão.

– Na reunião de "alimentos e bebidas", há pelo menos uns três meses. Você concordou, nada de flores de plástico.

– São de seda -- disse Gleeson, com acidez. – Seda, por favor. Nunca usei plástico no meu restaurante.

– Agora, pensando bem – disse Gabe –, havia algumas outras coisas...

– Chef. – Gleeson entrelaçou os dedos. – Você é um homem direto. Eu sou um homem direto. Nada de rodeios. – Ele inclinou a cabeça e filtrou suas palavras através do sorriso. Era assim que cumprimentava fregueses, entrando discretamente, com as mãos unidas e a cabeça inclinada para um lado. – Um cadáver *no recinto*. Esta não me parece uma boa hora para tratar de pimenteiros.

Seu tom era ao mesmo tempo bajulador e desdenhoso, o tom reservado para a turma que jantava antes do teatro, turistas e qualquer um – facilmente identificado pelo jeito de não parar de olhar em volta – que tivesse juntado dinheiro para ir ali.

– Pelo amor de Deus, Stanley. Eles o levaram embora.

– É mesmo? – disse Gleeson. – É mesmo? Eles o levaram embora? Bem. Isso resolve tudo. Que idiotice minha fazer você perder tempo. – Ele se levantou. – Estou lhe dizendo, Chef... escute... – Olhou fixamente para Gabe e então abanou a cabeça. – Merda.

– Ajeitou as abotoaduras e saiu arrogante, resmungando, tremendo como um rabo de gato.

Gabe voltou para o escritório e apanhou o arquivo de banquetes. Remexeu os papéis e encontrou a folha que procurava. Lançamento de Produtos Sirovsky. Abaixo do título "Menu", Oona tinha escrito "Canapés: rolinhos primavera, salmão defumado, quadradinhos de quiche, guacamole, volovãs (camarão), minimusses de chocolate". Sua letra era enlouquecedoramente infantil. Olhar para a letra fazia pensar em Oona chupando a ponta do lápis. Ele riscou a lista com uma linha preta e grossa. Verificou o orçamento por cabeça, a equipe com que poderia contar e a seção de comentários. "Vamos caprichar ao máximo nesse caso." O sr. Maddox demonstrava um interesse especial. Caprichar ao máximo. O que isso queria dizer? Caviar e azeite de trufas? Lucros e perdas que se danem? Gabe suspirou. Não importava o que aquilo significasse, não eram quadradinhos de quiche, nem volovãs de camarão.

O escritório era um cubículo de divisórias brancas no canto da cozinha, com um excesso de dutos de ar-condicionado e uma janela voltada para o campo de batalha. Além da mesa de trabalho e da cadeira de Gabe, o arquivo e um suporte para a impressora, havia lugar apenas para outra cadeira de plástico, espremida entre a mesa e a porta. Às vezes, quando estava ocupado fazendo pedidos de compras ou preenchendo escalas de horário, Gabe deixava o telefone tocar até ele apitar e iniciar a mensagem. *Você ligou para o escritório de Gabriel Lightfoot, chef executivo do Imperial Hotel, Londres. Queira deixar seu nome e número depois do sinal, e ele lhe ligará de volta assim que possível.* Ao escutar essa mensagem, daria para pensar que o escritório era outra coisa, que ele era outra pessoa, totalmente diferente.

Levantando os olhos, Gabe viu Suleiman trabalhando firme na sua *mise-en-place*, picando chalotas e, com um único movimento da lâmina larga da faca, despejando-as numa caixa plástica. Victor veio da despensa, trazendo uma baguete. Ele se postou atrás de Suleiman, prendeu o pão entre as coxas e, segurando os ombros de Suleiman, mirou a baguete no traseiro do colega. Em todas as cozinhas, tinha de haver um. Tinha de haver um palhaço. Suleiman largou a faca. Ele agarrou a baguete e tentou enfiá-la pela goela de Victor.

Até mesmo ontem, depois de Benny ter descido às catacumbas à procura de veneno de rato e ter voltado com a notícia; depois que Gabe tinha visto Yuri com seus próprios olhos; depois da chegada da polícia; depois que o sr. Maddox em pessoa tinha descido para avisar que o restaurante ficaria fechado e para falar a todos sobre suas responsabilidades naquele dia; mesmo depois de tudo isso, Victor precisou agir como um palhaço. Ele foi se aproximando de Gabe, com um sorriso e uma piscada de olho, um rubor forte nas bochechas de colegial, como se a morte fosse uma distração pequena porém bem-vinda, como um pouco de busto avistado por acaso ou o relance de um top transparente.

– Quer dizer que ele estava nu, o velho Yuri? – Victor estremeceu e então fez o sinal da cruz. – Acho que ele estava esperando a namorada. Você concorda, Chef, hein? O que acha?

Naturalmente, a primeira coisa que Gabe fez foi chamar o gerente-geral, mas só conseguiu o subgerente de Maddox. O sr. James insistiu em vir ver por si mesmo, chegando com uma prancheta encobrindo o tórax como um escudo. Ele entrou no porão e desapareceu. E Gabe achou que aquilo poderia durar para sempre. Quantas olhadas num cadáver eram necessárias para a morte se tornar um fato estabelecido? Ninguém disse que lá embaixo estava o monstro de Loch Ness. Ele sorriu consigo mesmo. No instante seguinte, foi dominado por uma onda de pânico. E se Yuri não estivesse morto? Benny tinha lhe dito com uma certeza tranquila e inquestionável que Yuri tinha morrido. Mas e se ainda estivesse vivo? Havia uma poça de sangue em torno da sua cabeça, e ele não parecia uma criatura viva porque as pernas e o tórax estavam azuis; mas quem não estaria frio, esticado nu e sangrando, no piso gelado da catacumba? Gabe deveria ter procurado ouvir seu pulso. Deveria ter posto alguma coisa macia por baixo da cabeça de Yuri. No mínimo deveria ter chamado uma ambulância. *Eu deveria ter lhe enviado um médico, Yuri, não o sr. James com sua maldita caneta-tinteiro Montblanc e sua prancheta de executivo de couro.*

O subgerente estava demorando. Gabe permaneceu em pé na cozinha com seus chefs. Os *commis*, reunidos em torno de uma lata de lixo aberta, transbordante de cascas, mordiam a língua, coçavam o nariz ou mexiam nas suas espinhas. Damian, o mais jovem, um magricela de 17 anos, passava a mão pela lata como se estivesse pensando em mergulhar ali dentro e esconder sua carcaça lastimável por baixo da pilha em decomposição. Endireite-se, pensou Gabriel. Em outra ocasião, ele poderia ter dito aquilo em voz alta. Ocorreu-lhe que Damian era o único outro cidadão inglês que trabalhava na cozinha. *Não deixe os outros na mão, garoto.* Era um pensamento ridículo. O tipo de coisa que seu pai diria. Gabriel ficou olhando para Damian até Damian não poder deixar de olhar de volta para ele. Gabe sorriu e lhe deu um cumprimento de cabeça, como se quisesse fornecer algum tipo de enrijecimento àquele esqueleto borrachudo de 17 anos. O rapaz passou a agitar a mão dentro da lata, e o tique no seu olho direito começou. Meu Deus, pensou Gabe, e seguiu para o setor de molhos para tirar o garoto do seu campo visual.

Os *chefs de partie*, Benny, Suleiman e Victor, estavam enfileirados encostados na superfície de trabalho, com os braços cruzados, como se estivessem iniciando uma greve não programada. Mais além deles, Ivan ainda trabalhava, dourando pernis de cordeiro que seriam assados na panela. Ivan era o especialista em grelhados. Seu posto de trabalho, à frente da cozinha, perto da janela, incluía uma enorme salamandra, uma grelha tostadora com três queimadores, fogão de quatro bocas e uma chapa dupla. Ele os mantinha em fogo alto. Na testa, usava uma bandana que absorvia parte da sua transpiração, mas de modo algum toda. Ele se orgulhava da quantidade de sangue que conseguia limpar dos dedos passando para seu avental. Trabalhava em turnos separados, almoço e jantar, seis dias na semana; e a não ser pela turma que entrava às cinco da manhã para grelhar salsichas e fritar ovos para o bufê do café da manhã, ninguém tinha permissão de invadir o território de Ivan. Gabriel gostava de fazer rodízio de chefs pelos setores, Benny em entradas frias e sobremesas num mês; Suleiman, no mês seguinte; mas Ivan era irredutível.

– Nenhum outro conhece bife como eu, Chef. Não me ponha picando folhagem para coelhos.

Ele tinha uma orelha deformada por um soco, malares fortes de origem eslava e um sotaque ainda mais forte, com as consoantes retinindo umas contra as outras como moedas soltas numa bolsa. Gabe decidira de imediato mudá-lo dali mas ainda não tinha levado a cabo a decisão.

De repente, cheio de impaciência, Gabe foi na direção da porta do porão. Ele desacelerou e acabou parando junto do refrigerador para refrigerantes e sobremesas lácteas. Se Yuri não estivesse morto, o subgerente estaria lhe dando primeiros socorros e lhe aplicando um interrogatório cerrado, fazendo todas as coisas que Gabriel deveria ter feito, antes de voltar correndo lá para cima para relatar ao sr. Maddox todas as coisas que Gabriel tinha deixado de fazer. Gabe estava perplexo com a enormidade de sua falha gerencial. Ele estava ali não porque quisesse estar, mas somente para se provar. Mostre-nos, disseram os que pretendiam financiar para ele um restaurante próprio. Administre uma cozinha com essa escala, e nós entramos com o dinheiro. Trabalhe lá um ano e transforme o estabelecimento num negócio lucrativo. É claro que eles ouviriam rumores. Todo mundo nessa maldita atividade saberia. E o que ele diria ao sr. Maddox? Como haveria de explicar? Dar por perdida uma banda de salmão, digamos, sob suspeita de furto, só para encontrá-la no depósito errado, já seria bastante desagradável; mas relatar a morte de um empregado e depois esse empregado se apresentar vivo, mesmo que não exatamente bem, isso era uma incompetência de um grau totalmente diferente. Que se danem Benny e sua certeza idiota. O que fazia dele um especialista em morte? Gabe tocou a coroa da cabeça no local onde um buraquinho de calvície tinha surgido recentemente. Que se dane aquele Yuri também. Ele se encostou no refrigerador, fazendo uma careta e engolindo em seco, como se a preocupação fosse alguma coisa que precisasse ser mantida bem lá embaixo, em algum ponto do trato intestinal.

Quando o subgerente passou pela porta, Gabe o examinou rapidamente em busca de sinais. Os dedos do sr. James tremiam enquanto ele digitava números no celular, e o rosto estava extraordinariamente branco, como se também ele tivesse sangrado no piso de cimento. Graças a Deus, pensou Gabriel, preparando-se para agir com autoridade. Tentou lamentar ter xingado Yuri, mas tudo o que conseguiu sentir foi alívio.

A ambulância e dois policiais, uma patrulha pedestre local, chegaram ao mesmo tempo. Os socorristas declararam morto o auxiliar de limpeza, mas, por algum tempo, tudo o mais foi uma confusão. O patrulhamento pedestre passou uma mensagem por rádio para um sargento que, por sua vez, chamou a Equipe de Avaliação de Homicídios. À altura em que Maddox chegou da sua reunião, já havia uma meia dúzia de policiais na cozinha.

– Que bagunça é essa aqui? – disse ele, como se considerasse Gabriel pessoalmente responsável.

– Tranquem aquela porta dos fundos – disse o sargento. – A saída de incêndio também. Acabei de descobrir uma pessoa tentando escapar de mansinho.

Um dos caras à paisana – rapidamente Gabriel tinha perdido a noção de quem era quem – batia numa superfície de trabalho com uma colher ranhurada.

– Todo mundo precisa ficar aqui. Vamos conversar com cada um de vocês, individualmente. E não estou interessado nos seus papéis. Não estou aqui para isso.

O sr. James deu o melhor de si para aparentar autoridade, esticando-se até sua altura total.

– Todos os nossos funcionários têm registro na previdência social. Posso lhes garantir isso. É fato.

O policial não fez caso dele.

– Como vocês chegaram aqui não me interessa. Estamos aqui para cumprir uma tarefa. Aqueles que estiverem preocupados com

a documentação podem parar de se preocupar agora. Porque *nós* não estamos preocupados com *vocês*. Entenderam? Só queremos saber o que vocês sabem. Ficou claro para todo mundo?
– Com mil demônios, o que está acontecendo aqui? – disse Maddox.
Agora não havia bate-papo na cozinha, apenas uma fileira de rostos vigilantes. Um policial veio saindo do porão e pediu a Maddox e Gabriel que entrassem no escritório de Gabe.
– Parks – disse ele. – Sou o investigador-chefe nesse caso.
– Caso? – estranhou Maddox. – Que caso?
Parks forçou um leve sorriso.
– O oficial de plantão, aquele sargento ali, não gostou do quadro. E assim que alguém tem alguma suspeita, já estamos lidando com um local de crime, e o registro de ocorrências começa a funcionar.
– Ele caiu ou foi empurrado? – disse Maddox, fervendo de raiva.
– Faça-me o favor.
– Por sinal – disse Parks –, concordo com você. Vou lhe dizer o que causou a confusão. Uns respingos no chão e uma mancha na parede também.
– E o que isso significa? – perguntou Gabe.
Parks bocejou.
– Além do sangue empoçado junto da cabeça, há algumas manchas espalhadas no lugar. Como as que surgiriam se alguém recebesse um golpe na nuca, por exemplo.
– Você não está dizendo... – começou Maddox.
– Não estou. O ELC já tirou uma amostra. Encarregado do Local do Crime. Nós gostamos mesmo das nossas siglas.
– E os respingos? – perguntou Gabe.
– Ele bebia um pouco, não bebia? Encontrei algumas garrafas vazias lá embaixo. É provável que o que aconteceu tenha sido um escorregão, um corte na cabeça, depois ele se levantou, cambaleou um pouco de um lado para outro e caiu de novo no chão. Não culpo o oficial de plantão pelo chamado. Mas, quando chegar um especialista em ATS lá embaixo... alguém já deve estar a

caminho agora... – Ele deu uma olhada no relógio de pulso. – Análise da Trajetória do Sangue. Quando meu cara da ATS chegar lá embaixo, aposto que é isso o que ele vai dizer.

– Quer dizer que isso tudo é uma formalidade? – disse Maddox.

– Nenhum sinal de roubo nem nada semelhante. Parece que os pertences dele nem foram tocados. É claro que vamos ser meticulosos. Uma vez que se dê o primeiro toque na bola, sabe, é preciso trabalhar até o final.

– Vamos poder abrir novamente amanhã? – perguntou Maddox.

O detetive enfiou as mãos nos bolsos da calça. Para Gabriel, ele parecia um pouco decepcionante com a calça de brim cáqui e o paletó esporte gelo.

– Não vejo por que não – disse Parks. – Logo o corpo já deverá estar fora daqui. O encarregado do local do crime tem de ensacar a cabeça e as mãos e, então o corpo poderá ir para a autópsia. Por enquanto, o cordão de isolamento daquela área será mantido.

– E a autópsia é o fim da história? – perguntou o gerente-geral.

– O legista vai apresentar suas impressões iniciais: lesões compatíveis com uma queda, esse tipo de coisa, abrir uma investigação e suspendê-la para aguardar o relatório final da polícia.

– E os resultados da autópsia voltam para suas mãos quando?

– A menos que a análise do trajeto do sangue revele alguma surpresa, o caso não vai ser encarado como urgente. Se houver motivo, podemos processar tudo em 48 horas. Se não, é mais tipo cinco ou seis dias. Ah, parece que o cara do trajeto do sangue chegou. Imagino que tenham chamado a vigilância sanitária.

– Ah, sim – disse o sr. Maddox, em tom severo. – Chamamos a prefeitura. Chamamos a defesa civil. Ainda não chamamos a marinha, mas, fora a marinha, chamamos todo mundo.

Gabe olhou a hora. Quase 10:30. Ele estava sentado no escritório havia mais de meia hora sem ter conseguido fazer nada. Tentou se lembrar da última vez que tinha falado com o ucraniano. Uma conversa sobre a gordura nas coifas do exaustor, mas isso tinha sido mais de um mês atrás. "Sim, Chef", Yuri teria dito. "Pode deixar comigo, Chef." Alguma coisa semelhante. Não havia muita ocasião para um chef executivo falar com um auxiliar de limpeza noturno a menos que o auxiliar estivesse causando problemas. E Yuri, até ontem, não tinha causado problema algum.

Oona bateu e entrou no escritório, tudo num único movimento atabalhoado. Ela espremeu o traseiro para caber na cadeira de plástico laranja.

– Tô animando o pessoal ali fora com umas orações.

Sua voz era invariavelmente estrangulada, como se ela mal estivesse conseguindo se impedir de rir, chorar ou gritar. Ela pôs os cotovelos na mesa e pousou o queixo nas mãos.

Não estamos aqui para tomar chá com bolinhos, pensou Gabe. Oona tinha alguma coisa que o deixava furioso. Não era o fato de ela frequentemente se atrasar para o trabalho, nem seu jeito pouco eficiente de trabalhar; não era que sua ideia de um jantar requintado fosse ensopado com nhoques e *um raminho de salsa por cima*. Nem era mesmo o fato de ela não conseguir preparar uma isca de peixe que fosse sem meter os pés pelas mãos. Ele tinha trabalhado com cozinheiros mais preguiçosos, menos inteligentes, cozinheiros que se disporiam a servir uma tigela de vômito se achassem que poderiam se safar sem problemas. O que o ofendia em Oona era simplesmente sua domesticidade. Quando ela entrava de supetão no seu escritório e se sentava, era como se tivesse acabado de entrar em casa, vindo das compras, louca por um chá e um papo. Seu jeito de falar, seu jeito de andar, seu jeito de apertar o busto quando estava pensando, tudo nela, no fundo, era de uma domesticidade irredutível e inescapável. Pela experiência de Gabe, as mulheres que trabalhavam em cozinhas – e havia algumas – trabalhavam mais que os outros, xingavam mais alto e contavam as piadas mais imundas. Não se tratava de querer ser como os rapazes, não necessariamente – elas também paqueravam feito loucas –, mas demonstrava que conheciam as regras do jogo. A cozinha profissional não era igual a uma cozinha doméstica. As duas eram totalmente diferentes. Só Oona – que, por estar no mesmo lugar, por bem ou por mal, havia quase duas décadas, tinha chegado à posição de *sous-chef* executiva – parecia não se dar conta da distinção.

Ele enfiou a mão na gaveta da mesa em busca da escala do pessoal, e mais uma vez notou como a fórmica estava começando a rachar e as marcas feitas na base de compensado, segundo diziam, colocadas ali pelo chef anterior, que estava contando os dias que tinha passado sóbrio no trabalho (um total de nove); quando se voltou para Oona, estava muito empertigado e correto, como se isso pudesse dissuadi-la de se derreter por cima da mesa toda.

– Existem muitas religiões diferentes aqui dentro, Oona. Você precisa tomar cuidado para não ofender alguém.

– Bobagem – disse Oona, mostrando o dente de ouro. – O bom Senhor não se importa com as palavras. Desde que ouça a prece.

– Não era nele que eu estava pensando – disse Gabe, perguntando-se, não pela primeira vez, se deveria se livrar dela ou se não valeria a pena dar-se a esse trabalho.

– Bem, querido – disse Oona –, é exatamente esse o problema.

Dai-me forças, pensou Gabe.

– Certo – disse ele, com firmeza –, hoje foi um dia difícil. Dá para você ligar para a agência e pedir alguém para cobrir o Yuri? Para o Benny, também. Ele está em casa, se recuperando do... choque.

Na realidade, Benny não queria tirar o dia de folga, mas Gabe tinha lhe dado a ordem, sabendo que, se não fosse assim, o DP encararia com suspeita.

– Coitadinho, ta-di-nho – disse Oona. As palavras formavam pequenas explosões nos seus lábios, de tal modo que pareciam ter sido forçadas a sair do corpo por uma série de golpes dados no peito. Ela levantou os olhos para o céu.

– É – disse Gabe, embora ainda estivesse por ser explicado por que Benny estava perambulando pelos corredores subterrâneos, conhecidos como "as catacumbas", muito adiante do depósito de secos e das câmaras frigoríficas, muito depois de qualquer lugar onde fossem guardados mantimentos. Ocorreu a Gabriel que, não fosse Benny, Yuri talvez não tivesse sido encontrado, pelo menos não por um bom tempo. Que estupidez, quanta estupidez, pensou ele, sem saber exatamente o que queria dizer.

– Na minha folga – disse Oona. – É claro que tudo acontece no dia da minha folga.

Gabe refletiu um pouco sobre isso. Oona parecia estar dizendo que, se não fosse seu dia de folga, tudo teria dado certo. Ou talvez ela apenas estivesse lamentando perder parte do drama.

– Precisamos manter nossa atenção no trabalho – disse ele.

– Certo, Chef – respondeu Oona.

Ela sorriu, enrugando os olhos amendoados. Seu rosto de pele lisa e rechonchuda, com uns salpicos de sardas de garota de um lado a outro do nariz, era muito mais jovem que seus 55 anos. Não havia traço de grisalho no cabelo que ela usava cortado curto bem acima das orelhas pequenas. Ela mantinha prendedores de cabelos com strass presos ao uniforme de chef e presumivelmente os aplicava a cada lado da cabeça depois do trabalho. Era gorda, mas de algum modo a gordura lhe emprestava um ar mais jovem, como se fosse algo que ela superaria ao se tornar adulta.

– O pobre coitado do Yuri – disse ela –, morando lá embaixo como um rato velho. Há quanto tempo você acha que ele tava lá, hein?

– Oona – disse Gabe, procurando um modo de manter a conversa num rumo adequado –, a polícia está investigando tudo isso.

Oona tirou um sapato e começou a massagear o peito do pé. Seus pés pareciam estar de acordo com sua idade. Eram tão largos que eram praticamente quadrados; e os sapatos pretos sem salto que ela usava para trabalhar estavam esgarçados nas costuras.

– Vão me entrevistar hoje de tarde. Foi o que o sr. Maddox disse de manhã. Meu Deus... – disse ela, enfiando o pé à força no sapato. – Só Deus sabe o que aconteceu.

– Na realidade, está bastante claro – disse Gabe. Parks parecia um burocrata, mas era evidente que ele conhecia seu trabalho. A análise do "local do crime" tinha confirmado sua teoria, e não haveria pressa com a autópsia. – Yuri estava morando no porão. Lá embaixo, ele tinha um colchão e tudo o mais; do outro lado das lixeiras, onde antigamente ficava o escritório geral do hotel. Ele tomava banho no banheiro dos garçons. É provável que tivesse bebido. Estava voltando para o quarto, escorregou, bateu com a cabeça, morreu. Trágico, sim. Misterioso, não, de modo algum.

– Só Deus sabe – repetiu Oona.

Gabe apanhou uma caneta, pressionou o alto para liberar a ponta e pressionou de novo para recolhê-la. Ele se perguntava o que seria que Gleeson não podia sair dizendo a respeito de Yuri. Tinha certeza de que Gleeson estava envolvido de algum modo. Por que outro motivo ele teria ficado tão nervoso? Tudo se revelaria com o passar do tempo. Gabe apertava a tampa da caneta repetidamente. Clique, clique, clique, clique, clique.

– Não se preocupe, querido – disse Oona, dando-lhe um tapinha na mão. – Todos nós tamos sentindo o mesmo, sabia?

– Podemos continuar? – disse Gabriel. – Ainda temos muito pela frente.

– É, é, é. Eu sei. – Ela contorceu o traseiro para tentar se acomodar melhor, tarefa difícil nas circunstâncias, estando fincada entre a mesa e a porta. – Mas o Yuri era um amor. O que ele estava pensando? Lá embaixo não é nenhum hotel.

Era isso. Se alguma coisa cheirava mal, bastava seguir o rastro, e o rastro levava a Gleeson. Gleeson estava envolvido em todas as falcatruas possíveis, e mais algumas.

– Se você quer saber, eles vão bem levar um processo na bunda.

– Quem? Quem vai processar? Seja como for, ele nem deveria *estar* lá embaixo.

Por um instante, ele tinha tido a certeza de que Gleeson estava alugando o espaço para Yuri, talvez cobrando um pouco mais pelo colchão, mas agora a ideia parecia ridícula. Aquelas garrafas vazias de Rémy Martin. Não se compra conhaque de qualidade com o salário de auxiliar de limpeza noturno; pelo menos, não ao preço de mercado. Mas o assunto não dizia respeito a Gabe. Iria haver um inquérito. Que eles descobrissem o que precisavam saber. Que o sr. Maddox descobrisse o resto.

– Humm – disse Oona, aparentando satisfação. – Vão bem levar um processo na bunda.

– Até pode ser – respondeu Gabriel. – Agora precisamos nos preocupar é com a atualização da escala do pessoal.

– Nikolai vai cobrir a falta de Benny – disse Oona. – Ele sabe direitinho o que tem que fazer.

Nikolai, um dos *commis*, era inferior a Benny, mas Oona estava com a razão: ele era mais do que capaz.

– Liguei para a agência faz uma hora mais ou menos – prosseguiu Oona. – Dois auxiliares de limpeza tão vindo.

– Dois? Quem mais está faltando?

– A garota. Como é mesmo o nome? Sabe? A que lavava as panelas e tudo o mais? – Ela coçou o seio enquanto pensava. – Ai, é tão magra essa garota que dava para passar por baixo de uma porta. Tão magra que é difícil de ver. Dá vontade de fazer ela sentar com algum prato quente e gostoso e dizer, pelo amor de Deus, criança, come alguma coisa! Come agora!

– Ela avisou que está doente? – Gabe olhou a hora. Essa manhã de caridade tinha de chegar ao fim.

– Lembrei... É Lena – disse Oona, rindo. – Ah, posso garantir que é mais magra que eu.

– Ela avisou que está doente? – repetiu Gabe. Ele se lembrava vagamente dessa Lena magricela.

– Não – respondeu Oona –, mas ninguém viu ela por aqui ontem, foi o que me disseram, e ela não se apresentou hoje para o turno. Vai ver que está apavorada, com tudo isso que tá acontecendo, sabe?

– E você ligou para a casa dela? – perguntou Gabe.

Oona olhou para ele e franziu os lábios, obviamente tentando decidir se ele estava maluco ou simplesmente brincando. Dando-lhe um voto de confiança, ela começou sua risada grave e gutural.

– Ora, vamos.

Gabe tinha a impressão de que Oona não ria como as outras pessoas riem. Outras pessoas riem com educação ou grosseria, com sarcasmo ou cumplicidade, sem conseguir se controlar, irremediavelmente, com tristeza ou alegria, dependendo da situação. Mas Oona tinha apenas uma risada, como se fosse uma resposta a uma piada cósmica interminável.

– É claro que ela não tem telefone – disse ele. Fosse como fosse, de nada adiantava tentar arrancar números de telefone de auxiliares de limpeza. Se você conseguisse fazer a ligação, quem atenderia seria alguém que não sabia falar inglês. Ou alguém que, num inglês capenga, negaria veementemente que a pessoa em questão tivesse posto os pés na Grã-Bretanha, muito menos na casa dele. – Ela é de agência ou da casa?

Oona pensou um instante. Gabriel olhou para a área da cozinha e viu Victor esvaziando um saco de batatas fritas congeladas numa fritadeira industrial. Batatas congeladas estavam proibidas. Todos os legumes congelados estavam proibidos desde que Gabriel assumiu o comando, cinco meses atrás. Mas lá estava Victor, o espertinho, aprontando como se nenhuma lei se aplicasse a ele.

– Veio pela agência – Oona estava dizendo –, é isso mesmo. – A frase terminou, mas ela continuou, murmurando e fazendo que sim, pequenos sons delicados e tranquilizadores, quase inaudíveis, como se tivesse pressentido sua ira cada vez maior e quisesse abafá-la com esses murmúrios.

– Se ela aparecer, pode mandar sumir de novo. Não tolero esse tipo de coisa.

– Vai precisar dar advertência – disse Oona. – Precisa de duas ou três advertências.

– Não – disse Gabe. – Ela é só de agência. – Ele deu de ombros para mostrar que não estava fazendo nada daquilo por prazer. – Sinto muito, Oona, mas ela está na rua.

A cozinha, junto com todo o resto do Imperial Hotel, era um produto da era vitoriana. No entanto, enquanto o saguão e os salões de festas, os quartos e banheiros, as escadarias, corredores e vestíbulos tinham todos sido transformados em espaços do século XXI dentro de uma carcaça do século XIX, a cozinha, apesar de numerosas reformas e renovações, mantinha sua aparência de instituição de trabalhos forçados, a marca indelével de gerações de labuta. Era um ambiente grande, de pé-direito baixo; mais ou menos quadrado com duas extensões estreitas, a primeira contendo a área de preparação de legumes, a outra abrigando as máquinas industriais de lavagem de louça, cada uma exclusiva para pratos, copos e panelas. Mais adiante das lava-louças e das pias, havia um corredor curto que levava para a plataforma de descarga de mercadorias, onde caminhões estacionavam desde as primeiras horas da manhã até o final da tarde. Era ali que Ernie ("móveis e utensílios" da casa até mesmo em comparação com Oona) corria de um lado para outro entre o minúsculo barraco pré-fabricado onde suspirava com sua poesia e o computador que o matava de medo. Voltando ao interior do hotel, mas ainda numa extensão da cozinha principal, imediatamente antes de chegar aos escritórios repletos de assistentes de marketing jovens e sorridentes, estava a cozinha de confeitaria. Ao contrário do ar na cozinha principal, o ar aqui era permanentemente fresco, em tese por conta da natureza do trabalho, mas, sempre que Gabe entrava ou mesmo passava por ali, ele não podia deixar de sentir que a temperatura era motivada pelo Chef Albert, cujo hálito gelado conseguia enregelar o coração mais afetuoso.

Dali onde estava parado agora, de costas para a janela e com as mãos na beira da prateleira aquecida que se estendia por dois terços do recinto, Gabe não tinha como enxergar os cantos mais distantes dos seus domínios. Podia ver a despensa, os setores de molhos, peixe e de carne. Podia ver a pequena plataforma de trabalho onde um dos *commis* preparava uma sequência interminável de hambúrgueres com fritas para o serviço de copa, girando para lá e para cá entre a superfície de trabalho de aço inoxidável e as cestas de fritura e a chapa, dando voltas, como um cachorro procurando se acomodar para um cochilo. E dali ele podia ver como as décadas de reformas desprovidas de entusiasmo, de arestas mal alinhadas e confusão de equipamentos, davam ao lugar um tipo de aparência desesperada, como se ele mal conseguisse se manter em funcionamento.

Até mesmo o piso, pensou ele, não tem mais jeito. Os ladrilhos, calculou, tinham sido aplicados nos últimos anos, pedra marrom-avermelhada adequada para uso constante. Mas eles não chegavam a atingir as bordas e os cantos, onde dava para encontrar vestígios arqueológicos de ardósia, cerâmica e linóleo. Quando havia movimento na cozinha, com o girar das facas e as batidas das panelas, quando os bicos dos fogões chiavam e se abriam em chamas, quando os pratos brancos desfilavam, quando os chefs gritavam ordens, insultos e piadas, desviando-se e se curvando, executando a moderna dança da culinária, o lugar se transformava.

Hoje, porém, a hora do almoço estava morta. Um dos auxiliares de limpeza, um filipino usando um macacão verde-escuro, empurrava um esfregão pelos ladrilhos, tão distraído que o esfregão é que parecia um ser animado, puxando o auxiliar. Na parede dos fundos salpicada de gordura, pintada de um verde-acinzentado neutro, um cartaz da saúde do trabalho e uma foto de uma modelo, arrancada da página três, ondulavam na corrente de ar viciado do ventilador elétrico. Em grupos de dois e três, debaixo das lâmpadas fluorescentes sugadoras de energia vital, os chefs fofocavam e planejavam pausas para um cigarro. Que lugar, pensou Gabe, olhando para o outro lado, para a porta dos fundos fechada com grade e trancada e para a janela bloqueada, sem luz. Que lugar: em parte prisão, em parte hospício, em parte salão comunitário.

A impressora que ficava na janela e estava ligada à caixa do restaurante começou a chiar. Gabriel pegou a lista.

– Todos a postos – gritou ele. – Um *consommé royale*, dois de espadilha, um de salmonete, um à caçadora, um *ossobuco*. Já.

– Chef – disse Suleiman, aproximando-se com um recipiente de *Tupperware* –, andei mexendo na guarnição do *consommé*. Uma mistura de azedinha e cerefólio picados. – Ele exibiu o conteúdo do recipiente e deu um beijo no polegar e indicador. – Muito, muito saboroso. Você concorda?

Suleiman era da Índia. Tinha passado menos de três anos na Inglaterra e seu inglês já era melhor que o de Oona. Era a única pessoa na cozinha que demonstrava algum interesse pela comida.

Um *consommé royale* não incluía uma guarnição daquelas. Ela o transformaria num *consommé julienne*. Mas Gabe não quis desanimá-lo.

– Certo – disse ele. – Bom trabalho, Suleiman.

Suleiman sorriu. Embora trouxesse ao sorriso a mesma atitude metódica com que executava todas as tarefas, esticando muito os lábios para mostrar os dentes, abaixando a cabeça e enrugando os olhos, tudo isso contribuía pouco para amenizar a seriedade da sua expressão. Mesmo usando o chapéu branco de chef, o jaleco e o avental, mesmo com suas pernas curtas – ligeiramente arqueadas – em calças azuis axadrezadas e com uma frigideira na mão, Suleiman não parecia ser um chef. Parecia um vistoriador de perdas, disfarçado.

Gabriel resolveu dar uma volta pela cozinha e passou por Suleiman, dando-lhe um tapinha nas costas.

Na despensa, Victor estava à toa, batendo com os calcanhares na geladeira por baixo da superfície de trabalho. Ele era um desses rapazes que confundem sua frustração e energia nervosa com carisma, o que tornava impossível gostar dele. Por seu jeito de ficar ali em pé, projetando o queixo e inclinando a pelve, parecia que ele estava se imaginando em um beco na Moldávia, esperando pelo início de alguma atividade ilícita.

– Muito ocupado? – perguntou Gabriel.

– Qual é seu time? – disse Victor.

– O quê?

– Time. *Clube*. Futebol.

Victor usava água-de-colônia e tirava os pelos entre as sobrancelhas. Era óbvio que o garoto estava apaixonado por si mesmo.

– Rovers – disse Gabriel. – Os Rovers de Blackburn.

Victor fez um gesto que indicava sua opinião dos Rovers como uma equipe apenas medíocre.

– Meu time é o Arsenal. Lá no meu país, é o Agro.

– Faz sentido – respondeu Gabriel. – Perdoe-me por dizer isso, mas não existe nada que você deveria estar fazendo agora?

– Não – disse Victor. – O quê?

– Trabalho – respondeu Gabriel. – É para isso que estamos aqui. Lembra? É para isso que eles nos pagam.

– Fica frio, cara – disse o moldávio num sotaque americano idiota. – Olha – continuou ele, com um gesto abrangente –, *tudo* pronto.

Gabriel examinou as tinas de saladas e guarnições. Abriu as portas das geladeiras e fez uma contagem rápida das entradas frias: torres de berinjela e mozarela, além de leques de melão com presunto de Parma.

– Certo – disse ele. – Muito bem. – Num impulso, ele enfiou uma colher na *gremolata* para prová-la. – Não, acho que não está certo. Está faltando alguma coisa aqui. – Ele tirou mais uma prova.

– E o filé de anchova?

– Chef – disse Victor, cruzando os braços –, não temos filé de anchova. Se quiser, faço o pedido.

– Verifique o depósito de secos lá embaixo.

Victor olhou para o chão.

– Não tenho o dia inteiro – disse Gabe. – A *gremolata* vai no ossobuco.

– Chef – disse Victor. Ele levantou as palmas das mãos e abriu um sorriso, atuando com a ilusão de que, com seu charme, ele poderia sair de qualquer situação.

– Agora – disse Gabriel, mantendo a voz baixa.

Ele decidiu (o que foi uma decisão tática) que, se a palhaçada continuasse, simularia um ataque. Gabe nunca, quase nunca, perdia o controle. Mas às vezes fingia que perdia.

– Não desço lá nem morto – disse Victor. – Me dá um pavor, cara. Quer dizer que ele caiu em algum tipo de maçaneta? Ela saiu pela parte de trás da cabeça?

– Victor...

Mas Victor não conseguia parar de falar.

– Merda – disse ele, errando a pronúncia. – Tem que ter respeito pelos mortos, sabia? Respeito, entendeu o que eu estou dizendo? – Ele passava muito tempo vendo filmes americanos. DVDs pirateados, sem dúvida.

– Estou lhe dando uma ordem – rosnou Gabriel. – Trate de obedecer.

Ele crispou os lábios. Seu pai costumava perder as estribeiras por nada. De zero a sessenta em três segundos. Ele entrava em casa depois de um dia difícil na Rileys e sentava junto da lareira a gás, folheando o jornal local e arrastando os pés. "*Chá servido às seis. É pedir demais?*" Geralmente mamãe passava por cima. Às vezes, ela berrava: "É!" E então ele subia pelas paredes, calando a boca da casa inteira com seus gritos, tremendo, tremendo mesmo, de raiva. Suas orelhas ficavam vermelhas quase até o alto, onde pareciam tão quentes a ponto de emitir um clarão branco. Gabriel esperava que a tempestade passasse, sentado com Jenny no alto da escada. E, embora tivesse uma sensação estranha na barriga, como se estivesse prestes a ter uma crise de diarreia, ele sabia que era o pai que era digno de pena, porque não conseguia se controlar.

Uma nuvem se abateu sobre o rosto de Victor, e ele franziu as feições como se tivessem pulverizado desinfetante em cima dele.

– Sim, Chef – disse ele, cuspindo.

– Não faz mal – disse Gabe, de repente enjoado daquilo tudo.

– Eu mesmo vou lá embaixo.

As paredes da catacumba, tinta branca direto por cima dos tijolos, estavam cravejadas com contas de água, como se perfuradas por lágrimas aqui e ali. Lâmpadas nuas penduradas no corredor lançavam sombras dignas de Dia das Bruxas nas portas. Era o tipo de lugar onde se espera ouvir passos ruidosos e seu eco, mas os tamancos de poliuretano de Gabriel praticamente não faziam som algum no piso de cimento. Ele passou pelos vestiários, um para os rapazes, um para as moças. Alguém tinha feito um furo para espiar de um recinto para o outro, e Gleeson, apesar da falta de provas, demitiu o garçom italiano, talvez por ele possuir um ardente sangue latino. Gabe olhou de relance para o antigo depósito de peixe, com a tinta na porta tão descascada que parecia ter gerado suas próprias escamas. Atualmente, a maior parte do peixe já vem preparada, e somente os filés congelados (permitidos na "torta de peixe") faziam a viagem ao subsolo. O ar ainda tinha um cheiro de maré baixa, de areia e algas ressecadas. Ele foi andando, e o ar, aos poucos, foi ficando mais limpo, até começar o cheiro de alvejante. No andar de cima, em algum lugar, passava um carrinho qualquer. Os canos, dutos e as apavorantes camadas de fiação que encobriam o teto faziam soar um constante pedido de socorro abafado. Virando a primeira esquina, Gabe se perguntou que comprimento as catacumbas teriam se fossem dispostas em linha reta. Seria difícil desenredá-las, com seu arranjo espasmódico, cheio de curvas e becos sem saída.

Também a disposição da cozinha dificilmente poderia ser considerada ideal. Quando ele tivesse seu próprio restaurante, insistiria em começar do zero. Reformar tudo, ele faria questão absoluta.

Charlie queria começar uma família.

– Eu não estou ficando mais nova – dizia ela.

Estava só com 38 anos. Quando se olhava no espelho, sua expressão era de ceticismo, como se a sereia de cabelos ruivos, olhos verdes e pele macia ali no espelho não conseguisse enganar ninguém. Muito menos Charlie. Seu trabalho como cantora em nada ajudava. Havia uma boa quantidade de garotas mais novas por aí.

– Você e esse seu plano idiota – dizia ela, mexendo seu martíni.
– Não conte comigo para esperar sentada.

Gabe achava que a pediria em casamento no dia da assinatura do contrato. Você quer vir morar comigo? É claro que ele sabia a resposta. Eles encontrariam um apartamento novo, talvez à beira-rio, de onde ele pudesse observar as margens lamacentas e a corrente imóvel do Tâmisa. Depois de um ano, quando tivessem certeza, poderiam tentar ter um filho.

Um filho. Ele tocou no ponto de calvície no alto da cabeça e se perguntou se estaria crescendo. Deu-se conta de que estava junto da fita preta e amarela que demarcava o local onde Yuri tinha vivido e morrido. Estava intrigado, sem conseguir se lembrar do motivo pelo qual tinha ido ali. Tinha de haver uma razão. Supôs que pretendia passar ali um momento ou dois, simplesmente prestando uma homenagem ao morto.

– Poderíamos fugir para Tobago – dissera Charlie ao sair do palco. – Você serve as comidas, eu preparo os drinques.

Gabriel olhava fixamente para o chão, a porta de alçapão de aço que assinalava algum depósito de carvão já havia muito tempo esquecido, a maçaneta de lâmina traiçoeira, salpicada com o sangue de Yuri. A porta do velho escritório estava ali aberta, a luz ainda acesa lá dentro. A polícia deixara o colchão e os sacos de dormir. Tudo o mais tinha sido levado: dois sacos pretos de lixo, contendo todos os bens terrenos de Yuri. Gabe se abaixou para passar por baixo da fita e entrou no escritório. Ele apanhou do chão um papel de bala e guardou-o no bolso. O aposento era do tamanho de um quarto de casal, com dois compartimentos providos de prateleiras em paredes opostas. Tinham encontrado ali um fogareiro a gás, um par de panelas, potes e garrafas de bebidas alcoólicas vazias, espuma e um aparelho de barbear, uma muda de roupas, uma caixinha de comprimidos com uma mecha de cabelo dentro e uma fotografia antiga – de uma mulher com covinha no queixo e duas meninas usando casacões.

Quando Charlie acabava de cantar seu último número, as costas doíam de ficar tanto tempo em pé de salto alto. Seus olhos ardiam da fumaça na boate.

– E um cruzeiro? Eu canto, você cozinha. Ou ao contrário, se preferir.

Mais alguns meses, e eles iriam morar juntos. Ela queria encontrar um porto, não sair velejando.

Gabriel olhou em volta. Não sabia o que fazer. Viera prestar uma homenagem a Yuri, mas praticamente não tinha pensado nele. Deveria ter mandado alguém comprar flores. Deixaria um buquê no local. Havia bolor crescendo num canto, e uma das prateleiras parecia um pouco queimada, talvez um acidente com o fogareiro. Graças a Deus, era só a si mesmo que Yuri tinha conseguido matar.

Na manhã do dia anterior, Gabe se aproximou do corpo, parou a uns dois passos de distância e permaneceu ali, com as mãos nos bolsos, esperando alguns momentos vazios antes de se afastar novamente. Yuri estava deitado de costas, com o sangue negro e espesso formando uma espécie de capuz em torno da sua cabeça. Ele tinha pelos brancos no peito, em tufos curtos, parecendo chamuscados. Suas pernas troncudas estavam abertas em direções diferentes como numa tentativa de fazer um espacate, ou algum tipo de dança cossaca. A toalha que ele estivera segurando tinha se enrolado num pé. Uma expressão sábia, o Yuri tinha. Fácil de deixar de perceber num macacão verde de limpeza, mudando gordura de um lado para outro. Mas de algum modo, com ele ali jogado nu, ela não era difícil de perceber; e seus lábios azuis e bondosos estavam separados, como que prontos para dar bons conselhos.

– Não sei – dissera Ivan, quando o detetive lhe perguntou o que sabia sobre a família de Yuri.

– Não, não, nada – dissera Victor, quando lhe perguntaram o que sabia sobre o próprio Yuri.

– Não tenho nenhuma informação a respeito – disse Suleiman.

– Por favor – disse Benny. – Não sei de nada.

Gabe não se saíra muito melhor. Ele entregou os detalhes da agência por meio da qual Yuri tinha sido contratado.

Yuri agora jazia em algum lugar, sem companhia, numa mesa de pedra. Foi, sem dúvida, a solidão que matou Yuri. Por um instante, Gabriel se sentiu desolado. Deu uns chutes no colchão e umas batidinhas na parede, como se estivesse buscando sinais de umidade ou de reboco solto, procurando por um serviço imediato a ser feito. Ele passou a mão por uma prateleira e tirou do lugar um rolo macio de tecido que tinha ficado preso entre a prateleira e a parede. Uma meia-calça preta transparente, enrolada numa bola.

"Quer dizer que ele estava nu, o velho Yuri? Acho que estava esperando a namorada. Você concorda, Chef, hein? O que acha?"

Gabriel sentiu alguém atrás dele, outro coração batendo. Enfiou a meia-calça no bolso da calça, virou-se e a viu. A tal garota, Lena, parada no umbral na confusão de luz e sombra, deixou que ele olhasse para ela e olhou também para ele. Seu rosto era magro e rígido; e as mãos, que mantinha unidas juntas no peito, eram garras descarnadas. Naquela manhã, ele dissera a Oona que a demitisse. Ficou surpreso por nunca ter olhado para ela até aquele momento. Gabriel respirou fundo, para inalar o ar que ela havia respirado.

Ele abriu a boca, sem saber o que ia dizer.

Lena sorriu, ou foi o que ele imaginou, e então ela fugiu correndo pelo labirinto.

Capítulo 2

O IMPERIAL HOTEL, COMO O SR. MADDOX GOSTAVA DE SALIENTAR, tinha uma história. Construído em 1878, pelo industrial e campeão da pecuária de corte de carneiros, Sir Edward Beavis, no local ocupado no passado pelo Estabelecimento de Banhos do Dr. Culverwell em Yew Street, Piccadilly, o hotel aguentava nos ombros tantas encarnações anteriores como arcobotantes e gárgulas no seu exterior neogótico. Após a respeitabilidade e "luxo discreto" da era vitoriana, quando os salões de fumar e bilhar mantinham as damas longe do perigo, o Imperial gozou, durante a turbulenta década de 1920, de uma reputação de dança, decadência e sexo com menores de idade. A visita de Charles Chaplin em 1921 (escoltado por não menos que quarenta policiais ao passar pelos fãs) tinha tornado o Imperial indispensável para os astros e *starlets* do cinema mudo britânico. Em 1922, num caso amplamente noticiado, Tyrone Banks (filme mais conhecido *Levantar âncora!*) foi apanhado sem calças com três melindrosas menores de idade debaixo dos lençóis de seda raiada. Era curioso que a travessura não tivesse sido mencionada no folheto do hotel, mas o sr. Maddox gostou de contar a história para Gabe quando o entrevistou para o emprego.

Depois disso, ele pareceu perder o interesse e girou a cadeira para olhar pela janela, de modo que Gabe ficou observando a coluna de limalhas de ferro que descia pela sua nuca.

– Noël Coward – dissera o sr. Maddox – compôs canções aqui. Grande coisa. O Aga Khan tinha uma suíte permanente. Theodore Roosevelt "deu seu nome" à sala de estar. Generoso, você não diria? Quem mais? Hailé Selassié. Esse está no folheto. Um bando de gênios do marketing é o que eu tenho aqui embaixo.

– Vou precisar que me dê cinco anos – prosseguiu ele, dando a volta para se sentar na beira da escrivaninha de mogno. Homem grande num terno caro. Descuidado com o uso da autoridade, como se a tivesse de sobra. – Nessa época, vou estar chegando aos 60, Gabriel. Para onde é que vão os anos? Me prometeram meus últimos cinco anos em algum lugar mais conveniente. Para um homem da minha idade, quer dizer. Bahamas, me agradaria. Ilhas Virgens Britânicas. Levar um sub, quer dizer, um subgerente, da minha escolha. Relaxar um pouco, desacelerar. – Ele estendeu os braços e segurou as mãos atrás da cabeça.

Gabe percebeu o trecho descorado na parte interna do pulso, de onde uma tatuagem tinha sido removida.

– Eles não estão esperando milagres. Não estamos falando de Michelin e toda essa baboseira. Só comida que se possa comer sem ter vontade de vomitar. Eles gastaram uma grana neste lugar, sabe?

"Eles" eram a PanContinental Hotel Co., que tinha adquirido o Imperial do Halcyon Leisure Group, uns dois anos antes, o que assinalava, esperava-se, um renascimento e uma renovação depois do longo meio século de declínio do hotel.

Na guerra, ele tinha sido requisitado pelo governo, proporcionando enfermarias para oficiais convalescentes e um ponto de trânsito para soldados em licença. Depois voltou a entrar em atividade, mas, já no início da década de 1950, os porteiros disputavam hóspedes, e o hotel foi forçado a fechar as portas. Alguém viu o potencial do lugar para escritórios. Uma firma do ramo do fumo se mudou para o hotel, seguida por um laboratório farmacêutico americano que instalou uma pista de ciclismo no espaço do sótão, que era para uso exclusivo dos principais executivos, e uma quadra de vôlei no salão de baile para os outros andares e escalões inferiores da corporação. Na década de 1970, houve um esforço de restaurar o antigo esplendor do Imperial, mas já em meados dos anos 1980 ele estava oferecendo diárias promocionais e hospedando vendedores que levavam amostras grátis e Alka-Seltzers na bagagem, e preenchiam devidamente os questionários sobre o atendimento.

— Foi na época em que Monsieur Jacques... — dissera o sr. Maddox —, bem, você sabe da história. — O restaurante ainda portava o nome dele. — Escoffier deu uma breve passada por aqui, o que pouca gente percebe, antes de se bandear para o Savoy. Você acha que chega aos pés de Escoffier, hein? — Ele piscou e riu, sem qualquer pretensão de alegria. Seu cenho era baixo e pesado, uma escarpa enrugada acima dos buracos fundos dos olhos.

— Dou-lhe cinco anos, e então o quê? — perguntou Gabe. Mentalmente ele acrescentou 10 mil libras ao salário inicial. Mais uma piada simpática, e ele aumentaria mais cinco.

— Seis chefs executivos em dois anos. — O sr. Maddox abanou a cabeça num modo estuoso, como se sua coroa pudesse sair do lugar. — Bando de lambões. Ouça o que lhe digo, dê-me cinco anos, e eu corto fora meu pau. Sente-se pelo amor de Deus. Relaxe. Quer um charuto?

— E a questão do salário? — disse Gabe, em voz baixa.

O sr. Maddox fez com que se calasse com um gesto rápido.

— Isso você acerta com meu sub. Vou dizer a ele que não o decepcione. — Ele bateu com a mão na mesa, e uma pilha de papéis saiu voando. — Lealdade — disse com raiva na voz. — Você entende essa palavra? De onde você é, Chef?... Como? E onde é que fica esse lugar? E eles sabem o que é lealdade nesse fim de mundo?

Gabriel passou pelas portas giratórias e ficou parado na beira da calçada, olhando para as escuras paredes de pedra do hotel. Meianoite. Dezesseis horas tinha trabalhado hoje; e o único instante em que tentou fazer um intervalo, foi arrastado para uma reunião com um funcionário da vigilância sanitária que, apesar de não encontrar nenhum motivo para fechar a cozinha, encontrara muitos pretextos para desperdiçar o tempo de Gabriel.

Ele passou um instante olhando para as janelas providas de mainéis e as esculturas grotescas de cara amarrada abaixo dos parapeitos. A pedra parecia gelada. A porta liberou um hóspede e uma rajada de ar quente que trouxe para fora o perfume de baunilha do saguão. Gabe olhou lá para dentro, para o balcão da recepção preto e lustroso, os bancos altos de plástico transparente espalhados em meio às poltronas de couro envelhecido, a "escultura" púrpura e cromada pendurada do teto, as flores "arquitetônicas" que poderiam arrancar um olho. Olhado daquele jeito, por fora e por dentro, o efeito tinha um quê de esquizofrênico. O Imperial jamais voltaria a ser realmente importante. Jacques jamais estaria à altura do seu nome. Grandes restaurantes, como grandes hotéis, apresentavam projetos coerentes e padrões sólidos. As flores "de seda, por favor" de Gleeson já diziam tudo. Se o Imperial fosse uma pessoa, pensou Gabe, seria possível dizer que ali estava alguém que não sabia quem era.

Quando chegou andando a Piccadilly Circus, uma chuvinha fina já estava caindo, revelando-se nos faróis dos carros que davam a volta lentamente, encrespando o ar e fazendo brilhar o calçamento. Os cartazes eletrônicos iluminavam instantaneamente os arcos dourados, Samsung, Sanyo, Nescafé. Acima do chafariz, a estátua de Eros parecia melancólica, com seu espaço usurpado pelos monumentais mostradores luminosos. Ouviam-se buzinas de carros. Um par de moças seguia cambaleando na direção de Haymarket, gritando, tagarelando, uma dando apoio à outra. Na escada do chafariz, mais bebedores, profissionais que dedicariam sua curta vida à causa. De uma caminhonete de cachorro-quente emanavam vapor e um cheiro gorduroso de cebola. Um homem de negócios, de sobretudo formal e bigode, queria atravessar a rua e batia com seu guarda-chuva reforçado na grade que o impedia de fazê-lo. Uma mulher de meia-idade, com um *chihuahua* enfiado debaixo do braço, hesitava debaixo do halo opaco de um poste de rua, avaliando se era melhor pedir orientação ou continuar um pouco perdida. A chuva, os cheiros, os cartazes, o ronco dos carros... Gabe andava e absorvia tudo, se bem que sua mente estivesse ocupada com outras coisas.

Ele tinha visto o sr. Maddox em ação muitas vezes. Com os hóspedes, os importantes, ele era encantador. Lembrava-se dos nomes dos seus filhos. Era humilde sem ser servil. Sabia o que eles queriam mesmo antes que eles próprios soubessem. Com o pessoal do hotel, ele insistia que apenas fazia parte da equipe. Tinha feito carreira dando duro, desde a cozinha até o andar da administração. Ele andava pelos saguões e corredores e falava com todos, desde o chefe de Relações Públicas até a camareira, embora fosse mais provável ele ser mais grosseiro com o primeiro do que com a segunda, fato este que despertou em Gabriel uma admiração relutante. Se alguém não estava fazendo o serviço direito, ele metia a mão na massa de uma vez. "Nunca peça a alguém para fazer um serviço que você mesmo não faria." Ele segurava com firmeza os ombros de uma camareira e a afastava para um lado com delicadeza. "Agora, veja como se faz. Um pouquinho mais de força, certo? Você me entendeu. Sei que entendeu." Ele era animado, direto e sempre fazia questão de repetir o que queria. Elogiava e punia abertamente, como um homem bom e honesto. No esforço de atingir suas metas gerenciais, ele recorria ao humor, a incentivos e a uma aguçada compreensão de aspectos psicológicos. Em suma, era um ditador de primeira classe. E inspirava nos súditos um medo que eles costumavam confundir com respeito.

Gabe soube disso naquela sua primeira reunião.

– Serviço para clientes particulares – dissera o sr. Maddox – É o que há de melhor. Conheço muita gente. Um mês num iate pela Riviera, seis semanas numa mansão em Los Angeles, umas duas semanas em Aspen, uma cobertura em Londres para variar, não importa o que o patrão e sua mulher para fins de exibição estejam fazendo. Você prepara um grude macrobiótico para ela, bife para ele, um jantar para convidados duas vezes por mês, e pronto. Pode ser assim tão difícil? Estamos falando de uma quantidade indecente de dinheiro. Indecente mesmo.

– E decididamente você poderia fazer isso? – disse Gabe.

O gerente-geral o arrasou com seu olhar demolidor.

– Então você aceita? Posso lhe dar boas-vindas ao rebanho?

Por um instante, Gabe estava de volta a Blantwistle, aos 10 anos de idade, virando o purê recheado com carne moída de um lado para o outro do prato enquanto a mãe começava a lavar a louça, e o pai afastava a cadeira da mesa, antes de iniciar o sermão. *Nunca apoquente um garoto menor que você.* Ele passava a mão na mesa firmemente, como se quisesse alisar a toalha. Tinha a compleição de um cão lebréu, mas suas mãos eram grandes e fortes. Ágeis também. Na fábrica, dizia a lenda que Ted Lightfoot conseguia arrematar mais rápido que qualquer máquina. *Também nunca apoquente uma garota.* Devia ter existido uma época, não que Gabe conseguisse se lembrar, quando estava com 6 ou 7 anos, talvez, em que ainda conseguia admirar o pai. Era idiota o jeito dele de se sentar ali depois do jantar como se fosse Moisés, ditando a lei. *Nunca, jamais, se comprometa com um aperto de mãos para depois voltar atrás.*

Gabriel se levantou e deu um aperto de mãos no seu novo patrão. Era um gesto vazio, e eles dois sabiam disso. Eram as regras do jogo.

No Penguin Club, Charlie estava cantando "Taint Nobody's Bizness If I Do". Usava o vestido de lantejoulas prateadas e a gargantilha de jade. Seus saltos eram mais afiados do que facas de desossar. O pianista mantinha o nariz perto do teclado, mal aguentando o peso dos blues.

Charlie pôs a mão no quadril e girou o ombro: seu jeito de acenar para Gabe.

Gabe comprou uma cerveja e sentou-se no bar, observando os manés olharem para sua namorada. O recinto era escuro com lambris de imitação de madeira e reservados estofados ao longo de uma parede. As mesas redondas no centro do salão tinham toalhas de veludo amassado e pequenos abajures em estilo *art déco* que iluminavam de baixo para cima o queixo dos clientes. Alguns estavam com namoradas ou amantes, que passavam os dedos por colares e brincos; alguns estavam sentados em grupos de dois ou três, trocando brindes e às vezes palavras. A maioria estava simplesmente sentada com seus cigarros, tragando, soprando e adensando o ar.

Charlie e o pianista ocupavam um pequeno palco, elevado a não mais que 15 centímetros do piso. A canção não se adequava à voz de Charlie, que era leve demais para ela, provocante demais. Ela baixou as pálpebras e levou a boca ao microfone, como se ele fosse o objeto de todos os seus desejos. Um careca sentado a uma mesa perto do palco se levantou e a cumprimentou com o copo. Ele oscilou por um instante e depois se sentou de novo.

– Você gosta dela, não gosta? – O freguês no bar usava um pesado relógio de ouro e tinha os pulsos grossos, peludos.

– É – disse Gabe. – Ela me parece ótima.

O desconhecido esvaziou o copo. Chegou mais perto de Gabe. Estava usando um terno de boa qualidade, gravata de seda.

– Preste atenção – disse ele. – Sei julgar o caráter das pessoas. No meu ramo de atividade, se não se souber fazer isso, é melhor dar um tiro na cabeça. Se você estiver interessado... – Ele apontou dois dedos na direção de Charlie e simulou atirar com eles. – Posso lhe dizer o preço inicial.

Gabe deu uma risada.

– Tudo bem. Me ajude a dar a largada. Pode me passar o preço inicial dela.

O homem encostou no bar. Ele espremeu os olhos e arrotou, e Gabe de repente percebeu como ele estava bêbado.

– Três Camparis com soda ou um martíni seco. Só isso. Ela vai lhe arrancar a língua da boca, trepar como uma coelha e, se você tiver sorte, só vai roubar o dinheiro da carteira, deixando os malditos cartões.

Se o homem tivesse rido, Gabe teria lhe dado um soco, mas ele agora estava calado, parecendo triste. Os dois olharam para Charlie. Ela cantava uma canção de amor, de Burt Bacharach, dando a cada palavra um tom pesado de ironia. Era assim que parecia para Gabe.

Por um instante, ele se perguntou se ela dormira com aquele homem.

– Bem – disse o mané – o que há de melhor nas britânicas. – Ele tentou esvaziar o copo mas descobriu que já o tinha esvaziado. – Eu até faria uma tentativa, mas, não posso me iludir, ela não é para o meu bico, não mesmo.

* * *

O cabelo de Charlie caía em ondas largas até os ombros. Era de um vermelho forte, como um setter irlandês, e sua pele era branca e macia.

– Como foi hoje? – perguntou ela. – Como foi o trabalho? – Ela estendeu o braço ao longo do bar e pegou a mão de Gabe.

– Tudo bem – disse Gabe. – O que você vai querer? Tinto ou branco?

Ela estava empoleirada no banco do bar e cruzou as pernas. O vestido era justo e a fazia ficar empertigada.

– Está brincando? Tudo bem? – disse ela.

Ele pensou na garota, Lena, com a escuridão tornando suas bochechas mais fundas. Pegou a cerveja e bebeu devagar, como se quisesse esconder a imagem na sua mente.

Charlie jogou o cabelo por cima de um ombro. Ela procurou encará-lo com seus olhos verdes e frios; deu um sorriso do seu jeito meio de lado.

– Só mais um dia normal. Nada a relatar.

– Não sei – disse ele. – Ontem foi... bem, eu lhe contei. Estou mais ou menos esperando que a merda bata no ventilador, mas hoje não aconteceu nada, de verdade. Talvez não aconteça nada.

Charlie pediu ao barman um copo grande de vinho seco.

– Acidentes acontecem, não é mesmo? – Ela encostou um salto alto e fino na perna de Gabe. – Eu poderia quebrar o pescoço usando esse tipo de sapato.

Quando Lena aparecesse outra vez, ele ia conversar com ela, em particular, sobre o que ela estava fazendo naquele lugar naquela tarde. Seu cabelo era louro, quase branco. Ele nunca tinha gostado muito de louras.

– Chamando o Planeta Gabriel. Não. Nenhum sinal de vida inteligente.

– Desculpe – disse Gabe. Mas Lena não voltaria. Tinha sido demitida.

– Meu dia foi fantástico, obrigada por perguntar.

– Foi? – Ele balançou a cabeça. – Que bom! – Mas se ela não tivesse visto Oona, também não saberia que tinha perdido o emprego. Então o que a fez fugir correndo? Charlie girou o vinho no copo. Estava usando um anel grande de âmbar que comprara num mercado em Marrakesh num fim de semana prolongado com Gabe.

– Passei a manhã num suposto estúdio... um gravador num quarto de dormir, isso é um estúdio... gravando uma música que pode ou não ser aproveitada como parte de um CD de coletânea a ser lançado no Japão. E de tarde fiz um teste para uma apresentação regular em alguma boate só para sócios em Mayfair. O cara derramava sordidez por todos os orifícios e me achou velha demais. Isso deu para eu ver. E eu realmente sinto que estou chegando a algum lugar agora, sabe. Minha vida está começando a decolar.

Se parecia que ela estava pedindo um ombro amigo, aquela não era uma boa hora para oferecê-lo. Gabe tinha descoberto isso por meio de um processo de tentativas e erros.

– Experimente um desses programas da televisão, de caça a talentos – disse ele. – É o que resta fazer. – A polícia queria interrogar Lena. Ela teria de ser encontrada de novo.

– Obrigada – disse Charlie. – Faço isso, quando você tiver seu próprio programa de culinária. Como é possível você não ter seu próprio programa de culinária? Vovó Higson quer saber.

Vovó era a avó materna de Gabriel. Ela agora morava com o pai dele. Phyllis Henrietta Josephine Higson. Gabe a chamava de vovó. O pai a chamava de Phyllis ou, nos velhos tempos, de "a metamorfose", mas só pelas costas. Os vizinhos ainda a chamavam de sra. Higson, mesmo depois de vinte anos. Charlie era a única que se referia a ela como vovó Higson, e ainda não a conhecia em pessoa.

– Eu nunca mais lhe conto nada – disse Gabe. Ele pôs a mão na sua clavícula, logo abaixo da gargantilha. Pensou, como tinha pensado tantas vezes, que todos ali podiam ver que era ele quem estava com ela.

– Não posso ficar para a segunda parte, meu amor. – O homem era um fracassado, de pulôver de tricô trabalhado. Era barrigudo e estava ficando careca do pior jeito: uma faixa solitária de cabelo entre duas pistas que se afastavam. Ele se debruçou entre Gabe e Charlie para deixar uns copos no balcão. – Se eu ficar, vão ser no mínimo mais três rodadas, e vou acabar com uma acidez daquelas, sabe? Por isso, estou indo agora, meu bem. – Ele piscou um olho. – Não leve para o lado pessoal. Você é de arrasar. É mesmo.

Charlie manteve uma expressão séria.

– São os fãs que fazem tudo valer a pena.

Gabe deu uma olhada ao redor da boate, o vidro fumê nas pilastras, os bancos de assento escorregadio, os cinzeiros no formato de pinguins e a garçonete que os esvaziava, a velha Maggie, que também parecia ter uma forma razoavelmente semelhante à de um pinguim. Tudo parecia irreal. Essa vida de mentira que ele vivia, quando as pessoas normais estavam dormindo.

– Ei – disse Charlie –, afinal, quando é que você vai me levar ao Norte?

Gabe pensou em vovó de camisola, da última vez que ele tinha feito uma visita, atravessando apressada a sala de estar com o carrinho de bebidas que ela usava como apoio em vez de uma bengala ou de um andador.

– Bem – disse ela, depois de lhe dar um beijo e recuperar o fôlego. – Eu estava assistindo a esse chef na televisão. Um lixo. E eu disse para seu pai, nosso Gabe precisa ficar alerta. Tem uns camaradas mais novos, que não são tão bons quanto ele, que saem na frente e começam na televisão, antes que ele tenha uma chance de tentar. – Sua bochecha ao tocar na dele parecia friável, como se pudesse a qualquer instante se esboroar num monte de pó.

– Vovó, não é simplesmente uma questão de "chance de tentar". Não se trata de um revezamento.

Ela se sentou na poltrona *bergère* e pôs os sapatinhos peludos no tamborete.

– Gabriel, eu tenho palpitações. Seu pai lhe contou? Não. Eles suspeitam de uma pontinha de gota também. Mas estou em perfeito uso da razão, meu lindo. Agradeço se você se lembrar disso da próxima vez que abrir a boca.

Ela fechou os olhos, resmungou, e demorou um pouco até Gabriel perceber que vovó estava cochilando.

– Vovó iria gostar de você – disse Gabe a Charlie.

– Ela iria achar que você também deveria estar na televisão.

– Isso não me parece um plano. Na realidade, a impressão é que você acha que ela gostaria de mim se me conhecesse, mas ela não vai me conhecer e por isso não vai poder gostar.

– O quê?

Charlie deu um suspiro.

– Qual é o problema comigo, Gabriel, hein?

– Nenhum problema – respondeu Gabe, automaticamente. – Você é fantástica.

– Sou de arrasar, sou mesmo.

Ela desceu do banco e arrumou o vestido. Uma lantejoula se soltou na sua mão, e ela a atirou no peito dele. Gabe pôs a mão no seu quadril, e ela se desvencilhou.

– Não posso deixar os fãs esperando.

O pianista já estava de volta, mas terminava um cigarro.

– Na minha casa ou na sua hoje? – disse Gabe. Ele bocejou e olhou a hora.

– Eu também estou cansada, bonitinho. Quero minha própria cama e quero dormir sozinha.

Na geladeira havia três tomates, uma barra de chocolate (80% de cacau), um bioiogurte vencido e um pedaço de brie. Gabe comeu dois tomates e pegou um pedaço do chocolate para comer na sala de estar.

    O apartamento ficava no alto do prédio reformado de uma escola em Kennington Road, não longe do Museu Imperial da Guerra. Ele tinha janelas altas, de batente, com vista para ônibus e chaminés. Era um prédio de apenas dez apartamentos; e, quando se mudou para lá, Gabe às vezes se perguntava quantos alunos cabiam antes naquele espaço que agora era só dele.

    A sala de estar tinha assoalho novo de tábua corrida de carvalho e luz indireta. O corretor que lhe mostrou o apartamento o descreveu como parcialmente mobiliado, mas, para Gabe, a mobília era suficiente, e ele o alugou sem hesitar. Havia um sofá baixo e comprido, ultramoderno e ultradesconfortável, estofado em verde com almofadas combinando que eram exatamente tão duras quanto aparentavam ser. A mesinha de centro era um cubo de açúcar tamanho gigante. Uma *chaise longue* Le Corbusier cromada, de couro preto, se estendia perto das janelas. Prateleiras pretas acompanhavam a extensão de uma parede. Gabe tinha contribuído com livros e um tapete solto. Os quadros que era sua intenção pendurar estavam empilhados encostados nas prateleiras.

Ele se sentou no sofá, olhando para a *chaise longue*, que era o único lugar confortável. O casal que morava do outro lado do corredor estava chegando. Eles sempre ficavam parados diante da porta da frente fazendo a maior confusão com as chaves. Eram jovens e costumavam chegar tarde. Ela saía cedo de manhã, em meio a gritos de despedida e instruções de última hora. Ele ouvia Coldplay e Radiohead no volume máximo e batia a porta com violência quando saía, correndo escada abaixo. Eles diziam "oi" para Gabe quando o viam. Não tinham chegado a se apresentar.

Gabe comeu um pouco de chocolate só para ter a energia necessária para se levantar e escovar os dentes antes de ir para a cama.

Tudo bem que Charlie quisesse ficar sozinha. Ele também queria ficar só. Aquela garota, a da limpeza, Lena, não parava de se intrometer no seu cérebro. Não importava o que ele tivesse sentido, algum tipo de náusea, quando ela revelou seu eu fantasmagórico nas catacumbas, aquilo tinha passado rapidamente, mas agora ela se tornara uma dor de cabeça. A polícia tinha interrogado todos os demais. Ela era uma ponta solta que exigia atenção.

Gabe se perguntou qual seria a cor dos seus olhos. Tinha falado uma vez com ela, ele achava, sobre polir os copos de vinho antes de arrumá-los na prateleira. O cabelo dela escapulia da touca de plástico verde do pessoal da limpeza e estava grudado no lado da sua boca. É, ele se lembrava. Agora ele se lembrava de como ela era. De como ela olhara para ele. Ela estava concordando em silêncio, com o olhar fixo numa pocinha de água ensaboada, e então levantou os olhos. Eram escuros, de um azul-escuro, largos e profundos. Ela entreabriu os lábios; e ele estendeu o braço e a beijou. Ele a beijou com força e então com ainda mais força porque era isso o que ela queria. Ele tinha certeza. E quanto mais violento era o beijo, mais ela queria. Ele sabia. E então ela se afastou, e ele viu o que tinha feito: o rosto dela estava todo coberto de sangue.

O chocolate que ainda estava na sua boca quando ele adormeceu tinha se derretido e escorrido pelo queixo. Gabe voltou para a cozinha para pegar umas toalhas de papel, bochechou e cuspiu. Notou que a luz do telefone estava piscando e apertou o botão.
– Gabe, é Jenny. Sei que você está ocupado. Quem não está? Mas falei hoje com papai e não posso acreditar que você não ligou para ele. Gabe, liga para ele, tá bem? – Houve uma pausa, e Gabe pôde ouvir a respiração dela. – Certo – disse ela sem muita convicção. – Adeusinho.
Quando sua irmã mais nova tinha se tornado o tipo de mulher que diz "adeusinho"?
Papai deixara uma mensagem alguns dias atrás.
– Alô, Gabriel. É seu pai ligando na tarde de domingo, mais ou menos às três horas. – Mensagens do pai eram raras, invariavelmente complicadas e sombrias, como se o Anjo da Morte tivesse ligado para combinar as coisas. – Eu gostaria de falar com você. Poderia me fazer o favor de ligar para mim para o número de Blantwistle? Obrigado. – Sua voz ao telefone era ao mesmo tempo mais clara e mais forçada que sua voz normal. Parecia que, quando se passava de uma determinada idade, era impossível falar num tom normal com uma secretária eletrônica. Ligar para o número de Blantwistle... como se houvesse outros números por meio dos quais fosse possível ter acesso a ele.
Gabe pensara em ligar, mas a semana não tinha sido fácil. Agora estava tarde demais para telefonar para qualquer pessoa.
Ele estava prestes a desligar a luz quando o toque estridente do telefone lhe deu um susto.

– Gabe – disse Jenny. – É você?
– Jen, tudo bem com você?
– Tudo bem, sim, tudo bem. São duas da madrugada, e eu estou perambulando pela casa, recolhendo meias e verificando a poeira no alto da moldura dos quadros. Acabei de esvaziar a lava-louças mas, sabe, quando não se consegue dormir, a última coisa que se quer é ficar na cama. Quer dizer, essa não é a última coisa que se *quer* fazer, na verdade é a primeira coisa que se quer, mas não se deve porque não é... ai, como é que se diz?... não é uma boa *higiene* do sono, é o que meu médico diz, e nós estamos tentando nos manter longe dos comprimidos para dormir, se bem que eu não me importasse, às vezes, eu penso, por que não dar uma experimentadinha? E então respondo para mim mesma, Jenny, esse é um caminho que você não quer trilhar, não se existirem outros que você possa escolher. E existem. Seja como for, eu queria ligar para você e sei que você gosta mesmo de dormir tarde. Por isso, peguei o telefone e... eu não te acordei, acordei? Quer dizer, eu liguei mais cedo e você não estava em casa, e imaginei que, se eu esperasse um pouco, mas não demais...

– Jenny – Gabriel a interrompeu –, eu ainda estava acordado. Bom você ter ligado. Como vão as crianças?

Ele a ouviu inspirar e soprar. Talvez estivesse acendendo um cigarro, ou recorrendo ao inalador.

– Harley está com uma namorada. Ela se chama Violet e trabalha na Rileys na seção de Esmaltes Malucos. Ela usa piercing no nariz e na barriga, além de outras quinquilharias que eu prefiro nem imaginar. E ela não parece, mas é o que eu chamaria de boa influência. Pelo menos para o nosso Harley, porque você sabe que ele já teve problemas mais do que suficientes. E bem no outro dia eu estava dizendo para ele, Harley, acho que Violet te pegou de jeito. Só estou dizendo isso no bom sentido porque, bem, quando ele era mais novo... e Violet é um nome totalmente antiquado, você não acha? Ela está com 19, um ano a mais que o Harley, e...

Gabe segurou o fone afastado da orelha. Dois anos antes – ou teriam sido três? – ele ficara chocado quando Jenny entrou na cozinha em Plodder Lane e ele viu como ela estava velha, como a meia-idade a envolvera com as camadas de banha nos seus braços, nas pernas, no pescoço. Jenny, que usava minissaias de jeans rasgado e tinha um olhar de vá se foder. Que emitia uma palavra lacônica no bar e fazia todo mundo correr para pegar a palavra, emoldurá-la e passá-la de mão em mão. Agora usava tantas palavras, e todas passavam despercebidas.

Ele voltou o fone à orelha.

– ... satisfeita com isso, mas não há como a gente não se preocupar. Preocupação com cada detalhezinho quando se tem filhos, sabe, acho que não sabe, ainda não, mas você conhece Bailey, sempre teimosa, e eu digo a ela, Bailey, sei que sou sua mãe e que você não quer ouvir nada disso...

– Jenny – disse Gabe. – Está um pouco tarde até mesmo para mim. Eu ligo para você...

– Amanhã – disse Jenny. – Ligo para você amanhã. Você sempre diz isso.

– Digo?

– Diz – respondeu Jenny, acendendo mais um cigarro ou dando mais uma respirada no inalador. – Mas nunca liga.

– Não ligo? Quer dizer, eu ligo, sim. Tenho certeza de que ligo, quando digo que vou ligar.

– Não – disse a irmã, com firmeza. – Não liga.

Fez-se um silêncio.

– Bem – disse Gabriel.

– Preciso falar com você, Gabe.

Gabe foi se postar junto da pia abaixo da janela da cozinha. A loja de kebab do outro lado da rua estava fechando. Um homem trazia pesados sacos de lixo até o meio-fio; outro baixava a porta de ferro. Uma luz amarela se infiltrava por baixo da porta. Um saco plástico atravessou a rua voando.

– Eu também quero falar com você – disse Gabriel, descobrindo, para sua surpresa, que queria mesmo.

– Desculpa – disse Jenny. – Nem perguntei por você. Como você vai? Diz aí como as coisas estão de verdade.

– Tudo bem. – As palavras simplesmente saltaram quando ele abriu a boca. Procurou pensar em outra coisa para dizer.

Só se ouvia estática na linha. Ele tentou de novo.
– Ocupado no trabalho. Pensando em abrir...
– ... seu próprio negócio...
– ... meu próprio negócio... E eu e Charlie estamos pensando...
– ... em morar juntos... mas é difícil...
– ... encontrar tempo...
– É. – Será que ela terminava as frases de todo mundo? Por que fazia isso? Será que tudo o que ele dizia era assim tão previsível? Tão maçante?
– Espero vir a conhecê-la logo, Gabriel. Já está na hora de tornar oficial essa relação... e aposto que ela pensa a mesma coisa, mesmo que não esteja disposta a admitir. Mas não vou enveredar por esse assunto agora. Não é por isso que estou ligando, não a esta hora da noite, apesar de eu saber que era grande a probabilidade de você estar acordado...
Será que elas terminavam umas as frases das outras, Jenny e suas amigas em Blantwistle? Bev, Yvette, Gail e qualquer outra do atendimento de telemarketing.
– ... e eu queria falar a respeito do papai...
Talvez terminassem. Talvez ter suas frases terminadas pelos outros fizesse com que elas se sentissem compreendidas. Cada frase completada, um pequeno ato de lealdade, de amor. Só de imaginar, ele já se sentia exausto. Gabe queria ir para a cama.
– ... aqueles navios que ele construía com palitos de fósforos, se lembra? Ele tinha todos os desenhos e todas as fotos do *Titanic* e fez um com fósforos. Ai, tão lindo, e o jeito dele de passar uma hora inteira só olhando, decidindo como ia fazer o próximo pedaço...
Uma vez, Gabe levara um navio para a banheira, sem permissão, e o quebrara. Ficou apavorado com a perspectiva de contar ao pai, mas ele só disse, bem, por que não o consertamos juntos, como se aquilo lhes tivesse dado a oportunidade de fazer uma coisa boa.
– ... e eu sei que você anda muito ocupado e, juro por Deus, pode acreditar que não estou dizendo que você não está; mas,

quando eu soube que você não tinha ligado; e isso foi há três dias, achei...

A luz na loja de kebab estava apagada. A lua estava quase cheia mas tão desbotada que causava pouca impressão, pairando sombria acima das chaminés. Também as estrelas estavam fracas e pouco numerosas. Elas não cintilavam, mas tremeluziam, como se a qualquer momento pudessem se apagar. Quando Gabe era menino, havia mais estrelas, e elas eram mais brilhantes. Era assim que parecia. A voz da irmã seguia sem parar, e era um assombro ela não perder o fôlego. Se pudesse, ele terminaria a frase para ela. Se ao menos ele soubesse como, quando ou se ela teria um fim.

– ... papai queria ele mesmo lhe contar, mas, você sabe, até você arrumar um tempinho para ligar para ele...

Se Jenny tivesse saído de Blantwistle. Se não tivesse arrumado a responsabilidade de um filho. Fosse como fosse, qual era o sentido de pensar nisso agora? Ela usava conjuntos de *plush* em tons de roxo ou verde. Fazia o cabelo no Crespos e Lisos, bebia no Cachorro Malhado ou na Cabeça do Turco. E todas as quintas era noite de bingo. Era estranho como saber praticamente tudo sobre ela fazia com que ele tivesse a impressão de não saber absolutamente nada.

– ... e parece que não conseguiram pegar todos os pedacinhos quando tiraram parte do cólon dele, e agora se espalhou para o fígado.

Jenny, por fim, tinha conseguido parar.

– Ah – disse Gabe. – Entendi.

– Gabe – disse Jenny, chorando.

– Jen? – Ele tinha ouvido as palavras mas não tinha escutado. Espalhou para o fígado. Mas papai não tinha ficado doente. – Jenny?

Ele a ouviu assoar o nariz.

– Ele também não me disse nada sobre o câncer do cólon. Ficou no hospital uns dois dias, e eu nem mesmo sabia que ele tinha sido internado até vovó me contar. E então ele disse que tinha tido "um probleminha com os intestinos". E, bem, deixei por isso mesmo porque Bailey estava aprontando comigo, e Harley tinha se metido numa briga, e com uma coisa e outra... – Ela não completou a frase.

– Ninguém me disse que ele esteve internado. Quando foi isso?

Jenny fungou.

– Acho que há uns 18 meses, talvez.

– Há um ano e meio? Ninguém me disse nada.

– Ninguém me disse nada. Ninguém me disse nada. É só isso o que você sabe dizer? Francamente, Gabriel. Nunca pensei que eu fosse dizer isso, mas você me surpreendeu. Surpreendeu mesmo. Eu achava que nunca mais me surpreenderia de novo com seu egoísmo, mas tenho de tirar o chapéu, desta vez você conseguiu.

Gabe abriu a torneira. Girou-a até ela não abrir mais. A água bateu com violência na pia de aço e respingou na janela, na parede, na camisa de Gabe. Ele fechou a torneira.

– Então – disse ele, mantendo a voz neutra e baixa –, ele vai superar isso também. Tem de haver uma chance razoável.

– Não com câncer de fígado – disse Jenny, num tom estranhamente formal. – Andei lendo sobre o assunto.

Capítulo 3

A MANHÃ ESTAVA GELADA E LUMINOSA. GABRIEL, EM PÉ NA PLATAFORma de descarga de mercadorias, recoberta de gelo, assistia à caminhonete de entrega de queijos entrar pelos portões. Uma única nuvem branca estava parada no céu de um azul compacto. Fora do pátio, Londres zumbia sua canção matinal, reverberando interminavelmente, com um crescendo se emendando no seguinte. Um melro desceu voando do muro e ciscou o musgo entre as pedras do calçamento. Ele voltou para o poleiro e cantou, com sua flauta superando o som do motor da caminhonete que estava sendo desligado. Gabe deu um passo adiante, e a ave soltou seu grito de alerta, agitando as asas e a cauda. Tchuque, tchuque, tchuque. Mais um chocalhar, e ele se foi.

Ernie veio se aproximando com as mãos nos bolsos e um gorro de pompom na cabeça. Ele se dirigiu a Gabe na forma habitual, com a cabeça muito baixa, e os olhos voltados para um lugar vazio a uns 10 centímetros do rosto de Gabe. Essa postura lhe dava uma aparência de deficiente mental, o que Gabe às vezes suspeitava que ele fosse mesmo.

– "O melro é um camaradinha esperto
Com sua capa preta e seu bico amarelo
Quando o sopro do vento traz o mal
É sempre o primeiro a dar o sinal..."
"Arre, ele continua, mas não consigo me lembrar direito. Alguma coisa, alguma coisa de sol raiar, ver alguma coisa, alguma coisa e avisar... Não, eu acho que era sol raiando e avisando. Esse aí foi um dos meus primeiros."

– Olá, Ernie – disse Gabe. – Você está com a listagem do pedido?

– Ah, sim – disse Ernie, com o queixo praticamente grudado no peito.

Gabe estendeu a mão.

– Na minha mesa. – Ernie deu alguns passos de lado na direção da sua cabine de madeira. – Eu sei que os bicos são mais para o laranja, mas não dá para rimar laranja. Púrpura – acrescentou ele. – Também não dá para rimar púrpura.

– Certo – disse Gabe.

– Agora não ligo tanto para rimas. Prefiro o estilo, como se diz, livre. Houve um tempo em que eu sabia de cor todas as palavras na língua inglesa que não possuíam rima. *Pint, nothing, silver, month, ninth, scalp, wolf...*

– Ernie – disse Gabe –, a listagem.

O auxiliar se afastou, apressado e de lado. No mesmo movimento ele voltou, acenando com uma lista escrita à mão.

– Ela não está no sistema? – disse Gabe.

– Bem – disse Ernie. – Oona está digitando agora mesmo.

Gabe se virou e se inclinou para espiar pela janela do cubículo. Viu sua *sous-chef* executiva catando milho no teclado, enquanto massageava o busto, pensativa.

– Há quanto tempo você trabalha na entrada de mercadorias, Ernie? Você não gostaria de mudar?

– Mudar – repetiu Ernie, recolhendo a cabeça para dentro do anoraque. – Não, não – respondeu ele, com a voz levemente abafada. – Não quero que algum palerma faça uma bagunça aqui. Está tudo funcionando direitinho. É, Chef, não.

– Há quanto tempo, Ernie? Desde quando?

A cabeça de Ernie saltou do capuz.

– Desde 1973. – A cabeça voltou a se retrair. Era como conversar com um jabuti nervoso. – O ano em que cheguei de Fife.

Gabe ficou olhando o homem dos queijos descer as primeiras caixas com uma empilhadeira.

– Deveriam lhe dar uma medalha.

– Escrevo poemas há mais tempo que isso. Ninguém me deu medalha por eles. – Ernie parecia realmente magoado.

– Um dia – disse Gabe.

– É mesmo – disse Ernie, fixando um olhar sério para lá da orelha de Gabriel. – Eu sei. Ou não me daria ao trabalho, não é mesmo?

Tendo despachado o pedido normal, Gabe subiu nos fundos da caminhonete e começou a selecionar os especiais. Primeiro, um Livarot, forte e com sabor de ervas, atrevido como seu invólucro de papel listrado de verde. Para um contraste sutil, ele escolheu duas dúzias de Crottin de Chavignol. O homem dos queijos tentou empurrar o Bleu du Vercors. Gabe o provou e o rejeitou.

– É o clássico queijo francês da serra – disse o homem dos queijos. Ele mencionou o nome de três chefs famosos. – Eles põem a mão no fogo por ele, todos os três. É o queijo para o molho cremoso clássico.

Gabe andava pela caminhonete, tirando uma lasca, experimentando, quase se inebriando com os aromas. Já tinha decidido que ficaria com um Cantalet de 10 quilos, que tinha o toque exato de avelãs para não ofuscar o sabor do leite fresco. Mas ele relutava em sair do santuário e voltar a mergulhar na rotina diária de reuniões e planilhas. Cheirou cascas e mais cascas, procurando decompor os aromas em unidades separadas e compreensíveis. Depois de um tempo, desistiu, rendendo-se ao inevitável. O todo era maior do que a soma das partes. Os aromas que se entrelaçavam eram densos, intensos e impossíveis de desenredar.

– Um para você, Chef – disse o homem dos queijos. – Leve um para casa. – Ele ofereceu um Bleu du Vercors.

– Obrigado – disse Gabriel. – Não vou aceitar, mas obrigado mesmo assim.

Depois disso, ele foi à cantina dos funcionários verificar um problema com a fritadeira industrial. Mais um telefonema a ser dado. Isso o atrasou para a reunião da administração no escritório do sr. James no quinto andar, com Gleeson, Pierre, o gerente do bar, e Branka, a supervisora das camareiras. O sr. Maddox fez uma aparição inesperada mas depois ficou calado pelo tempo que a reunião durou.

– Mais algum assunto? – disse o sr. James, dirigindo-se ao seu superior. Ele estendeu a palma da mão, como se fosse um menino prestes a ser castigado.

O sr. Maddox fez como se estivesse ruminando.

– Vejamos, havia alguma coisa... Não, sumiu. Ah, sim, roupa de mesa, vamos falar sobre isso.

– Certo – disse o sr. James, prontamente. – Venho dizendo que deveríamos pensar em alugar a roupa de mesa. O custo da substituição é...

– Deus do céu! – disse o gerente-geral. Ele se pôs de pé e pressionou os nós dos dedos na mesa. – Estou cheio de policiais até a raiz dos cabelos. Uma semana inteira, sabiam? Será que eles não têm nada de melhor para fazer? Estou com os advogados da PanCont batendo cabeças como tontos, estou com relatórios de licença médica com um monte de colunas para preencher... Ninguém merece.

– O auxiliar de limpeza? – disse o sr. James. – Achei que estava...

– Está, sim. É melhor que esteja. – Maddox se apoiou nas juntas dos dedos como se fosse um gorila de 150 quilos. – Parks ligou hoje. A autópsia ficou pronta. Exatamente o que ele calculava: lesões compatíveis com uma queda. À espera do relatório toxicológico, que sem dúvida vai revelar que ele estava mamado. Bem, não é preciso ser um gênio, certo? Parks diz que vem aqui hoje. Para amarrar as pontas soltas. Não gosto de policiais no meu hotel. Me dá coceira. – Ele olhou para Gleeson, que semicerrou os olhos na direção de Gabe, na tentativa de redirecionar o olhar do gerente-geral. – O que você faz quando sente coceira, Stanley? Isso mesmo, você coça.

Gleeson estava sentado, empertigado, com ar de probidade.

– Sr. Maddox... – começou ele.

– Certo, por isso vou começar a coçar por aí.

Gabriel não parava de observar Gleeson e compreendeu que tinha feito um inimigo. O auxiliar de limpeza podia ter estado no território de Gabe, mas agora ele atraía uma atenção indesejada para o hotel inteiro. Pierre também parecia constrangido. Somente Branka mantinha sua fisionomia habitual, de eficiência enregelante.

– Porque – continuou Maddox – o que almejamos aqui é um resultado limpo. Foi um acidente triste, triste; e estamos tremendamente tristes, mas não lamentamos. Não lamentamos porque a culpa não foi nossa; e, quando nos desculpamos, isso pode nos custar uma fortuna. E podem pôr isso no jornal também. Só que não vão publicar nada porque àquela altura já terão se esquecido de tudo isso. E não existe problema algum. A menos... A menos que o caso acabe revelando outra coisa. Não sei por que motivo, mas é isso o que acontece em hotéis. Um parafuso cai do batente de uma porta. Fácil, você pensa, conserto isso rápido. E bem no instante em que está dando uma última volta no parafuso, é aí que você percebe que a porra da porta está toda brocada e ela se desfaz em pó nas suas mãos. Faz sentido o que estou dizendo? Alguém aí está me entendendo?

Todos fizeram que sim. Gabriel olhou para o relógio de pulso.

– O tempo está curto para você, Chef? O Chef está meio sem tempo, sr. James. Podemos permitir que ele vá embora?

O sr. James, que obviamente não fazia ideia de qual era a resposta certa para essa pergunta, franziu os lábios por Gabriel tê-lo posto na berlinda.

– Podem ir – disse o sr. Maddox. – Obrigado a todos pelo tempo dedicado. Podem ir. E se alguém tiver qualquer coisa que gostaria de me informar, por favor, como dizemos no mundo da hotelaria, não deixem de entrar em contato comigo.

Gabe se afastou dos outros, que tinham outras reuniões das quais deveriam participar. O vestíbulo junto do elevador continha a decoração característica de uma mesa de conveniência, de laca preta, com a tigela de corte quadrado com seixos coloridos imersos em água e uma vela num vaso de areia. Acima estava pendurado um retrato de Sir Edward Beavis, fundador do Imperial, homem de olhos impassíveis e portador de suíças generosas, que mantinha sob vigilância o andar da administração.

No elevador, Gabe se encostou no corrimão e pensou na meia-calça que tinha tirado da máquina de lavar roupas naquela manhã, toda enrolada dentro de um bolso. Suspensa no seu dedo, a meia-calça parecia murcha, e ele tinha dado uns puxões nela com uma ansiedade indefinida, tentando dar-lhe uma forma. Encontrou um pequeno buraco e o esticou delicadamente na palma da mão, vendo seu jeito de crescer. Agora a meia-calça estava em cima do balcão da sua cozinha, e ele queria tê-la guardado em algum lugar. Dizia a si mesmo que não havia motivo para preocupação. Charlie aceitara um trabalho de uma semana cantando num complexo hoteleiro no Mar Vermelho, substituindo uma amiga doente. Não havia a menor chance de ela aparecer de repente e fazer a descoberta. Mesmo assim, ele se sentia constrangido, como se lhe tivessem avisado que ele falara dormindo, sem lhe informar o que ele tinha dito.

No segundo andar, as portas do elevador se abriram, e três hóspedes entraram: dois homens segurando celulares à altura dos quadris, como armas, e uma refém do sexo feminino. Estavam no meio de uma conversa sobre o "escritório de Birmingham", mas alguma coisa, ele não saberia dizer o quê, fez com que pensasse que dois eram amantes. A mulher usava sapatos de salto anabela e o cabelo puxado para trás num coque. Seus dentes incisivos estavam manchados de batom. Quando falava, ela olhava para baixo e batia o pé. *Uma racionalização já muito atrasada,* tape, tape, *necessária uma sinergia maior dos sistemas,* tape, tape, como uma criança recitando sua tabuada de dois.

Quando a polícia ligou mais cedo na semana para perguntar se Lena voltara ao trabalho ou se alguém tinha conseguido entrar em contato com ela, Gabriel dissera que não.

– Não, ninguém a viu de modo algum. – Por que ele não tinha contado a verdade? Que necessidade tinha sentido de mentir?

O elevador parou no térreo com um tremor. O mais alto dos dois homens saiu primeiro, seguido da mulher; e o outro homem veio atrás dela, com os dedos subindo e descendo pela curva do seu traseiro.

* * *

Oona estava se abanando com uma pasta de arquivo.

– Querido, isso aqui é mais quente que o próprio inferno. Um dia, vou te encontrar todo derretido. Como uma pocinha aí na cadeira, com o chapéu de chef por cima. Hu, hu, hu, ih, ih, ih. – Ela deu sua risada cósmica.

Gabe baixou os olhos para o organograma da equipe. Tinha havido uma época, ele ainda conseguia com esforço se lembrar, quando ele cozinhava de verdade, em vez de se sentar atrás de uma mesa de trabalho. Ele examinou o documento de cima a baixo – todos os *commis* onde deveriam estar, no final da cadeia alimentar. Damian e Nikolai e os outros. Victor, pensou ele com um suspiro, tinha sido promovido sem merecimento pelo chef anterior, que fizera dele um *chef de partie* – decisão tomada, sem dúvida, no meio de um nevoeiro alcoolizado. Por que outro motivo alguém daria a Victor a responsabilidade por um setor inteiro? A menos, é claro, que tivesse sido um equívoco puro e simples, a escolha do cozinheiro errado da Europa oriental. Pelo menos, Benny e Suleiman estavam à altura do posto.

A república semi-independente de Ivan, como grelhador, se refletia na forma pela qual ele aparecia isolado no gráfico. Gabe teria de fazer alguma coisa para corrigir aquele ponto. Albert também estava meio posto de lado, mas isso era bastante natural para um confeiteiro. E depois vinha Oona no alto da página. Meu braço direito, pensou ele, com certo azedume.

– Tudo nos eixos para amanhã, Oona? Você verificou as coisas com os rapazes?

– Ah, sim – disse Oona, de um jeito que sugeria estar respondendo a uma pergunta ambígua. – Não se preocupe com isso!

– Não estou me preocupando, Oona. Estou só... – Ele estava a ponto de dizer que estava "administrando", mas achou que poderia dar a impressão de que estava mal se aguentando.

– Não precisa se preocupar mesmo – disse Oona, rindo sem motivo aparente.

O lançamento da Sirovsky era na noite do dia seguinte. Todos os chefs estavam trabalhando hoje, preparando tudo o que pudesse ser preparado com antecedência.

– É só você me dar uma repassada no que estamos aprontando – disse Gabe.

Oona tirou uma folha de papel da pasta e a examinou, murmurando para si mesma.

– Bolinhos de feijão-preto, *salsa fresca, vitello tonnato*... ei, não tinha um problema com o... não, tá tudo certo... strudel de cogumelos silvestres... Acho que Victor disse que o *parfait* de fígado de frango tava... hum, mas ele tava... e depois os... *à la diable*...

– Que foi isso? – perguntou Gabe, olhando ao redor.

– Que foi agora, querido?

– Uns arranhados. Se houver um camundongo aqui dentro...

– Não tem camundongo nenhum – disse Oona. – Tô com um pouco de pele ressecada no calcanhar. Só tô dando uma arrastadinha com o sapato.

Gabe olhou para os pés de Oona e desviou os olhos depressa.

– Portanto, nada de perguntas, nenhum problema, mais nada que eu precise encomendar.

– Espero que não – disse Oona. Ela mostrou seu dente de ouro e tocou nele como num amuleto.

– Pense, Oona. Não temos muito tempo.

– Tenho esperança de que tudo teja Ok.

– Esperança? A esperança não deveria entrar nessa história, Oona. A esperança não faz diferença.

Oona sorriu para ele com ar de piedade e tolerância, como se ele estivesse fazendo uma reclamação injustificada.

– Certo – disse ele, engolindo sua irritação. – Vamos decidir o que fazer a respeito do serviço. Gleeson calcula que só tem três pessoas para nos mandar. Por isso, precisamos ligar para uma agência e pedir mais cinco, talvez seis, garçons.

– Querido, sei para quem ligar. E Suleiman, sabe, tava perguntando o que devia fazer com a mousse de pimenta-malagueta? É para ele pôr a endívia de uma vez ou esperar até de manhã?

E vamo deixar pra lá os cogumelos, como é que chama? Shanti-qualquer-coisa, um tipo de cogumelo chique, sabe?

– Chanterelles. Vou ver Suleiman para falar da mousse. Mais alguma coisa, Oona, agora que você resolveu falar?

A *sous-chef* executiva franziu os lábios e ficou olhando para o teto, talvez esperando por alguma inspiração divina. Seus olhos cintilavam, mesmo com aquela luz amarela, morta. As bochechas eram roliças como figos maduros. Apesar de tudo, era uma mulher bonita. Por um instante, Gabe teve uma visão de Oona quando menina, num vestido branco, ajoelhada na igreja, contemplando o altar. Devia ter sido um quadro digno de se ver.

Forçando-se a voltar a atenção para o trabalho, ele abriu o caderno, pensando em organizar a prioridade das suas tarefas para o resto do dia. Na cozinha, os cozinheiros se movimentavam para lá e para cá. Suleiman escorregou num trecho oleoso, mas conseguiu se salvar e foi aplaudido. Gabe mantinha a caneta acima do papel. Sua mente estava enevoada. Era impossível captar um único pensamento. Seu pulso estava bloqueado; e, embora ele quisesse escrever qualquer coisa, só para dar início ao processo, não conseguia fazer um ponto que fosse.

Estava paralisado diante das tarefas intermináveis que tinha pela frente. Faria a menor diferença se ele permanecesse à mesa, sem se mexer, sem falar, sem pensar? O mundo poderia continuar sem ele, em seu curso inexorável. Ficou olhando para a folha, admirando sua brancura. Desejou que ele próprio também pudesse estar em branco.

– Pode me matar – disse Oona –, se tô me esquecendo de alguma coisa. – A voz dela começou a trazê-lo de volta. Era como escutar a tampa de uma caçarola se erguendo com a ebulição, deixando escapar um pouco de vapor. – Tá parecendo que você tá com um pouco de sono aí, querido. Vou fazer pra gente um chá beeeem gostoso.

Gabriel largou a caneta, tendo sua energia restaurada abruptamente. Ele olhou para Oona e cerrou os punhos por baixo da mesa. A fúria o agarrava pela garganta. Ele lutava para conseguir respirar o suficiente. Ocorreu-lhe que talvez caísse ali morto de

raiva. Agarrando-se às extremidades da mesa como se fosse virá-la de pés para o alto, ele lutou para recuperar o controle. Um chá bem gostoso? Ela não sabia que havia trabalho a ser feito? Será que era para eles se sentarem com os pés para cima enquanto tomavam o tal chá gostoso? Incrível. A mulher estava louca.
– Chef? – disse Oona.

Havia um monte de coisas a organizar. Gabe deu com os olhos numa pilha de folhetos de fornecedores no chão. Ele os tinha posto ali quando começou no emprego, com a intenção de fazer uma triagem e jogar fora o máximo possível. Nunca tinha tido tempo. Não existe melhor tempo do que o presente, decidiu ele, com um pulo. Foi imediatamente distraído por um panfleto colado na parede: *Kondiments King*, dizia ele, *Molho é com a gente!* Um homem-tomate grotesco, com braços e pernas de varetas, sorria, com ketchup jorrando-lhe da cabeça. O folheto estava sujo com salpicos e borrões, e as pontas estavam se enrolando. Por que não o tinha tirado dali de uma vez? Gabe o arrancou da parede e o atirou no chão. O trecho de reboco esfarelento que foi revelado começou a se soltar e cair. Gabriel olhou ao redor, descontrolado, chutando os folhetos ao se virar. Havia algum fungo crescendo num pequeno trecho de umidade por cima do rodapé. Ele começou a esfregar para soltá-lo dali. Havia uma mixórdia em cima do arquivo de metal. Uma bola de tênis, uma luva, um termômetro para carne, uma caixa de clipes, uma caixa plástica, uma lata de pomada para os lábios, dois exemplares amarelados do *Sun*. Quem não parava de fazer essa bagunça? Ele arrastou tudo de cima do arquivo, direto para o chão. Coisas demais na escrivaninha também. Ele raspou tudo para dentro das gavetas e as fechou. Sentou-se de novo, diante de uma mesa vazia, sentindo-se melhor. Agora poderia tentar tratar de tudo organizadamente.

Mal ele tinha percebido que Onna não estava mais ali, ela voltou com duas canecas de chá. Olhou para a bagunça no chão mas não disse nada. Espremeu-se para sentar na cadeira.

Gabe afastou o lixo com um pé, formando como que um monte encostado na parede dos fundos.

– Certo – disse ele. – Uma arrumadinha de nada. – Ele tomou um gole do chá. Sua mão tremia quando ele levantou a caneca. O que estava precisando era dormir cedo. Amanhã estaria novinho em folha. – Como ficou acertado o serviço do almoço?

– Chef – disse Oona –, tá tudo acertado. Suleiman, adoro ele, tá com problemas com o creme inglês. Uma história de encaroçar. Teve de despejar na pia. A panela seguinte estava ainda mais encaroçada, e Suleiman, você sabe, né, sério como ele só, mexendo e mexendo e a caroçada cada vez pior. E eu digo, Suleiman, deixa esse troço quieto. Às vezes, o dia não tá pra gente fazer uma coisa.

– É uma questão de temperatura – disse Gabe, mais ou menos voltando a se equilibrar. – De ser exato. – Seu pai estava morrendo. Ele precisava lidar com um morto. Precisava lidar com a polícia. Seu emprego era de alto estresse. Sua namorada estava viajando... Tinha se deixado envolver um pouco. Era natural. Mas tinha sido rápido, e agora estava acabado.

Oona jogou as mãos para o alto.

– A gente faz tudo direitinho, mas às vezes não sai como se planeja.

– Oona, é creme inglês. Você faz tudo direito, dá tudo certo.

Oona, cheia de ceticismo, bufou entre os dentes.

– Acredite em mim. Sei do que estou falando. É a proteína no ovo que engrossa o creme. Mais ou menos aos quarenta graus, as proteínas começam a se expandir, é o que se chama de "desnaturação". Com o aumento da temperatura, elas começam a se unir, a formar redes umas com as outras, e o creme vai engrossando. É preciso passar dos setenta graus. Se passar dos oitenta, começam a se formar caroços. Uma temperatura ideal é 75 graus. É química, Oona, nada mais que isso.

– Não sei disso, não – respondeu Oona, abanando a cabeça. – Às vezes, você só tem que dizer para si mesmo que aquilo não vai acontecer.

– Química básica. Fiz isso num trabalho. Na verdade, bolei tudo.

– E às vezes você tem que dizer para si mesmo que aquilo *vai* acontecer.

– Encontrei um termômetro de carne quando estava fazendo uma arrumação – disse Gabe, remexendo no monte acumulado junto da parede. – Ele vai resolver o problema de Suleiman.

– É como minha sobrinha – disse Oona, massageando o busto, derrubando as presilhas de strass no colo. – Não para de chorar por causa desse rapaz, buá, buá, sem parar. Mas que adianta? Eu te pergunto. Eu digo para ela: "Aleesha, não é para você ficar com Errol. É para você ficar com outro cara."

– É um bom rapaz – disse Gabe, estranhamente comovido com a dedicação de Suleiman. Ele fungou e esfregou o nariz.

– Nada mais que um zé-ninguém, se quer saber. Ela tá melhor sozinha, é a pura verdade.

– Não me incomodaria de eu mesmo fazer o creme – disse Gabe. – Pôr a mão na massa, sabe?

Oona voltou a fixar as presilhas no jaleco.

– Quê? Nem pensar. Mr. Bird e seu pó pronto foram a salvação. Você que trate de ficar sentado e relaxar. Química... – disse ela, rindo. – Não sei como funciona no creme inglês; mas, quando o assunto é menino e menina, química é o principal.

Durante a hora seguinte, Gabe fez ligações para fornecedores, ticando satisfeito os itens da lista. De acordo com ela, o telefonema seguinte seria para seu pai. Ele bateu dois números e desligou. Coçou a cabeça, cavucando mais em torno do início de calvície. Da segunda vez, conseguiu chegar a cinco dígitos e novamente desligou. Já tinham se falado uma vez, e Gabe prometera ligar de novo hoje.

– Não estou tão mal assim – respondera o pai, quando Gabriel perguntara como estava.

– *Jenny me contou* – disse Gabe. – *Desculpe por eu não ter telefonado antes.*

– É, bem... – disse o pai. – Todos nós precisamos ir um dia.

Gabe quis dizer alguma coisa significativa. Não conseguiu uma palavra que fosse.

– Um beijo para vovó. Ligo de novo semana que vem, papai.
– E isso foi o máximo que conseguiu.

Ele telefonaria para o pai, mas não sem pensar no que dizer. *Organize seu cérebro antes de abrir a boca.* Mais um valioso conselho do papai. Nunca lhe faltava um conselho, era preciso reconhecer. Às vezes ele estava distribuindo conselhos, sentado na poltrona junto da lareira, com as mãozorras trançadas sobre o colete, uns 3 a 5 centímetros de perna brilhosa aparecendo entre a meia e a bainha da calça, e mamãe vinha de mansinho por trás e começava a fazer palhaçadas. Ela fazia orelhas de coelho atrás da cabeça dele, dava a língua, fazia caretas de beijinhos e envesgava os olhos. Gabe cutucava Jenny para fazer com que risse e se encrencasse com o pai. Disfarçadamente, Jenny o beliscava no braço.

– Sei o que você está fazendo, Sally Anne – dizia papai sem se virar. – Essas crianças vão se tornar adultas antes que a mãe.

Mamãe acabou crescendo, pensou Gabe, depois que vovó se mudou para nossa casa. Ele nunca mais a viu fazendo gracinhas. Talvez fosse a influência de vovó, talvez fosse o envelhecimento de mamãe. Gabe a preferia como era antes, quando fazia o que bem entendesse.

Ele estava com 8 anos e vinha saltitante, correndo pela Astley Street com a almofada de alfinetes na mão. Bateu na porta da sra. Eversley e na do velho sr. Walmsley, sem chegar a perder o ritmo. Se Bobby ou Michael estivessem na rua depois do chá, eles poderiam brincar de bater-na-porta-e-sair-correndo. Entrou correndo em casa e atravessou a sala de estar. Ela não estava na cozinha.

– Mamãe – chamou ele. – Onde é que você está?

A lata de biscoitos estava em cima da mesa, e ele pensou em atacá-la, mas queria primeiro mostrar para ela o que tinha feito. Tinha trabalhado na almofada de alfinetes quase o bimestre inteiro. Ela era no formato de uma margarida, com o centro amarelo, feito de ponto de cruz.

– Mamãe – gritou ele, enfrentando a escada como se fosse uma muralha de rocha, usando tanto as mãos como os pés. – Vamos.

Ele entrou correndo no quarto dela, agradecendo sua sorte por Jen ter ido à casa de Bev depois da aula. Agora, ele ficaria sozinho com mamãe. Escorregou batendo direto com a canela no pé da cama e deixou cair a almofada de alfinetes. Abaixou-se; e, quando se endireitou de novo, ouviu a voz dela.

– Erga-se, Sir Gabriel – disse ela, tocando no seu ombro com um pau de cortina.

Gabe se levantou bufando e arfando, principalmente de surpresa.

Mamãe riu.

– Feche essa boca, Gabriel. E me diga o que acha.

Ela girava diante do espelho, usando uns calções cheios de babados, uma saia que parecia feita de aros de metal unidos por algum tipo de gaze e um espartilho que espremia seus seios. As bochechas estavam rosadas como algodão-doce, e ela usava cachinhos, exatamente como a boneca de porcelana de Jenny. Ela enroscou um pouco de cabelo num dedo.

– Droga. Vovó fazia esses cachinhos em mim todos os domingos para ir à igreja. Sabe de uma coisa? – disse ela se esforçando para ver as costas no espelho. – Naquela época, eu detestava.

– Mamãe – disse Gabriel. – Você está...

– Saia daqui – disse ela –, espere para ver a coisa pronta.

– Que coisa pronta? – disse Gabriel, sentando na cama.

– O vestido, seu pateta. Ainda nem cheguei lá. – Ela deu um gritinho e pulou em cima dele, fazendo cócegas debaixo dos seus braços.

– Bem, acho que você está linda de verdade – disse Gabriel, quando ela por fim o largou.

Mamãe se sentou junto dele e ajeitou o espartilho. Segurou o rosto dele entre as mãos. Ele via a janela do quarto, com as cortinas meio abertas, refletida nos dois olhos dela. Seu nariz longo e fino estava salpicado com pó. As narinas se dilatavam ligeiramente quando ela respirava.

– Nasci na época errada, no lugar errado. Já lhe disse isso. – Sua risada era como moedas de prata caindo. Ela se levantou, com um pulo, e fez uma mesura, baixa e prolongada, estendendo-lhe a mão, que ele pegou. – Não admira que eu sempre me atrase para tudo – disse ela, com ar solene. – Estou atrasada dois séculos inteiros.

Eles desceram e dançaram na cozinha ao som da música que tocasse no rádio, Val Doonican, Perry Como, os Beatles, The Who, movimentando-se no que imaginavam ser o estilo majestoso de cortesãos, eventualmente caindo num rock frenético. Papai chegou, trazendo consigo Jenny e uma nuvem de gás letal.

– Já passa das seis – disse ele, com as orelhas se avermelhando.

Mamãe uniu as mãos sobre os seios como se temesse que eles fossem confiscados.

– Não! – gritou ela para papai. – Não me diga quem eu devo ser!

Ela queimou umas linguiças e fez umas batatas fritas oleosas por fora e cruas no meio. Papai ficou vigiando Gabe e Jen até eles comerem tudo o que estava no prato.

– É comida boa. Foi sua mãe que fez.

Todos tinham de sofrer.

Mamãe estava usando o penhoar por cima do espartilho e crinolina. Seus cachinhos pareciam úmidos e engordurados. Ela ficou em pé junto da pia, fumando, enquanto os demais engoliam a comida às pressas. Jenny se levantou da mesa, saiu para o quintal para vomitar, voltou e comeu o que restava das suas batatas. Durante a noite, Gabe a ouviu vomitar novamente. A fantasia fez mais algumas aparições. Mamãe falava na cor que o vestido teria, na quantidade de fitas e laços. E então papai foi promovido, e eles se mudaram de Astley Street para Plodder Lane. Mamãe cortou a crinolina, e Jenny brincava de bambolê com os aros. Gabriel encontrou a almofada de alfinetes debaixo da cama, depois que tudo já estava arrumado para a mudança.

– Fui eu que fiz isso – disse ele, corando.

– Foi mesmo, querido? – disse mamãe. Depois disso, ele não se lembrava de ter visto a almofada de novo.

Plodder Lane ficava no extremo nordeste de Blantwistle, olhando do alto para Astley Street e semelhantes. O número 22 pertencia a uma fileira de casas recém-construídas, com janelas de moldura de alumínio, entradas pavimentadas e garagens abertas. Nos fundos havia um jardim, em vez de um quintal. E, depois do jardim, terras de uma fazenda, grandes vacas holandesas de olhos remelentos, voltados para o vento. Da janela da sala de jantar na frente da casa, Gabriel gostava de contemplar os verdes cinzentos escuros da charneca de Rivington, cujos tons mudavam com o movimento apressado das nuvens. Olhando do alto para a bacia ali no meio, ele ficava muito impressionado com a vista das fábricas, Rileys e Cardwells, Laycocks, Boorlands e as outras, com as ruas estreitas convergindo para elas, as casas aglomeradas em filas perfeitas. Para ele, foi uma surpresa ver-se cercado pelo campo. Supunha ter conhecimento de que o campo estava lá. Às vezes, papai os levava a passear na charneca. Mas, quando moravam em Astley Street, o mundo era feito de tijolo vermelho, calçadas de lajes amarelas, ruas de pedras redondas cinzentas e as bolas de gude de vidro colorido que ele gostava de fazer rolar nas fendas.

A família Howarth mudou-se para o número 17.

– Aqui em cima dá para se respirar um pouco – disse o sr. Howarth. – Não tenho nada contra eles, mas quem quer sentir cheiro de curry das sete da manhã às onze da noite?

Papai abriu duas latas de Watneys.

– Você tem razão, Tom. – Ele abanou a cabeça. – Não temos nada contra eles, nós dois, mas o que eu quero saber é se *eles* pensaram em todas as consequências. Estão trazendo esse pessoal para cá agora, tudo bem, é mão de obra necessária. Mas o que vai acontecer daqui a trinta, quarenta anos, quando esse pessoal estiver dominando a cidade?

– Quem? – perguntou Jenny, que estava vestindo sua boneca.

– E ainda por cima procriam como coelhos – disse o sr. Howarth, enxugando a cerveja do queixo.

– Eu quero um coelho – disse Jenny. – Papai, posso ter um coelho? Eu não deixo ele fazer cocô dentro de casa.

Não lhe permitiram um coelho. Mamãe disse que sim, mas papai disse que não, é claro. Mamãe disse "então vamos *ser* coelhos, já que não podemos ter um de verdade". Elas passaram uma tarde pulando pela casa, esfregando narizes e roendo cenouras, até Jen prender os pés de mamãe e se recusar a deixá-la voltar a saltar.

Mamãe adorava a casa nova, principalmente as portas corrediças que se abriam do jardim de inverno para o jardim. Ela ficava parada com um pé dentro e o outro fora.

– Isso é que é vida – dizia.

Por um tempo, não houve discussões a respeito do chá. Mamãe esperava papai junto da porta da frente e o levava até a cozinha para fazê-lo sentar-se com um beijinho na bochecha. Ela comprou uns aventais brancos rendados e andava para lá e para cá neles, falando sobre fazer bolos de chocolate e brandindo uma colher de pau. Gabriel a achava belíssima, até mais do que quando ela usava aquela roupa dos aros de metal. Ela foi até o Lorenzo's e pediu um corte espevitado, logo acima das orelhas, com a franja rala que entrava nos seus olhos grandes e castanhos. Ela usava a nova moda dos terninhos e camisa com colarinho muito comprido. Dizia que seus seios eram pequenos demais e que não gostava do nariz, mas Gabriel achava que tudo nela era simplesmente perfeito.

– Que pena, Jen, que você ficou com o meu nariz – dizia ela.
– Só espero que ganhe um pouco mais aqui em cima.

Depois da escola, os dois voltavam correndo, na esperança de encontrá-la com disposição para brincar. Brincavam de cavaleiros e dragões, deixando a casa revirada, de cabeça para baixo. Sentavam-se à mesa da cozinha, para "ler" folhas de chá e dizer quem ou o que queriam ser quando "nascessem de novo".

– Vou voltar como um cavalo árabe – disse mamãe. Ou talvez como um astronauta. Eu iria adorar viajar pelo espaço. – Jenny quis saber se a gente realmente podia voltar e viver outra vida. – É o que os hindus acham – respondeu mamãe.

– O sr. Akbar é hindu? – perguntou Jenny, referindo-se ao homem que tinha comprado a velha casa deles.

– Calculo que sim, meu amor – respondeu mamãe.

Uma tarde, eles chegaram da escola e descobriram que ela transformara a sala de estar inteira numa tenda de beduínos, com lençóis floridos cobrindo as paredes, mamãe sentada de pernas cruzadas, fumando um narguilé. Em outra ocasião, ela estava esticada numa tábua entre duas escadas, pintando o teto com nuvens e borboletas, que papai cobriu com outra camada de tinta, naturalmente. Na semana seguinte, ela escrevera uma peça, no verso do calendário do ano anterior, uma cena para cada página ou mês, e queria que Gabriel e Jenny a estrelassem. Jenny jogou sua bolsa da escola para o outro lado da sala.

– Eu fico com seu papel, mocinha – disse mamãe, fazendo uma pose teatral. Jenny se atirou às pernas de mamãe. Sentou nos pés dela, agarrada aos seus joelhos. – Sua hora vai chegar – gritou mamãe, tentando se desvencilhar dela. – O que você quer que eu faça? Cozinhar, limpar, fazer compras e cozinhar. Eu não deveria fazer nada além disso! Pois pode esperar, mocinha, logo, logo, chegará a sua vez. Vamos ver se *você* vai gostar.

Nos primeiros dias em Plodder Lane, era frequente que houvesse alguma nova aquisição a ser admirada, em exibição na cozinha ou na sala de estar. Um abajur como um porco-espinho de fibra de vidro, com um brilho púrpura na extremidade de cada espinho; um aparelho para fondue com 12 garfinhos de cabo azul; um relógio no formato de uma vaca que mugia a cada hora; estatuetas de porcelana Lladró de damas elegantes, abrindo uma sombrinha ou sentadas num balanço. Depois de um tempo, essas compras passaram a ser clandestinas.

– Subam – dizia ela, acenando do alto da escada. – Agora, não contem ao papai, mas isso aqui não é divino? Por enquanto vou guardar no alto do guarda-roupa por trás dos cobertores, mas se um dia vocês quiserem dar uma olhada... – E embrulhava o conjunto de sachês, o afiador de facas elétrico, a cigarreira marchetada de azeviche e ônix –, é só me dizer que a gente vem espiar um pouquinho.

Às vezes, ela saía para caminhar e se esquecia totalmente da hora. Entrando de mansinho pelas portas corrediças, com a parte traseira das pernas da calça manchada de lama, o cabelo espevitado lambido para a frente, ela dizia, apertando o rosto.

– Ora, devo dizer que foi ótimo. Um tônico e tanto. Não contem ao seu pai.

Parecia que a única coisa que a deprimia era ele. Ele fazia escoar toda a felicidade de dentro dela. Cada xícara de chá que ela punha diante dele era como uma xícara do seu próprio sangue. Quando estava triste, ela via televisão, qualquer programa, parecia gostar da tela de teste, ou ficava deitada na cama fumando Virginia Slims, um atrás do outro. Gabe se enfiou debaixo das cobertas com ela, olhando fixo para o teto. Havia cinzas de um lado a outro do travesseiro. Mamãe se sentou e apagou o cigarro, deixando o cinzeiro equilibrado no joelho. Gabe olhou para ela e percebeu, pela primeira vez, que ela não era muito maior que ele.

– Sabe aquela história de que você queria ter nascido duzentos anos atrás? – disse ele.

Ela acendeu outro cigarro e soprou a fumaça no rosto dele.

– Nasci tarde demais. Foi isso o que eu disse.

– Mas nesse caso você não teria nos tido, entende? A mim e a Jenny. Porque era para nós dois nascermos só agora.

Ela não respondeu.

– E sabe, nós estamos felizes por você ser nossa mãe.

– Estou cheia desse quarto – disse ela. – Olhe só. É tão *marrom*.

– Mamãe, você acha que os hindus têm razão?

Mamãe se deitou com o cabelo nas cinzas. Virou de lado, com o rosto perto do dele, e ajeitou a camisola branca de opala.

– Gabriel – disse ela, com a mão grudada na bochecha dele. – Pode ser que eu tenha nascido *cedo* demais. Todas as coisas que Jenny vai conseguir fazer. Você percebe? – O cigarro estava aceso perigosamente perto da sua orelha. – Mas esta é a vida que cabe a cada um, entende? É isso que lhe cabe... e você precisa... porque se não fizer, bem, você sabe o que acontece, não sabe? Agora, você viu. – Ela afastou a mão, e Gabriel viu de relance a torre de cinza branca antes que se desfizesse e caísse na cama.

Gabe estava vendo o Chef Albert suspirar diante de uma bandeja de rosas de marzipã. No seu bigode havia uma leve camada de alguma coisa que parecia ser açúcar de confeiteiro.

Mal tendo coragem para isso, Gabe perguntou se tudo estava bem.
Chef Albert o encarou, entristecido.
– Nada – disse ele. – Não. – Seus olhos, cercados por sombras escuras, eram poços de dor. Gabe não gostava de olhar nos olhos do chef de confeitaria, para não se afogar. – Como poderia estar bem – prosseguiu Chef Albert –, quando eu tenho esse pateta como assistente. – Ele fez um gesto na direção do aprendiz, que abafou um risinho e perdeu o controle do saco de confeitar.
– Mas tudo vai estar pronto para amanhã – disse Gabe. Ele forçou um tom de alegria na voz, como se estivesse incentivando uma criancinha.
Chef Albert pôs as mãos nos quadris largos e deu de ombros à moda gaulesa.
– Não, acho que não. Preciso começar de novo com os merengues, e agora estou vendo como essas flores estão...
Gabriel estremeceu e se afastou um pouco, tossindo ao mesmo tempo na tentativa de tornar seu movimento invisível. Ele respeitava o perfeccionismo de Chef Albert, mas, como todas as virtudes abnegadas, era melhor apreciá-la a uma distância segura. Fosse como fosse, fazia frio ali, especialmente perto de Albert.
Inclinando a cabeça para mostrar que ainda estava escutando, Gabe passou os olhos pela cozinha de confeitaria. A máquina Rondo ainda tinha alguns restos de massa fresca, presos nos rolos, mas todos os outros lugares cintilavam de tão limpos.
Todo chef de confeitaria que ele tinha conhecido era lúgubre. Parecia fazer parte do território, supunha ele. Tinha havido uma exceção, Terry Sharples, lá no Brighton Grand. Terry estava sempre rindo. Até que se jogou de Beachy Head, na véspera de Ano-novo, 1989.
Gabriel se viu refletido na porta da geladeira. Tinha imaginado estar com um ar de contemplação, mas sua expressão estava em algum ponto entre o desdém e a aflição. Ele bocejou para reorganizar o rosto. Em Blantwistle, as pessoas diriam, *ele não é parecido com o pai?* Mas elas diziam isso de qualquer maneira. Havia alguma semelhança, mas era preciso procurar. Gabe não tinha as

feições duras do pai. Se você removesse a carne, talvez desse para ver: Ted como o protótipo e Gabe como o produto final. Mas o cabelo era o mesmo: grosso, escuro e ainda por cima ondulado, estranhamente afetado, como o de um conde italiano playboy. Gabe foi explorando com os dedos até chegar ao trecho ralo no topo da cabeça. Ele se perguntou que idade o pai tinha quando começou a ficar calvo. Talvez, quando se começa a perder o cabelo, seja nessa época que realmente se tome conhecimento do fato de que se vai morrer, exatamente como todo mundo. Papai iria morrer. Uma imagem explodiu na sua mente: o chão da fábrica na Rileys, cem teares trovejantes, barulho de campo de batalha, e papai, andando por ali a passos vigorosos, domando as máquinas com suas mãos grandes e fortes.

Papai viveria o suficiente para ver Gabe abrir seu próprio restaurante. Isso tinha de ter algum significado, mesmo que Papai fingisse que não tinha. Papai precisava viver tempo suficiente para ver isso. *Vamos, papai,* exortou Gabe, como se tudo fosse estar bem, desde que seu pai se esforçasse mais.

Gabe olhou de volta para seu reflexo. Esfregou a mão de um lado a outro do rosto.

– Nem tudo está bem – disse Chef Albert, abrindo os braços.
– Dá para você ver por si mesmo como tudo está uma bagunça.

Gabe lhe ministrou um breve discurso para levantar o moral e fugiu dali. Gleeson e Ivan estavam realizando uma conferência furtiva no corredor que levava ao salão de refeições. Por que um gerente de restaurante precisaria ter uma conversa particular com um chef de grelhados? Gleeson estava na ponta dos pés, pronto para, a qualquer instante, sair correndo. Ele demonstrava estar bem assustado. Todos os dias, desde o "triste acidente" com Yuri, ele estava numa agitação só, cheio de má vontade e nervosismo. Ivan estava firme, mas aflito, dando puxõezinhos na bandana vermelha. Demorando-se no canto, Gabriel desejou saber fazer leitura dos lábios. Mas havia uma coisa que ele podia dizer a partir da expressão corporal dos dois: eles não queriam que ninguém ouvisse por acaso o que diziam.

Gleeson viu Gabriel.

– Ah, Chef, perdido de novo? A cozinha fica para aquele lado, creio eu. Acabei de encaminhar seu amigo detetive... Parks, não é?... para sua toca. Por favor, tente mantê-lo longe do salão de refeições, está bem? Não queremos espantar os fregueses.

– Acho que não vou ter condições de impedi-lo, Stanley – disse Gabriel, começando a se afastar. Ele deu um sorriso para trás. – Acho que a polícia vai aonde bem entende.

Quando Gabe chegou ao seu cubículo, Parks estava sentado à escrivaninha.

– Cá está você – disse Parks. – Tomei seu lugar.

– Fique à vontade – disse Gabe. – Em que posso ajudar?

– Papelada – disse Parks, apontando para as pilhas no chão e as pastas de arquivos se projetando das gavetas cheias demais. – Praga da vida de todos nós.

– É mesmo.

– Quando estou com um caso em aberto, que nunca deveria ter sido iniciado, para começar... e só se trata de cumprir formalidades, nada de verdadeiro trabalho de polícia... – Sua voz foi se calando. – Não que eu esteja culpando o sargento. Se bem que outra pessoa poderia ter classificado de modo diferente, é claro.

– Houve alguma coisa específica?

– Bem, não conseguimos avisar a família. Fizemos as verificações de praxe com o departamento de imigração, e naturalmente o nome é falso. A história de sempre. Você por acaso não conhece... é claro que não. Além disso, estou só voltando para me certificar de que nenhuma ideia tenha lhe ocorrido, nada fora do normal, antes que eu comece a encerrar o caso. – Ele consultou o caderno. – Um funcionário com quem não falamos, outro auxiliar de limpeza, creio eu.

Gabriel fez que sim.

– Ela não voltou ao trabalho. Se eu puder ter acesso aos arquivos, posso lhe dizer qual foi a agência que a mandou para nós.

– Suponho que vocês tenham grande rotatividade de auxiliares de limpeza.

– É mais ou menos isso.

– Então, a menos que haja algum motivo especial... acho que podemos deixar como está.
– Tudo bem – disse Gabriel. – Certo.
Parks guardou o caderninho no bolso.
– Ah, mais uma coisa.
– Pois não – disse Gabriel, ficando tenso.
– Minha mulher diz que quer ir a um bom restaurante italiano, de verdade, no nosso aniversário de casamento. Vinte anos de casados. Nossa lua de mel foi em Veneza. E então, qual você recomendaria?

Durante todo o serviço do jantar, Gabriel ficou parado junto da janela, verificando prato por prato, acrescentando uma guarnição, limpando bordas, repreendendo garçons, mandando de volta o que estivesse bem passado demais, malpassado demais ou de apresentação desleixada, com uma pitada de incentivo mesclada a uma dose de desdém. O ritmo vinha aumentando desde as seis; e, antes das 8:30, a cozinha já estava a pleno vapor. Gabe mudou de prato um fricassê de frango e se voltou para contemplar sua equipe.

Nikolai, o *commis* russo, picava cebolas para salada com uma velocidade e destreza de cortar o coração. Suleiman hesitava junto do forno, esperando por seu suflê com uma ansiedade evidente, como se fosse seu primogênito. Victor movia-se da panela Bratt, onde dava uma emurchecida no espinafre, para o forno combinado, carregando-o com batatas *röstis* e cubos de abóbora. Um *commis* deixou cair uma tigela de cascas, e todos bateram palmas. Benny correu para ajudá-lo e voltou correndo para seu posto, limpando as mãos. Um salpico de gordura de uma *wok* chiou na chama azul de um queimador. No império de Ivan, o ar pulsava com o calor, tanto que o chef de grelhados parecia enevoado, como se fosse uma miragem. Ele atirou dois bifes na churrasqueira e bateu com um martelo no terceiro. O suor escurecia as costas do seu jaleco branco.

Victor seguiu lépido até os caldeirões de caldos, fingiu dar um soco num dos *commis*, afastou-o para um lado e levantou uma tampa. O vapor subiu numa coluna e se dispersou, como uma ideia que não consegue encontrar palavras que a exprimam. As coifas dos exaustores rugiram momentaneamente e voltaram ao seu zumbido de rotina.

– Ei – disse Victor, voltando a cabeça na direção de Damian, que estava em pé, com as pontas dos pés voltadas para dentro, pondo talharim numa cuba de metal. – Ei, venha cá, quero ver isso.

Damian fingiu que não estava ouvindo. Deixou cair talharim por toda a volta.

Victor segurou o colega mais jovem e forçou seu queixo para cima para examinar-lhe o pescoço.

– Uau! – gritou ele. – O que é isso? Damian arrumou namorada. Estão vendo essa coisa enorme e feia? Um chupão!

Os cozinheiros bateram nas superfícies de trabalho com qualquer instrumento que tivessem à mão. Houve assobios e umas duas vaias, tudo se dissolvendo em risadas.

– Aceite meus parabéns – disse Suleiman.

– Ele vai se casar? – disse Victor, simulando espanto. – Cara, ele sabe ser discreto.

– No meu país – disse Benny em tom enigmático –, o preço de uma noiva pode ser nada mais que um engradado de Heineken e um cabrito abatido.

– Bem, isso é muito mais do que um *commis* pode pagar. – Victor bateu forte em Damian entre as omoplatas. – Parece que você está engasgando, rapaz. Escute, vou lhe dar uma dica. Da próxima vez que você quiser fazer sacanagem com essa sua velhota, peça-lhe que tire a dentadura antes.

A risadaria foi estridente mas não hostil, e até mesmo Damian deu uns risinhos junto.

Gabriel deu uma ajuda a Benny para fazer mais porções de badejo com vieiras *en papillotte*. O prato estava tendo uma saída maior que a prevista, talvez por Gabriel ter pedido aos garçons que abrissem as trouxinhas ao chegar à mesa. Era um procedimento um pouco teatral, que outros clientes ficavam ansiosos por repetir.

Benny trabalhava depressa e com organização, limpando seu posto praticamente todas as vezes que se virava. Era um homem pequeno que, de algum modo, dava a impressão de ser um homem maior que tivesse sido compactado para esse tamanho: alguma coisa na altura do traseiro, na envergadura dos ombros ou no jeito de sua cabeça parecer um pouco grande demais. O branco dos seus olhos era amarelo; e os dentes eram brancos como sal. Uma cicatriz irregular corria do alto do seu nariz até quase a orelha. Gabe pensou em lhe perguntar que país ele tinha deixado para trás.

– Gol! – gritou Victor, lançando uma alface-romana para o alto, para que caísse numa prateleira.

– Dai-me forças – resmungou Gabriel. Ele apanhou uma vieira e destacou o músculo com uma faca.

– Eu sei, Chef – disse Benny, baixinho –, mas é assim que ele é. Cada um de nós é diferente.

– É mesmo – disse Gabe, impassível. – Acho que então não é culpa dele. – Oona era outra: *não é para ser.* Um bom recurso para um caso de necessidade.

– Se você não se importar, Chef – disse Benny –, vou cantar um pouco agora, continuo a trabalhar cantando. – Ele começou a cantar, muito baixo, na sua própria língua, as palavras borbulhando densas como um ensopado rico e picante.

Gabriel repassou mentalmente a lista dos preparativos para o evento Sirovsky do dia seguinte. Algumas das pastinhas e alguns dos molhos já teriam passado da sua melhor forma à noite. Seria possível revigorá-los com umas gotas de limão, umas pitadas de ervas picadas. Ele teria de ir até Blantwistle ver o pai. Papai e vovó. Depois de amanhã, estaria menos ocupado. Só então pensaria nisso, planejaria alguma coisa. Esperava que Chef Albert não jogasse fora as rosas de marzipã. Não que elas fossem acabar sendo comidas: tudo ali era só apresentação. Papai e vovó. Quem teria imaginado? Puxa, a ideia o fazia rir: pensar que aqueles dois fossem acabar juntos.

* * *

Tudo tinha começado, ao que Gabriel supunha, com visitas mais frequentes de vovó depois que eles tinham se mudado para Plodder Lane. Ela não conseguia fazer uma queixa sequer a respeito da casa, diferentemente do que ocorria com a casa de Astley Street, salvo o fato de ela não ter vidraças duplas. Sua inimiga, a sra. Haddock, tinha vidraças duplas; e, como sua pensão de viúva não lhe permitia ter esse luxo na própria casa, o mínimo que seu genro podia fazer era mandar que fossem instaladas essas vidraças na casa do número 22.

– Você precisa fazer uma pesquisa, é claro, para encontrar o melhor preço. Mas tem muito vigarista por aí, a fim de tirar dinheiro do primeiro pateta. – Ela estava sentada, toda empertigada, com os joelhos unidos. – Ou da primeira pateta – acrescentou ela, com uma expressão significativa.

Apesar da promoção do pai, tinha ficado claro para Gabe e Jenny que ele, de algum modo, tinha uma situação na escala social inferior à de vovó. O motivo para isso estava no fato de que o marido de vovó, por ter sido funcionário dos escritórios da Rileys, ia trabalhar de camisa e gravata, em vez de usar macacão. Papai era encarregado de equipamentos. Eles não eram chamados de supervisores, não em Blantwistle; até mesmo os estrangeiros sabiam disso. Papai tinha orgulho do seu emprego. O pessoal do escritório, dizia papai, não sabia a distinção entre a trama e o urdume.

– *Eu* jamais consegui ficar sentada à noite, não com camisas esperando para serem passadas. – Vovó adorava mencionar camisas.

– Um encarregado – dizia papai a Gabriel – ganha o dobro do salário de um funcionário de escritório. Essa é a pura verdade.

Gabriel acreditava nele, mas não havia como resistir à força das insinuações de vovó, já que é bastante difícil rebater insinuações.

– Nunca vi tanto desperdício – disse vovó, chegando para uma noite de fogos de artifício com um pedaço preto e grudento de bolo de melado numa lata velha de biscoitos. – Roupas perfeitamente aceitáveis, aquelas crianças dos Beesley puseram no boneco para queimar. A mãe delas deveria ficar com vergonha.

Mamãe estava incorporando vinagre às ervilhas pretas, com os olhos fixos na janela da cozinha, de onde olhava de volta para si mesma.

– Não tem mais ninguém usando perna reta.

– Sally Anne – disse vovó, tocando nos cachos crespos do permanente em torno da cabeça. – Eu tenho perfeito conhecimento disso.

Desperdiçar dinheiro, pelas normas de vovó, era vulgar. Não havia pecado maior. Quem não tinha dinheiro também era vulgar. A vulgaridade assumia muitas formas, e poucos em Blantwistle estavam livres dessa mancha.

Ainda criança, Gabe já sabia que ela era uma esnobe. Mas por muito tempo foi impossível para ele entender como alguém poderia ser esnobe a menos que também fosse no mínimo um pouco refinado.

Quando ela veio morar com eles, foi papai quem incentivou o arranjo.

– Vai ser a morte para mim – disse mamãe. – É isso o que você quer?

– O que quero dizer é o seguinte – explicou papai. – Esse seu nervosismo. Você sempre está mais tranquila quando ela está por perto.

– Mas você detesta minha mãe – disse mamãe, tentando convencê-lo.

– É – disse papai. – Mas é assim que são as coisas.

Vovó mudou-se para o quarto de Gabe, e Gabe dormia numa cama de camping no jardim de inverno nos fundos. Naquela época, ele já estava estudando culinária, em horário cedido pelo empregador, Jarvis, no Piccadilly em Manchester. Ninguém calculava que ele fosse ficar por ali muito tempo.

Vovó dizia que não conseguia dormir na cama que tinha sido de Gabe. Ela não parava de pulverizá-la com inseticida para pulgas. Gabe chegava do trabalho à uma, às duas ou três da manhã, e a encontrava perambulando pela casa de camisola, meias de compressão e pantufas, fazendo xícaras de chá que largava, meio cheias, por todos os cantos da casa. Revelou-se que vovó apreciava um pouco de xerez, apenas um cálice, de vez em quando ao longo do dia. Exausta com o xerez e com suas perambulações noturnas (motivo pelo qual papai tinha lhe atribuído o rótulo de "metamorfose"), ela costumava voltar para a cama antes do meio-dia. Quando precisava de alguma coisa – o jornal, os óculos bifocais, o remédio, umas balas de hortelã –, ela batia sem força mas com insistência no piso do quarto, e mamãe rosnava e resmungava antes de subir correndo a escada.

Supostamente, tinha sido "por causa da saúde" que vovó se mudou para Plodder Lane. No entanto, foi só depois que ela estava com eles havia um tempo, pelo menos conforme Gabriel podia se lembrar, que ela apresentou algum problema de saúde. Como era de esperar, suas doenças eram de natureza refinada. A tosse ela considerava vulgar; mas a falta de ar, problema do qual ela sofria, não era. Quando tinha dor nas costas, era ciática; e decididamente não era lumbago, dor da qual qualquer operário comum poderia se queixar. Nos joelhos, vovó tinha artrite, o que era uma vantagem em comparação com as varizes da sra. Haddock. O dr. Leather era um visitante frequente, se bem que um pouco relutante, apesar de dar a impressão de passar menos tempo no quarto com vovó do que na cozinha com mamãe.

– Ela ainda vai me matar – dizia mamãe, quando Gabe voltava, de tempos em tempos, de Glasgow, Scarborough, Lyon, onde quer que por acaso estivesse. Talvez tivesse matado mesmo, pensou Gabe. Um ataque do coração aos 54 anos. Toda aquela correria de mamãe para atender vovó.

Vovó estava com 87, e ainda com muito vigor.

Com o canto do olho, Gabe viu Damian com a mão para o alto e com o rosto contorcido enquanto o sangue escorria pela manga.

– Caixa de primeiros socorros, Damian. No meu escritório, última gaveta.

Damian lambeu o dedo e borrou o nariz com o sangue.

– Doutor – chamou Benny. – Dê uma olhada. Damian, deixe o doutor ver sua mão.

Era o apelido que a turma dera a Nikolai.

Nikolai brandiu sua faca.

– Não se pode salvar esse dedo. Será preciso amputá-lo.

Damian riu e fez que não com o dedo, mas, mesmo assim, desapareceu rapidamente, entrando no escritório de Gabriel.

Nikolai pousou a faca.

– Proponho um silêncio – disse ele.

Todos pararam de trabalhar e se voltaram para olhar. Gabriel quis levantar objeção, mas ele também estava sentindo o suspense. Nikolai era apenas um *commis* mas era mais velho do que os *chefs de partie*. Ele não dizia muita coisa, trabalhava para valer e, quando Gabriel quis encarregá-lo de todo um setor, Nikolai recusou a proposta. Seu cabelo era louro-avermelhado, e o rosto era desbotado como uma costeleta de vitela, sem cor nem nos lábios nem nos cílios. Quando ele falava, era com autoridade e tristeza, como o discurso proferido no cadafalso por um rei deposto.

– Amigos e colegas – disse Nikolai –, faz uma semana que Yuri morreu. Sei como todos nós estamos tristes com esse terrível acidente. Com a permissão do Chef, eu gostaria de que todos se unissem para um minuto de silêncio, como sinal de respeito por Yuri.

Gabriel baixou a cabeça. Por que agora, pensou ele. Por que no meio do serviço, quando cada minuto faz diferença? Ele fez a contagem regressiva dos segundos.

– Certo, agora, de volta ao trabalho.

O silêncio pairava ali como um cheiro desagradável, até que Victor soltou um traque.

– Posso relembrá-lo – disse Suleiman, rindo – de que este é um lugar fechado?

Victor se aproximou de Suleiman e arrotou bem no seu ouvido.

– Na Moldávia, esse é um sinal de amor. Estou certo? – Suleiman recuou alguns passos com suas perninhas arqueadas. Gabe sorriu com o jeito de Suleiman fazer a pergunta com uma seriedade aparente, como se fosse inserir a resposta num formulário oficial.

– Certo demais, benzinho – disse Victor, tentando agarrar Suleiman pelo saco.

– Senhores – disse Gabriel, levantando a voz –, não estamos numa porra de playground. Atenção à tarefa, ao trabalho.

– Certo, Chef – disse Suleiman. – Chef? O exaustor está com algum problema.

– Notifique a manutenção de manhã. Não se pode fazer nada agora. Quem preparou essa truta? Bem, trate de vir apanhá-la para fazer de novo. Não importa se está "cozida", garoto. É só pôr numa pia e ela vai sair nadando.

– De manhã, está bem, passo um aviso – disse Suleiman. – Quando Yuri estava aqui, ele consertava sempre, muito rápido.

– Certo – disse Gabriel. – Aí está o problema. Não se deixa o auxiliar de limpeza mexer em coisas desse tipo.

– Ah, Yuri era engenheiro também. Com todas as qualificações. Ele entendia tudo de máquinas.

Dois pratos foram devolvidos para a cozinha: *noisettes* de cordeiro e um frango à florentina. A garçonete disse que os fregueses tinham reclamado.

– Reclamaram do quê? – perguntou Gabriel.

A garçonete mascou seu chiclete.

– Da comida.

– Da comida. Agora ficou muito mais claro. – Gabe largou os pratos com violência. – E faça o favor de jogar fora esse chiclete.

Ele queimou o dedo num jarro de molho bechamel e ficou olhando a bolha crescer. Chegou um pedido para uma mesa de 12. Gleeson não o avisara dessa reserva. Gabriel amaldiçoou o gerente do restaurante: uma vez em silêncio, e depois em voz alta.

– Onde está o salmonete? – gritou ele. – Vamos! Duas fritas e uma salada mista. Não me façam pedir outra vez.

Ivan lançou um espeto de porco e um bife de filé para a janela, dando um leve efeito nos pratos. Ele limpou os antebraços carnudos na bandana e voltou para seu posto. O queixo estava azulado com a barba começando a crescer. Pegou um cutelo e, com um movimento preciso, partiu um frango ao meio.

Victor estava parado no setor de grelhados, tentando atingir Ivan com um olhar fulminante.

Gabriel estava prestes a mandá-lo sair de lá, mas quis ver como Ivan lidaria com a incursão nos seus domínios.

– Você tem cheiro de puta, Victor. Tá procurando gigolô por aqui?

A expressão de Victor se contorceu. Ele tinha um pelo encravado entre as sobrancelhas que estava se transformando num furúnculo, visível até mesmo através do nevoeiro do calor.

– Vá se foder – disse ele, saindo dali.

Gabriel foi à pia beber um copo d'água. Gleeson chegou sorrateiramente ao seu lado, como de costume ficando parado um pouco perto demais.

– Cá está você. Estou atrapalhando algum intervalo?

– Alguma coisa que eu possa ajudar? – Gabe cruzou os braços.

Quando Gabe aceitou o emprego no Imperial, ele e Gleeson saíram para um drinque juntos para se avaliarem mutuamente.

O gerente do restaurante fingiu refletir por um instante.

– Não – disse ele, amaciando a voz. – Creio que não.

É claro que havia histórias sobre Gleeson. Estava transando com Christine, a chefe de RP; estava transando com uma funcionária de atendimento a hóspedes; ele era gay e transava com todos os garçons. Gabe não dava a menor atenção. Era muito provável que todos dissessem que também ele e Gleeson estavam transando. A orientação sexual de Gleeson, como sua personalidade, era difícil de determinar. Tudo nele parecia existir só para causar impressão.

– E o que o inspetor Morse tinha a dizer? – perguntou Gleeson, depois que Gabriel se recusou a preencher o silêncio.

Sua atitude era descontraída, mas Gabriel detectou um quê de ansiedade. Quaisquer que fossem os feitos ilícitos nos quais

Gleeson se envolvia, ele sem dúvida ficava inquieto com a presença da polícia por ali. Gabe sabia que seria imprudente alarmá-lo.

– Queria fazer perguntas, principalmente a seu respeito. Eu disse que não sabia de nada.

– Bom comediante, hein? – disse Gleeson. – Tem mais gente em busca de divertimento no salão. Eles gostariam de falar com o chef.

– Estou ocupado.

Gabe encheu mais um copo d'água. Era de "conhecimento geral" que Gleeson dirigia um Alfa Romeo Spider e saía de férias três vezes por ano, indo a lugares que não poderia ter condições de bancar. Nos hotéis, os rumores sempre foram conhecidos como "conhecimento geral", mesmo quando sua falsidade fosse palpável. No caso de Gleeson, não era muito difícil acreditar.

– Desculpe – disse Gleeson –, mas eles estão insistindo muito. Talvez sejam seus amigos.

– Disso eu duvido.

– Será que você não tem amigos? – Gleeson sorriu.

Era um homem bonito, vestido com elegância e bem tratado. A luz nos seus olhos, embora Gabriel não confiasse nela, era ao mesmo tempo penetrante e brincalhona; e era provável que muitos tivessem sucumbido à sua sedução.

– Não tenho – disse Gabriel, parecendo rabugento, quando sua intenção tinha sido a de fazer piada.

– São dois senhores. Um, seria possível descrevê-lo como corpulento. Anel com iniciais e camisa de estampado *paisley*. O outro usa risca de giz e é louro; e eu acho que já o vi em algum lugar, mas não me lembro onde. Mas estou vendo que a descrição significou alguma coisa para você. Se não quer ir até eles, eles *insistem* em vir à cozinha. Devo trazê-los?

Gabe teve um pequeno sobressalto com a descrição de Rolly e Fairweather. Eles já tinham vindo antes experimentar a comida, verificar se estavam dando apoio à pessoa certa, mas Gabe não queria que eles entrassem na cozinha. Já era suficientemente desagradável eles o chamarem lá fora.

– Vou lá daqui a dois minutos – disse ele.

Sua esperança era que Fairweather não passasse para seu estilo de locutor. Se um dos garçons por acaso ouvisse, amanhã de manhã o hotel inteiro saberia que Gabe estava planejando sair.

– Eles vão ficar *tão* satisfeitos – disse Gleeson, batendo os calcanhares com um estalido. – Querem parabenizá-lo, sem dúvida.

Enquanto bebiam, Gleeson dissera a Gabriel que tinha crescido numa fazenda na Ânglia Oriental. Parecia difícil de acreditar, menos provável que todas as histórias que eram contadas pelas suas costas. Com suas abotoaduras e seus sapatos engraxados, seu modo adulador e seu repartido perfeito, com a cortesia como sua adaga e escudo, a impressão era de que o único lugar em que Gleeson poderia ter nascido era aqui, ou outro lugar semelhante, onde cada um guardava para si mesmo quem realmente era.

– Ah – acrescentou Gleeson, sem se voltar. – O sr. Maddox está jantando conosco hoje. Ele pediu o ossobuco. Tenho certeza de que você vai vê-lo. Está sentado bem perto dos seus amigos.

Capítulo 4

JACQUES OCUPAVA O TÉRREO DO TORREÃO SEMICIRCULAR DA ALA LESte, que se estendia de Yew Street até Eagle Place. O estilo minimalista do hotel não estava reproduzido no restaurante. Na realidade, tinha havido um esforço no sentido de preservar ou restaurar seu encanto do velho mundo. O pé-direito era alto, e o teto tinha caixotões quadrangulares à moda barroca, em que as reentrâncias abrigavam flores elaboradas e brasões desconhecidos. As paredes eram cobertas com papel de parede estampado com flores-de-lis numa cor requintadamente sutil, algo entre o prata e o bege. A cor era retomada no tapete e complementada pelas toalhas de mesa, que tendiam mais para o rosa. Nas paredes, a intervalos regulares, estavam espelhos com molduras douradas em estilo rococó; e no centro do salão um pequeno chafariz de pedra, no qual um par de cavalos-marinhos se exibia. O lustre francês escondia sua feiura numa luz ofuscante; e nessa noite parecia flertar de modo encantador com a cena ali embaixo. O efeito não era desagradável, no todo, embora parecesse precariamente arquitetado.

O restaurante estava quase cheio. Gabriel parou no limiar do salão. Ao seu lado, estavam a entrada para o vestiário e o atril, onde Gleeson, ou o chefe dos garçons, recebia os fregueses. Atrás dele, o bar se estendia como uma garganta na direção das entranhas do hotel; à sua frente, as mesas se abriam em leque. Os clientes se debruçavam sobre as bandejas giratórias à luz de velas; e o vinho e os garçons não paravam. O espaço sugeria privacidade e compartilhamento de prazeres, oferecendo as duas ilusões ao mesmo tempo.

Quando Gabriel avançou um passo, um grupo de mulheres – de pele lisa, buclê e veludo, mãos com manchas da idade – descansou os garfos com uma exclamação. O Chef estava no salão.

Elas queriam um pedaço dele (por que fazer uma simples refeição quando se pode transformar um jantar num evento?) mas Gabe passou direto sem dar uma palavra. Ele avistou o sr. Maddox, limpando molho do queixo. Procurou seus parceiros de negócios. Lá estavam Rolly e Fairweather, droga, a umas duas mesas de distância.

O ruído de cem conversas pairava no ar, exercendo sobre Gabriel uma pressão, delicada porém insistente, curvando os seus ombros e acelerando seu passo.

– Deve ser uma sensação fantástica – disse Fairweather –, como vir ao palco para agradecer o aplauso.

– Podemos conversar rapidamente? – disse Gabriel, sentando-se. – Não era para nos reunirmos na semana que vem?

– Ele não respondeu a minha pergunta – disse Rolly, apontando um pedaço de pão para Fairweather. – É isso o que se consegue com os políticos. Eles nunca dão resposta a porcaria de pergunta nenhuma.

Rawlins e Fairweather formavam um par despropositado. O homem de negócios, com sua camisa estampada e mãos gordas e rosadas. E o político com seu terno de Savile Row.

– Gabriel só estava dizendo – Fairweather sorriu radiante para os companheiros – que tem uma sensação fantástica quando caminha pelo restaurante.

– Minha mulher – disse Rolly, abanando a cabeça. – Minha mulher acha que, se eu largar minhas meias no chão, isso é uma ofensa pessoal a ela. – Suas papadas tremiam. John Rawlins não tinha nada da costumeira jovialidade dos gordos. Seus olhos eram pequenos e duros, com poucos cílios. E ele piscava muito, como se não pudesse acreditar na idiotice total do mundo. – É genético – disse ele. – Puramente genético. As mulheres são multitarefa. Os homens não são. Existem provas científicas. De nada adianta elas tentarem nos modificar. A evolução leva milhares de anos.

– *Adoro* programas de história natural – disse Fairweather. – David Attenborough e tudo o mais. – Ele girou a aliança no dedo.

Gabe vigiava o sr. Maddox, esperando captar seu olhar.

– Já está na hora de as feministas admitirem que desperdiçaram seus esforços. Concordam?

A pergunta foi acrescida do ruído de algum líquido sendo sugado. Sempre havia alguma coisa molhada na fala de Rolly: como que um toque de sibilação, um abafamento dos tês e dês, uma abundância de saliva sorvida com ruído.

– Acho que agora elas são pós-feministas – disse Gabe.

– Com os peitos de fora para a rapaziada – disse Rolly. – Mas ainda enchem o nosso saco, não é mesmo?

Eles tinham se conhecido alguns anos antes numa pescaria de salmão na região montanhosa da Escócia, uma mordomia oferecida por um fornecedor. O mais perto que Rolly chegou da água foi do sifão de soda no hotel campestre. Houve uma briga. Pegue uma bela coleção de uísques puros, um bar aberto 24 horas por dia, dois ou três chefs, acrescente insultos a gosto. Rolly lançou borrifos de soda neles, como se faz com cachorros que estão brigando. Mais tarde, ele estava sentado na sala de sinuca com Gabriel. Acima da lareira, havia a cabeça de um alce. Sua galhada era enorme, poderosa, imponente e inútil diante da arma do caçador. Vou abrir um restaurante em Londres, disse Rolly, assim que encontrar um chef que mantenha a cabeça no lugar. Gabe tinha olhado para os imperturbáveis olhos de vidro, a cabeça majestosa, e fez que sim.

– Concordo totalmente com Gabe – disse Fairweather. – Por um lado, pode-se dizer que nos submetemos a nossa natureza, mas o que dizer de estupro, pilhagens e tudo o mais? Não se pode dizer simplesmente que somos feitos para isso. Também não para a infidelidade. Bem, acho que somos programados para espalhar muito nossa semente, num sentido evolutivo, mas creio que isso não seja muito palatável para minha mulher, nem por sinal para a sua, Rolly. Não, precisamos ser superiores a isso, às vezes, mas entendo o que você quer dizer quando fala em *diferença*. Diferentes porém iguais, não é assim que deve ser?

Rolly piscou os olhos desnudos.

– Viu o que eu queria dizer? Nunca se consegue um sim ou um não direto.

Fairweather riu. Tinha um rosto largo, agradável, e sua tez corada lhe conferia um ar enternecedoramente tímido.
— Eu gostaria muito de apresentar um documentário referente à natureza. Você me deu uma ideia. — Ele refletiu um pouco, afastando da testa a franja loura, como se estivesse se preparando para enfrentar a câmera. — O poder no mundo animal e o poder na política... o que um mundo nos diz sobre o outro? É... é... eu deveria anotar essa ideia.

Gabe se perguntava se deveria ir falar com o sr. Maddox. Mas o sr. Maddox estava envolvido numa conversa, e Gabe não conseguia pensar numa razão para interrompê-lo. Exatamente naquele instante, o companheiro de mesa do gerente-geral se levantou e pediu licença para sair. Gabe compôs o rosto. Quando o sr. Maddox desse uma olhada ao redor, como sem dúvida faria, veria que Gabriel estava descontraído e não tinha nada a esconder. Maddox passou os olhos pelo salão. Fingiu não ver Gabe e depois virou a cabeça para outro lado. Pelo amor de Deus, pensou Gabriel, qual é a dele agora?

— Lamentamos invadir assim seu território — dizia Fairweather. — Não é mesmo, Rolly?

— Na verdade, não — disse o grandalhão, dando de ombros.

— O que ele quer dizer é que achamos que precisávamos. Quisemos falar com você de imediato, sabe, e como parece que você está sempre trabalhando... — Fairweather fez um gesto vago, abrangendo o restaurante. — A montanha precisa ir a Maomé, por assim dizer. Muito boa, a comida, por sinal.

Rolly se debruçou mais para perto de Gabriel. Sua boca tremia. Gabriel ouviu a saliva esguichada através dos incisivos de Rolly, para depois ser sugada de volta para a boca.

— Ouvimos dizer que você perdeu um membro da equipe — disse Rolly. — Acho que não lhe passou pela cabeça nos contar. Deve ter se esquecido.

— Na verdade, li no jornal. — Fairweather baixou a cabeça e mexeu na aliança. — Uma tristeza. Uma tragédia.

— Qual é a queixa? — disse Rawlins. — Tem alguma coisa pegando?

– Estou limpo – disse Gabriel. – Talvez eu devesse ter comentado com vocês, mas não é nada que possa afetar nossos planos.
– Se eu puder fazer alguma coisa – disse Fairweather, como se Gabe tivesse perdido um ente querido. – Qualquer coisa.
Uma garçonete veio repor a água nos copos. Ela era bonita num estilo meio sem inspiração, feições regulares, espaçamento suficiente entre olhos, nariz e boca. Fairweather remexeu no cabelo.
– Agora, posso apostar que você não é uma garçonete de verdade. Deixe-me ver. Você está se ocupando entre dois papéis como atriz.
– Não – disse a garota, arrumando o galheteiro. – Vou ser enfermeira.

Ela se demorou ali alguns instantes, e Fairweather flertou um pouco, provocando-a com a menção a vampiros, quando descobriu que ela era da Romênia, e perguntando se ela já tinha um uniforme de enfermeira. A garota assumiu um ar de tolerância requintada, semicerrando os olhos e dando um sorriso ínfimo; mas, quando deixou a mesa, Gabriel pôde ver alguma beleza nela e creditou a Fairweather essa transformação. Fairweather era dotado daquele tipo de calor humano descontraído que de longe poderia parecer suspeito e ao qual, de perto, era impossível resistir.

Formavam um par improvável, Fairweather e Rawlins, mas juntos funcionavam bem. Seus egos não entravam em colisão porque se expandiam em direções diferentes, e Gabriel era grato por isso. Cinco anos antes, quando tentou abrir um negócio com um trio de *restaurateurs* experientes, foi como três furúnculos inflamados que acabaram por estourar, não deixando nada para trás além de uma sujeirada infecta. Depois disso, Gabriel decidiu que só abriria um restaurante sozinho. Acabou se revelando que nenhum banco se dispunha a prover a quantidade de dinheiro suficiente. Ele estaria cuidando de um pé de chinelo ao norte de Watford, se não tivesse encontrado a alternativa do financiamento particular. O valor que tinha poupado, em torno de sessenta mil libras, se somaria às contribuições de Rolly e de Fairweather; e seu nome estaria, finalmente, acima da porta de um belo restaurante no centro de Londres. Olhando agora para seus financiadores, Gabriel sentiu uma contração na garganta. Esta, pensou ele, é a minha oportunidade.

Tinha 42 anos e estava precisando de um golpe de sorte. Tinha calculado que já teria um restaurante com seu nome àquela altura. Mas fizera os planos quando estava com 15, 16 anos, e o que ele sabia naquela época? Mais do que o pai, de qualquer modo, tão preso à Rileys quanto uma lançadeira enredada no tear. Gabe tinha 15 anos quando planejou a carreira, e não tinha conseguido avançar nela? Meu Deus, estremecia só de pensar nos lugares em que trabalhara. O sádico na *brasserie* em Lyon, que empurrou a cabeça de Gabe para cima da panela de mexilhões em cozimento, tão perto que a pele das suas bochechas descascou. O hotel em Scarborough onde tinha passado nove meses, o lugar mais triste da Terra, onde funcionários e até mesmo hóspedes eram dados a súbitos ataques de choro, e onde dividia um quarto com um surdo-mudo, estagiário como ele, que era apaixonado por Jogos da Memória e pornografia. É claro que ele não tinha cumprido a passagem por um três estrelas. Não tinha sentido necessidade, nem vontade depois dos 16. Ainda muito jovem se envolvera com confeitaria, produzindo gaiolas de açúcar de 60 centímetros de altura e participando de concursos, obtendo no mínimo uma boa classificação. Ainda bem que tinha tomado juízo antes de se condenar a uma vida inteira na cozinha de confeitaria, com os depressivos e os obsessivo-compulsivos, em meio a glacê cor-de-rosa e camundongos de chocolate.

– Tudo bem com você? – disse Fairweather.

– Gases, imagino eu – disse Rolly. – Os chefs seguem dietas apavorantes.

– É mesmo? – disse Fairweather. – Incrível ninguém ter feito um programa sobre isso.

– O ponto em Pimlico é quente – disse Rolly. Ele esvaziou um copo d'água e serviu vinho tinto, empurrando-o por cima da mesa para Gabe. – Senhores, um brinde?

– Aqui não – disse Gabe, dando uma verificada no sr. Maddox, que escolheu aquele exato instante para olhar direto para ele.

– Não faz sentido se arriscar desnecessariamente – disse Fairweather.

– Meu chefe está bem ali – disse Gabe, mudando de posição na cadeira.

– Só um senão com o ponto de Pimlico – disse Rolly, agitando uma pata cor-de-rosa na direção de Fairweather. – Esse nosso amigo irresponsável aqui está pensando em largar Westminster. Quer dizer, qual é a vantagem de nos instalarmos em Pimlico, se ele não vai trazer junto todos os coleguinhas do Parlamento?

Vou ser demitido, pensou Gabriel. O restaurante também não vai acontecer. Fairweather vai desistir. Ou Rawlins. Os dois vão mudar de ideia. Quarenta e dois anos de idade, e chegando depressa a lugar nenhum. Ele apanhou o copo de vinho e o bebeu de um gole só.

Fairweather riu. Sua risada parecia sair estridente pelo nariz.

– Eu vou continuar tendo *amigos*. Pode ser que eu seja um subsecretário muito, muito jovem na política, mas creio que não vão me esquecer tão rápido assim. E vocês sabem, talvez eu faça novos amigos. Nós, irresponsáveis, costumamos fazer amigos.

Gabe tratou de se arrastar de volta de um futuro, que parecia ter escapado das suas mãos, para o presente, sobre o qual, ao que lhe fosse dado saber, ele ainda exercia algum controle.

– Você vai renunciar? – perguntou. – Não quer mais ser parlamentar?

– Não vou me candidatar outra vez – disse Fairweather. – Para mim, a única forma respeitável de sair no meio do mandato é dentro de uma caixa de madeira.

Gabriel olhou em volta à procura de um garçom. Para sua enorme satisfação, três começaram a vir na sua direção ao mesmo tempo. Ele pediu um Chateau Moulinet Pomerol 1962 e disse que era cortesia da casa.

– Homem generoso – disse Fairweather.

– Você já não gosta da atividade? – perguntou Gabe. – De ser parlamentar?

Fairweather deu um suspiro.

– Tem sido um privilégio imenso poder servir. As pessoas se queixam dos caixotes de correspondência do seu eleitorado; mas, sabe de uma coisa, se eu puder ajudar alguém a resolver algum problema, por mais corriqueiro que seja (não estou negando que eles sejam muito, muito corriqueiros), isso me causa profunda satisfação. – Ele abriu um sorriso meio tristonho e repetiu a expressão. – Profunda satisfação. Pura e simplesmente isso.

Rolly bufou com desdém.

– Vizinhos barulhentos, infiltração no teto? Aposto que deve ser empolgante.

– Mas por que desistir? – perguntou Gabriel. – Posso lhe garantir que o restaurante não...

– É claro – exclamou Fairweather – que não se trata disso. Tenho certeza de que você... você e Rolly... vão manter tudo nos eixos. Mas venho recebendo muitas ofertas da mídia, e a maioria atualmente não tenho como aceitar. Já fiz um programa ou dois, como vocês talvez saibam. E parece que eu tenho esse... esse *jeito* para a coisa, digamos. E foi totalmente por acaso, sabe, que isso se revelou. Quem teria imaginado? Parece ser uma coisa que eu deveria fazer.

– Ele deve isso ao seu talento – disse Rolly. – O vinho está chegando.

– Ele adora provocar...

– Bem, se você tem talento.

– Um jeito, talvez seja mais como um jeito para a coisa. Seja como for, no ministério sempre dizemos que os funcionários precisam pensar em multitarefas nos dias de hoje. Nem tenho certeza se essa palavra existe, mas é o que a gente diz. Vou pôr em prática o que prego.

Yuri, pensou Gabriel de repente. Yuri, aparentemente, tinha sido um multitarefa.

A voz de Fairweather prosseguia. Era uma voz perfeita para a radiodifusão, ao mesmo tempo suave e texturizada, como passar os dedos por areia.

– E ainda tem o restaurante. É outra forma de servir, ao meu ver, porque vamos tornar a vida das pessoas um pouquinho mais prazerosa. O que poderia ser melhor do que fazer as pessoas felizes? Um restaurante *tem como* fazer isso, creio eu.

Ele ainda está conosco, pensou Gabe, relaxando ligeiramente. E serviu o vinho.

– Com licença – disse uma cliente, aproximando-se da mesa. Ela se inclinou ao falar com Gabe, de modo que seu decote ficou à altura dos olhos dele. – Eu só queria dizer que nosso jantar estava fantástico. Muito obrigada.

Gabe ergueu os olhos do vale enrugado entre os seios para a região engomada e passada a ferro dos olhos e da testa. Ele perguntou o que ela havia comido, se a refeição tinha sido para algum tipo de comemoração e expressou seu desejo de que ela e o marido voltassem outras vezes.

– *Splendido* – disse Fairweather, quando a mulher se retirou, enrubescida. – *Bravissimo*. Precisamos trazê-lo para o salão com a maior frequência possível em investidas de charme. Eles gostam de tudo isso, não gostam, desse convívio com o chef?

– Ah – disse Gabe –, nós devemos agradecer isso à televisão. Mas estão precisando de mim na cozinha. Por isso, se não se importam...

– Não seria muito inteligente – disse Rolly – despejar fundos num restaurante com um chef que vai se descobrir envolvido em algum processo de homicídio culposo. Você tem certeza de que nada disso vai prejudicar você?

Gabriel deu um risinho curto e balançou a cadeira para trás.

– Podem esquecer o auxiliar de limpeza. Eu já esqueci. Foi um acidente lamentável, mas o próprio Yuri o provocou. Ele estava bebendo. Mas isso não vai fazer diferença na minha vida. Dou minha palavra.

– Por mim tudo bem – disse Fairweather. – Rolly? E por você?

Rawlins deu sua enxaguada especial dos dentes. Considerando-se a quantidade de saliva que ele aparentava produzir, era incrível que ela não saísse aos borrifos quando ele falava.

– E aqui como estão os negócios, Gabriel? Os resultados?

– No início, com altos e baixos. – Gabe deu de ombros. Rolly era um pouco parecido com um palhaço. Quando não estava falando de negócios, geralmente não estava falando de nada que valesse a pena, mas nos negócios, como já tinha provado, ele era tudo, menos tolo. Com Rolly, sempre só interessavam os resultados financeiros. – Veja, estamos trabalhando em média com 70% da capacidade durante a semana agora. Os dias do meio da semana estavam acabando com o restaurante antes, mas vocês podem ver com seus próprios olhos... Vamos examinar alguns números quando nos reunirmos. Tenho mais projeções para expor, mas agora preciso voltar para a cozinha. Gosto de manter controle sobre as coisas.

– Vá de uma vez – exclamou Fairweather. O álcool tinha corado ainda mais suas bochechas, mas elas davam uma impressão de saúde radiante, como se ele tivesse feito uma caminhada vigorosa, em vez de ter tomado uma quantidade indecente de vinho. – Não devemos prendê-lo, não é mesmo? Mas, por favor, diga-me só o seguinte: você faria muita objeção a uma semana *temática* quando abrirmos? Os parlamentares adoram motivos temáticos. Acho que posso garantir a casa cheia.

Gabriel pôs os antebraços sobre a mesa, assumindo uma posição sólida.

– Cozinha tradicional francesa: clássicos executados com precisão, com uma interpretação moderna, despojada. Podem acreditar em mim, em Londres, hoje em dia, isso representa um *tema*. Se quiserem Orla do Pacífico com um mole mexicano como acompanhamento, vão encontrar em qualquer esquina. Já para encontrar um filé *béarnaise* razoável, vão precisar quase ir ao fim do mundo.

– Ah, eu sei – disse Fairweather –, é exatamente sobre isso que conversamos. É por esse motivo que vamos estar lotados até não caber mais todas as noites. Hoje em dia, não existe precisão em mais nada. O mesmo acontece com a política, sabe? Muita baboseira. Conversa fiada, era o nome que meu pai dava. Temos muito disso por aí.

– Olhe – disse Rolly –, se você tiver algum desejo secreto por estrelas do Michelin, já estou lhe dizendo, pode esquecer. É verdade, se você conseguir as estrelas, isso tem seu valor. Se não conseguir... É um desperdício de energia. E uma boa maneira de acabar falindo.

– Não tenho interesse – respondeu Gabe. – Nem nunca tive.

Ele olhou para o outro lado do restaurante para a janela de três arcos. As cortinas abertas, meadas de prata drapejadas com esmero, emolduravam a noite lá fora. Pessoas passavam anônimas. Luzes lançavam borrões coloridos na rua, mas não iluminavam praticamente nada.

– Porque se estiver... – disse Rolly.

Gabriel entrou em sintonia com o tamborilar suave do chafariz, o retinir dos talheres à sua volta. Ele precisava lidar com Rolly, mas não era difícil.

– Quem quer acabar como Loiseau?

– Quem? – perguntou Fairweather. – Ah, já sei. O chef que se suicidou com um tiro? Preocupado por ter perdido uma estrela.

– Besson – disse Gabe – teve um ataque do coração quando tiraram uma dele.

– Meu Deus.

– Senderens. Esse foi esperto. Ele mesmo as devolveu. Quer voltar a fazer comida de verdade. – Gabriel olhou direto no fundo dos olhinhos de Rolly. – Por que deixar que outras pessoas se encarreguem da sua cozinha, da sua vida, quando você pode estar sozinho no comando?

Fairweather esfregou as mãos quando as sobremesas chegaram.

– *Bravissimo*. Por sinal, você deveria passar para flores frescas no restaurante. O plástico é um pouco... nem vou dizer.

No caminho de volta para a cozinha, Gabriel parou para falar com o sr. Maddox, que agora estava sentado sozinho, com um expresso e *petits-fours*.

– Como foi sua refeição?

O gerente-geral demorou para responder, um pequeno exercício de poder. Ficou olhando, com uma determinação aparente, na direção de Rolly e Fairweather e depois passeou o olhar pelo salão.

– Sentados atrás de mim, não, não comece a olhar agora, estão um homem e uma mulher. Estão hospedados no hotel. Eu diria que ele é chefe dela, e o que os olhos da mulher dele não veem, o coração não sente, se é que você me entende. Na mesa logo ao lado, uns dois caras do mercado financeiro, e aquelas gralhas naquele canto são garotas de Essex que vieram à cidade fazer compras.

Gabe estudou a fisionomia de Maddox, tentando ler os sinais. Sua fronte estava sombria e carregada, como se a autoridade residisse ali. A boca, se bem que não fosse de modo algum generosa, tinha lábios que eram surpreendentemente cheios e vermelhos. Os olhos pareciam um pouco cavernosos sob o peso da testa. Essas mesmas feições podiam se armar e se desarmar para apresentar uma expressão para um hóspede e outra para um funcionário que não tivesse conseguido estar à altura das expectativas. No entanto, o processo de transformação era misterioso, e Gabe não chegou a descobrir nada com o exame atento da boca que se abria e se fechava.

– As estátuas de cera logo ali atrás – prosseguiu o sr. Maddox –, quarenta anos de casados, posso apostar. Estamos atendendo aos gays endinheirados ali junto do chafariz, Soho acaba de acordar. Que mais? Senhoras que almoçam, jantando, publicitários tomando água mineral, todos eles nos 12 passos... Eu poderia continuar. A questão é, Chef... – Ele fez uma pausa e coçou a parte interna do pulso, de onde a tatuagem tinha sido removida. – A questão é que num lugar como este é preciso atender a todos eles, e parece que é isso o que você vem fazendo. Bem, está esperando o quê? Não estou pensando em chupar seu pau. Para isso, vai ter de voltar para a cozinha.

O novo auxiliar de limpeza noturno estava lá embaixo nas catacumbas, operando o compactador de lixo. Todos os demais tinham ido para casa. Gabe digitou a senha de acesso ao seu arquivo pessoal, clicou para abrir a planilha e tamborilou os dedos para preencher os segundos antes que o programa se organizasse. Desviou os olhos da tela. Dali do seu cubículo, a cozinha nua assumia um aspecto desesperado, como se tivesse sido abandonada para sempre. Até mesmo as grelhas de Ivan, seu círculo de fogo, reduzidas a brilhos foscos e bocas escancaradas, pareciam patéticas, tão humilhadas como as fileiras de fogões e geladeiras que se veem em aterros sanitários.

Gabriel começou a ler os números. Corrigiu um dos pressupostos, dos custos de mão de obra, e viu que ele se refletia quase instantaneamente nos resultados. Tirou 10% do valor dos laticínios, acreditando que, para o novo negócio, conseguiria preços melhores. Passou por todos os legumes e todas as verduras, fazendo economias hipotéticas, e obtendo a satisfação de fazer subir o lucro bruto. Se aumentasse a despesa média por cabeça, é, nesse ponto tinha sido muito conservador, ele via a possibilidade de chegar a obter lucro líquido antes de passado um ano. Inclinando-se aos poucos para a frente, Gabe procurava novas linhas de ataque. O computador ronronava, e os números se rendiam. Gabriel caçava cada vez mais fundo até chegar aos custos fixos. Ainda assim, ele não parou. Era enorme sua vontade de continuar. Ele reduziu o aluguel mensal e os custos de gás e eletricidade, pelo simples prazer de ver a reação dos números.

Esfregando os olhos, ele afastou a cadeira da mesa de trabalho. Resolveu ir para casa. Voltou a se debruçar sobre o computador e restaurou os custos fixos para os níveis anteriores. Depois fez mais uma alteração ao volume projetado de vendas de bebidas. Se conseguissem vender apenas vinte unidades a mais por dia, veja só o resultado. Era uma maravilha fornecer os dados e obter os resultados daquele jeito. Para fazer x acontecer, faz-se y. Estranho como era fácil perder essa ligação ao longo de um dia normal.

Já não havia nada que ele pudesse fazer de útil nessa noite, a não ser ir para casa e dormir um pouco. Ele coçou, ou melhor, acariciou, o minúsculo ponto de calvície. Será que já estava visível, ou seu cabelo era suficientemente denso e rebelde para disfarçá-lo? Charlie nunca o tinha mencionado mas isso seria típico dela... ou talvez não. Gabe achou que ela teria dito alguma coisa, para provocá-lo, para demonstrar que não era nada ou simplesmente porque... ele agora não conseguia imaginar o que ela poderia acabar fazendo. E na realidade estava sentindo um cansaço extremo e precisava ir para a cama.

Uma coisa que ele precisava fazer no dia seguinte era pensar num modo de se livrar de Oona. Não seria justo passá-la adiante para o próximo chef executivo. Ele não tinha nada contra ela, pessoalmente, e não se tratava de ela não se dispor a fazer as coisas do jeito dele. Mas, mesmo quando estava fazendo exatamente o que ele pedira, nela havia alguma coisa tão *estática*, por assim dizer. Mesmo quando se afobava na cozinha, Oona tinha um jeito de parecer estar totalmente imóvel.

Algumas vezes, Oona tinha ajudado na cantina dos funcionários do hotel, cobrindo uma falta ou outra, e era nessas ocasiões que ela parecia mais feliz, transformando sobras em *curries* e servindo porções imensas de arroz com ervilha. Seu interesse pela comida era básico e estreito, sem imaginação nem empenho.

Gabriel baixou os olhos para as próprias mãos. Eram como as mãos de um chef, com calos e cicatrizes, mas não lhe davam segurança. Ele era assim tão diferente de Oona? Será que tinha se desapaixonado da comida? Eram todos aqueles números e formulários, as reuniões, os procedimentos de saúde e de segurança, os problemas da equipe, os e-mails incontáveis. Não era de estranhar que a paixão minguasse de vez em quando. Seria mais fácil manter uma ereção numa tempestade de granizo. Culinária francesa clássica, com um toque moderno, preparada com precisão. Nada mais que um conjunto de palavras desgastadas.

Bem, ele odiava a alternativa. Um punhado disso, um gole daquilo, dependendo da sua disposição, maravilha, gracinha, rasgue algumas folhas, dance um pouquinho, acrescente umas pimentas, e por aí vai. Ele ainda conseguia *sentir* alguma coisa a respeito. É, a precisão era algo que ele podia oferecer, uma qualidade que podia aplicar. Ele já a possuía todos aqueles anos atrás, quando começara no Jarvis, e ainda não a tinha perdido.

Bogie e Darren e os outros *commis* saíam para encher a cara todos os sete dias da semana, enquanto Gabe ficava até tarde na cozinha, grelhando experimentalmente bifes de três centímetros e aperfeiçoando seus suflês. A leitura dos colegas começava com

Penthouse e terminava com *Hustler*, enquanto ele se esforçava com *Le Guide Culinaire* e o *Larousse*. Eles tinham tanto conhecimento de ciência culinária quanto de garotas. Para Gabe também, as garotas continuavam a ser (literalmente) impenetráveis, mas ele sabia o que eram polissacarídeos, amidos, glúten, proteína, colágeno, gelatina e géis.

Não, Gabe conhecia culinária, sim. Tinha se esquecido de mais do que a maioria deles jamais aprenderia. E, se um abrandamento da paixão fosse tudo com que ele precisava se preocupar, então, pelo amor de Deus, ele estava se saindo muito bem. O lado dos negócios tinha assumido o comando, era assim a realidade. Não se podia sair por aí rasgando folhas de manjericão e desmaiando de prazer o tempo todo. Ele não estava endividado; não era alcoólatra, não usava drogas, não sobrevivia à base de sanduíches de açúcar e Coca-Cola; e tinha chegado até ali sem falir, sem problemas coronarianos, sem divórcios nem crises psicóticas. Olhando para os lados (pois que homem tem força suficiente para resistir?), ele podia dizer que a situação não estava tão má assim.

Gabriel desligou o computador e, finalmente, se preparou para sair.

Ele se encaminhou para a saída dos fundos, passando pela plataforma de descarga de mercadorias. Haveria menos disputa por táxis; o que tinha seu valor mesmo àquela hora da noite. O frio cortando suas narinas era sempre um choque para ele, depois do calor que o envolvia o dia inteiro. Ele tossiu e sentiu uma aspereza no fundo da garganta. Perguntou-se se estaria pegando um resfriado. Quando passou pela cabana pré-fabricada de Ernie, viu um vulto se destacar da parede. Não se surpreendeu. Pareceu natural que ele a tivesse invocado desse jeito.

Lena estava com as mãos enfiadas nos bolsos do casaco, uma capa de chuva fina, azul-marinho. Ela estremeceu, mas olhou para Gabriel com indiferença, como se estivesse pronta para seguir adiante.

– Você, de novo.

Gabe quase não reconheceu a própria voz. Um poste de iluminação lançava um fulgor de sódio sobre a garota, e Gabe teve a sensação de que ela estava flutuando no círculo de luz laranja.

– É.

Ela estava carregando uma bolsa tipo saco num ombro. A bolsa escorregou, e ela a levantou de volta.

– Estou indo para casa – disse Gabe, com a garganta doendo de verdade. – O que está fazendo aqui?

Ela levantou o queixo mas não respondeu. A sombra escondia seus olhos.

– É muito tarde – disse ele, como um palerma. – Você... você tem para onde ir?

Apesar de mal conseguir acreditar, ele sabia que ela estava ali à sua procura.

– Eu levo a bolsa para você – disse Gabriel. Deu um passo na direção dela. Ela não fugiu assustada, e ele deu mais um passo. Foi se aproximando aos poucos, como faria com uma criatura selvagem. – Pronto – disse ele. – Tudo bem. Você pode ficar comigo.

Capítulo 5

LENA PERCORRIA A SALA DE ESTAR COMO SE ESTIVESSE PROCURANDO um jeito de sair. Ela deixou a mão passar por uma prateleira, derrubou um castiçal e o ajeitou no lugar. Pegou um retrato de Charlie, mas mal olhou para ele de relance antes de pô-lo de volta. Em pé, junto da janela longa e sem cortinas, retorcendo os dedos, ela contemplou a porta com um ar de vazio infinito.

– Chá – disse Gabe –, café, chocolate, vodca...

Lena passou o olhar para a janela. Seu cabelo, preso num rabo de cavalo, estava escorrido e engordurado. Os lóbulos das orelhas estavam esticados com o peso de grossas argolas de ouro. Uma fileira de tachas acompanhava a cartilagem da sua orelha esquerda. Os tendões do pescoço pareciam duas cordas grossas.

Ela fez que não.

– Está com frio? Quer que eu ligue a calefação?

Ele mesmo estava tremendo e mordeu o lábio para os dentes pararem de chocalhar.

Lena começou a andar de um lado para outro. Estava usando sapatos de verniz preto com uma fivela dourada sobre os dedos e saltos baixos que batiam uma mensagem enervante no assoalho de carvalho claro.

– Não precisamos conversar – disse Gabriel. – Você não precisa me dizer nada.

Se as meias que ele tinha encontrado fossem dela, se ela estivesse morando no porão com Yuri, se agora estava desabrigada além de desempregada, era provável que não soubesse por onde começar.

– De qualquer maneira, está tarde. Hora de ir dormir.

Sua garganta doía ao engolir. Ele estava pegando alguma coisa. Será que estava com a temperatura muito baixa, ou com febre? Por alguns instantes, ele fechou os olhos.

Ele estava de volta no táxi, passando pela ponte de Vauxhall, olhando pelas janelas para o London Eye, a roda-gigante, para a catedral de St. Paul e todas as outras pedras preciosas salpicadas no céu de veludo púrpura. Sua mão não estava assim tão longe da dela; ele sentia seu cheiro delicado e úmido e não olhou para ela nem uma vez.

– Se você quer sexo – disse Lena –, não tem problema.

Gabriel abriu os olhos.

– Não – disse ele. – Quê? Não. – Ele abanou a cabeça.

Lena deu de ombros. O decote profundo da sua blusa revelava a proeminência das suas clavículas e apenas a mais leve sugestão de seios. Diante da televisão, ela parou e o encarou.

– Não tem problema para mim. A gente faz. Tudo bem, agora, se você quiser.

Mais uma vez, ele fez que não, olhando espantado para o corpo pequeno e cadavérico. Ele mal conseguia acreditar que aquelas palavras tinham se derramado dali e estava estarrecido. Queria muito fazer sexo.

– Meu Deus, não. Não foi por isso que eu... – Ele esfregou o rosto. – Olhe. Você não me conhece, mas se acha que eu... Não é assim que eu sou, não sou desse tipo, não.

– OK – disse Lena.

– Você não acredita em mim? Eu não trouxe você aqui para... Você disse que precisava de um lugar para ficar.

– OK.

– Meu Deus.

– OK.

Gabriel se levantou. Sua garganta estava mesmo inflamada, e a cabeça doía. Era loucura tentar ajudar essa garota. Ela podia passar uma noite no sofá, e depois teria de ir embora.

– Vou tomar umas aspirinas e apanhar um edredom para você. Pode dormir aqui mesmo. Certo? Precisa de mais alguma coisa? Está com frio? Posso lhe arrumar um pulôver, sabe, se estiver com frio?

Ele foi direto até a cozinha, apanhou as meias de cima do balcão e as jogou no lixo. Foi ao banheiro e engoliu duas aspirinas, guardou o vidro, apanhou-o de novo e tirou mais duas. No quarto, abriu e fechou gavetas até perceber que estava procurando um pulôver que combinasse com ela, e tirou da gaveta o primeiro que apareceu.

Lena estava vendo televisão no escuro. Tinha tirado os sapatos e estava sentada com os pés no alto, abraçando os joelhos. Gabe estendeu o pulôver. Ela o apanhou sem dizer palavra, vestiu-o e o esticou sobre as pernas.

Gabe desejou que já fosse de manhã para poder expulsá-la do seu apartamento e da sua vida. Ela não era nem um pouco atraente. Era agressiva. Qual era o problema com ela? Oferecendo sexo daquele jeito, mas sem uma palavra de agradecimento.

Ele iria apanhar um edredom e um travesseiro, e a deixaria para lá. Tinha tentado ser caridoso, e ela desfizera dele.

Sentou-se no sofá ao lado dela, mas deixando a maior distância possível entre eles.

Na televisão, algum canal a cabo, estava passando um filme enfadonho da década de 1940. *Ah, como você pode me fazer uma pergunta dessas?* A mulher usava um vestido longo e esvoaçante da cor da pele, embora parecesse que a cena era no meio do dia. O homem estava de smoking. Pelas janelas à francesa, via-se uma piscina com o formato de algum órgão interno. Sua cintilação fazia tudo parecer falso.

Gabriel se voltou para Lena. Ele lhe faria perguntas rápidas, porém meticulosas, sobre Yuri. Não era por isso que a trouxera ali? Ela não era responsabilidade dele. Se não tinha emprego, era por sua própria culpa. Oona não a demitira, porque Oona não a tinha visto novamente.

Lena assistia à televisão. O pulôver de Gabe formava uma tenda sobre seus joelhos. A luz da tela dançava sobre seu rosto, distorcendo os ângulos. O nariz era o de um felino, pequeno e arrebitado, sobrancelhas altas e finas, e uma boca como uma cicatriz descorada. Era difícil dizer se ela era bonita ou não. Gabe não conseguia se decidir. Ela virou o rosto, e agora ele via seus olhos, mais escuros do que ele se lembrava, de um azul de chumbo à luz da televisão.

– Lena – disse ele. Pareceu que estava suspirando. Ele pigarreou. – De que lugar você é?

– De que lugar – disse Lena, categórica, como se essa fosse a reposta a dar. Continuou olhando para a tela.

– De que país?

O homem deu uma risada de tio mais velho e beijou a garota no pescoço. Tinha o dobro da idade dela.

– Bielo-Rússia – disse Lena.

Gabriel tentou encontrar alguma coisa a dizer. Olhou para Lena.

– Ah – disse ele. – E como é lá?

Lena torceu os lábios. Desdém pelo país inteiro ou, talvez, simplesmente por Gabe.

– Que cidade? – disse ele, tentando novamente.

Ela não lhe deu atenção. Deu puxões no pulôver, repuxando um fio ou dois.

– Há quanto tempo você está em Londres?

Ela pousou o queixo nos joelhos. Seus brincos, apesar de serem de ouro, falavam apenas de pobreza. Encolhendo os dedos dos pés, ela tentava se agarrar à beirada dura e escorregadia do sofá, e para continuar na sua posição desleixada, Gabe sabia que ela estava precisando manter uma rigidez terrível.

– Você morava com Yuri no porão?

É toda essa maldita confusão com o sr. Hammond! Se ao menos houvesse uma forma de esclarecer essa parte. Veja só, eu sem querer surpreendi Celia naquele dia, quando Bobby deveria... Agora a mocinha estava andando em círculos, fazendo farfalhar as pregas do vestido. Vamos com isso, pensou Gabe, querendo a contragosto descobrir o que Bobby deveria ter feito. Chega.

– Eu perguntei se você...

– Mazyr. Minha cidade. Mazyr.

Qualquer que fosse a qualidade que insuflava vida nas palavras, ela estava ausente da voz de Lena. As palavras que deslizavam da sua boca eram natimortas.

Gabriel deixou a cabeça cair para trás no encosto do sofá e ficou olhando para o teto, desejando que ela voltasse a falar. Como ele conseguiria que ela falasse?

A garota da televisão tagarelava. Ela explicou tudo, toda a maldita confusão.

Gabriel se endireitou. O homem de smoking atravessou o aposento a passos largos na direção do divã onde a garota tinha se jogado.

Lena deu um risinho, assistindo ao final totalmente feliz.

– É – disse Gabe –, por que as pessoas assistem a esses filmes idiotas?

Lena se arrumou, sentando direito e cruzando as pernas. Deu-lhe um olhar de esguelha, que pareceu brincalhão, mas, quando falou, foi num tom petulante.

– Eu acho filme bom. Eu gosto.

– Como eram...

– Você diz que não vai fazer pergunta – disse Lena, com a raiva acelerando a voz. – Mas tudo o que faz é perguntar. Perguntar, perguntar, perguntar. – Gabriel viu como as unhas dela estavam roídas, uma linha de sangue seco. – Você é da polícia? Eu lhe faço pergunta? Não.

Na realidade, ela não estava exatamente em posição de fazer perguntas. Tinha lhe feito apenas uma.

– Vá em frente – disse Gabe. – Pode perguntar. O que quiser.

Lena encolheu os ombros. Foi mais um retraimento que um dar de ombros, como se a ideia de descobrir qualquer coisa a respeito dele fosse repugnante.

– Qual é nome? – disse ela.

– Gabriel.

– Como anjo.

– É.

Era simples. Ele falaria com ela, e depois ela falaria com ele. Como ele podia ter esperado que ela abrisse a boca? Ela nem mesmo sabia seu nome.

– De que lugar você é? – disse Lena, formando as palavras com cuidado.

– De uma cidadezinha no norte, Blantwistle.

– Ah, e como é lá? – perguntou ela, sem interesse, devolvendo as perguntas que ele lhe fizera.

Então, vou lhe contar, pensou ele. Vou lhe contar como é. Gabe apanhou o controle remoto da mesinha de centro.

– Meu pai diz que é... não importa. É uma cidade pequena, com uma tecelagem, quer dizer, *era*...

– E como ele é?

– Meu pai? Não sei. Ele é só normal, comum, sabe.

Gabe desligou a televisão. Tinha achado a sala escura antes, mas ela não estava. Agora, sim, estava escura. Havia apenas a claridade do hall e o bruxuleio espectral das vidraças. A mesinha branca mantinha uma leve luminescência; o resto da mobília adensava o negrume em certos pontos; e Lena, envolta na escuridão, parecia desencarnada, um pequeno borrão pálido no ar.

– Meu pai – começou Gabriel.

Ele queria contar. Mas contar o quê? Afinal de contas, por que ela veio procurá-lo? Será que ela realmente *tinha* vindo procurá-lo? Um olhar eles tinham trocado nas catacumbas. Que significado poderia ter um olhar? Quanto ele poderia significar? Ela olhou para ele, naquela hora, como ele achava que tinha olhado? Eles tinham visto um ao outro por apenas um segundo ou dois. O resto ele tinha imaginado, inventado agora, nessa noite, porque estava... o quê?... se sentindo só? Ele estava se sentindo só? Ou essa sensação era algo que ele mal começava a ter agora? Era ela que o fazia se sentir só? Não fazia sentido. Ele estava com febre. Não conseguia pensar direito. Ia tomar mais algumas aspirinas.

– Meu pai – começou ele de novo – é um pouco rígido nos seus hábitos. É claro que ele já está com alguma idade. O que eu quero dizer é que ele sempre foi assim. Sabe do que gosta e gosta do que sabe. Muitos homens são assim, especialmente em Blantwistle. Ah, ah, pode ser que na sua cidade também. Mesmo lugar, mesma rua, mesmos amigos, mesmo emprego... – Ele continuou a falar sem parar, mal se dando conta do que dizia. – Não faz a menor ideia de como é para nós, para você e para mim, a flutuação. Não sei, não que nós sejamos iguais, só estou tentando ressaltar que, quando se precisa abrir o próprio caminho... Desculpe, mas não me sinto muito bem.

Ele se inclinou para a frente, com a cabeça nas mãos, e soprou com força. Por que estava falando daquele jeito?

Lena se levantou e acendeu um abajur. Passou um dedo pela cúpula.

– Eu fico aqui dois, três dias, e faço limpeza para você, OK.?

– Você não precisa fazer a limpeza – disse Gabriel. Ele estava trêmulo como se tivesse chorado até se acabar. Ela era apenas uma lavadora de panelas. Imigrante ilegal, com toda probabilidade, ela não queria falar com a polícia. – Preciso lhe perguntar a respeito de Yuri.

Ela amarrou a cara.

– É comigo ou com a polícia.

– Eu não faz nada. É minha culpa ele beber?

A ponta do seu nariz ficou vermelha. Gabriel extraiu forças do constrangimento dela.

– Diga-me então o que aconteceu.

– Yuri vai para chuveiro. Ele leva muito tempo, mas eu não acho nada. Vou dormir. Acordo... – Ela mordeu o lábio. – Homem bom, Yuri. Se eu pode ajudar, mas não tem jeito de ajudar ele. – Ela dobrou tanto os dedos para trás que doía só de olhar.

– E então você fugiu? Por quê?

Ela fez uma careta.

– Mas você morava lá embaixo com ele?

Ela emitiu um som que poderia significar "sim" ou poderia significar "não".

– Por que você voltou naquele dia?

Ela levantou os ombros esqueléticos até as orelhas e os deixou cair de novo.

– Não dá – disse Gabe, pondo-se em pé. – Preciso de uma explicação melhor. – Ela se encolheu como se estivesse com medo dele. Sentiu-se cruel, mas não se importava. – Vamos – disse ele – desembucha.

– Dinheiro, deixo algum dinheiro. Um pouco que economizei.

– E então? Conseguiu pegar? – perguntou Gabriel, sem saber como prosseguir com o interrogatório a partir dali.

– Como? – perguntou Lena, com os olhos chispando no rosto duro. – Como? Eu vou, e *você* está lá!
Quer dizer que era esse o olhar que ela lhe dera. Ele estava lá. Estava atrapalhando. O choque da compreensão fez com que ele risse. Os olhos dela brilhavam e ameaçavam transbordar, mas ele só conseguia rir. Sentia muito, mas não conseguia se controlar.

Ele arrumou uma cama no sofá. Lena se empoleirou na beirada da *chaise longue*, com o corpo pequeno e achatado como uma sombra que tivesse entrado de mansinho por baixo da porta. Gabe afofou o travesseiro.
– Muito bem, então – disse ele. – Tudo pronto.
Seu tom era ríspido, mas a visão dela o enchia de pena. Ela aparentava estar tão terrivelmente só.
– Lena – disse ele –, diga-me onde escondeu o dinheiro. Eu apanho para você.
Ela teve um sobressalto como se ele tivesse se proposto a roubá-la, mas depois deu um sorriso hesitante.
– Na parede dos fundos, contar tijolos do canto, quatro do direito, sete de baixo para cima. Esse está solto. – Ela se aproximou e tocou nele, espalmando a mão no peito de Gabe. – Você é um homem bom.
Finalmente, pensou Gabriel, ela estava começando a entender.
– Só a trouxe aqui para ajudá-la. Não sei no que mais você estava pensando, mas deveria tirar tudo isso da cabeça.
Ela deu uns tapinhas leves no peito dele e examinou seu rosto e seus olhos. Não importava o que fosse que ela estava procurando, parecia que tinha encontrado. De repente, ela se afastou.

Gabriel esperou no quarto até ouvir a descarga do sanitário e o abrir e fechar da porta do banheiro. Quando passou pela porta da sala de estar, ela estava se despindo à luz do abajur, de costas para ele. Por alguns instantes, ele a observou. Focalizou toda a sua caridade na crista patética da sua espinha.

No banheiro, ele se postou diante do espelho de corpo inteiro. Seus olhos estavam injetados; o cabelo, despenteado; barba por fazer no queixo e nas bochechas. Tentou ver o que Lena tinha visto. Depois do trabalho, trocara de roupa e estava usando jeans e um pulôver aflanelado, mas ainda havia nele alguma coisa que lembrava a cozinha, e Gabe não conseguia chegar a uma conclusão sobre o que seria. Um homem alto, de ombros grandes, queixo forte. Ele dava a impressão de estar se preparando para tirar alguma coisa ou alguém do caminho. Talvez tivesse sido duro demais com Lena. Deveria ter-lhe dado tempo para se acostumar. Não era como se suas respostas pudessem ajudar Yuri. Não passavam de uma formalidade, e Gabe compreendia por que ela queria evitar a formalidade da polícia.

Ele a ajudaria porque sentia pena dela, se bem que – deixando Yuri de lado – sua história fosse comum, e geralmente fosse preciso manter distância. Não que ele fosse acabar sendo sugado. Ele encontraria o dinheiro que ela mencionara, talvez desse alguns telefonemas, conseguiria um trabalho para ela em um dia ou dois e depois ela seguiria em frente. Apesar de que, se a história se revelasse e a polícia oficialmente ainda estivesse procurando por ela, o que isso representaria para ele? Entrelaçou os dedos no alto da cabeça e encostou a testa no espelho, vendo a subida constante do vapor da sua respiração.

Charlie saberia o que fazer. Ele ligaria para ela. Ela haveria de querer ajudar. Desejou que ela estivesse ali agora, queria se enfurnar nela, deixar tudo para lá e se deitar com ela, não vendo nada além da pequena reentrância na base do seu pescoço.

Ele jogou água no rosto, apanhou a escova de dentes e se perguntou se Lena a teria usado. Lena, sua causa caridosa. Ele passou os dedos pelo cabelo, empurrando-o de cima dos olhos. Por que achava que tinha a aparência de um chef? Era engraçado. Se tivesse passado a vida num escritório, será que agora teria outra aparência?

* * *

Ele não conseguia dormir e sentia tanto calor que estava transpirando. Olhou com atenção para o aquecedor de ambiente, de ferro fundido, bem baixo sob a janela do quarto, como estava na moda, perguntando-se se ele ainda estaria ligado, muito embora, na realidade, soubesse que não estava. Na escola, Gabe costumava sentar em cima de um aquecedor igualzinho àquele, com Michael Harrison, na hora do recreio. "Vem cá, vem cá", dizia Michael, com a voz esganiçada, a qualquer garota que passasse. "Não, chega bem perto. Quero te dizer uma coisa." Ele esperava até ela estar perto o suficiente para pular fora quando ele falasse de novo. "Gabe te dá uma moeda se você deixar ele passar a mão em você." Os dois repetiam isso o tempo todo, sentados ali, aquecendo o traseiro e se escangalhando de rir. Naquela época, se era engraçado uma vez, dez vezes era dez vezes mais engraçado.

Ele apanhou um livro na mesinha de cabeceira. *O universo numa casca de noz*. Era ridículo como as pessoas compravam todos esses livros de ciência, livros como os de Stephen Hawking, e nunca os liam. Gabe parecia ter se tornado uma dessas pessoas, mas somente porque não conseguia tempo para ler. Observou a capa e virou o livro para ler a propaganda, para a qual tinha olhado tantas vezes que quase a conhecia de cor.

Precisava abrir o restaurante antes que papai estivesse doente demais para viajar. Ele verificaria com Jenny quanto tempo isso poderia demorar. Trazer papai para a inauguração. Era algo que ele devia fazer. Para fazer com que o restaurante se tornasse viável, ele precisaria trabalhar dia e noite. Charlie compreenderia. Eles iam juntar os trapos. O restaurante andaria pelos próprios pés. Eles já estariam morando juntos. Teriam um filho. Bom, pensou ele, ótimo. Vá dormir.

Ele desligou a luz.

Repassou tudo mais uma vez. Trazer papai para a inauguração. Firmar o restaurante. Ir morar com Charlie. Ter um filho. Papai. Restaurante. Charlie. Filho. Ticar um a um, riscar um a um. Ticar, riscar; ticar, riscar.

Ele se deitou de lado e depois de bruços. Virou o lado do travesseiro.

Era mamãe quem deveria comparecer à inauguração. Ele achava que papai ligaria para isso?

Droga, ainda estava acordado. Dentro de um minuto, iria se levantar e fazer uma xícara de chá.

Dentro de um minuto, estava dormindo.

No sonho, ele desce às catacumbas e segue à deriva numa luz fosforescente, uma luminosidade de medusa nas paredes, que o conduz cada vez mais fundo, e ainda mais fundo. Ele tem medo de tocar em qualquer coisa e mantém as mãos nos bolsos, deixando que a luz o puxe, o atraia, o seduza, até ele chegar ao lugar. O corpo está onde ele o deixou. Ele se agacha para olhar para ele com cuidado, começando pelos dedos dos pés. Unhas amareladas, um joanete, pele ressecada no calcanhar. Pelos densos nas pernas que vão raleando até chegarem a coxas de pele de galinha. Vamos então para os órgãos genitais, não deixe passar nada, um eczema na virilha. O escroto está duro e murcho, mas o pênis... ele precisa olhar... está mole e é horrivelmente comprido. Uma cicatriz de cirurgia de apêndice na barriga, levando a um peito que é ligeira, porém decididamente, côncavo. Ele precisa olhar para o rosto, mas não consegue. Fecha os olhos e, sentindo engulhos, o apalpa.

Capítulo 6

NAS COZINHAS ONDE GABE TINHA CUMPRIDO SEU APRENDIZADO LONgo e variado, a violência não era desconhecida, nem mesmo incomum. Ele tinha sido cutucado nas costelas; tinha levado chutes nas canelas e, uma vez, um chute direto na bunda. O chef no Brighton Grand, um ex-caminhoneiro, que tinha as rinhas de cães ferozes como um hobbyzinho simpático, gostava de puxar cabelos, torcer orelhas, agarrar o saco; e Gabe esperava sinceramente que agora ele já estivesse trancafiado atrás das grades. Na sua época, ele tinha se desviado de um prato ou dois e levado um com toda a força na parte traseira da cabeça. Houve aquele caso da panela de moluscos em ebulição, e Gabe tinha visto coisas ainda piores. Hoje em dia, porém, pode esquecer. Era preciso paparicar todos eles.

Victor estava no seu posto, recheando e enrolando *paupiettes* de truta. Seu jaleco branco estava meio desabotoado, a perna direita vibrava e a boca estava ocupada se franzindo, como se estivesse se aquecendo para uma rapidinha encostado na parede.

– Tira isso já – disse Benny, apontando para as orelhas de Victor, mas Victor estava totalmente imerso na música.

– Fritada de frutos do mar para o prato do dia – disse Gabe, continuando a examinar as geladeiras. – Que mais precisamos forçar?

– Coelho ensopado – disse Benny. – Duas porções. Três de codorna.

Victor raspou o fundo da *mousseline* de salmão, apanhou a tigela e se encaminhou para as pias.

– Cuidado – disse Gabriel, deixando o pé no caminho quando Victor tentou passar por ele. Todo o contingente estava trabalhando hoje, em turnos extras, nos preparativos para o lançamento

Sirovsky. Quando Victor caiu, ouviram-se vaias que chegaram à altura máxima quando ele bateu no chão. Gabe deu a volta para ajudar Victor a se levantar, e infelizmente pisou na mão do rapaz.
– Está vendo por que é perigoso usar iPods na cozinha? Você não me ouviu quando eu lhe disse para ter cuidado.
Victor aceitou as vaias com um sorriso forçado, mas, quando olhou para Gabe, havia um novo ar de alerta no seu rosto atrevido.
– Desculpe, Chef – disse ele.
– Desculpas aceitas. Agora, abotoe direito esse jaleco.
Eles tinham de trabalhar com precisão hoje, e essa era a verdade. Ele não ia se arriscar por ninguém. A cozinha estava em estado de alerta vermelho, com todas as peças de artilharia em atividade, munições empilhadas por toda parte. Molhos e caldos esfriavam no peitoril da janela, no alto das geladeiras, no chão; bandejas de rissoles, *samosas*, bolinhos de feijão formavam barricadas; todas as superfícies planas estavam agora na linha de frente, aí incluídas as tampas das latas de lixo, que formavam postos de parada entre os *commis* e seus *chefs de partie*.

Ele estava com todos os seus melhores homens no cardápio da festa, incluindo Nikolai e Suleiman. Gabriel ficou olhando Nikolai acrescentar *fines herbes* ao seu *spätzle*, trabalhando a massa com sua mão branca, digna de um cirurgião. Realmente, pensou ele, tirando um instante para si, não havia melhor lugar para se estar.

A noite anterior tinha passado num sonho, menos real que o sonho que tivera dormindo. Agora ele se divertia ao pensar nela, em como a febre tinha prejudicado suas percepções, como o melodrama barato na televisão tinha fornecido um roteiro para seus pensamentos. Ele não tinha se posto a imaginar Lena explicando "toda a maldita confusão"?

De manhã, ele deixou Lena no sofá vendo televisão. Passada a febre, tudo tinha se encaixado nos devidos lugares.
– Vou chegar tarde – disse ele. – Tem comida no freezer. Use o micro-ondas. Não vai morrer de fome.

Olhando lá para fora pela janela, contemplou o carnaval do trânsito, três ônibus vermelhos, vagarosos como carros alegóricos. Londres era uma loucura, e ele adorava. Poderia mantê-la trancada ali em cima um mês inteiro, e ninguém saberia.

Lena roía o que restava das unhas.
— Não esquece — disse ela, referindo-se ao dinheiro.

— Com licença, Chef, pode provar para mim? — Suleiman lhe apresentava uma escumadeira com um *dim sum*. — Preparei um lote de teste. Está certo?

O rosa embriônico do recheio de carne de porco parecia pulsar através da pele translúcida. Na boca, a explosão delicada deu lugar ao sabor condimentado do shoyu com um toque picante de gengibre.

— Está — respondeu Gabe. — Está bom.

Suleiman concordou, ansioso. Ele tinha um jeito de olhar, como se estivesse espiando por cima de um par de óculos invisíveis, em busca do detalhe que faltava.

— E os cremes de gorgonzola... já experimentou?

— Vou fazer isso agora. — A paleta dos sabores não era suficiente para descrever aquilo. Ele tirou mais uma colherada do pequeno suflê de Suleiman. Não era queijo derretido. Era turfa, musgo e pinhões, o fogo rugindo na lareira num dia enregelante. — Medonho — disse Gabe. — Horrível. — E deu uma risada.

— Suponho que esteja brincando — disse Suleiman, engrenando seu sorriso mais esforçado.

— Você vai longe — disse Gabriel. Pelo menos, até o novo restaurante. Decididamente ele levaria Suleiman; talvez alguns dos outros também.

Continuando sua inspeção da tropa, ele chegou a Damian, que cortava cenouras em cubos para uma seleta de legumes. O garoto estava mordendo a língua, como de costume. Um dia ia acabar se engasgando com ela. Havia nele como que uma descamação constante, se bem que mantivesse o uniforme branco bastante limpo. Gabe podia apostar que ele molhava a cama. Precisava ganhar firmeza.

— Como você chama essas cenouras?

— Quem? — disse Damian. — Eu?

— É, você. Como você as chama?

Damian pôs a faca no balcão.

– Cenouras, Chef, chamo só de cenouras. – Ele se encolheu como se Gabe o tivesse içado num gancho, o que, em certo sentido, era o que tinha feito.

– Cenouras, Chef. – Gabe deixou que ele se contorcesse um pouco. – Cubos pequenos, médios ou grandes? Que tipo de cubo?

– Médio? – disse Damian, começando a bufar. O garoto era um incompetente, até mesmo na respiração.

– Eles não são médios – disse Gabe devagar, passando um braço pelos ombros de Damian. – Vou lhe dizer o que são. Uma porcaria, é o que são. Apanhe a lata de lixo, jogue tudo fora e comece de novo.

– Fui duro demais com ele? – perguntou Gabe a Benny, quando voltava para sua mesa de trabalho.

– Para ser franco – disse Benny –, não. – Benny era um mediador nato. Era provável que pudessem usá-lo em Ruanda ou em qualquer lugar de onde ele fosse proveniente. – No meu país, temos um ditado: saco vazio não fica em pé. – Ele limpou a bancada de trabalho e reabasteceu sua pilha de toalhas. – Nunca vi você ser grosseiro sem motivo. Você é justo. Se quer saber, eu digo que você fica em pé.

Gabe deu uma passada pela cozinha de confeitaria. A luz, forte como a de uma sala de cirurgia, dava ao espaço uma aparência de clínica. Ele quase podia ouvir o suspiro da massa em crescimento, perfeitamente abrigada por panos alvíssimos. Chef Albert passava um palito pela glace cor-de-rosa com a precisão e a velocidade do raio laser. Ele estava cobrindo uma bandeja de biscoitos finos, escrevendo "Sirovsky" em todos eles.

– Veja – disse ele, parando um instante para mostrar a mão. – Nenhum... como se chama?... Tremor. Absolutamente nenhum. – Deu um tapinha no bolso superior, e Gabe ouviu o ruído de comprimidos. – Betabloqueadores. Que milagre! *Magnifique*. Eu tenho estresse. Fico estressado. Minha insegurança... está sempre ali, rondando, mas o tempo todo eu me mantenho calmo, absolutamente calmo.

– Estão fantásticos – disse Gabe.

Ele queria se livrar do cheiro de fermento e do rosto reluzente, como glace de açúcar, do Chef Albert.

– É – disse o Chef Albert. – Lindos. Mas você sabe o que vai acontecer com minha pequena obra de arte? Ela entra pela boca e, algumas horas mais tarde, sai pelo rabo.

– A vida é assim mesmo – disse Gabriel. – Se você precisar de mim, vou estar à mesa de trabalho.

Voltou quase correndo para o escritório e encontrou mais uma pilha de papelada na bandeja de entrada, salpicada com notas autoadesivas dos Recursos Humanos.

– É tudo bruxaria e feitiçaria – disse Oona, entrando como um furacão e cacarejando por cima do seu ombro. – Tem a ver com os códigos.

– Pensei que F17 *era* o código de pagamento para licença médica – disse Gabe. – Meu Deus, é a segunda vez que preencho esses formulários.

– Quer que eu faça para você, querido? – disse Oona, espremendo-se para sentar.

Para começar, era por isso que ele a tinha mantido, supôs ele. Por que todos os outros chefs antes dele também tinham feito o mesmo. Era enciclopédico o conhecimento de Oona dos estatutos e das exigências em letra miúda do Imperial. Ele a usava para evitar a burocracia.

– Tem uma coisa que preciso te pedir, meu querido... Tudo bem com você se eu tirar a tarde de amanhã? Posso trocar um meio dia de feriado com Benny, era para ele estar em casa amanhã, mas ele pode vir. Ai, não, não é Benny, era Suleiman, e ele então vai trocar um meio dia com... peraí... agora me enrolei toda, mas tudo acaba dando certo.

– Não – disse Gabe, entregando-lhe a papelada.

– Eu não ia pedir mas... – disse Oona, enfiando uma das mãos no seio.

– Não.

Os olhos de Oona cintilaram porque ela achava que ele estava brincando com ela.

– Estou falando sério – disse Gabriel. – A escala dos feriados é fixa. Ela não acaba dando certo. Eu faço com que dê certo, e ponto final.

– Ah – disse Oona, perdendo o ânimo. – Bem. – Ela descalçou os sapatos e esfregou um pé no outro como um louva-a-deus. – E a reunião do sr. Maddox no Roosevelt? Quer que eu apronte uns pratos saborosos?

Merda. Ele tinha se esquecido totalmente. Precisaria transferir Suleiman por umas duas horas.

– Obrigado por me lembrar. Considere cumprida sua parte.

– Você não é um amor? – exclamou Oona, debruçando-se e, por um momento alarmante, dando a impressão de estar se preparando para um abraço. – Vou preparar uns petiscos rapidinho.

– Oona, não se ofenda, mas esse é um risco que não estou disposto a correr.

Ernie quase o atropelou com uma empilhadeira cheia de caixas de leite e creme a ponto de impedir sua visão.

– Dirigindo às cegas hoje?

Ernie estacionou o carrinho. E coçou a cabeça.

– Ela está sem motor. Estou só empurrando, sabia?

Para um poeta, ele levava as coisas um pouco ao pé da letra demais.

– Como vai o mundo do recebimento de mercadorias?

Ernie pensou um pouco.

– Nada mau. Nem um pouco mau. As mercadorias chegam, e eu guardo tudo. É assim que funciona, sabia? Não posso me queixar.

– Entendo.

– Chef – disse Ernie, tirando uma pasta plástica do meio de caixas de leite integral orgânico. – Chef, você teria interesse em comprar um poema para o Dia dos Namorados? É um novo mercado. Três libras por duas estrofes; seis, por quatro. – Ele esticou e recolheu seu pescoço esquelético.

– Dia dos Namorados? Mas estamos em novembro, Ernie.

– É. Estou me adiantando aos concorrentes – disse Ernie, piscando os olhos com orgulho.

A calça de Ernie era curta demais para ele. As meias apareciam e já tinham perdido a elasticidade. O corte do cabelo era raspado como numa prisão, e havia alguma coisa defeituosa no jeito do seu pomo de adão subir e descer no pescoço. Gabe folheou rapidamente a pasta de Ernie, com o tempo escorrendo pelas suas mãos. Nesse trabalho, às vezes, era preciso bancar o assistente social, quer se gostasse quer não.

– Desse aqui você vai gostar – disse Ernie. – Viu o que fiz? Isso é o que se chama de acróstico. Viu? Lê-se a palavra NAMORADA descendo pelo lado da página. Calculo vender dez por dia, digamos durante o próximo mês, e vou acrescentar outros, sabe? Dia das Mães, Dia dos Pais... No mínimo, tem um dia especial por mês.

– Bom plano, Ernie – disse Gabriel. – Sinto muito, mas preciso ir.

O telefone estava tocando no seu cubículo. Gabe o atendeu depressa.

Estava desligando de novo quando o sr. Maddox ocupou a porta de entrada.

– Boas notícias – disse Gabe. – Era o delegado.

O sr. Maddox ainda estava bloqueando a porta, de tal forma que seu assistente era forçado a se postar humildemente mais para trás.

– Acho que dá para nós três nos espremermos aqui dentro – disse Gabe, oferecendo sua própria cadeira.

O sr. Maddox aceitou o oferecimento, e o sr. James entrou apressado.

– Ah, cá está você, Gareth – disse Maddox. – Achei que o tinha demitido. Não para de me seguir como um cachorrinho. Não consigo imaginar por quê. – Ele deu sua risada desprovida de humor.

Gabe concluiu que o gerente-geral gostava de fingir que era um tirano para disfarçar o fato de que realmente era.

– Na verdade – disse Gabe –, Parks avisou que estava encerrando o caso.

– Na verdade – disse Maddox –, eu sei. Ele ligou para mim antes.

Fez-se um silêncio, e Gabe resistiu ao impulso de preenchê-lo.

– Gareth – disse o sr. Maddox –, nosso chef executivo está se perguntando por que estamos aqui. Será que algum de nós dois sabe? Você tem o motivo escrito na sua prancheta, ou isso aí é uma lista de compras?

O sr. James tocou na gravata, ansioso.

– As reuniões no Imperial geralmente não têm atas suficientemente detalhadas. Nós decidimos ser mais rigorosos. – Se não fosse sua atitude obsequiosa, Gabriel teria sentido pena dele. – O almoço da reunião de diretores... – continuou ele, antes que o patrão lhe cortasse a palavra.

– Providenciado? – disse o sr. Maddox. – Suponho que sim.

– Sim – disse Gabriel. – Tudo organizado.

– Ele é mais do que um rostinho bonito, não é mesmo? Agora, vou lhe dizer uma coisa. – Ele pegou um grampeador na mesa e o apertou soltando alguns grampos que caíram no chão. – Essa história do auxiliar de limpeza, está tudo esclarecido, ótimo. Agora não é muito mais que uma formalidade, pelo que entendi. O que é bom, porque, se ela tivesse se desenrolado de outro modo, será que preciso lhe dizer? – Ele jogou o grampeador para um lado. Abriu a gaveta do alto e a fechou. Puxou a de baixo e a fechou com um chute. – Não se preocupe comigo. Estou só pensando. – Ele alisou uma sobrancelha. – O que estou pensando é o seguinte. Você está aqui há... o quê?... cinco, seis meses agora, Chef, tempo suficiente, diria eu, para começar a perceber qualquer coisa que não cheire bem. Se não houve nada de esquisito com o tal auxiliar de limpeza, maravilha, estamos felizes como pintos no lixo, Gareth e eu. Dá para ver que ele está feliz pelo seu jeito de contrair as nádegas: um sinal de felicidade.

Na realidade, o sr. James estava sorrindo. Embora não fizesse anotação alguma no seu bloco, Gabe imaginava que ele estava anotando mentalmente a técnica de torção que Maddox empregava com seu pessoal, torcendo em duas direções para extrair o melhor deles. Era uma técnica que poderia vir a ser útil quando o próprio Gareth se tornasse gerente-geral.

– Mas só existem duas certezas na hotelaria – continuou o sr. Maddox. – A primeira: para obter margens de lucro, é preciso sugar até a última gota de sangue dos funcionários. A segunda: eles retribuem da mesma forma. – Ele fez uma pausa e fixou seu olhar de míssil em Gabriel. – Por isso, nós sabemos que alguma coisa está acontecendo. Sempre está. O que preciso de você, Chef, é saber quem, quando e como. Está me entendendo? Bom, ótimo, você sabe o que dizem. – Ele se levantou. A reunião estava encerrada. – Gareth – rugiu ele. – Pelo amor de Deus, não me diga que você está preparando uma ata. Eu mereço!

Quem, quando e como, pensou Gabriel. Eu poderia lhe dar o quem. Maddox queria mais. Se você não está do nosso lado, está contra nós. Era isso o que ele dizia, ou não dizia.

Gabe estava mais de meia hora atrasado para sua reunião de rotina com Stanley Gleeson.

– Gentileza sua ter vindo – disse Gleeson. – Vamos direto ao assunto. Prefere examinar primeiro os pratos do dia, ou falar sobre a noite de hoje?

A nova frieza de Gleeson servia no mínimo como um lembrete, se fosse necessário um lembrete, de que Stanley não era homem em quem se confiasse. Gabriel deu uma olhada nos pratos do dia e, mentalmente, repassou as falcatruas que se estocavam, como se fossem ingredientes básicos, em qualquer hotel de Londres. Gleeson deveria ter algum negócio em conjunto com Pierre, o gerente do bar, completando garrafas de vodca com água, servindo doses simples em vez de duplas e dividindo o lucro. Pierre, que era visivelmente usuário, traficava pó para seus fregueses habituais, e Gleeson levava uma comissão. Às vezes, ele mandava um pedido "urgente" escrito à mão para a cozinha, que sem dúvida deixava de passar pelo caixa e acabava no seu bolso. Haveria também gratificações dos fornecedores de bebidas alcoólicas, das quais

Pierre e Gleeson se encarregavam. E seria muita ingenuidade de Gabe imaginar que Gleeson não "bancava" seus amigos no restaurante.

– Ah – disse Gleeson, com um suspiro, quando a garçonete levou as xícaras de café –, se não fossem as leis contra o assédio sexual, este lugar seria o paraíso na Terra.

Em outras palavras, nada. Nada estava acontecendo, ao que Gabriel soubesse. Nada além do que Maddox poderia supor como caso de rotina. E, no entanto, Gleeson tinha gemido como uma lagosta na grelha com o caso de Yuri. Tinha de haver alguma outra coisa.

Poderia ser qualquer coisa, qualquer uma de uma quantidade de razões pelas quais Gleeson não queria a polícia por ali, não necessariamente relacionada ao auxiliar de limpeza, mas alguma coisa que ele não quisesse que eles descobrissem por acaso, algo mais do que uma garrafa de vodca ou de conhaque surrupiada, que Gleeson teria o maior prazer em encarar com desfaçatez. Gabriel tentava imaginar, tentava criar uma história com Gleeson no seu centro sinistro, mas não conseguia coerência. Fosse como fosse, era um esforço em vão. Havia coisas que aconteciam que ninguém jamais poderia imaginar. Ele jamais teria acreditado naquela confusão no Dartington, se não tivesse estado lá e visto com os próprios olhos, quando a polícia e a vigilância sanitária levaram o *sous-chef* ganês. Eles tinham rastreado o caminho da carne de caça, do mercado de Hackney de volta até o hotel de Knightsbridge; e Gabriel estava atrás deles quando quebraram a fechadura do freezer horizontal de reserva e viram os bifes de gorila, a carne de animais inteiros assados sem serem esfolados e as ratazanas-do-capim.

– Pode viajar à vontade – disse Gleeson. – Dá para ver que seu pensamento está voando para novas pastagens.

– Sabe como é – disse Gabe, entrando a contragosto numa fala arrastada semelhante à de Gleeson.

Gleeson era uma fraude, um impostor. Assumia as maneiras de uma classe superior, como um mordomo, que se acredita parte do mundo ao qual pertence apenas como serviçal.

* * *

Para o almoço, Gabriel trouxe Nikolai de volta para a equipe, cozinhando massa fresca e preparando as frigideiras de *frittata* para os dóceis o suficiente para escolher o prato do dia, os mesmos manés que comiam todos os pãezinhos e pediam água da torneira.

– Yuri adorava minhas omeletes – disse Nikolai. Ele parou o trabalho por um instante, deixando o batedor de ovos pousado na tigela.

Gabe apanhou o batedor e ficou olhando o deslizar viscoso da gema.

– Muito simples – disse Nikolai –, tomate, salsa, sal e pimenta, e os ovos, é claro.

Gabe mexeu um pouco e parou.

– Realmente, era a preferida dele – disse Nikolai, com modéstia, com paciência, como se detestasse influenciar a opinião de qualquer um, mas tivesse um dever de honra de expor os fatos.

Gabe se perguntou se Nikolai tinha descido às catacumbas e cozinhado no fogareiro a gás, se tinha atacado os mantimentos da cozinha ou trazido a comida de casa. Não que fizesse a menor diferença, não que ele sequer quisesse pensar naquilo.

– Um pouco de caviar e creme azedo para acompanhar, era disso que precisávamos, mas Yuri era fino demais para dizer uma palavra a respeito.

Gabriel começou a bater. Era agradável o barulho do batedor contra a tigela de metal. Ocorreu-lhe que Benny também tinha conhecimento do buraco onde Yuri dormia, que tinha ido lhe fazer uma visitinha quando o encontrou no chão.

Nikolai não falava muito na cozinha. Tinha a capacidade de manter a boca fechada, uma qualidade que Gabriel apreciava, se bem que, agora que estava pensando no assunto, às vezes ela o deixasse incomodado, como se Nikolai estivesse observando e julgando, à espera da oportunidade para fazer um relatório.

Relatório sobre o quê, para quem? Gabe bateu os ovos com mais força, com força demais, incorporando muito ar. Acabava

de se ver livre do problema de Yuri, não queria ficar pensando nele agora.
— As filhas dele — disse Nikolai — eram...
Gabriel se forçou a parar de bater. Limpou as mãos. Cruzou os braços sobre o peito e esperou que Nikolai prosseguisse.
Nikolai fez que não.
Vamos, pensou Gabe, ora vamos. Havia algo de estranho em Nikolai, no seu jeito de se recusar a ser promovido de um nível inferior. Era óbvio que ele era inteligente. Era como algum estudante já passado da idade. Não, era como algum líder revolucionário clandestino, vigiando e esperando, aguardando a chegada da sua hora.
— As filhas dele — disse Gabriel. — Que mais?
Essas palavras ele proferiu como um desafio, porque já estava farto de Nikolai.
— Nada, Chef.
Gabriel sorriu para Nikolai para mostrar que não havia nenhuma dificuldade entre eles; e então voltou para a janela, livrando-se de Oona com outro sorriso.
O almoço foi acelerado mas não catastrófico. Eles se saíam bem sem esforço. Aquela noite — vamos encarar o que está por vir — poderia ser um banho de sangue, mas por enquanto eles ainda não estavam em plena atividade. Num momento de calmaria, ele se recostou com as mãos para trás, fazendo pressão na prateleira aquecida, deliciando-se em segredo com a firmeza do pessoal. Respirando um pouco mais fundo, ele se sentiu renovado, afável, mas sabia que não iria durar. Era como um general numa breve excursão à linha de frente que, ao receber um ferimento superficial, de bravura, se sente em sintonia com seus homens. Ainda assim, ele olhava para a cozinha e se sentia transbordar com um sentimento que não chamaria de amor. Não era amor, mas era alguma coisa, quando ele se dava conta de toda a sua brigada, uma força-tarefa das Nações Unidas, todos encurvados diante do trabalho.
Todos os cantos do mundo estavam representados ali. Hispânicos, asiáticos, africanos, bálticos e provenientes da maioria dos

lugares intermediários. Oona tinha contratado um novo lavador de pratos, da Somália, ou de algum lugar muito semelhante. O outro era da Mongólia, e o terceiro era – de onde? – das Filipinas? Gabe tinha trabalhado em lugares onde os auxiliares de limpeza vinham em pacotes, o primeiro trazendo junto um primo que recomendava um cunhado, que também trazia um amigo. Antes que se percebesse, havia toda uma gangue deles, e isso só podia significar encrenca mais adiante. O rapaz do serviço de copa era recém-chegado do Chile, e Gabriel duvidava que seu inglês fosse muito além de *fries* e *burgers*, e tudo o mais que estivesse no menu. Ele tinha se adaptado muito bem. No fundo, era comovente ver todos eles, todas as raças, todas as cores, todos os credos.

Em Blantwistle, eram apenas os asiáticos, ou os *pakis*, como eram chamados na época e talvez ainda fossem. Eles pegavam somente o turno da noite na tecelagem e saíam bem na hora em que o turno da manhã entrava. Foi assim no início. Gabriel se lembrava da viagem no número 72, descendo do alto de Plodder Lane para a praça do mercado, atravessando o cóccix das ruas estreitas que se estendiam ali como espinhas dorsais de idosos, deteriorando-se morro abaixo. A família de Michael Harrison morava lá, "ilhada", dizia o pai de Gabe, entre os asiáticos. E quando o ônibus parava no ponto, o motorista gritava "Passo de Khyber" e tocava a campainha. As pessoas falavam dos asiáticos. Eles nunca esfregavam a soleira da porta, as crianças mijavam nas lajes da calçada, eles faziam curry com ração de cachorro. Gabriel e Michael se juntavam para brincar, andando atrás deles fazendo barulho como macacos. Na época, ele não tinha juízo suficiente para não fazer isso.

Quando o pessoal da cozinha tinha se dispersado para a pausa da tarde – indo à loja de apostas, ao bar ou a qualquer buraco aconchegante para uma soneca –, Gabriel desceu às catacumbas para apanhar o dinheiro para Lena. Ele passou pelo depósito de secos e pelo antigo compartimento dos peixes, virou à direita e passou pelas lixeiras, respirando pela boca para não sentir o cheiro. No passado, tivera uma namorada que respirava pela boca. Praticamente era só isso que ele se lembrava dela, sínus entupidos, hálito bafiento e a respiração pela boca que, no final, ele não conseguia mais suportar.

Depois dela tinha vindo Catherine. Ele até que se esforçara, mudando-se para o chalé dela em Putney, com todos os estampados florais *rétro* e pinho caiado. O que tinha acontecido? Eles queriam tanta coisa um do outro que cada dia era como ser devorado vivo. Os pais dele, sua geração, seus amigos, ele tinha visto, nunca esperaram isso: beber de um cônjuge o sangue vital. Era suficiente ir levando depois da lua de mel, ir se entretecendo devagar como um osso fraturado, e fazer isso junto com os afazeres e os filhos, ou arrancando ervas daninhas no lote arrendado. E se eles descobrissem que se odiavam, bem, era mais uma coisa que tinham em comum, empatados numa vida que não queriam.

Com Catherine, eles tinham se sufocado, um ao outro, carências demais, definições vagas demais. De qualquer modo, Charlie era diferente, independente, leve. Era uma vantagem de casar tarde quando cada um já se conhecia bem.

É claro que ele ia se casar com ela. Havia muito tempo que ele sabia disso, sem pôr em palavras.

Tinha virado numa esquina errada. Teria de refazer os próprios passos. Ali o corredor era tão estreito que seus pulsos roçavam nas paredes. Uma imaginação mais fértil poria esqueletos por trás dessas portas providas de trancas enferrujadas.

Num dos primeiros encontros com Charlie, ela o levou para conhecer um agente em potencial, um homem sem nada de extraordinário, com calça de motorista de ônibus e suéter sem mangas, que falava baixo, todo respeitoso, e pagou todas as rodadas deles no bar.

– Que achou dele? – disse Charlie. Ela estava tirando a roupa naquele seu estilo langoroso de stripper.

– Não achei grande coisa – respondeu Gabe.

– Não achou grande coisa?

– Você decide – disse Gabriel –, mas, se quer minha opinião, achei meio baba-ovo.

Ele não tinha o menor motivo para achar aquilo. Na realidade, não achava mesmo. Mas naquele momento estava olhando para ela com um desejo tão indizível e excruciante que não tinha opção a não ser a de banir instantaneamente esse outro desconhecido.

Revelou-se que o cara era um canalha, que tinha roubado uma amiga de uma amiga.

– Você é demais – disse Charlie. – Não posso deixar de dizer que achei o cara totalmente confiável.

– Mas não tão "demais" quanto você – disse Gabe, enfiando a mão no cabelo dela.

Ela ainda dizia que ele era um bom avaliador do caráter. Você *vê* as pessoas. Bem, não tinha havido nada para provar que ela estava enganada. Isso ele admitia. E ela gostava de que ele se mantivesse um pouco retraído, que não fosse tagarela como seu namorado anterior, que falava sem parar, dizia ela. Quando fossem morar juntos, era provável que ela viesse a detestar isso, essa qualidade dele que agora amava. Por que você nunca conversa comigo? E ele a provocaria, e ela jogaria a cabeça para trás, mas daria uma risada, e tudo ficaria bem entre eles dois, entre eles três. Tudo ficaria bem.

Ele chegou ao antigo escritório. A luz ainda estava acesa, com a lâmpada nua pendurada como um suicida, lançando medo e melancolia. Gabriel foi até a parede dos fundos e se ajoelhou. Ele contou, quatro a partir da direita e sete para cima. O tijolo estava solto. Para arrancá-lo da parede, sua unha ficou presa, e ele chupou o dedo até parar de latejar. Hesitante, cutucou o buraco.

Nada. Talvez ele tivesse guardado de trás para a frente. Sete da direita e quatro a partir do chão. Arranhou o reboco, com a outra mão. Talvez ela tivesse dito esquerda, não direita. Ele verificou as posições e então se levantou, vendo a contusão roxa se espalhar por baixo da unha.

Quem poderia ter levado o dinheiro? Supondo-se que houvesse algum. Por que ele deveria acreditar numa palavra sequer do que ela dizia? Talvez o próprio Yuri a tivesse roubado, ela correu para enfrentá-lo, deu-lhe um empurrão, ele morreu, homicídio involuntário, era como chamavam isso. E se houvesse mais alguém, outra pessoa que fosse ali embaixo? E Lena estava fazendo sexo com Yuri? Não era da sua conta. Ela podia ter se oferecido, como se oferecera a ele. Sexo em troca de uma cama para passar a noite, seria isso? Bem, o corpo era dela. Ela podia fazer com ele o que quisesse.

Ele pegou sobras de uma cesta de pão e comeu duas barras de cereais que encontrou na gaveta da escrivaninha. Na realidade, não estava com fome. Tinha a impressão de que comera um pouquinho disso e daquilo o dia inteiro. Quando abrisse o novo restaurante, estabeleceria uma "refeição em família", com o pessoal do salão e o pessoal da cozinha sentando-se para comer alguma coisa decente e caseira, não as lavagens e os hambúrgueres descongelados servidos dentro do orçamento de uma libra por cabeça na cantina dos funcionários. Eles teriam ensopado de frango ou almôndegas. Charlie estaria lá. Ele até a via, inspecionando a maquiagem num espelhinho, querendo ter a melhor apresentação para o público. Ela estava com uma criança no colo. Era ele, seu filho, seu primogênito. Gabe o levaria para dentro da cozinha. Ele precisaria ser um pouco mais velho. Que idade precisaria ter? E o que Gabe lhe diria? Qual seria a primeira lição?

Gabe não tinha mais de 8 ou 9 anos quando papai o levou pela primeira vez à Rileys, entrando pelos portões de ferro batido, atravessando as lajes lisas do pátio, passando pelos depósitos de fios e tecidos, apontando para os cunhais e cimalhas de pedra clara sobre o vermelho opaco dos tijolos, fazendo um desvio até a casa de máquinas para ver a caldeira original, abastecida a carvão, com a inscrição Yates & Thom, conduzindo o filho – não, empurrando-o – para um dos galpões dos teares, a mão firme fazendo pressão nas suas costas para ajudá-lo a enfrentar o barulho infernal.

Gabriel tinha olhado com medo e reverência para as colunas de ferro fundido, os cilindros de aço laminado, que lhe pareceram mais belos que as colunas de qualquer igreja. Papai apertou seu ombro e o fez passar entre as máquinas trovejantes para entrar na sala da manutenção.

– Acontece que a gente acaba se acostumando. Primeiro dia na fábrica, você sai sem ouvir nada. Depois de um tempo, nem chega a perceber... a menos que seja uma máquina que esteja com algum ruído preocupante.

O sr. Howarth estava lá, lendo as páginas das corridas de cavalos.

– Estou com vontade de fazer uma fezinha hoje.

Uma das tecelãs entrou, tirando fiapos do cabelo.

– Tom, tem um rolo no número nove. Alguma fulaninha tonta foi embora e deixou a tesoura lá atrás.

Mais tarde, Gabriel fez uma imitação dela, esticando a boca até os cantos do rosto. Mamãe se dobrou de tanto rir, ela estava numa dessas fases. Você não tinha percebido antes, meu amorzinho, que é isso o que todas aquelas mulheres fazem. Se quiserem continuar a fofocar, enquanto estiverem paradas do outro lado de teares diferentes, só existe um jeito possível, é preciso ler os lábios umas das outras.

– Rita, Rita, Rita – disse o sr. Howarth, olhando-a dos pés à cabeça. – Quem poderia ser essa fulaninha tonta? Não teria sido você, meu bem?

– Não foi, não – disse Rita, ajeitando os cachos. – Seja como for, ele precisa de manutenção. Já escrevi no quadro.

Eles a observaram ir embora, e então papai falou.

– Gabe, eu algum dia lhe disse que nos velhos tempos a tecelã beijava sua lançadeira todos os dias de manhã? Era um beijo para ter boa sorte. É um antigo costume de Lancashire, algo que se fazia por tradição.

O sr. Howarth deu um suspiro e fez como se estivesse sacudindo o jornal.

– É, essa Rita, essa pode beijar minha lançadeira quando quiser.

A primeira lição foi fio. Ted deixou Gabe um instante no banco, tirando casca de ferida e batendo com os calcanhares. Quando voltou da ronda, trazia na mão um carretel.

— Bem, isso aqui é o que chamamos de bobina. Você sabe me dizer o que está vendo na bobina?
— É linha, papai.
— Você chamaria de linha se ela estivesse na cesta de costura da mamãe. Aqui nós chamamos de...
Gabe levantou veloz a mão e gritou ao mesmo tempo:
— Algodão!
— Chamamos de fio — disse papai, rindo. — Você pode dizer isso, Gabe, fio?

Ele estava com uma mancha recente de óleo no macacão, chaves de fenda no bolso do peito, uma masculinidade infinita no perfil de aço do nariz, que fez com que Gabe se sentisse ligeiramente envergonhado do seu jeito de dizer "linha".

— Para produzir o fio, existe um processo, para fazer com que chegue das bolas de algodão até isso aqui. Primeiro, é preciso desemaranhá-lo, o que se chama de carda. Esticam-se as fibras para formar barbantes compridos e tem-se a maçaroca, isso mesmo, maçaroca, e ela tem mais ou menos uns 3 centímetros de espessura, é leve, fofa, e não seria possível tecer com ela, nem mesmo túnicas de barbante. É por isso então que se precisa fiá-la. Um dia vou levar você a uma fiação, para você poder ver com seus próprios olhos, mas basicamente o que se faz é puxar, torcer e transformar a maçaroca em fio.

Gabriel olhou para as mãos de Ted, que não paravam de se mexer, como se estivessem moldando as palavras. As mãos tinham cicatrizes nos nós, eram peludas, e estava faltando a ponta do dedo mínimo esquerdo. Era brilhante, pensou Gabe, esse jeito de matar um dia de aula.

Ted puxou um pouco de fio do carretel, da bobina, e o entregou a Gabriel, que fingiu examiná-lo com atenção.

— Em seguida vem a engomação, que é uma espécie de revestimento...

Gabe se deu conta de que estava de boca aberta. Às vezes isso acontecia quando ele tentava se concentrar. Sentiu a saliva se acumulando, o cheiro de vestiário do banco, viu as partículas de poeira voando em espiral num feixe de luz do sol, como um tornado de conto de fadas, e se mexeu um pouco mais para perto do pai.

– Estou tentando lhe passar um quadro geral. Você não é criança demais, é? Não, bom garoto. Você deve estar querendo passar para a tecelagem, mas muita coisa acontece antes. Agora, olhe só para você. Vamos guardar essas amígdalas. – Ele aplicou o dedo polegar rapidamente ao queixo de Gabe. – Puxa vida, isso me lembra... será que já está na hora?... Sua mãe deve estar parada nos portões agora, querendo me matar.

– Papai – disse Gabe –, pode repetir aquela parte?

– Que parte?

Gabriel deu de ombros.

– Bem, tipo... como se... tudo, acho.

– É – disse Ted. – É muita coisa para aprender de uma vez.

Ele se levantou e esticou os braços. Seus braços eram tão compridos, pensou Gabe, que ele conseguia alcançar o alto dos teares.

– Atenção! – disse Ted – Você tem consulta com o dentista. Foi por isso que sua mãe disse que você podia ficar aqui, sem ir à escola.

Fazia muito tempo que ele não pensava naquilo. Não era como uma lembrança de outro tempo e lugar, mas de outro mundo. Pode repetir aquela parte, papai? Não precisava ter se preocupado. Papai não parou de arrastá-lo para lá até ele detestar a mera fachada da fábrica.

Gabriel acessou seu endereço de e-mail. Era a primeira oportunidade que tinha. Trinta e seis desde a noite anterior, em sua maioria lixo. Ele abriu o de Gareth James porque estava marcado com uma bandeirinha vermelha. Ia haver uma reunião para os "líderes de equipe", a respeito do "capital humano" e da "liderança a partir do meio". Gabe já tinha comparecido a esse tipo de reunião muitas vezes, e seu objetivo, como o de todos os demais, era sair de lá sem ter se comprometido com nada, ao mesmo tempo que dava a impressão de ter "vestido a camisa" e de "fazer parte da equipe".

Olhou para o alto e verificou como estava a atividade na cozinha. Victor estava lá junto com Ivan, os dois com os braços cruzados, se encarando, como se ambos tivessem algo que não estavam dispostos a dizer. Ivan ajeitou a bandana, levou a mão à entreperna e ajeitou os ovos como se fossem pesos de chumbo. Apesar da orelha deformada e da compleição vigorosa, ninguém olhava para Ivan e pensava de cara em boxeador ou jogador de rúgbi. De algum modo, nele não havia nada de esportivo, mas sua presença física seria ideal num presídio, fosse como condenado, fosse como agente penitenciário. Talvez fosse sua postura que fazia com que ele parecesse ter a compleição para infligir ou receber dor. Era porém um trabalhador, Ivan, dava duro de verdade, sem trégua. Gabriel tinha visto quando ele sofreu uma grave queimadura no braço – só de pensar ele se retraía – daquele tipo que significa uma licença médica de uma semana. Três horas depois, ele estava de volta do atendimento de Emergência, trabalhando na grelha com uma só das mãos.

Gabe selecionou as mensagens que exigiriam sua atenção e arrastou as outras para a lixeira. Se houvesse tanto desperdício numa cozinha como havia nos e-mails, ele viveria permanentemente cercado de montes fedorentos de restos viscosos.

Agora Ivan e Victor estavam falando. Victor, cercando, movendo-se nervosamente, como um terrier esganiçado diante do pug imóvel Ivan. Victor era um encrenqueiro. Gabriel via com clareza como ele estava tentando provocar Ivan.

Que os dois resolvessem o assunto entre si. Era preciso que houvesse uma hierarquia. Os cozinheiros, como os cães selvagens, de vez em quando se eriçavam todos, testando sua posição na matilha. Gabe voltou a olhar para o monitor.

Agora, os dois estavam aos berros e provavelmente podiam ser ouvidos lá em cima na cobertura. Gabe iria ter de intervir. Ele chutou a cadeira para trás, saiu do cubículo e virou a esquina a tempo de ver Ivan apanhar a garrafa. Por um momento prolongado, trêmulo, pareceu que ele iria atirá-la no rosto de Victor. Em vez disso, lançou o conteúdo no tampo do fogão atrás das costas de Victor, fazendo subir uma cortina de fogo, vermelha, dourada e azul, até o teto, com uma força que sugou o oxigênio do ambiente e fez Victor saltar, com um grito estridente.

Capítulo 7

DE SALTO ALTO, ELA CHEGAVA A 1,80 M E PARECIA TER SIDO PINTADA DE ouro com uma pistola pulverizadora. Algumas versões dela circulavam pelo salão de baile, como algum complexo truque de espelhos, equilibrando bandejas dos amados confeitos do Chef Albert nas palmas voltadas para o alto. As modelos tinham sido fornecidas pelo pessoal de relações públicas da Sirovsky, aparentemente selecionadas pela capacidade de resistência à carga dos lóbulos das orelhas, dos quais balançava uma tonelada de cristal Sirovsky prata; bem como pelo comprimento dos fêmures, com garantia de empolgar qualquer paleontólogo, caso fossem de repente exumados numa escavação.

Gabriel recusou um merengue em miniatura e reavaliou a tinta dourada como macacão colante, enquanto olhava o balanço das costas da modelo e acompanhava a linha do zíper. O salão de baile "trajado" para a ocasião, era um escândalo de mantas de peles, candelabros de pé e um teto de seda ondulante. Nos nichos, pequenas divindades de cristal se refestelavam em leitos de veludo escuro. Gabe tinha sido informado de que esses eram os produtos em lançamento: esculturas de 16 cm de renas, filhotes de cachorro, leões, um passarinho numa bacia, com preços "acima de duas mil libras". No centro do salão, estava uma cerejeira Sirovsky em tamanho natural, perfeita com flores de vidro e um tapete de grama. E detrás de uma mesa transparente do tamanho de uma pista de boliche, iluminada por dentro, garçons terceirizados serviam doses de vodca com sabor, enquanto na frente e no centro um cisne de gelo refulgia, magnífico, e àquela hora avançada começava a gotejar.

Ele tinha calculado trezentas pessoas e parecia que todas tinham vindo. Gabriel avaliou a multidão. Entre as mulheres, havia um predomínio de ossos dos quadris salientes e de cabeleiras grandes, caríssimas. As mais jovens faziam beicinho ou sorriam e pareciam satisfeitas com sua bolsa de marca, enquanto a geração mais madura sem dúvida tinha descoberto o tênis, se associado a um clube de livros e levantado fundos para alguma causa, o que lhes dava muito assunto para conversa, sem que fosse necessário parar para pensar. Os homens, aos olhos de Gabe, não eram mais variados que as mulheres. Havia um pequeno número de criaturas jovens bonitinhas, para as quais era impossível olhar sem a vaga sensação concomitante de já se ter visto aquele rosto em algum lugar, criaturas que eram ou tinham sido celebridades ou que esperavam confiantes por seu direito inato aos 15 minutos de fama. Os homens mais velhos, ficando grisalhos, calvos ou crescendo para os lados, exibiam o verniz do sucesso e a segurança com que ocupavam mais espaço do que era estritamente necessário. Como um todo, os convidados tinham uma característica que os unia, detectada por Gabe no modo pelo qual olhares deslizavam por ombros, pés apontavam e batiam no chão, um ar geral de mobilidade que o fez pensar em antenas trêmulas, entrando em sintonia e saindo.

Ele trocou um olhar com uma mulher que estava usando um diamante do tamanho de uma alcachofra, e o cabelo numa trança francesa. Olhou em volta. Inevitavelmente, chegou champanhe às suas mãos, e ele o bebeu. A mulher ainda o olhava quando ele olhou novamente, e ele tocou no ponto calvo na parte de trás da cabeça.

Esse lugar não é tão mau assim. Por um instante, pensou em permanecer no Imperial, deixando Rolly e Fairweather a ver navios, mas ele sabia que era loucura permitir que uma satisfação momentânea o desviasse do seu caminho. Na realidade, estava gostando daquela festa. Gostava daquela energia. Ele podia olhar para tudo aquilo, sem se deixar enganar por tudo aquilo, mas gostava do burburinho e do movimento. Às vezes, era preciso sair da cozinha para apreciar direito o que ele fazia.

Ele ergueu outro copo e fez um brinde mudo de boas-vindas a todos os presentes, porque de vez em quando precisava sentir que era uma pequena parte daquilo tudo, saindo do caldeirão lá embaixo. Victor e Ivan nada disseram sobre a explosão, obedecendo a algum código criminal eslavo.

– Nada de perigoso, Chef – disse Ivan. – Tudo só para impressionar.

– Só para impressionar, cara – disse Victor. – É, impressionou muito.

Gabriel suspeitava que Victor tinha sido excluído de algum acerto e estava pressionando para receber sua parte. Ivan e Gleeson, seria isso? Mas fazendo o quê? O quê?

Victor tinha berrado como uma galinha assustada, mas continuava se pavoneando. Nada tinha sido ferido a não ser seu orgulho.

– Viu o que esses sacanas estão cobrando por esses pesos de papel metidos a besta? – perguntou o sr. Maddox, por trás dele. O gerente-geral tinha mandado Gabe subir da cozinha.

– Programa de cooperação com a comunidade – disse Gabriel, dando meia-volta –, destinado a dar alívio aos infelizes que sofrem de excesso de dinheiro.

O sr. Maddox bufou. Ele estendeu a mão para impedir a passagem de um garçom que cometeu o erro de tentar se enfiar entre Maddox e Gabe.

– Está vendo aquela garota, ali, a que está tocando no cisne? Até que ponto ela é uma piranha? É garota de programa ou uma russa obscenamente rica? Nem mesmo eu sei distinguir.

– Não tenho experiência nem de um tipo nem do outro – disse Gabe.

– É mesmo, meu amigo? Verdade? Então, está claro que você não possui nenhuma experiência hoteleira. Eu deveria demiti-lo sem hesitar. – Maddox deu sua risada anômala. – Nunca ocupado demais para apreciar uma piada. Agora, eu queria que você subisse aqui antes que esse monte de sacanas se mande. Nós queremos essa multidão, Chef, queremos agradar a eles, queremos que voltem e tragam seus amigos. O que acharam da comida, hem? Perguntou a eles? Não, nem eu. Não precisei, porque sabe o que eles fizeram?

Eles comeram. Mais comida foi para a barriga desse pessoal do que para a lixeira. E isso é o que se chama de pequeno milagre. Algumas dessas garotas morrem de preocupação com as calorias. Muitos dedos enfiados na garganta hoje de noite.

O sr. Maddox, com todo o afeto que sua índole permitia, deu um soco no braço de Gabe, quando estava de saída. Gabriel o imaginou com a sra. Maddox, trocando murros, amorosamente.

Deixado sozinho mais uma vez, Gabe foi se insinuando mais fundo no salão, colhendo fragmentos de conversas, coisas brilhantes e inúteis, que eram tudo o que ele precisava por ora. Quando viu Rolly e Fairweather, por um instante teve vontade de sumir, mas Fairweather sorriu para ele com um entusiasmo tão sem limites que Gabriel disse que era bom vê-los e percebeu que estava sendo sincero. Eles eram sócios e sem dúvida amigos.

— Minha mulher coleciona esse troço — disse Fairweather, afastando a franja dos olhos. — Não estamos fiscalizando seu trabalho.

— Eu estou — disse Rolly —, fale por si. O ponto em Pimlico tem um salão de festas, precisamos fazê-lo render.

Hoje ele estava usando terno, de um azul bastante violento. Sua gravata, que tinha um estampado de margaridas, havia sido afrouxada, com o nó puxado até o ponto do seu tórax a partir do qual a barriga se ampliava.

— Fabuloso — disse Fairweather, com um gesto abrangente. — Maravilhoso. E nossas mulheres estão logo ali, começando a se conhecer. Elas vão se dar bem demais. Lucinda se dá bem com qualquer pessoa. Faz parte do trabalho, como ser a mulher do pastor.

— Já lhe digo a especialidade de Geraldine: gastar dinheiro — disse Rolly. — Quando a conheci, ela era amadora nisso, mas agora se tornou profissional. *Eu tenho de ter um.* O que isso quer dizer? Eu digo para ela: "Geraldine, se você não puder comprar, será que você vai desaparecer num sopro de fumaça?"

— As mulheres. — Fairweather despenteou o alto da cabeça, num afago para assinalar sua própria incorrigibilidade, à qual ninguém, muito menos Fairweather, conseguia resistir.

– Já enviei o plano de negócios revisto – disse Gabriel. – Acho que está bom.

Rolly piscou rápido.

– Está ficando sério. Chegamos às questões sérias.

– Que meninas lindas – disse Fairweather, aceitando uma fruta cristalizada de um espécime Sirovsky dourado. – Onde é que você consegue encontrá-las?

– Guardo na gaveta da minha mesa – disse Gabriel. – Uma ou duas no armário, de reserva.

– O que vocês acham? – começou Fairweather. – Vamos fazer uma viagenzinha só nós rapazes, não mais que dois ou três dias. Poderíamos ir à França, ver uns fornos feitos à mão de que me falaram. Também estreitar nossos laços de amizade.

– Fornos feitos à mão? – disse Rolly.

– Você não estava dizendo agora mesmo que um descanso lhe cairia bem, lhe daria novo ânimo?

Gabriel descobriu que estava fazendo um gesto de concordância, apesar de ter certeza de não ter dito nada daquele teor. Mas até que era verdade, supunha ele, e Fairweather demonstrava ser sensível ao captar seu estado.

– Mancini's pediu concordata – disse Rolly. – O especializado em peixes em Tooley Street está prestes a fechar. Chez Nous, pelo que ouvi dizer, não está longe disso.

– Uma tragédia – disse Fairweather. – Pobres coitados.

– Certo. É de cortar o coração. Mas o mundo dos restaurantes é duro, é cruel. E, quando eu tiver acabado de chorar por eles, vou até lá para ver se encontro alguma pechincha que eu possa aproveitar.

– Ah, ele é o maior, não é? – disse Fairweather. – É o melhor. Tlim, tlim. Segundo round.

– Seja como for – disse Rolly. Ele enxugou um pouco de suor da testa com a gravata. Para Gabriel, ele parecia ser um recreador de crianças, passando por uma fase ruim depois de uma acusação falsa. Ele estava tentando aparecer? Seria Geraldine que o trajava daquela forma? – Seja como for, sabe de uma coisa? Se Gabriel está deprimido, essa cruz é ele quem precisa carregar. É o tal gene 5-HTT. Li no jornal hoje.

– Não estou deprimido – disse Gabe.

– Ah, ah – disse Fairweather –, nós sempre temos essa conversa. Poderíamos dizer que se trata de uma *predisposição*, em vez de, por assim dizer, estar escrito nas estrelas, sabe?

– Não está no horóscopo dele – disse Rolly. – Não acredito nisso.

– É claro que não. Acho que você está absolutamente certo – respondeu Fairweather, radiante. Ele tinha uma notável capacidade para concordar e discordar ao mesmo tempo. – E todos nós assumimos a responsabilidade por cuidar de nós mesmos, não é? De vez em quando é preciso ajustar rapidamente a sintonia fina. Não há nada de errado nisso.

– O que você quer é o gene curto, a versão curta, que transporta a serotonina. Peraí, não, esse é o que não se quer. O que você quer é o 5-HTT longo.

– Na realidade, não estou deprimido.

– Bem, preciso do meu sono reparador. Vou discursar amanhã na Câmara. Que tal nos encontrarmos na semana que vem?

Uma mulher tocou no alto do braço de Fairweather.

– Com licença, espero que não se importe de eu perguntar, mas você é alguém? – disse ela.

Gabriel estava pensando nisso quando saiu para uma sacada no estilo Romeu e Julieta, para respirar um pouco de ar puro. Os convidados agora estavam se dispersando, apanhando saquinhos com brindes e roçando bochechas para representar um beijo. Você é alguém? Fairweather tinha conseguido corar e murmurar alguma coisa sobre não ser mais do que um *subsecretário*. É claro que ele estava encantado. Ele era alguém. Qual era a alternativa? Ser ninguém. Se você fosse maior do que seu próprio eu, você era alguém; e, se você não fosse "alguém", talvez ser só você mesmo não representasse absolutamente nada.

– Olá, Romeu, não era aqui que eu deveria estar?

Ela era um pouco mais velha do que ele percebera, alguns fios grisalhos naquela elegante trança francesa. Mas de boa aparência, vistosa, com uma boca larga, sedutora.

– Como assim?

– Ora, você sabe, a garota está na sacada e olha lá para baixo...

– E eu venho escalando com uma rosa entre os dentes.

Ela riu.

– Ouça, vamos passar direto aos finalmentes?

– Você quer que eu a paquere?

– Você é engraçado. Isso é exatamente o que você não precisa fazer.

– Se eu fosse livre – disse Gabe.

Ela estremeceu. Esperou um momento, talvez pensando na sua saída ou dando-lhe tempo para mudar de ideia.

– Bem, Romeu, nós somos tão livres quanto queremos ser. É o seu enterro. Aproveite – disse ela. – Boa-noite.

Gabe olhou para a rua lá embaixo e depois para o céu. Esse era seu enterro, era mesmo? Encantador. Se um homem dissesse isso! Ele abanou a cabeça e riu.

Dificilmente ele poderia dizer que estava se enterrando com Charlie. Os dois tinham feito aquela viagem a Marrakesh, um presente organizado por ele, uma pequena surpresa. Talvez estivessem precisando de algo semelhante, algo espontâneo. Precisava incluir isso nos seus planos.

Já passava muito da meia-noite, e Gabe ainda estava trabalhando. Quando fosse para casa, Lena estaria lá. Ou talvez tivesse ido embora. Não fazia diferença, uma coisa ou outra. Mas é claro que ela estaria lá, à espera do dinheiro que ele não tinha encontrado. E então o quê? Ele já planejara tudo. Não era complicado, era simples; bastava que ele...

Porcaria, não ia gastar nem mais um minuto naquilo.

Benny era o último na cozinha. Gabe saiu para ver o que ele estava fazendo.

— Uns quatro litros de *court bouillon* — disse Benny, levantando uma tampa. — Dois litros de *demi-glace*, quase pronto.

— Ótimo — disse Gabe. Ficou olhando enquanto Benny tirava a espuma do *demi-glace*. — Vamos ter de começar a oferecer serviço de copa 24 horas por dia. Tem a ver com o número de estrelas na classificação do hotel, agora que eles terminaram a reforma. Precisamos cobrir entre a meia-noite e as seis.

— É, Chef — disse Benny. — É muito tempo para se passar sem comida.

Benny mexeu o *bouillon*. A cicatriz que atravessava sua bochecha era ligeiramente prateada. Era uma cicatriz grande e feia, mas não o enfeava. De uma forma estranha, ela combinava com ele, se é que era possível combinar com um ferimento daqueles.

— O problema é... é a ideia de ter o serviço noturno mais do que realmente tê-lo funcionando. E é por isso que os números não se encaixam. É por isso que ainda não fiz os cálculos. O sr. Maddox quer que cada nova iniciativa produza lucro. De fato, ele insiste nisso. — Gabriel tomou impulso para se sentar na bancada de trabalho. — Mas com os custos de mais pessoal, garçons inclusive, lembre-se, não estamos avançando muito.

— E então, Chef, o que você vai fazer?

— Você é um pouco notívago, Benny? Gostaria do turno da meia-noite? Vão ser sopas e saladas, batatas fritas e hambúrgueres, nenhuma oportunidade de cozinhar de verdade, mas preciso de alguém confiável.

— E o lucro? O que vai dizer o sr. Maddox?

Gabe deu de ombros.

— Vou preencher com números diferentes. Vai parecer tudo certo.

— Entendo, Chef.

— Veja só — disse Gabe. — É assim que vai funcionar. Ponho uns números que deem a projeção certa, para que Maddox autorize. Com isso, ele está limpo. Depois, os pedidos não entram no ritmo projetado. Não é culpa de ninguém, mas já temos aquela outra estrela, que é o que queremos. Incorporamos os lucros e perdas do serviço noturno aos do restante do serviço de copa, que é o que vai acontecer de qualquer jeito. Pronto, o problema desapareceu.

Benny ficou calado. Parecia estar sobrecarregado de perguntas, que agora se recusava a fazer.

– Que foi? – disse Gabriel. – Que foi?

– Nada, Chef. Eu estava só me perguntando se não seria mais fácil contar a verdade.

Lembre-se, Gabriel, uma mentira vale tão pouco quanto o cara que a contou.

Tudo muito bem. Mas no trabalho, nestes nossos dias, a verdade e a mentira não entravam. O que era necessário era pensar no que "eles" precisavam ou não precisavam ouvir, e em como se fazer ouvir.

– Benny, a verdade é que vai dar certo. Tudo o que estou fazendo é eliminar riscos para o sr. Maddox para que a preocupação fique só comigo.

Benny sorriu novamente, mostrando os dentes brancos como sal.

– Deixe-me trabalhar em horário duplo, Chef. Posso dormir até de tarde, vir para cá e trabalhar até as seis da manhã.

Gabe fez que sim.

– Vou despejar esse *bouillon* para você. Vamos enfiá-lo direto na geladeira. Aquela ali está vazia. Não, tudo bem, você passa o *demi-glace* pela peneira. E então nós dois podemos ir para casa.

Eles trabalharam e limparam os utensílios em silêncio. O auxiliar de limpeza da noite chegou e começou a trabalhar nas caixas de gordura. Eles se cumprimentaram em silêncio, cada um por si.

– Pronto – disse Gabe. – Terminamos. – Ele limpou as mãos com um meneio desnecessário e bateu uma na outra algumas vezes. – Para casa – disse ele, e depois repetiu com a voz mais fraca –, para casa.

– Preciso descer para apanhar minhas coisas no vestiário – disse Benny.

– Certo. É claro. Certo. – Gabriel dobrou sua toalha. Ele a apanhou de novo e a amassou, para então jogá-la na cesta da lavanderia. – Tudo bem.

Benny começou a se movimentar.

– Espere – gritou Gabriel. – Espere. Quer ir tomar um drinque? Você precisa ir para casa? Eu mesmo não estou com pressa. Quer dizer, não está tão tarde assim. E eu conheço um barzinho simpático. Vamos.

Dusty's era um porão infestado de cozinheiros em Heddon Street. O Dusty que lhe dava o nome era natural do Nordeste da Inglaterra, com um currículo lendário que incluía o trabalho em plataformas na Arábia Saudita, o tráfico de uísque clandestino também na Arábia Saudita, tráfico de armas em vários países não especificados do Sul da África, a gerência de uma atração de parque de diversões na Cidade do México, como fachada para alguma atividade execrável, e o serviço de "guarda-costas", como ele dizia, para celebridades. "É, eram uns sacanas", gostava ele de dizer. "Mas não mais que os outros sacanas. Não mais do que vocês, seus sacanas, aqui. No fundo, viajei pelo mundo inteiro, e é o mesmo em toda parte, é o que se vê em todos os cantos; e todo o mundo... estou falando nos mínimos detalhes, nos bastidores, na essência... é basicamente mais ou menos um sacana."

Os cozinheiros não lhe causavam problemas. Levavam suas brigas lá para fora. O bar era como uma boca escura e aconchegante que os abrigava enquanto eles lavavam as mágoas ou as alegrias, ou ainda expulsavam o tédio com Jack Daniel's e Bruce Springsteen.

Hoje não havia sinal de Dusty. Uma garota com uma camiseta preta rasgada e uma argola no lábio, além de uma erupção de herpes, tomava conta do bar com uma atitude belicosa que deve ter levado meses de treinamento para atingir aquela perfeição. Ela ergueu o queixo um milímetro, forma econômica de dizer, *olá, o que vão querer?*

– Kronenbourg – disse Gabriel. – Benny, vai querer o quê?

– Boa-noite – disse Benny à garota, que precisou simplesmente relaxar os músculos da mandíbula para lhe dizer o que pensava do cumprimento. – Você tem Blue Curaçao?

A garota levou a ponta da língua à argola no lábio, mas desapareceu por trás do balcão e se ergueu de novo como se estivesse saindo de uma sepultura, com uma garrafa da luminosa bebida azul.

Gabe e Benny pegaram seus copos e foram se sentar perto do Canto do Esporrento, onde se dizia que Dave Hill, na ocasião *Garde Manger* no Connaught, teria gozado nas calças enquanto descrevia o conteúdo de um filme pornográfico. Se você bebesse no Dusty's por tempo suficiente, acabava aprendendo uma lenda sobre todos os que se dedicavam à atividade.

– Onde foi que você se meteu? – Nathan Tyler vinha saindo do sanitário masculino, fechando o zíper e falando como se Gabriel lhe tivesse dado um bolo. Em certo sentido, Gabriel achava que tinha mesmo. Desde que começara o relacionamento com Charlie, ele ia ao Penguin ou ia para casa.

– Preciso me mandar, companheiro – disse Nathan, num tom sugestivo de que Gabe lhe teria implorado para ficar. – Ei, liga pra gente, hem, seu filho da mãe, liga pra gente.

– Trabalhamos juntos no Dorchester – disse Gabe a Benny. E sorriu intimamente. Dez horas por dia "torneando" batatas, esculpindo-as até um formato redondo que a natureza não tinha considerado adequado fornecer. Uma droga de serviço como aquele criava, de algum modo, um laço entre as pessoas, como viver numa trincheira. É, ele ligaria para Nathan.

– Saúde – disse Benny.

Ele ergueu o copo, cujo conteúdo parecia radioativo. Benny deixava o dedo mínimo esticado, delicadamente, enquanto bebia.

– É bom... sabe, relaxar um pouco depois do trabalho – disse Gabe. – Tomar uns drinques.

– É, Chef – disse Benny.

Ele tinha trocado de roupa e agora usava jeans desbotados com vincos marcados com perfeição, uma jaqueta preta de couro com um tigre bordado nas costas; e trocara os tamancos de trabalho por um par de mocassins cinza tão brilhantes que seria fácil usá-los para espiar por baixo de uma saia.

– E então – disse Gabe, olhando ao redor. – Eu costumava vir aqui às vezes.

– É, Chef.

Parecia que nenhum dos dois estava relaxando.

– Você não precisa me chamar de Chef aqui. Gabe está bem.

– Certo, Gabe.

– Você estava naquela noite em que fomos ao Penguin? Lugar com uma cantora de jazz, minha namorada? A noite em que Damian encheu a cara e vomitou na camisa. – O detalhe era supérfluo. Não tinha havido outras noites.

– Não, Chef. Eu não trabalhei naquele dia.

Pouco depois de ter começado a trabalhar no Imperial, Gabriel convidou todo o pessoal da cozinha para sair, sua primeira e até o momento única iniciativa voltada para a promoção do espírito de equipe.

– Vamos fazer isso outra vez – disse Gabe, sem intenção de fazê-lo.

Queria perguntar a Benny de onde ele era. O inglês de Benny era excelente mas com um forte sotaque, cada sílaba pesada, formada aparentemente com certo esforço físico no fundo da garganta e liberada com um sopro audível. Gabe estava trabalhando com Benny havia quase seis meses. Parecia um pouco constrangedor perguntar agora de onde ele era. Gabe decidiu chegar ao assunto por outro lado.

– Salim – disse ele, referindo-se a um dos auxiliares de limpeza da noite. – Ele é da Somália, não é? Você conhece bem? A Somália?

– Conheço um pouco – disse Benny, com um sorriso enigmático. Ele levantou o drinque. – Sabe que isso aqui é feito com laranja? Como será que acaba sendo azul?

Gabe tinha visto somente uma pessoa beber Blue Curaçao, e tinha sido vovó. Ela também gostava do troço verde, *crème de menthe*, que para Gabe tinha gosto de remédio.

– Não faço ideia. Ele me parece muito triste, Salim. Eu me pergunto qual será sua história.

Benny deu de ombros.

– Ele é da Somália. Isso já é uma história, de verdade.

– E você, Benny?
– Chef?
– Bem – disse Gabe. – Não sei. Acho que estamos aqui batendo papo. E sua família? Tem alguém esperando por você em casa?
– Depende – disse Benny, devagar –, do que você quer dizer com a palavra "casa". Sua namorada está esperando por você?
Lena estava esperando por ele. Gabe estremeceu. Pensar nela era algo que o atraía e o repugnava ao mesmo tempo, como uma imagem de uma atrocidade para a qual não conseguisse olhar e à qual não pudesse dar as costas.
– Hoje não. Ela está trabalhando temporariamente fora do país. O que você chama então de casa? Diga aí.
– Ah – disse Benny.
Ele abanou a cabeça grande e olhou para Gabriel com os olhos amarelados. Fora a cabeça, Benny era compacto, até pequeno, mas não havia nada de mirrado no seu físico. Ele dava a Gabriel a impressão de que seus centímetros a mais eram algo supérfluo, um volume adicional de sangue, ossos e tecidos que poderia ser removido sem tirar nada do essencial.
– Estou só puxando conversa – disse Gabriel. – Vamos falar de outro assunto.
– Um amigo meu – disse Benny – é da Somália, como Salim. Ele morava em Mogadiscio e era motorista. Se você ouvisse a história dele... eh, eh, eh, eh. – O riso de Benny era gutural, carregado com um significado que não estava claro para Gabe.
– Vamos – disse Gabe –, o que aconteceu com seu amigo?
– Muita coisa mesmo – disse Benny. – Chef, tem algum assunto de trabalho que você quer comentar comigo?
Gabe tinha cogitado em perguntar a Benny sobre Victor e Ivan, o que estava por trás daquela explosão de hoje; mas Benny tinha o dom de um diplomata para se desviar de um assunto; era um mestre em amenizar as coisas. Eles podiam até conversar, mas Gabe sabia que nada seria dito.
– Estamos de folga, Benny. Vamos nos dar esse tempo. Prefiro ouvir uma história sobre seu amigo.

– Você sabe que se pode comprar um número da previdência social, um passaporte, uma identidade e também se pode comprar uma história? Se você acha que sua própria história não tem força suficiente para conquistar a permissão para permanecer neste país, você pode comprar uma e levá-la até o departamento do governo em Croydon. As histórias da Somália podem ter um preço alto.

– Suponho – disse Gabe – que tudo esteja à venda.

– E se você contar sua própria história, podem não acreditar em você. "Falta de credibilidade." É esse o carimbo que usam. Conheço um cara a quem isso aconteceu.

Gabe bocejou, descontraído. Ele sabia o tipo de coisa que iria ouvir, mas não se importava.

– De onde ele era?

– Da República Democrática do Congo. Era professor de economia na Universidade de Kinshasa, homem muito inteligente. – Benny deu um risinho, como se fosse para dizer que aí estava o problema, exatamente aí.

– E então? Ele acabou sendo preso?

Ele podia ver que Benny hesitava, sem saber o quanto contar. Os drinques depois do trabalho eram para reclamar, debochar, fofocar, não para contar histórias de desgraça.

– Ele se envolveu com a política da oposição. Na primeira vez que foi detido, extraíram a maioria dos seus dentes. – Benny olhou para Gabriel, parecendo testar se tinha ido longe demais. Gabe baixou a cabeça, como se aquele detalhe fosse apenas o que se deveria calcular. – Na outra vez – disse Benny, acelerando a fala – que o prenderam, não o torturaram. Mas, quando foi solto, foi para casa e descobriu que tinham matado sua mulher e seus filhos. Com a ajuda de um colega, ele fugiu para Zâmbia e de lá veio para a Grã-Bretanha. Um final feliz, não parece?

– Estou imaginando que não – disse Gabe.

Benny, que tinha boas maneiras antiquíssimas, contara a história do modo mais rápido possível, sem querer ser chato.

– Não – disse ele, erguendo o copo com sua peculiar saudação de um dedinho e tomando um gole. – Falta de credibilidade.

Fizeram-lhe todos os tipos de perguntas. Perguntaram quantos filhos ele tinha e quantos foram mortos. Onze, respondeu ele. E quantos, perguntaram novamente, quantos morreram? Onze, repetiu ele. Ele deveria ter dito dois ou três. Foi esse seu erro. Disseram-lhe que não acreditavam na sua história. Que lhe faltava cre-di-bi-li-da-de. – Benny fez a palavra se estender ao infinito, uma acusação prolongada, uma ladainha criminosa.

– Depois de tudo isso, ele foi rejeitado?

– Eles estavam certos. Mas também estavam errados. Não é crível, mas é verdade. Que se há de fazer?

Gabriel comprou mais bebidas. Foi até a jukebox e a examinou. Nenhuma mudança. Dylan, os Stones, Springsteen, Neil Young, Deep Purple, Meat Loaf e The Pogues. Sabia-se que Dusty proibia a entrada de pessoas que cometessem a temeridade de pedir músicas novas. "De que adianta eu ter meu próprio bar", dizia ele, "se algum sacana chega e me dá ordens do que fazer?" A jukebox era uma relíquia, uma Wurlitzer de 1973 que tocava vinis de 45, com uma estética que se situava em algum ponto entre uma espaçonave e um abajur Tiffany. Gabriel teclou o número para "Southern Man" e deu na velha máquina um tapa no flanco, como se ela fosse um pônei usado em minas a caminho do abatedouro.

– Já falei demais – disse Benny, quando Gabe voltou a se sentar. Ele reorganizou a mesa, endireitando os guardanapos, a cumbuca de amendoins, os descansos de copos de papelão, as bebidas, com os dedos trabalhando com agilidade, voando por cima dos objetos e os movendo como que por força magnética ou magia, exibindo o toque preciso de um chef capaz.

– Não – disse Gabe. – De modo algum.

– Se eu tivesse uma mulher, não a traria aqui – disse Benny. Um casal no bar estava de bocas grudadas. – Isso mata o romantismo. O romantismo é melhor que o sexo.

– Numa situação ideal, você consegue os dois – disse Gabe, pensando no oferecimento de Lena. Ele precisaria ir e encará-la logo. – Você disse que era do Congo também?

– Da Libéria – disse Benny. – Pequeno país, grandes problemas. – Ele abanou a cabeça.

– Certo – disse Gabriel, em tom neutro. – Boa ideia, sair de lá.

– Havia luta. Eu fugi. – Benny deu de ombros.

– Veio direto para Londres?

Gabriel estava grato pela sua história resumida. Por um lado sentia curiosidade por saber os antecedentes de Benny; por outro, não queria se sentir sobrecarregado com eles. Se precisasse gritar com Benny por algum motivo, ou mesmo se precisasse despedi-lo, preferia não ter conhecimento de nada de terrível que pudesse ter lhe acontecido. Estava fazendo com que falasse só para postergar o inevitável: ir para casa.

– Fui com outros para o Cairo, porque ouvi dizer que lá eles ajudavam os liberianos. Depois de dois anos de espera, fui entrevistado pelos funcionários das Nações Unidas; e depois de mais um ano me ofereceram reassentamento aqui. Usei esses anos de espera para melhorar meu inglês.

– Seu inglês é excelente – disse Gabriel.

– Obrigado. O inglês é nossa língua oficial na Libéria. Mas, se eu falar o inglês liberiano – disse ele, com o sotaque mais carregado –, cê vai se irritar muito-muito.

Como fui cair nessa história com Lena, pensou Gabriel. Mas nem mesmo era alguma história em que ele tivesse caído. Era algo que tinha lhe acontecido. Afinal de contas, ele não pediu para ela aparecer daquele jeito no pátio.

– Quer dizer – disse ele a Benny – que a Libéria não é um bom lugar para se estar.

– Posso lhe contar outra história. Talvez mais interessante que a minha.

– Fique à vontade – disse Gabe. – Pode contar.

– Esse meu amigo, Kono, também é da Libéria. Ele tem mais ou menos a minha idade, e nós somos muito amigos. Ele é da região de Nimba, pertence ao povo *gio*. – Benny parou. Pareceu que tinha mudado de ideia. – Bem, está ficando tarde.

– Não terminamos nossos drinques – disse Gabriel. *Lena*, pensou ele. *Ai, meu Deus.*

— Tudo bem – disse Benny. – Quando os homens de Charles Taylor passaram pela região pela primeira vez, em 1989, a aldeia de Kono ficou ilesa porque os *gios* apoiavam Taylor. Mas no ano seguinte começaram os problemas. Os homens de Taylor, que era o líder dos rebeldes e mais tarde se tornou presidente, tiveram alguma desavença com o chefe da aldeia. Esse homem era o pai de Kono. Dois dias depois, os soldados rebeldes voltaram.

"Arrastaram da casa a mãe e o pai de Kono junto com seus quatro irmãos e irmãs. Os pais eles mataram a tiros. Os filhos eles espancaram até a morte a coronhadas. Economiza munição, sabe? Kono sobreviveu porque era o mais velho e era menino; e os rebeldes o recrutaram assim. Ele estava com 12 anos, na época."

— Meu Deus – disse Gabe. Ele sabia o que iria acontecer com Lena. Era o que estava tentando evitar, sentado ali escutando essas coisas que, para ser franco, ninguém queria ouvir.

— Eu sei – disse Benny, rindo. – Eu sei. Os rebeldes levaram Kono e o puseram para trabalhar. De início, era buscar água e cavar latrinas. Depois de um tempo, foi levado num ataque-relâmpago e recebeu ordem de atirar numa das prisioneiras, uma grávida. Os rebeldes o espancaram, mas ele continuou a se negar. Você tem certeza de que eu devo continuar? Pouco tempo depois, em outro ataque, disseram para ele que tinha chegado a hora da sua iniciação. Kono relutou mas o líder da unidade pegou uma faca e começou a cortar Kono. Isso lhe deu o incentivo de que ele precisava.

— Quer dizer que agora ele mesmo era um soldado dos rebeldes? – *Ele sabia o que iria acontecer com Lena*. Mas onde estava a faca no pescoço de Gabriel? Ele tinha liberdade de escolha, não tinha?

— Um soldado criança – disse Benny. – É por esse motivo que meu país é famoso. Puseram Kono num posto de controle, mais uma especialidade liberiana. Esse posto era decorado com caveiras humanas e tinha o nome de Caminho Sem Volta porque... bem, acho que você pode imaginar. Eh, eh, eh. Durante quase três anos, Kono participou de ataques e vigiou o posto de controle. Era essa a vida dele. – Revelou-se que Benny sabia contar uma história, uma vez que tivesse começado. – Todos os soldados crianças tinham apelidos. Esquadrão da Morte, Arma Letal, Cão Assassino... Kono não era muito alto para a idade, e seu apelido era General Na-Ponta-dos-Pés, por motivos óbvios, creio eu.

– Entendi – disse Gabe. Ele tinha de admitir que havia locais, havia ocasiões, em que nossa vida era tirada das nossas mãos.

– Ele fazia o que os soldados crianças faziam e usava o cabelo rastafári com conchinhas; e se drogava todos os dias.

Gabriel não tinha nenhuma desculpa semelhante. Se quisesse dormir com Lena, como poderia se iludir com a ideia de que "simplesmente iria acontecer"? Como se ele fosse a vítima da história, da guerra, do destino?

– Foi então que Kono participou de um ataque-relâmpago, e eles agiram como sempre, estupros, saques, assassínios. Quando terminaram o serviço, relaxaram um pouco naquela aldeia. Alguns dos meninos soldados começaram a jogar futebol, e Kono foi se juntar a eles. Ele viu que estavam usando como bola a cabeça de uma mulher. Kono entrou no jogo.

Gabriel lançou um olhar penetrante para Benny.

– Percebo o que você está pensando – disse Benny –, eh, eh, você está pensando em como um ser humano faz uma coisa dessas. Até mesmo eu fico pensando a mesma coisa. O que é que nos faz humanos? Será que não passamos de animais, no final das contas?

– E esse é seu amigo? – disse Gabe. Lena, pensou ele, com uma dor surda, repentina, estaria andando de um lado para outro, esperando que ele chegasse. Como ele podia pensar em Lena, naquele instante, naquele segundo? Qual era o problema com ele?

– Somos grandes amigos. Depois desse dia, ele soube que precisava ir embora. Resolveu que preferia morrer a ficar. E então, quando o mandaram à feira um dia pegar comida... pegar mesmo, não comprar, entende?... ele fugiu. Por um tempo, morou nas ruas em Monróvia, calculando que cada dia seria o último da sua vida. E então encontrou um amigo do seu pai, um empresário líbio, que o ajudou a chegar ao Cairo. Foi quando eu o conheci, o ex-General Na-Ponta-Dos-Pés, Kono, meu bom amigo.

Benny deu uma risada. Bateu palmas, torceu as mãos por um momento e depois vestiu a jaqueta. Gabe teve um vislumbre de compreensão. Por um instante, ele enxergou com clareza, soube por que Benny ria. Teve esse conhecimento profundo, instintivo, momentâneo, antes de perder de novo a percepção.

– Agora – disse Benny, levantando-se –, tudo o que lhe resta daquela época são os pesadelos. Mas os pesadelos não matam a gente, é o que ele diz.

Saíram do bar, e Benny foi andando na direção de Oxford Street para esperar o ônibus noturno. Gabriel o observou por alguns instantes, o tigre dançando nas suas costas, entrando nas sombras e saindo, suas histórias embrulhadas e guardadas; um pequeno homem negro a caminho do seu turno ou de volta dele, apressado, de olhos no chão, indo embora, até que a cidade o engoliu, e Gabriel se virou para chamar um táxi.

Capítulo Oito

—⋘—

ELE AGORA A OLHAVA DORMINDO, COM A MÃO CONTIDA, COMO QUE por um campo de força, diretamente acima do seu pescoço, como se quisesse absorvê-la ou então curá-la através da pulsação que latejava na base do seu polegar. Lena, à luz marmorizada da lua, era uma beleza esculpida, um cisne à morte. Os lábios brilhavam com perfeição, as faces impecáveis estavam peroladas, e a beleza insondável das suas pálpebras converteria qualquer homem. Ali estava ela deitada, sua irritante, sua dor, sua garota magricela, cabelo descorado espalhado no travesseiro, sua salvação, sua ruína, ou nenhuma das duas, mas simplesmente sua libertação.

Lena se mexeu e abriu os olhos. Gabe, de joelhos ao seu lado, recuou com uma velocidade cheia de culpa, como se estivesse roubando. A boca de Lena se abriu formando um "O" e se fechou novamente. Por um longo momento paralisado, os dois se olharam, e as orelhas de Gabe se encheram com o pulsar forte do sangue. Ela levantou um braço e encostou a mão no peito dele. Ela a deslizou por dentro da camisa. Quando ele passou para cima dela, foi com uma leveza e facilidade que ele desconhecia possuir. Seus dedinhos duros se enfiavam pelo cabelo dele. Eu sou o tipo de pessoa que faz isso?, pensou ele. Isso aqui sou eu? Eu sou esse tipo? E então só havia o movimento, o calor, a umidade, o atrito, o deslizar, as ondulações nas suas costas, e ele se dissolveu, não *eu*, não *mim*, não *quem*, mas só aquilo, os corpos, e nada mais.

Eles se desenlaçaram e se separaram, Gabriel sentando-se no sofá, e Lena abaixando a saia, mas ainda reclinada, com a cabeça encostada no braço do sofá. Gabriel voltou a si. Ai, que merda, disse ele, em silêncio, mas não passava de um ensaio. O remorso que ele esperava ainda não tinha se apresentado. Ele passou os dedos pelo joelho dela e lhe afagou a coxa, esperando que sua respiração se acalmasse. Lena estava olhando para o teto, com os lábios cerrados, os braços cruzados sobre o peito, estendida como uma estátua de cemitério.

– Lena – disse Gabe, beliscando com carinho a pele fina e macia –, eu procurei o dinheiro.

Lena soltou o ar lentamente.

– Eu sei o que você vai dizer.

– Fui lá embaixo – disse Gabe. – Contei os tijolos, quatro a partir da direita e...

– Eu sei o que você vai *dizer*.

Gabe retirou a mão da sua perna. Ele era acusado, mas do quê? Estendeu a mão para o abajur e o acendeu.

– O que eu vou dizer?

Lena se sentou ereta como se tivesse recebido um choque da sua própria corrente interna.

– Você diz que não achou. Estou certa ou não?

Ela estava dizendo que ele não tinha se dado ao trabalho de procurar, ou que ele tinha apanhado o dinheiro para si mesmo? Ele olhou fundo nos olhos dela, tentando avaliar o nível da sua raiva, mas não conseguia enxergar no seu íntimo. Seria tão possível ver seu fígado ou seus intestinos quanto o estado do seu coração.

– Você está certa – disse ele. – Não encontrei.

– Não – disse Lena, encolhendo os joelhos para formar uma barreira. – Não. – Ela puxava as argolas das orelhas, esticando os lóbulos.

Havia mais uma possibilidade. O dinheiro nunca existiu. Ela estava executando algum plano para extorquir dinheiro dele.

– Sinto muito – disse ele.

– Por que sinto muito? Por quê? – Ela puxou os brincos com mais força. – Como fui idiota, deixar dinheiro daquele jeito.

Gabe a segurou pelos pulsos.

– Não faça isso – disse ele –, eles vão acabar sangrando. – Com delicadeza, ele baixou os braços dela e lhe segurou as mãos, ou melhor os punhos. – Tenho algumas economias – disse ele. E daí se fosse um plano dela? Ele não se importava. – Posso dar algum para você, como um empréstimo, mas você pode me pagar de volta quando tiver condição de pagar. OK? Lena, OK?

Ela virou para o alto o rosto agressivo para olhar para ele. Sua beleza tinha algo de frágil. Poderia se partir a qualquer instante.

– Se você acha... – disse ela, sem terminar a frase. Ela relaxou os punhos, e os dois deram as mãos.

– Acho que não teria problema. De quanto você precisa? Quanto você tinha?

Lena hesitou. Ele imaginou os cálculos que passavam pela sua cabeça. Quanto pedir? Quanto seria demais? Quanto não seria suficiente?

– Duas mil – disse ela, por fim. – Mas... você é que sabe.

– Duas mil libras? – Gabe deu um assobio. – OK.

– Aceito essa oferta – disse Lena, e Gabriel entendeu a tentativa de torná-la real, um compromisso, um negócio fechado.

Ele a puxou para junto do peito, e os dois ficaram sentados por um tempo em silêncio. Gabriel, sentindo o cheiro ansioso, pouco lavado, do cabelo dela, tão diferente do de Charlie, que tinha o perfume seguro e cítrico da limpeza, tão cheio quanto o de Lena era ralo.

– Quando? – perguntou Lena, falando baixinho. – Quando você vai me fazer esse empréstimo?

– Eu preciso... sabe... fazer uma retirada. Preciso ir pessoalmente ao banco. Não se pode sacar um valor desses num caixa eletrônico.

Lena se afastou.

– É. Eu entendo. Entendo, sim. – Ela sorriu. Ele podia ver a tensão no seu pescoço, no jeito saltado dos tendões. – Quando você vai?

– Assim que puder – respondeu Gabriel. Estavam andando na corda bamba, eles dois, encarando-se por cima do abismo dos desejos conflitantes. – Pode ser complicado nos dois próximos dias. Muita coisa acontecendo no trabalho.

Ele queria que ela se fosse, é claro que queria, tanto quanto ela queria ir, mas ele não queria agora, ainda não.

– Dois dias – disse Lena – não é nada. Eu espero.

* * *

Na cama, enquanto Lena terminava no banheiro, Gabriel olhava para a mobília: a cômoda de pinho, a cadeira de empilhar de melamina, o gaveteiro de montagem caseira, e pensou em levá-los para um guarda-móveis. Ele deveria comprar sua própria mobília, escolher coisas que fossem mais "dele", se bem que não tivesse certeza do seu gosto para móveis; e talvez fosse melhor chamar Charlie para ajudar. Esse quarto era tão anônimo. Mas podia ser que ele gostasse daquele jeito. Em Plodder Lane, cada cadeira, cada objeto tinha uma história, de modo que nada era simplesmente o que era.

Lena entrou usando calça e blusa. Não tinha escovado o cabelo. Sentou abaixo da gravura de nenúfares emoldurada em tom pastel, meio dentro, meio fora do círculo de luz do abajur, com as costas encurvadas, as mãos nas coxas.

Ele olhou para seu rostinho sério.

– Você já ouviu a do chef e da auxiliar de limpeza? O chef diz, está vendo aqui essas panelas...

– Você quer fazer graça para mim. Não me interessa – disse Lena, com o sotaque mais carregado. – Não quero saber.

Gabriel deu um tapinha no travesseiro vazio ao seu lado.

– Venha cá. Não estou zombando. Eu só estava tentando, sabe, deixar as coisas mais leves.

Lena olhava fixamente para os joelhos.

– Você não pode ficar aí sentada a noite inteira. Vamos, venha para a cama. – Ele levantou o edredom. Ela continuou imóvel, resistindo, sentindo-se desgraçada. E ele decidiu ser firme, para tirá-la daquela dor que ela mesma se impunha. – Venha para a cama agora, Lena. Pare de ficar enrolando.

Ela foi para a cama, e ele a cobriu com o edredom. Deitado de lado sobre um cotovelo, ele acompanhou as linhas das suas sobrancelhas altas e finas.

– Quando você era criança, quando era uma menininha, o que queria ser?

– Não sei – disse Lena, olhando direto para ele.

Seus olhos eram de um azul-escuro, límpido, mas ele nada via neles, como se estivessem nublados por cataratas.

– Bailarina – disse Gabriel –, princesa, acrobata, esquimó.

Ela estalou a língua com desdém.

Se ele conseguisse fazê-la rir, decidiu Gabriel, não haveria motivo para remorso. Embora ela tivesse começado, o tivesse tocado, estava se comportando como se ele tivesse tirado alguma coisa dela.

– Astronauta, atriz, domadora de leões, mística. Gerente de banco, contadora, florista, agente funerária. Cheguei perto? Droga. – Ele rolou para ficar deitado de costas. – Descobri – disse ele, dando um soco na cabeceira. – Auxiliar de limpeza no Imperial Hotel, de renome internacional. Seu sonho se realizou.

– Você é mau – disse Lena, mas deu uma risada curta e seca. E foi ela quem se aproximou dele, deslizando pela cama para se encaixar debaixo do seu braço.

Havia passadas no pátio. Às vezes, as pessoas saíam lá para fumar no meio da noite. O trânsito mantinha seu ronco constante, um manto macio de ruído no qual se podia flutuar até dormir. Quando ela falou de novo, ele percebeu que estivera devaneando.

– A Itália – disse ela. – Há muito tempo eu quero ir à Itália.

– Ah, a Itália. Por que não? A Itália é linda.

– Para trabalhar em asilo, ser cuidadora de gente velha. Não é sonho. Sonho de menina... Não sei, não isso. Mas agora parece sonho, até mesmo isso.

– Londres não é tão ruim assim – disse Gabe. – Nós vamos ajudar você a se firmar. Você vai ver. – A polícia não estava procurando por ela. Mesmo que a entrevistassem, eles não se importariam se ela fosse imigrante ilegal ou não. Ela não tinha nenhuma necessidade de se esconder. Pensou em falar com ela, mas já era quase o meio da noite, e ele não queria pensar naquilo tudo. Mais uma coisa para guardar no banco, moeda valiosa à sua disposição. – Que você acha deste quarto? Um pouco sem personalidade, não é?

Lena se sentou na cama. Ficou olhando para uma distância intermediária; mas não importava o que estivesse vendo, não era a cômoda de pinho, a cadeira de empilhar, mas alguma coisa dentro da cabeça que a fazia beliscar os braços.

– Na minha terra, em Mazyr, tem uma cigana. Ela tem nariz grande de cigana; e um olho verde e o outro azul. Essa cigana diz a sorte para mim. Você sabe o que é sorte? É o futuro. Ela usa folhas de chá para isso. Ela me diz, você vai conhecer homem, homem bonito, alto de cabelo escuro, é, como no conto de fadas, e homem bonito tem sinal no pescoço, aqui atrás, sinal de nascimento, é sinal de nascença, e ele vai carregar você para sua vida. – Ela balançou suavemente, para a frente e para trás. – Ele vai levar você para sua vida.

Gabriel passou a mão pela coluna dela, subindo e descendo. Ela ficou imóvel.

– Você tem tempo – disse Gabriel. – Sua vida está apenas começando. Quantos anos você tem? Vinte e cinco? Vinte e quatro?

– Meu pai diz, nos velhos tempos, nos tempos dos soviéticos, é fácil dizer o que é mentira. Tudo é mentira. Agora é mais difícil. O que é verdade, e o que é mentira? Como pode saber? – Ela levantou os ombros até a altura das orelhas e os deixou cair. – Mas ele está errado. Não existe verdade. É só um tipo novo de mentira.

– Meu pai – disse Gabriel, sem se dar conta do que iria dizer até as palavras saírem pela boca – está morrendo.

Ela foi serpeando e se deitou de lado, seus corpos praticamente sem se tocar.

– Ele está velho?

– Setenta e cinco.

– Está velho – disse Lena.

Gabe olhou fundo nos olhos azuis, frios.

– Mas é triste – disse ela, sem um mínimo de emoção.

Gabriel pegou sua mão e trouxe os dedos até a boca. Beijou as unhas roídas. Beijou a palma. Ela era dura e fria, e por isso ele era grato. Afinal de contas, sua troca era equilibrada. Eles queriam alguma coisa um do outro, e o que era de cada um era seu para dispor livremente. Não precisavam se iludir.

* * *

Ele desce novamente para a luminosidade de aquário das catacumbas. Vai à deriva na luz, e a luz não é clara. É escura como o mar, o mar à noite, mas iluminado por dentro, uma corrente de luz escura que o suga para baixo, que o suga para dentro; e ele está quase no lugar, apesar de que lhe daria as costas, se pudesse. Ele se agacha sobre o corpo e começa com os pés, unhas amareladas, um joanete, pele ressecada no calcanhar. Ele tenta passar para as pernas, mas é contido e precisa examinar os pés novamente. Pelos nos dedões, o dedo mínimo esquerdo torto, peito do pé branco e roxo com uma textura de casca de ovo, uma cunha de lenço de papel por baixo da unha do dedão direito para não deixar que se encrave. Por que ele precisa olhar? Não são mais do que pés. Ele já viu pés. E está com fome. Ai, como está com fome! Ele pede comida. Quem vai me alimentar? Eu, que alimentei tanta gente, estou com fome. Tragam-me comida. Que haja comida. Ostras numa salva de prata. Ele as sorve das conchas. Delicados espetos de porco recobertos de molho de amendoim. Ele os arranca com os dentes. Massa folhada de queijo *feta* e espinafre. Ele os parte com as mãos. Sua prece é atendida. O banquete o cerca. Ele é amado. Cheio de gratidão, ele chora.

– Peguei você – disse Charlie. – Reconheça.

O fone estava no seu ouvido. Ele devia ter atendido ainda dormindo. Saiu da cama e foi para a cozinha, apoiando um antebraço no granito preto e frio.

– Não – disse ele. – Que foi?

– Peguei você dormindo, e você faz ideia de que horas são?

– Senti sua falta, meu amor. Que horas são?

– Dez e meia. Liguei para você no trabalho. – Charlie deu uma risada. – Oona tentou cobrir seu lado, disse que era provável que você tivesse ido direto para uma reunião; mas isso depois de dizer que você não tinha aparecido.

– Oona – disse Gabriel, enfiando a mão na cueca samba-canção, avaliando, arrumando, liberando, fazendo os ajustes habituais

para iniciar o dia. – Deixe Oona para lá. Como foi? Quero que me conte tudo. Senti saudade, meu amor.
– Eu sei – disse Charlie. – Você acabou de me dizer. Diga de novo.
– Senti. Estou sentindo. Quero ver você. Por que você não está aqui comigo?

Estava falando sério, cada palavra. Com exceção da parte sobre Charlie estar ali naquele instante, porque isso seria difícil com Lena ainda na sua cama.

– Voo barato – disse Charlie –, droga, direto para Luton no meio da noite. Escute, querido, se você não está trabalhando, eu...
– Quem dera. Ai, meu Deus, quem dera. – Ele ainda estava com a mão dentro das calças. Percebeu que seu pênis concordava com o desejo que ele verbalizava. Ele lhe fez um afago de consolo. – Dormi demais, só isso. Estou atrasado, e vai ser um dia daqueles.
– Faça o que quiser, então – disse Charlie. – Sei quando não sou querida.
– Ai, você é querida, acredite em mim. – Ele agora estava com uma ereção total e se virou de frente para os armários para que Lena, se entrasse ali, não a visse. Ele sabia que Lena não afetaria seu desejo, nada que sentia, por Charlie. Era por isso que ele podia deixar acontecer. Ninguém tinha condição de tocar no seu relacionamento com Charlie. Pelo menos, não Lena. – E então me fale de Sharm-el-Sheikh.
– Nós nos falamos praticamente todos os dias. – Ela sufocou um bocejo. – Pode ser que eu tenha acordado cedo demais. Talvez volte para a cama. Eu lhe falei dos carrinhos de golfe? O hotel é todo esparramado, sabe? Com bangalôs. E a gente vai de um lado para outro por caminhos de mármore nesses carrinhos. Tomei suco de romã e me desintoxiquei. Acho que perdi uns seis quilos.
– Melhor não ter perdido.
– Um dos seguranças era do Mossad, serviço secreto israelense. Parece que os balneários egípcios estão cheios deles. Todos diziam isso, mas ninguém sabia ao certo. Você sabe como é em hotéis.
– Ah – disse Gabriel. – Hum, hum.

– Você está me ouvindo, Gabe? – disse Charlie. – E seu pai, como vai?

A mão parou o que estava fazendo. Ele a tirou de dentro do short.

– Bem, você sabe, nada de novo.
– Mas você falou com ele?
– É, falei, é claro.
– Por telefone não adianta, não é mesmo? Nós nos falamos... Não vou trabalhar hoje de noite.
– Merda – disse ele. – Hoje à noite. Hoje não vai dar. Tem uma festa de lançamento, coisa grande, vai até muito tarde. E amanhã... algum evento da PanCont. Uma conferência de diretores, com banquete e tudo o mais, tenho de dar as caras.
– Como se eu não soubesse – disse Charlie.
– Querida – disse ele –, *querida.*

Eles riram, ela lhe mandou um beijo, marcaram um encontro, ele desligou o telefone. Quando se virou, viu um fantasma no portal, Lena usando uma camisa branca sua.

– Qual é o nome? – perguntou, revirando os dedos magricelas. – Sua namorada, como se chama?

Quando ele entrou no escritório, Oona estava sentada na sua cadeira.

– Louvado seja – disse ela. – O arroz selvagem e o trigo-sarraceno afinal a caminho.

Gabriel deu um suspiro.

– Louvado seja?

Oona conseguiu sair da cadeira com certo esforço e descansou uma nádega na escrivaninha.

– Estou dando graças ao Senhor. Vamos, queridinho, acomode-se.

– Você não está agradecendo à JD Organics?
– O bom Deus – disse Oona – proverá. – Ela mudou seu peso de lugar e o soltou, acomodando-se, procurando uma posição confortável.

– Mais alguma coisa, Oona?
– De algum jeito, estamos chegando lá – disse Oona, feliz.

Ela estava se aninhando como uma pomba, peito todo inchado e olhos sonolentos, arrumando o ninho em meio à papelada para arrulhar um pouco.

Gabriel achou que deveria agradecer a ajuda daquela manhã, ter assumido o controle enquanto ele dormia. Mas o que acabou dizendo foi o seguinte:

– Você já pensou em se aposentar? Você sabe que poderia depois de todos esses anos.

Ela olhou para ele como se ele tivesse sugerido que começassem a planejar seu enterro. E então sorriu, e a luz se refletiu no seu dente de ouro, uma pequena explosão solar, cintilante como esperanças falsas.

– Aposentadoria? Eu, hem? Não é para mim, querido. Fico aqui até cair dura.

Gabe pegou um bloco e subiu pela escada dos fundos a caminho da reunião de comunicações. A reunião seria uma farsa, como de costume, disfarçada de valiosa peça em conjunto acerca da Vida Laboral. Dizia-se que os menus teriam de ser reescritos no estilo tradicional da PanCont, com a inclusão de uma quantidade máxima de cinco e mínima de três ingredientes. Era mais uma Iniciativa. As Iniciativas eram em geral projetadas para lembrar a cada um que ele não deveria demonstrar nenhuma iniciativa própria. Mais tarde Gabriel ligaria para Lena. Ela devia estar enlouquecendo de tédio. Lena tinha um celular, foi o que se revelou, quando Gabe disse para ela não atender o telefone. Ela estava mal-humorada naquela manhã, e os dois tinham brigado por causa do assunto do telefone.

– Eu tenho telefone – disse ela. – Não quero saber de merda de telefone nenhum. Não preciso de nada de você.

Ele só tinha dito que ela não atendesse o telefone para a eventualidade de Charlie ligar, ou Jenny, ou papai. Ele deixou que ela ficasse com raiva. Era mais gentil deixar que desabafasse. Ela precisava da sua raiva naquele momento.

No caminho para o trabalho, ele pensou no assunto. Seria raro que um auxiliar de limpeza tivesse um celular? Ou os outros simplesmente não admitiam ter, preferindo que continuasse a ser impossível encontrá-los?

O ônibus seguia caminho por Bridge Street, com um zumbido baixo. O céu estava de um azul aguado acima das Câmaras do Parlamento, com o Big Ben anunciando o meio-dia, ameaçador como um dobre fúnebre. No banco à frente do de Gabriel, adolescentes comiam batatas fritas como lanche do meio da manhã. Turistas em capas de chuva e óculos escuros deixavam cair lixo na calçada. A janela rangeu quando Gabe encostou a cabeça no vidro. Foi então que ele viu a carrocinha do ferro-velho e virou o pescoço para ficar olhando, olhando até perdê-la de vista, quando o ônibus fez a curva para entrar em Parliament Square. Vocês viram?, ele teve vontade de perguntar. Vocês viram o homem, o cavalo, os antolhos, os pelos esvoaçantes nas patas? Viram a pilha de roupas velhas, a televisão, a torradeira, a fruteira? A calça do homem tinha um furo no joelho. Ele estava usando um boné de pano marrom. E vocês perceberam como ele tocava de leve o pescoço do cavalo com o chicote? O segundo andar estava quase cheio. Gabriel olhou para os rostos ao redor, cada um trancado em seu próprio espaço particular.

Devia fazer trinta e cinco anos desde que ele tinha visto o homem do ferro-velho, ouvido o grito que não se assemelhava nem um pouco a "ferro velho", um grito animal, imemorial, sem palavras. E ele agora o ouvia, décadas depois, com a batida dos cascos nas pedras do calçamento. E via as rodas da carroça girando em círculos bonitos, e sentia o calor do cavalo quando parou bem junto dele. Sentia seu cheiro escuro, concentrado. Uma coisa, ele não conseguia destrinchar. Outra imagem, outra lembrança, essa sem fazer o menor sentido. Como a cabeça brinca com a gente desse jeito. Mas como ele via com clareza, apesar do ângulo enviesado, acima das ancas fumegantes, lá no alto no banco de trás, uma mulher de olhar fixo, enlouquecido, cabelo emaranhado, sua mãe, sua mãe, e o homem do ferro-velho, moreno como um cigano, com o demônio nos olhos, piscando e abrindo um sorriso, segurando-a pelo cotovelo enquanto ela se levantava, virava e descia, dura como um pau, até o chão.

Olhando no relógio, ele viu que estava mais atrasado do que tinha imaginado. Desistiu da escada para pegar o elevador, e, vindo na sua direção da outra extremidade do corredor, lá estavam Ivan e Gleeson, andando depressa, grudados de lado, cabeças baixas, o áspero e o suave, uma combinação grotesca, uma visão antinatural. Gabriel entrou num nicho e se colou na parede. Arrependeu-se de imediato. Eles o veriam. Era uma criança, imaginando-se invisível só por fechar os olhos? Fez pressão com as costas e os braços na parede e encheu os pulmões. Era ridículo. O nicho era raso, sem profundidade suficiente para esconder seu tórax; e, fosse como fosse, quando eles passassem, não haveria nenhum lugar onde ele pudesse se esconder. Estavam perto agora, muito perto. Ele deveria sair dali e continuar andando, como se não houvesse nada de incomum em estar parado daquele jeito num nicho, ou deveria dar um pulo e gritar, fingindo pregar algum tipo de peça? Seu coração estava embriagado e desordenado, cambaleando a esmo no peito. Tudo aquilo era ridículo. Ele era ridículo. Prendeu a respiração.

Ivan e Gleeson passaram por ele murmurando e pararam à porta seguinte. Gleeson meio atrapalhado com a chave magnética enquanto Ivan olhava ao redor, para um lado e para o outro do corredor, sem ver nada a não ser sua própria astúcia, lixando a unha de um polegar na barba que começava a crescer no queixo.

A batida seca da porta liberou os pulmões de Gabriel. Ele levou a mão ao peito enquanto arquejava. O que eles estavam fazendo num apartamento de hóspedes? Como tinham conseguido a chave? Aquilo cheirava mal. Mas não era um cheiro que ele reconhecesse. Gabe se desgrudou da parede. Pensou por um instante. Aqueles apartamentos ficavam diretamente acima da cozinha. Tinha havido queixas. A cozinha iniciava suas atividades muito cedo de manhã. Os hóspedes eram despertados por barulhos provenientes daquele mundo inferior. Tinha sido ventilado na reunião da administração. Os apartamentos permaneceriam vazios até que pudessem ser remodelados para abrigar um escritório, uma sauna, uma sala de reuniões. De mansinho, Gabriel se aproximou da porta e tentou escutar. Não ouviu nada além do silêncio de um corredor atapetado, os leves estalidos e zumbidos do prédio, ruído branco que adensava o ar naquele hotel, como em todos os outros.

Nikolai estava parado no pátio de entregas no estreito feixe de luz do sol que tinha aberto um buraco nas nuvens. O sol listava o muro de tijolos atrás dele, marrom, vermelho, marrom. Ele iluminava seu cabelo louro-avermelhado. Acariciava a fumaça do seu cigarro, enrolando-a e a fazendo subir num rastro alto, voluptuoso. Gabriel olhava para ele, para seu jeito de fumar. Hoje em dia, os fumantes tragavam apressada e furtivamente. Mas não Nikolai. Ele abria espaço para o cigarro. O cigarro abria espaço para ele. Era uma pontuação elegante, uma pausa na frase, indispensável para o ritmo, para o sentido.

Gabriel atravessou o pátio. Nikolai aceitou sua presença com um cumprimento de cabeça.

– Pausa para respirar?

– É – disse Nikolai. – Faz bem.

Ele ofereceu um cigarro a Gabriel. Gabe não fumava havia oito, nove anos. Apanhou um, e Nikolai acionou o isqueiro, acendendo mais um para si mesmo.

Estonteado com o primeiro choque, Gabriel deu uma tragada mais leve na segunda vez, e foi ótimo. Ficaram ali fumando juntos. Gabe se lembrou de como era agradável estar com um colega de trabalho e compartilhar alguma coisa, de homem para homem, um cigarro.

Nikolai franzia os olhos para o sol. Era tão claro que poderia ser um albino, não fosse pelo cabelo louro-avermelhado. Russo, como Lena. Bielo-russa, ela dissera.

– Um homem – disse Nikolai – acha que é essencial. Mas sabe que é apenas um dente da engrenagem. Nem mesmo isso: uma gota de óleo na máquina. Mas para ele sua vida é tão real que ele não consegue imaginar um mundo sem ele. Como o mundo seria incompleto. – Ele tragou a fumaça do cigarro lentamente. Demorou-se para prosseguir. – E então ele se vai. As ondas se fecham acima da sua cabeça. Fica alguma coisa como sinal dele? Uma ondulação? Não.

Ele estava falando de Yuri. Gabriel baixou o cigarro e bateu para soltar a cinza.

– Duas filhas – disse Nikolai. – Uma estudando economia; a outra, no segundo ano de medicina.

– As coisas acontecem – disse Gabe – o tempo todo.

– Como somos pequenos.

Eles apagaram as guimbas, esmagando-as na parede.

– Ouça – disse Gabriel. – Tem uma coisa. – Ele arrancou uma plantinha do meio dos tijolos e a transformou em polpa entre o indicador e o polegar. – Ivan e Stanley. Stanley Gleeson. Existe alguma coisa? Porque se existe, eu preciso saber.

– Alguma coisa – disse Nikolai –, alguma coisa... – como se estivesse refletindo sobre algum enigma filosófico, cuja resposta se encontraria em profunda contemplação, sem referência a acontecimentos externos.

– Alguma coisa que não deveriam estar fazendo – disse Gabe, como se fosse necessário explicar. – Sei que estão, mas não sei o que é.

Nikolai fez que sim, admitindo o estado de coisas.

– Chef, eu não sabia que você fumava.

– Não fumo.

– Fumar é ruim – disse Nikolai. – Mas é como a vida. Ela é ruim, mas a alternativa é pior.

Nunca se entra numa câmara frigorífica e se tranca a porta. Alguém que esteja passando pode puxar o fecho e acabar de trancá-lo numa geladeira mais ou menos à prova de som. Victor estava manejando uma costela de uns 15 quilos, quando Gabriel entrou e puxou a porta atrás de si.

– Ei – disse Victor, largando a carne e dando meia-volta.

– Aconchegante aqui dentro – disse Gabriel. – Tranquilo. Lugar bom para um bate-papo.

– Ei, a porta.

– Não dá para ninguém ouvir. Ninguém escutando atrás da porta.

Victor conteve um risinho.

– Vai me pendurar num gancho de carne, Chef?

– Até posso. Se você quiser.

O risinho de Victor foi ficando mais alto e mais descontrolado. Ele lutava para encontrar um ponto de apoio no olhar impassível de Gabriel. Gabriel deixou que o risinho fosse sumindo.

– Não sou dedo-duro – disse Victor.

Ele deu um empurrão numa peça de lombo de cordeiro que estava suspensa à altura do ombro. Ele a apanhou quando ela voltou com o balanço e enfiou um polegar na gordura amarelada.

– Victor, você pode falar comigo. Não sou seu inimigo.

– Faço meu trabalho, Chef. Não me sujei.

– E Ivan? O que está acontecendo?

– Por que está *me* fazendo perguntas sobre Ivan? – Ele jogava a cabeça e mexia com o pé, como um touro pronto para entrar na arena. Era para Gabe sentir o cheiro de testosterona, não da adrenalina daquela onda de medo. – Vá perguntar a Ivan sobre Ivan. Não a mim.

Os dois se encararam. Sem se dar conta, Gabe tinha imitado a postura de Victor, posicionando-se para a luta como se ele fosse um adversário de verdade, em vez de um empregado que estava precisando de um pontapé na bunda.

– Deixe-me dar uma olhada nessas costelas – disse Gabriel, para que Victor fosse forçado a se afastar. – Os contrafilés também chegaram?

Com a porta fechada, o cheiro no frigorífico estava começando a parecer quase palpável. Eles estavam espremidos, perto demais um do outro. Gabriel passou a mão pelos ossos.

– Bela peça.

– É carne boa – disse Victor, e estremeceu. – Cara, ouve essa. Na Moldávia, é, faz alguns anos, tinha uma mulher. Uma faxineira no hospital, que tirava pedaços dos corpos do hospital. Sacou? Pedaços que deveriam ser incinerados. Ela fatiava, isso mesmo, e vendia no centro da cidade. Dois dólares o quilo, metade do preço do mercado. Ela ganhou uma grana, uma grana. As pessoas compravam, comiam, adoravam. Voltavam para comprar mais.

– Ela foi apanhada?
– Alguém começou a suspeitar.
– De estar comendo carne humana.
– É a luta pela vida – disse Victor. – Vocês, britânicos, acham... – Ele abanou a cabeça.
– Estávamos falando do seu país.

Victor bufou e patejou o chão.

– Estamos falando de carne à venda.
– Não se envolva demais com Ivan. Estou lhe oferecendo uma saída. Estou lhe estendendo a mão.
– Já lhe disse, estou limpo.
– Mas o que você sabe... não lhe ocorre nada.
– Dois dólares o quilo – disse Victor. – Por esse preço, não se quer saber o que se está comendo. Nem se quer pensar no assunto.
– É a luta pela vida.
– Cara... Falando sério. – Victor experimentou a porta, que se abriu. Ele a segurou com um quadril. – A questão é que é melhor para você não saber. É melhor não perguntar.

Capítulo 9

ELES ECLODIRAM DO CINEMA EM MARBLE ARCH, ESFREGANDO OS braços e esticando o pescoço, livrando-se da casca de sono desperto que os tinha envolvido durante o filme. Foram seguindo para o norte, de braços dados, ao longo de Edgware Road. A luz estava sumindo. Os anúncios de neon começavam a bruxulear, Beirute, Al-Ahram, Al-Dar, Café du Liban. Funcionários de escritórios davam início ao trajeto de volta para casa. A matinê tinha terminado, e ainda estava por começar a sessão da noite.

– Um suspense inteligente – disse Charlie. – Parece ser uma contradição em termos.

– Você não se deixou empolgar? Um enredo bem bolado. Você tem de admitir.

– É, mas isso não é bom. Só enredo, sem história. Nada se desenrola. Tudo é forçado.

– Você estava na beirada da poltrona.

– Eu estava jogada no fundo.

– Espiando pelos dedos.

– O que aconteceu para torná-lo um astro? É como se ele dissesse, *olhem como estou atuando agora*. Devíamos nos esquecer de que ele está atuando, e ele fica chamando a atenção exatamente para isso.

– Alguma coisa ele tem. Seis milhões por filme.

– O que ele teve? Um golpe de sorte. Seis milhões por filme ou ficar virando hambúrgueres no Kansas. Um cara ou coroa, é o que lhe digo.

Gabriel pôs um braço em torno dos seus ombros.

– Você gosta dele. É esse o motivo.

– Olhos para a esquerda, isso quer dizer *pensando*. Ora, faça-me o favor.

Gabe deu uma risada.
— A vida dele é só um golpe de sorte atrás do outro. Se é o que você acha. Seja como for, você escolheu o filme. Não se esqueça. A história até que não foi ruim.

Eles seguiam o caminho, na direção do apartamento de Charlie, passando por lojas que vendiam cópias de mobília francesa, Luiz XIV, além de joias extravagantes do século XXI, passando por casas de máquinas caça-níqueis, joalherias, casas de penhores, corretoras imobiliárias, restaurantes, os letreiros em inglês e em árabe. Na janela de um café, um velho levantou o jornal, escondendo sua barba branca e realçando o turbante branco e vermelho, enrolado na cabeça. Duas mulheres cobertas por burcas iam arrastando uma criancinha pelos braços, e foram ultrapassadas por uma garota que usava um conjunto de moletom cor-de-rosa, com a palavra SEXY bordada de um lado a outro do traseiro.

— Está vendo aquilo? — disse Charlie. — Parece estranho, não acha? Uma bandeira inglesa hasteada aqui.
— É o Victory Services Club. Para velhinhos do Exército. Lutaram pelo rei e pelo país. Sem dúvida, podem ter lá sua bandeira.
— Eu sei — disse Charlie. — Mas...
— Precisamos comprar comida. Vou cozinhar, está lembrada?
— Ele tirou a mão do seu ombro, e os dois se separaram quando entraram na loja.

Os dois carregavam cada um uma bolsa, e seguiram em ziguezague pelo aglomerado humano daquela hora. Quando a calçada ficou mais livre, foram andando um ao lado do outro. Shazia Food Hall, Al Mustafa, Bureau de Change, Meshwar, Al Arez. Do outro lado da rua, havia um pub.

— E aquele então? — disse Gabriel, inclinando a cabeça.
— O quê?
— Queimem a bandeira, fechem o pub.
— Não seja bobo.
— Velho Cavalheiro Inglês. Parece estranho. Talvez eles devessem mudar pelo menos o nome.

Charlie fez que jogava a bolsa nele.

– Tudo bem. Você me convenceu.

Eles pararam para tomar café no lugar de costume. Fazal estava ocupado abastecendo um narguilé, mas acenou indicando uma mesa para eles. As cadeiras eram descombinadas, com pilhas altas de almofadas de veludo, mas as mesas eram idênticas, octogonais, de madeira marchetada, com uma bandeja de cobre. Na parede dos fundos, a tela muda de um aparelho de televisão mostrava um canal árabe, e de algum lugar vinha música do Oriente Médio em sua lamentação sem fim. Todos os fregueses, com exceção de Charlie, eram homens, os narguilés parados fiéis aos seus pés. As obras de arte acrescentavam um toque exótico: um pastel de um chalé inglês, uma colagem de cartões-postais representando a Torre de Londres, o príncipe William e a rainha.

Fazal atravessou o café voando, já grasnando de prazer, anunciando sua chegada com os braços totalmente abertos.

– Meus amigos – disse ele, ao aterrissar –, o que posso lhes oferecer?

– Como vai? – disse Charlie. – Muito movimento?

Gabriel respirou exageradamente fundo.

– O que se está fumando hoje? Já senti o cheiro de canela, e o que mais?

– Aquele senhor logo ali, maçã; o outro em frente, pediu hortelã. Temos morango atrás de você...

– Acho que vou experimentar. Vou querer um narguilé.

– Maravilha – exclamou Fazal, saltando de um pé para o outro, como se lhe tivessem cortado as asas. – Vou trazer imediatamente. – E ficou onde estava. Sua expressão de repente se ensombreceu. – Mas esse prazer não vai durar muito. O Conselho Administrativo de Westminster... essa gente está nos matando. Não demora para eles nos arrasarem com essa história de proibição do fumo em ambientes. Taxas municipais de vinte mil por ano; aluguel de sessenta a setenta mil. Como vou conseguir sobreviver?

– Vocês não têm direito a uma dispensa especial? – perguntou Charlie. – É sua cultura. Vocês poderiam usar esse argumento.

— Cartas, reuniões, protestos — disse Fazal, abanando a cabeça. Seu cabelo, que ele usava comprido, era como penas negras e lustrosas. De cada lado do nariz, havia uma pequena mancha de pelos duros. — Quem não gostar que vá a outros lugares. Ninguém precisa vir aqui se não quiser.

— É verdade — disse Gabriel. Tinha passado mais duas noites com Lena. Na noite anterior, ela tivera um orgasmo. Ou era o que ele achava.

— Eles alegam que quem adoece pelo fumo custa dinheiro para o Estado — disse Fazal, esticando as asas novamente. — E os que só comem porcaria? E o álcool? Esses são problemas mais graves. Por que não proíbem também?

Gabriel sugou na boquilha e ficou olhando a corrida das bolhas pela água, as baforadas se reunindo como uma tempestade em miniatura acima da cumbuca de prata. Charlie bebericava o café.

— Resolveu fumar? — disse ela. — Quais são as outras novidades? O que mais eu perdi?

Ela desabotoou o casaco. Gabriel encostou o joelho no dela. Falou do trabalho, de Ivan e Gleeson; e ela retorceu o nariz, confirmando que alguma coisa estava errada. Ela perguntou pelo caso de Yuri, mas não havia muito a contar. O pessoal da Saúde e Segurança no local de trabalho tinha feito uma visita. Havia um cartaz no porão, depois da seção de depósito de produtos secos, com as palavras ACESSO PERMITIDO SOMENTE A PESSOAL AUTORIZADO. É claro que Yuri não tinha tido autorização. Que pena, disse Charlie, que desperdício de vida. Depois disso, ele precisou mentir sobre a festa de lançamento, fingindo que tinha acontecido no dia seguinte ao da sua chegada. Quase se enrolou quando ela perguntou como tinha sido o banquete da noite anterior, esquecendo-se da mentira que contara; mas conseguiu se recuperar e se surpreendeu com a facilidade com que pôde falar sobre algo que nunca tinha acontecido, como se estivesse se lembrando do evento, em vez de imaginá-lo. Quando terminou, a lembrança já dava a impressão de estar alojada na sua cabeça.

Charlie sabia escutar. Seu jeito de prestar atenção, a luz inteligente nos olhos verde-claros, investiam suas palavras de significado, de profundidade. Ele tinha sorte de estar com ela. Disso tinha certeza.

Essa história com Lena. Ele puxou o ar no cachimbo e tossiu.

– Você está gostando mesmo disso? – perguntou Charlie.

Ele tinha se concedido uns dois dias para resolver tudo, acreditando que ao fim desse período Lena já tivesse ido embora. Mas a cozinha quase soçobrara com uma série de reservas grandes, mal tinha conseguido manter-se firme, e Gabriel não chegara a ir ao banco.

Charlie lhe falou do mergulho com snorkel no Mar Vermelho, as cores elétricas, espantosas, dos peixes.

Essa história com Lena. Um ponto de clareza – ela reforçava o que ele tinha com Charlie, uma combinação perfeita.

Fazal pousou de novo, com um bule, e reabasteceu suas xícaras.

– Que os fumantes fumem juntos – disse ele. – Que mal há nisso? Se precisarem fumar em casa, onde estão as mulheres e crianças, como as coisas hão de melhorar? Melhor deixar tudo como está.

Gabriel fez que sim, sem saber se concordava. Talvez ele tivesse precisado disso: de testar seu relacionamento com Charlie, para ver até que ponto era sólido.

– As pessoas têm escolha – prosseguiu Fazal. – Neste país, espera-se que cada um faça sua escolha. Este é ou não é um país livre?

Ou – não seria mais provável? – ele estava muito preso, e ela lhe oferecia um escape. Se alguém nos passa um prato, nós o pegamos automaticamente, antes mesmo de percebermos que nossa mão se mexeu.

Tinha de haver uma explicação melhor. Afinal de contas, Lena não era nenhuma *femme fatale*. Era magra demais. Era grosseira e petulante. Na noite anterior, eles tinham ficado sentados no sofá umas três horas diante da televisão, e ela praticamente não dissera uma palavra. Os dois estavam apenas se usando. Mas, na realidade, para que ele a estava usando?

– Tudo certo com o ponto em Pimlico? – perguntou Charlie.
– O aluguel está sendo negociado – disse Gabe. Ele não era um monstro. Sentia alguma coisa por Lena. Mais do que ela por ele.

Quando voltou do trabalho no dia anterior, Lena estava no quarto. Ela não o ouviu entrar. Envolta na luz âmbar do abajur, ela estava ajoelhada no chão ao lado do conteúdo de uma gaveta revistada. Com a boca seca, Gabriel recuou encolhido no portal e ficou olhando. Lena estava encurvada, dedicada à sua tarefa. Ela ergueu um par de cuecas, sacudiu-as e as dobrou num único movimento certeiro, colocando-as na gaveta. Passou então à busca minuciosa, obviamente à procura de alguma coisa, dinheiro, joias, documentos, qualquer coisa que pudesse vender. Ela segurou no alto duas meias, separou uma e pegou outra, comparando as medidas das duas, pela ponta. Eram iguais. A busca recomeçou. Quando tudo estava de volta na gaveta, ela estendeu a mão, puxou outra e despejou o conteúdo – camisetas de mangas e sem mangas, agasalhos, tudo jogado de qualquer modo. Ela trabalhava com rapidez, alisando, dobrando e guardando. Se não queria que ele soubesse que ela tinha revistado suas gavetas, por que não deixá-las como as tinha encontrado?

Lena pegou um suéter de malha de algodão azul. Prendeu-o com força junto do peito, jogou as mangas para a frente e, segurando-as juntas com uma das mãos, começou a esticá-las, puxando cada vez com mais força como se quisesse arrancá-las do corpo. Depois de alguns instantes, relaxou novamente. Sua cabeça pendeu para um lado. Ela se sentou nos calcanhares e olhou para o espelho do outro lado do quarto. Gabriel recuou um pouco mais, embora o espelho estivesse voltado para longe dele. Como uma alma penada, ela se levantou do chão e seguiu, não andando, mas se desintegrando, com o vulto escuro e esguio se reestruturando diante do espelho. Ficou ali plantada, hipnotizada, com o olhar fixo, dissolvendo-se no reflexo. E então de repente endireitou os ombros, encheu de ar o peito minúsculo e cuspiu no espelho. Um fio de saliva ficou escorrendo da sua boca.

Ele então voltou de mansinho para a cozinha, esperou alguns minutos e começou a fazer barulho. Quando ela apareceu, estava

se espreguiçando e bocejando com se tivesse acabado de sair de um cochilo.
– Deveríamos tomar alguma iniciativa – disse Charlie.
– Quero que você pense no seguinte. Vou precisar de alguém para a recepção.
– Eu? É isso o que você está dizendo? Vou desistir da minha carreira promissora?

Gabe foi ao balcão pagar a conta, e Fazal ficou estalando a língua e resmungando, porque Gabe deveria estar ali para relaxar. Os outros fregueses estavam conversando baixinho ou simplesmente estavam sentados como se nunca mais fossem voltar a se mexer. Nunca havia muito tempo para relaxar, não na vida de Gabe, não por enquanto. Num site na web do qual Gabe tinha ouvido falar, era possível escolher um avatar e viver uma outra vida virtual. Podia-se fingir que se era o que se quisesse ser, conseguir o que se quisesse, boa aparência, riqueza, mulheres, carros velozes. Talvez fosse melhor ficar ali sentado soltando baforadas de dragões mágicos, sonhando sonhos. Se você queria uma vida diferente, era preciso parar de sonhar e fazer um plano decente.

O quarteirão de apartamentos, ao lado de Edgware Road, apresentava quatro andares de imponência vitoriana pintados num inexplicável vermelho digno de uma casa dos horrores. O apartamento de sótão de Charlie tinha o teto inclinado e janelas de portinhola, e era decorado com aquele tipo de chique despojado que descrevia Charlie tão bem. Cartazes de filmes da década de 1950 estavam pendurados acima de almofadas de chão de couro marroquino, uma luminária de vidro de Murano acima de uma poltrona de brechó, todos reunidos sem esforço algum, numa mistura que misteriosamente formava um todo unificado.

Charlie saiu valsando dos sapatos, entrou na sala de estar e pôs uma música para tocar. Depois de um par de compassos, ela mudou o CD. Voltando-se para Gabriel, fez uma careta e abanou a cabeça.
– Não – disse ela. – Não é isso. – Ela mudou a faixa e depois mudou o CD de novo.

Ela desligou o som.

– Na realidade, não sou musicista, sou? Não sou uma cantora de verdade. Nem mesmo sei o que quero escutar.

– Sabe o que você é de verdade? – Ele a puxou para si. – Maravilhosa, é o que você é.

Ela o beijou na boca e se desvencilhou.

– Maravilhosa e louca por um copo de Sauvignon Blanc.

Eles se acomodaram na cozinha. Ele esfregou o peito do pé de Charlie através da meia, e ela remexeu os dedos.

– Vi um comprador de ferro-velho. Há uns dois dias, em Parliament Square.

– Em algum tipo de desfile?

– Não. – A pergunta o irritou.

– Certo – disse ela, dando-lhe tempo.

– Só isso. Foi quando o ônibus passou.

– E fez você pensar em...?

– Não sei. Em nada. Eu só vi, só isso. Não sabia que eles ainda existiam.

Ela trocou os pés, oferecendo-lhe o outro para massagear.

– Às vezes – disse ela –, só quero o silêncio. Quero que a música pare. E então fico pensando, mas alguma coisa está errada. Supostamente a música é a minha vida.

– Eu não quero comer o tempo todo. Nem sempre tenho vontade de cozinhar.

– Você disse que sua mãe detestava cozinhar. Foi por isso que você começou? Você queria ajudá-la em alguma coisa?

– Eu não cozinhava em casa, quase nunca. Não me deixavam.

– Então foi alguma refeição espantosa, num restaurante, em férias?

– Quando entrei para a faculdade de culinária, nunca tinha provado um tempero fresco. Eu achava que presunto curado com uma rodela de abacaxi era alta culinária.

– Ah – disse ela. – E não é? – Ela fez pressão com o pé na virilha de Gabriel.

– Espero que você termine o que acabou de começar. – Ele se recostou com as mãos atrás da cabeça.

– Certo – disse ela, rindo. – Pode esperar sentado. – Ela se levantou e foi até a geladeira, voltando com um prato de azeitonas. – Alguma coisa despertou seu interesse, em ser chef.

– Fui atraído pelo glamour, pelo dinheiro fácil, pelas garçonetes fáceis...

– Não, sério.

– Falando sério – disse Gabe –, não sei ao certo. Naquela época, não se tinha conhecimento de todos esses chefs famosos. Não era a carreira a seguir, não mesmo, de modo algum. Mas alguma coisa sempre me atraiu: você pega um pedaço de um animal morto, as folhas de algumas plantas, alguma outra vegetação e alguns extratos, e você muda o que eram. Você os transforma em outra coisa. É o processo. Gosto do processo, da ciência. E depois também tem a sedução, é claro. Se você sabe cozinhar, sempre consegue comer alguém.

– Muito engraçado – disse Charlie. – Você é um engraçadinho.

– Ah, você acha que eu estou brincando?

– Naquela época ainda não tinha começado, não é mesmo? Chefs nas páginas de mexericos, todos os programas, todos os *canais,* os concursos, as fotos de duas páginas.

– Mas naquela época mais gente cozinhava. Agora é o microondas, os pratos prontos e as quentinhas. As pessoas não cozinham de verdade.

– Elas gostam de assistir aos programas e de comprar os livros e revistas. As pessoas gostam de olhar, tiram prazer disso. É cada vez maior o volume desse tipo de coisa.

– Pornografia culinária – disse Gabriel. – Isso mesmo. E elas não durariam um dia numa cozinha, numa cozinha de verdade. Não aguentariam um minuto, sabia?

– Então, do que se trata? Por quê? E quem está cozinhando... os imigrantes? Ou eles só lavam a louça?

– Olhe para as outras coisas nas revistas, todas as roupas belíssimas, e depois olhe para as pessoas andando por aí.

– Quem vai acabar numa cozinha, Gabe?

– Nós já terminamos aquela garrafa? – Ele despejou a borra. – Desajustados, psicóticos, migrantes, artistas da culinária e pessoas que só precisam trabalhar.

– Ah... Qual deles você é?

– Papai achou que eu estava louco, é claro. Ou que eu fosse idiota, de qualquer modo.

– Mas agora ele tem orgulho de você.

– Charlie – disse ele –, meu pai... Quando eu era pequeno, você sabe o que ele usava para me pôr à prova?

Ela arrastou a cadeira um pouco mais para perto e examinou seu rosto. Talvez fosse o pulôver que ela estava usando, mas seus olhos pareciam mais verdes do que nunca.

– Ele trazia uma amostra da fábrica e a estendia na mesa da cozinha.

– Certo. Continue.

Ele trazia para casa uma amostra defeituosa, com as costas da mão varria os farelos da toalha de oleado e a estendia na mesa da cozinha. Gabriel arriscava um palpite.

– Trama dobrada? – dizia ele, de joelhos na cadeira. – Ponta dupla?

Depois do trabalho, antes que ele tomasse banho, dava para sentir o cheiro da tecelagem em papai, um cheiro quente de metal, como se ele tivesse acabado de ser passado por uma prensa.

– Com uma ponta dupla, a passada ia ficar mais grossa. Este aqui está com a ponta puxada errado. Está vendo? – Ele acompanhava o defeito com um dedo sujo de óleo, e Gabe dizia, sim, papai, obrigado, e corria escada acima com o pano para guardá-lo cuidadosamente na caixa de arquivo, debaixo da cama.

Devia ter sido na sua segunda ou terceira visita à Rileys, quando papai o conduziu pelo ar trêmulo dos galpões de Sulzer até os domínios de Maureen.

– Maureen examina os tecidos – disse Ted, pondo Gabe em cima de um banco para que pudesse ver o que estava no caixilho de acabamento dela.

– Quando eu era nova, os outros é que me examinavam – disse Maureen, piscando um olho para Gabriel.

– Estou mostrando a fábrica para o garoto – disse Ted.
– É verdade – disse Maureen. – Por que não? – Ela indicou um quadro de feltro ao qual estavam presos uma dúzia ou mais de pedaços de pano. – É isso o que eu procuro. Esse aqui com o fio solto, isso é trama dupla, aquele é uma ponta dupla, esse é um passamento errado de fios, e aquele ali é onde o gancho desceu. Está vendo aquele? Fácil de pegar, não é? Tecido sem trama, onde você só tem o fio indo num sentido. Para você chega? Não? Passada curta da lançadeira, ponta contaminada, ponta solta e tufos. E lhe dou três chances para adivinhar o que está errado neste aqui.

Gabriel olhou para a roldana lá no alto que suspendia os rolos de tecido, para as correias de borracha e os grandes ganchos de metal. Ele achava que sabia a resposta, mas parecia fácil demais. Seu pai não tinha lhe dito que haveria uma prova. Reuniu toda a coragem para falar.

– Está sujo.

Os dois riram, mas papai pôs a mão na sua nuca.

– Correto. Tem óleo no urdume.

– Você vai precisar colaborar para o passeio, agora, Ted, não vá se esquecer – disse Maureen.

Quando ela não estava falando, o lábio inferior de Maureen cobria o superior, como um buldogue. Ela precisava ficar ali em pé diante do caixilho de acabamento o dia inteiro, vigilante. Talvez fosse isso que lhe dava essa aparência.

– Já me inscrevi para a iluminação de Natal – disse Ted. – Vão ser quantos este ano?

– Não – disse Maureen. – É para a ida ao teatro, para as crianças. Você vai vir, não é, Gabe? Você e a pequena Jen?

Charlie, em pé encostada no balcão da cozinha, estava com as mãos enfiadas nos bolsos dos jeans. O pulôver verde-vivo realçava suas curvas. Uma vez Gabe tinha dito que ela deveria estar numa cauda de avião, como uma mascote para nossos corajosos rapazes a caminho de "liberar" o próximo país longínquo ao qual fossem enviados. Você está querendo dizer que eu tenho quadris da Segunda Guerra Mundial, disse ela. Àquela altura, ele já sabia que ela dizia esse tipo de coisa como uma paródia de insegurança feminina e também porque era insegura. Ele não disse nada porque, fosse confirmando, fosse negando, de qualquer forma suas palavras seriam vistas como uma tentativa de ser condescendente.

– Ele queria que você seguisse a tradição dos Lightfoot? Esperava que você fosse trabalhar na tecelagem?

– Não havia futuro ali. Isso ele dizia até mesmo naquela época. Achava que eu devia me formar em alguma especialidade da engenharia.

– Ele sabia que você gostava de ciências. Na escola.

– Minhas notas eram bastante boas.

– Gabe – disse ela, enrolando uma mecha de cabelo num dedo. – Estive pensando. Sabe, no fundo não estou chegando a lugar nenhum. Estou com 38 anos. Talvez precise fazer alguma outra coisa.

– Já lhe disse... preciso de alguém. Você poderia administrar a casa depois de um tempo.

– A empresa da família?

Quando disse isso, ela pareceu constrangida, como se tivesse mencionado alguma coisa inconveniente, alguma coisa que poderia fazê-lo ir embora.

Devia lhe pedir que se casasse com ele. Acabar com isso. Estava na sua lista de prioridades. Mas como poderia lhe pedir agora, neste instante, com Lena contaminando seu sofá, sua cama?

– Charlie, olhe...

– Estive pensando no magistério – disse Charlie, um pouco depressa demais, animada demais. – Achei que podia pensar em trabalhar como auxiliar de professor, ver se é mesmo minha praia.

– Não consigo imaginar... mas se você quiser.

– Sou boa com crianças – disse ela, e então continuou rápido, parecendo temer ter agravado o erro. – E, você sabe, às vezes a gente tem esses momentos... que fazem você pensar nas coisas. Ontem, eu estava sentada no metrô, e só ia passar por três estações a caminho do dentista. Num instante, eu estava bem, observando essa mulher que estava comendo um saquinho de batatas fritas.

Ela estava lendo um livro e comendo; e as migalhas não paravam de se acumular no peito dela. E eu ficava pensando que agora, agora, agora, ela ia espaná-las dali, mas isso ela nunca fazia. E no instante seguinte, comecei a pensar, e se houver uma bomba? É um pensamento que brota, e você espera que ele desapareça do mesmo jeito, mas dessa vez ele não desapareceu. Fiquei ali sentada pensando, e se houver um bomba?

"E só vou andar três estações. E começo a pensar, por que não fui simplesmente andando? Teria sido tão fácil. Vou ficando irritada de verdade comigo mesma. E depois piora. Começo a olhar ao redor para ver se alguém no vagão poderia estar com a bomba. Procuro por pele morena, barba, casaco volumoso, e me sinto revoltada comigo mesma, mas é o que estou fazendo, não posso me iludir.

"A questão é que é ridículo. Qual é a probabilidade? De que tipo de estatística nós estamos falando? Mas isso nos invade. Fomos invadidos, não por ninguém, mas por um pesadelo."

– Foi nessa hora que você pensou que gostaria de tentar ser professora? – disse Gabe. – Deve ter sido um susto e tanto.

Ela fingiu achar graça, um risinho retraído, de cabeça de ponte em território inimigo.

– É, vou dizer isso na entrevista. Não, isso me ocorreu um pouco mais tarde. Na verdade, naquele exato instante eu estava com a mistura mais estranha de pensamentos importantes e insignificantes. Era mais ou menos assim: se eu vou morrer agora mesmo, será que andei fazendo as coisas certas? Será que andei *vivendo* o suficiente? E depois, se eu sobreviver, preciso começar a fazer todas as coisas certas imediatamente. Fazer melhores escolhas, ser mais esperta, saber o que quero de verdade. Sabe o que decidi? Sentada ali, apavorada por essa bomba inexistente? Decidi que deveria melhorar minhas cápsulas de óleo de peixe: comprar o tipo mais caro, que inclui Ômega 3. Se eu saísse do trem inteira, iria direto a uma farmácia. Como eu sempre penso nisso e nunca faço, esse assunto se tornou enorme, importante, alguma coisa pela qual valia a pena estar viva. – Agora ela estava rindo de verdade, com o cabelo dançando diante do rosto. – Pois foi esse o meu momento, minha revelação, minha luz ofuscante. Algumas pessoas veem Deus nos momentos de crise, mas não eu. Não gente como eu. Nós somos iluminados para o consumo; é isso o que nos acontece.

Gabe estendeu as pernas e girou o copo vazio.

– Ei, trate de não criticar. Não queremos que você acabe num convento. Você disse que tinha outra garrafa em algum canto?

– Está aqui. Vou abrir. – Mas não tirou as mãos dos bolsos. – Sempre tem essa coisa nos ameaçando, não é? É o estilo da mídia de hoje. Recebemos isso o tempo todo. E é realmente imenso: toda a terrível pobreza, o terrorismo, as mudanças climáticas.

– Acho que sim. Mas ocorre a mesma coisa com todas as gerações. Sempre tem alguma coisa, alguma grande ameaça. Pelo menos, não precisamos suportar a guerra, e depois dela veio a Guerra Fria.

– Não sei. Parece esquisito, mas acho que eu teria preferido. Era mais *coletivo*, mas nossas coisas só fazem a gente se voltar para dentro.

– O inimigo interno – disse Gabe.

Ele ia comprar um anel de noivado, era isso o que ia fazer, se bem que com o dinheiro para o restaurante e o dinheiro para Lena, ele teria de calcular quanto poderia gastar.

– É – disse Charlie. – Não, não são células islâmicas em Birmingham. Não é isso. O que quero dizer é que não sabemos quem é o inimigo, não com a menor clareza. E não podemos ter certeza se não somos nós mesmos.

– Não sou eu. Posso garantir.

Toda essa ansiedade. Essa não era a Charlie que ele conhecia. E ela entendia as coisas ao contrário. Não era o medo da bomba que lhe dava aquele medo de ser a mulher-solteira-sem-perspectivas. Era exatamente o oposto. Assim que ele lhe propusesse o casamento, ela pararia de ficar pensando nessas coisas.

– Em algum canto no fundo da nossa mente – disse Charlie –, uma dúvida nos atormenta: a de que somos nossos piores inimigos. Que ideia horrível.

– A guerra ao terror gerando mais terroristas?

Charlie deu um suspiro.

– Creio que sim. Sempre podemos tentar pôr a culpa em todo o mundo menos em nós pelo aquecimento global e pela exploração da mão de obra no Terceiro Mundo, mas, você sabe... – Ela interrompeu a frase. Apanhou a garrafa e o saca-rolhas. – É tudo muito fragmentado, vago e confuso. Sabe, numa guerra normal, ou mesmo na Guerra Fria, existe um inimigo realmente nítido, e tudo faz sentido; como uma história com começo, meio e fim. E você sabe qual é o fim que você quer, mas agora não temos uma boa história, o enredo está todo desencontrado.

– Isso não é tão mau assim, não é mesmo? Você disse que aquele filme era uma droga porque tinha enredo demais.

– Eu disse, mas é provável que estivesse errada. Seja como for – disse ela, aproximando-se com a garrafa e um jeito exagerado de caminhar –, tive meu pequeno momento, mas já passou. O atendimento normal foi retomado.

– Mas é séria essa ideia de ensinar?

– Eu, benzinho? – Ela adotou sua voz sussurrante, impostada para o jazz. – Quem? Eu? Você consegue visualizar? Acorrentada a uma sala de aula todos os dias? Gosto demais da minha liberdade. Gosto de aceitar ou não aceitar um compromisso para cantar.

Ele preparou um banho para ela, acrescentando uma barra de sais de banho que tinha carregado no bolso do casaco o dia inteiro. Quando a barra foi se dissolvendo, ela liberou botões secos de rosa que ficaram flutuando, e ele disse que viria esfregar suas costas quando as coisas na cozinha estivessem sob controle. Vou ter de viajar com mais frequência, disse ela, se é essa a recepção que vou ter.

Esvaziando as bolsas de compras, Gabriel enfileirou os ingredientes – cuscuz, alho, raiz de gengibre, coentro, um pote de molho *harissa*, uma lata de grão de bico e costeletas de cordeiro. Papai detestaria essa refeição, pensou. Ele grelharia as costeletas de cordeiro e as acompanharia com batatas cozidas. Gabriel suspirou e partiu a cabeça de alho. Daria muito menos trabalho.

A ida ao café de Mag todas as sextas na hora do almoço, do ajantarado, como chamavam. Esse era o prazer semanal de Ted. Uma vez ele levou Gabriel, e os dois comeram torta de frango com batatas fritas e feijão no molho de tomate, além de pudim de geleia com creme inglês. Parecia o paraíso. Tinham estado na Rileys, e àquela altura Gabriel já devia estar enjoado daquilo tudo. Talvez não, talvez isso tenha ocorrido mais tarde. Chegou uma época em que ele se recusou a ir.

Naquele dia, sim, ainda cheio de admiração... agora a lembrança lhe voltava, eles tinham passado pela oficina da urdideira, e aquilo foi demais para sua cabecinha. Era um compartimento comprido e baixo, com duas ou três vezes o tamanho do salão da escola, com três abóbadas no teto, a aurora boreal, como nos galpões de tecelagem. Ele andou para cima e para baixo, acompanhando o comprimento da gaiola, absorvendo as cores do arco-íris da multidão de cones que giravam, como se estivesse visitando as joias da coroa. Uma teia de aranha enorme, alongada, vibrava na máquina, à medida que o fio se enrolava no tambor.

– É lindo quando o serviço é colorido.

– Papai – disse Gabe. – É legal!

– Venha mais perto, aqui junto do cilindro. É o último modelo da Hattersley, que é a melhor marca do mundo.

– Como funciona, papai? O que ela faz?

– Vamos começar do início – disse Ted. – Essa belezinha é o que se chama de urdideira. A Rileys adotou o caminho da urdidura seccional, mas muita gente nesta cidade nem sabe o que é uma urdideira seccional.

– E o modo da Rileys é o melhor, papai?

– Há quem diga que é, sim.

– Quer dizer que o fio entra por aqui – disse Gabriel, levantando a mão –, e depois...

Ted o puxou para trás.

– Cuidado. Dedos já se perderam aqui. Um homem foi escalpelado nessa máquina.

– Ela é perigosa, papai?

– Ela pode ser – respondeu Ted. – No tempo do meu pai, seu avô, os urdidores usavam gravata, e houve uma vez em que ele ouviu gritos e veio correndo. – Ele se inclinou para seu rosto ficar no mesmo nível do de Gabriel e revirou os olhos. – E lá estava o urdidor, com a gravata presa, lá ia ele dando voltas e mais voltas, em torno do rolo.

Eles foram tomar um chá na sala dos encarregados da manutenção, e o sr. Howarth estava lá, estudando os palpites das corridas de cavalos.

– Escolha um número, qualquer número, de um a trinta, vamos, garoto.

– Doze? – disse Gabriel. Ele esperava ter acertado, se bem que não tivesse muita coisa em que se basear, e no fundo não lhe parecesse justo.

O sr. Howarth passou o dedo de alto a baixo na página do jornal.

– Piper Marie, cem para um, você me escolheu uma porcaria de pangaré. – Ele levantou a voz e gritou. – Bill, Bill, me dá um número, depressa. Um número bom.

No canto, uma pilha de roupas se mexeu, e Gabe viu que elas continham um velho, com o queixo pousado no peito.

– Que foi? Que foi? Como é que é?

– Um número, Bill, para os cavalos. Seja meu talismã da sorte.

A cabeça do velho se levantou, e Gabriel ficou olhando as maravilhas geológicas que ela revelava, os espinhaços, fissuras e crateras.

– Me deixa em paz – disse o ancião. – Estou no meu descanso.

– Papai – sussurrou Gabriel, cutucando Ted –, quando é que ele vai se aposentar?

– Já se aposentou há séculos – disse o sr. Howarth – o Belthorne Bill.

– Então por que ele ainda está aqui? – sussurrou Gabe.

– Surdo como uma porta – disse o sr. Howarth. – Bill, você está surdo ou o quê?

– É – disse Belthorne Bill –, vou querer uma xícara.

– Trabalhou mais de cinquenta anos aqui – continuou o sr. Howarth, dobrando o jornal. – Ninguém pode lhe recusar um lugar no canto; e, sim, vou lhe fazer um chá. Dê uma boa olhada nele, menino. É uma lenda viva, isso que está sentado ali.

Acabei descobrindo que Bill era do outro lado do morro, de Belthorne, uma característica marcante em Blantwistle, na época em que migrantes de regiões tão distantes eram praticamente desconhecidos. Todos os dias, ele andava 11 quilômetros para vir trabalhar e para voltar, e era célebre por sua pontualidade estrita e por nunca tirar um dia de licença médica. Num inverno, quando a neve caiu durante a noite, deixando uma camada de profundidade extraordinária, e todas as estradas estavam fechadas, enquanto metade das fábricas dormia num atordoamento hipotérmico, Belthorne Bill tinha apanhado uma pá para abrir um caminho pela encosta do morro, metro a metro enregelante, conseguindo chegar com um pouco de ulcerações provocadas pelo frio, e pediu desculpas por estar atrasado.

– Vou lhe dizer uma coisa – disse o sr. Howarth. – Seu pai e Bill são muito parecidos, como se formassem um par.

Gabe olhou para Ted. E olhou para o homem em ruínas.

– Você não sabe do que estou falando? Eles são o melhor que os britânicos podem ser. É isso o que são.

Charlie encostou o corpo por trás dele e envolveu sua cintura com os braços. A cabeça de alho ainda estava na mão de Gabe.

– Ei, achei que você fosse vir se juntar a mim. A água estava esfriando.

Ele girou e beijou o alto da cabeça dela.

– Desculpe. Olhe só. Sou um inútil. Não fiz nada.

– Devíamos pegar uma entrega em domicílio?

– Você se importaria?

– Tenho cinco lugares registrados para chamada rápida. Como poderia me importar?

– Não paro de pensar na tecelagem, na Rileys. Agora é um shopping. Não pensava nela há anos.

– É natural que você pense no seu pai, agora que ele está... você sabe...

– Puxa, que cheirinho bom – disse ele.

Ela afastou a cabeça.

– Tudo bem com você, Gabriel? É tão terrível essa história do seu pai.

Ela estava usando um quimono vermelho. A seda parecia um bálsamo.

– Estou perfeitamente bem – disse ele, de modo automático; mas, quando falou, decidiu que era verdade. – Preocupado com papai, sim, é claro, mas estou bem.

– Você sabe que eu gostaria de conhecê-lo. Se você não ficar com vergonha de mim, quer dizer.

– Eu sei, eu sei – disse Gabriel –, mas eu achava que deveria ir vê-lo primeiro sozinho. Você mesma disse, não se consegue dizer grande coisa pelo telefone. E já está tudo planejado. Vou para o Norte amanhã de trem.

Capítulo 10

ENTRE EUSTON E WATFORD, EMBORA O TREM ESTIVESSE LOTADO, ELE conseguiu trocar de lugar três vezes. Da primeira vez, estava fugindo de uma criança perversa que balançava os pés e tinha uma mãe distraída. Depois vieram os usuários abusivos de telefones celulares; e, exatamente quando Gabe achou que estava a salvo no "vagão silencioso", o mau cheiro de embalagens de comida pronta abertas na sua mesa o forçou a bater mais uma vez em retirada. Ele encontrou abrigo, ou foi o que pensou, no final do trem, quando uma mulher embarcou em Watford e rapidamente se pôs a colonizar o espaço dele. Ela usava um costume de *tweed* e sapatos bons, fortes, e seu rosto era igualmente vigoroso. Enquanto falava com ele, com o retinir de porcelana fina na voz, Gabriel pensou que já não se viam muitas como ela. Era da estirpe que constrói impérios, sem a menor dúvida. Ela era a intimidade da vida de cidades pequenas; Deus e o Golfe; jogos de cartas e gramados para jogar croquet. E falava e falava sem parar até Gabriel organizar uma insurreição, estendendo a mão para apanhar sua bolsa no alto e explicando que desembarcaria na próxima parada.

– Mas isso vai ser só daqui a uma hora – disse a mulher.

Gabriel fez que sim e se afastou cambaleando, com o trem rolando de um lado para o outro debaixo dos seus pés.

Ele se agachou nos fundos do vagão seguinte, encostado no bagageiro, e fechou os olhos. Havia apenas o estrondo dos trilhos. Havia apenas o espaço escuro por trás da sua testa.

Quando tinha voltado para Kennington de manhã, Lena estava parada junto da longa janela da sala de estar, encostada nela como se quisesse atravessar o vidro.

– Preciso ir à minha cidade – disse ele –, só por uns dois dias. Meu pai... eu lhe contei, sinto muito, mas é uma coisa que eu preciso fazer.

Ela não se virou. O único sinal de vida era sua respiração nublando a vidraça.

– Tenho chaves de reserva. Olhe, vou deixá-las aqui. Mas talvez seja melhor você não sair. – Ele não sabia por que disse isso. Por que ela não deveria sair?

Mesmo assim, ela não deu resposta.

– Desculpe – disse Gabe. – Vamos acertar tudo quando eu voltar. Você vai estar aqui, quando eu chegar, não vai? Você vai estar aqui.

Lena girou, e suas costas ficaram encostadas no vidro. Gabriel teve uma leve sensação de vertigem. Queria que ela se afastasse dali.

– Dois, três meses, eu me escondo – disse Lena. – No porão, no apartamento, que diferença faz?

– Escondida? No porão, com Yuri? Do que você estava se escondendo?

Lena deu de ombros, de um modo desleixado, caído de lado.

– Que diferença faz?

– Você precisou esconder o fato de que estava lá embaixo? Ou você foi lá para baixo para se esconder de alguém? Do quê? De quem?

Ela se desmanchou encostada no vidro, com as pálpebras baixas, insolentes.

Com dois passos largos, ele se aproximou dela e lhe agarrou o braço, com os dedos fincados na sua carne.

– Você não pode me responder? Responda. Ou suma-se daqui.

Ela o enfrentou, rígida de fúria, com as veias do pescoço saltadas.

– Cafetão – disse ela, cuspindo. – Eu me escondo de *cafetão*.

Ele ainda apertava o seu braço, mas estava paralisado, e seus dedos se recusavam a soltá-la.

– OK – disse Lena. – Feliz agora?

Seus dedos se abriram, e ela se afastou dele.

– Acho... – começou Lena. Ela esfregou o braço e olhou ao redor. No rosto magro e descorado, um rubor se espalhou de um lado ao outro do nariz. – Acho... que conheço esse homem. Acho... mas ele não é...

Ele queria ir até ela, mas suas pernas o traíram.

– O que ele fez com você?

Lena esfregou o nariz com as costas da mão e fungou.

– Pegou meu passaporte. Me espancou. – Como um castigo, ela sorriu para Gabe. – Só isso.

Ele agarrara seu braço. Ele a machucara. Pelo amor de Deus.

– Eu fujo – disse Lena. – Eu me escondo dele.

– Sinto muito – sussurrou Gabriel.

– Yuri – disse Lena, projetando o queixo com ar de desafio – me ajuda. Só de bom coração.

– É – disse Gabe –, quando você fugiu, ele a ajudou. – Estava se aproximando lentamente dela, pronto para parar a qualquer momento.

– Depois, alguns meses depois. – Ela pousou, como uma pequena nuvem escura, no braço do sofá.

– Como você o conheceu?

– Agora você sabe tudo – disse Lena, deixando para lá a pergunta. – É, você me acha nojenta. Eu tenho que sumir daqui, como você diz.

– Não – disse Gabriel. – Não.

Ele tocou no seu ombro com os dedos. Esperou para ver se ela o rejeitaria. Ele se deixou cair de joelhos e segurou os pés dela, acompanhando o contorno de cada dedo por baixo da meia-calça preta. Apalpou-lhe os tornozelos, as canelas e até os joelhos, apertando e moldando como se ela fosse de barro. Quando suas mãos chegaram às coxas, ele deitou a cabeça no colo de Lena, e ela começou a lhe fazer cafuné. Ele estendeu os braços para segurar suas mãos e as massageou da ponta dos dedos até a palma e depois até o pulso. Desenhando pequenos círculos, ele foi seguindo para cima pelos braços e então se levantou para deitá-la suavemente no sofá, onde grudou a boca à dela.

Empenhou-se com um ímpeto que não conhecia até então. E, mesmo assim, sentiu pouco desejo. Nessa relação, eles se renovariam. Dela, eles extrairiam forças. Ele precisava disso, para riscar o passado e deixar sua marca indelével. O suor escorria da sua testa e entrava nos olhos, fazendo-os arder. Ele se enterrava. Precisava disso. Gravar-se ali tão fundo que os outros fossem apagados.

Ele teve de pegar um trem mais tarde porque por umas duas horas tentou fazê-la continuar a falar, recolhendo suas frases interrompidas, suas palavras e pensamentos desconexos, unindo-os como um quebra-cabeça, fazendo sentido da total falta de sentido, criando uma coerência que não existia no relato.

O apartamento no qual tinha sido mantida era em Kilburn, o décimo primeiro andar de um prédio que a fazia pensar na sua cidade natal. Havia grades nas janelas, disse ela. Não se pode pular de uma janela do décimo primeiro andar, disse ele.

– Pode, sim – disse ela, estalando a língua.

Depois de umas duas semanas, Boris trouxe mais uma garota, que estava marcada a ferro no braço. Ele as pôs para trabalhar numa sauna em Golders Green e depois num bordel num prédio sem elevador no Soho. Os homens, disse ela, eram em sua maioria legais. Não batiam nela. Essa era a função de Boris. Não, disse Gabe, esses homens (ele queria outra palavra, uma que não o incluísse) não são legais. Maridos, pais, filhos, disse ela. Homens. Havia um que era diferente, pessoa muito má, mas ela não queria falar sobre ele. Estava com ele no dia em que ela fugiu do prédio no Soho. Boris não tinha trancado a porta: estava ficando relaxado porque achava que ela àquela altura já estava totalmente dominada, achava que ela não iria fugir nunca.

Durante alguns dias, ela dormiu fora. Não sabia exatamente onde, só que era perto do rio. Conheceu uma garota, uma ucraniana, que a levou para casa e conseguiu para ela um emprego num café. Era um trabalho duro, disse ela, em pé o dia inteiro quando se está acostumada a trabalhar deitada.

Um dia, ela viu Boris passar pelo café e nem mesmo apanhou o casaco, saiu direto pela porta dos fundos e nunca mais voltou lá. A ucraniana conhecia Yuri, e Yuri conhecia o lugar perfeito. Morar no subsolo era razoável, depois que a gente se acostumava, apesar de que uma vez ela acordou com um rato enrodilhado no travesseiro e berrou sem parar.

Você tem de ir à polícia, disse Gabriel. Eles vão trancar esse Boris numa cela e jogar fora a chave. Pode ser, disse Lena. Mas a essa altura eu já vou estar morta. Boris me mata antes.

Gabriel remexeu nas profundezas do bolso do casaco em busca do celular. Se ligasse para Jenny, ela o apanharia na estação. Ele precisava falar com alguém, mesmo que fosse só com Jen. Ela não o julgaria. Ele achava que não, mas a verdade era que ele agora não a conhecia de verdade.

Aquela ida ao teatro. Papai colaborou, e Gabe foi com Jenny. E mamãe também foi junto para ajudar a pastorear as crianças. Era *Aladim*, no Apollo em Manchester, mas ele não se lembrava de nada a não ser da viagem de ônibus. Eles tiraram a foto antes de embarcar, e depois todas as crianças começaram a empurrar e se acotovelar porque todos queriam se sentar nos fundos. Gabe conseguiu um lugar lá atrás ao lado de Michael Harrison e guardou um para Jenny. Ela estava usando seu gorro de pele branca, com as tiras de pompom que ela torcia para o alto da cabeça como se fossem orelhas de coelho, e ela não o tirou durante todo o trajeto. Cada um tinha um pacote de biscoitos e um refrigerante. Mamãe tinha trazido mais um para Michael porque sabia que a mãe dele se esqueceria. As outras mães ocuparam os lugares da frente enquanto mamãe, com excelente disposição, andava pelo corredor para cima e para baixo, distribuindo doces e estimulando as crianças a cantar. Ela estava usando botas marrons, de plataforma, e um casaco branco que se abria e se fechava por cima da saia. Pelo jeito de olhar para ela das outras mães, Gabe podia ver que elas estavam com inveja. E mamãe também devia ter percebido porque depois de um tempo ela foi se sentar ao lado do motorista, para conversar com ele, sem atrapalhar ninguém.

No ônibus, havia um menino paquistanês. Eles não compareciam às reuniões sociais, ao futebol, nem às festas de Natal, mas costumavam ir ao críquete, levando sua própria comida. Ele era um pouco baixinho, esse menino, com o cabelo em todas as direções, como as folhas de um nabo, o short sempre escorregando da bunda, mas era tolerado porque fazia qualquer coisa que fosse um desafio. Na metade dos fundos do ônibus, espalhou-se o rumor, rápido como um piscar de olhos: o paquistanês ia fazer alguma coisa e todos queriam ver. Gabe abriu caminho aos empurrões e puxou Jenny junto, os dois grudados no estofado áspero, espiando enquanto o garoto se ajoelhava na poltrona, arriava as calças e, sem um segundo de hesitação, enfiava um lápis no pinto.

– Puta merda – disse Michael. Para ele, falar palavrão era uma religião. – Que teatro que nada! Aposto que Aladim não consegue fazer isso.

Essa era sempre a melhor parte, a viagem de ônibus. As janelas nunca abriam, eles suavam nos casacos, jogavam bolinha de meleca uns nos outros e comiam a merenda. Suas mãos ficavam com cheiro de cachorro molhado depois que eles as limpavam nas poltronas. Mas eles eram as crianças da Rileys, indo a algum lugar, com tudo pago. O ar estava com pouco oxigênio, mas cheio de empolgação, que começou a se diluir assim que desceram do ônibus. O pai de Michael tinha sido demitido da Rileys, trabalhou uns dias na fundição quando estava sóbrio o suficiente para ficar em pé, mas os outros pais deviam ter intercedido por Michael, o queridinho, ainda um de nós naquela ocasião, ainda um da tribo.

É, eles nunca chegavam a cumprir sua promessa, aqueles dias de passeio. Sempre iam ladeira abaixo porque começavam perfeitos, e nada pode se equiparar à perfeição. Houve uma briga naquela noite em casa, uma briga feia, e Gabe e Jenny ficaram sentados de mãos dadas no alto da escada.

– Por que estão gritando? – perguntou Jenny.

– Você é pequena demais para saber – disse Gabriel, que não fazia a menor ideia. – Você é pequena demais para compreender.

Jenny empurrou para o alto a ponta do nariz, dilatando as narinas.

— Porco — disse ela. — Porco, porco, porco.

Eles acharam que ouviram alguém vindo e se levantaram de qualquer maneira para voltar para a cama. Gabe decidiu que desceria de mansinho sem Jenny, que sempre fazia muito barulho e denunciava sua presença. Precisaria esperar um pouco até ela adormecer, mas a verdade é que ele acabou cochilando. Quando acordou, lá estava mamãe sentada ao seu lado.

— Não acordei você, acordei?

— Não — disse Gabe. — Que horas são?

— Quero lhe mostrar uma coisa. Aqui, seu roupão.

Eles atravessaram o jardim dos fundos, com a grama gelada rangendo debaixo dos pés, e pularam a cerca para sair para o campo. Estavam num planeta diferente. Algumas luzes brilhavam fracas no vale, e formas vivas escuras se movimentavam mais adiante.

— Não está com medo, está? — disse mamãe. — São só as vacas.

— Eu sei — respondeu Gabriel, estremecendo. Mamãe estava de saia e blusa, mas parecia que não estava sentindo frio.

— Eu estava aqui fora — disse mamãe, parada por trás dele, segurando seus ombros. — E vi uma estrela cadente. Vai vir mais uma. Eu simplesmente sei que vai, a qualquer instante agora. Pensei: Gabe ia adorar ver isso. Ele nunca viu uma antes.

O frio apertava seus pés como tenazes. Seus chinelos não eram de grande valia.

— Onde estamos procurando, mamãe? Para que lado?

— Para cima. É só olhar para cima, e você vai ver. Era linda a que eu vi. Você pode fazer um pedido, sabia? Faça um pedido a uma estrela cadente.

Ela o soltou e foi se afastando, penetrando mais no campo. Ele a ouvia cantar baixinho. Agarre uma estrela cadente.

— Mamãe — disse ele. — Mamãe.

— Imagine-se pondo uma estrela no bolso! — gritou ela de volta para ele.

— Mamãe. — Ele agora mal conseguia enxergá-la.

— Não é maravilhoso? Não é lindo? Ah, Gabe, olhe! Para o alto, para o alto. Direto acima da sua cabeça.

Gabriel inclinou a cabeça para trás ao máximo.
— Quê? Onde? Onde?
— Depressa, depressa, você vai perder.
Gabe se forçou para trás até achar que o pescoço não ia aguentar. Seu maxilar inferior estava pendurado, aberto, e o vapor jorrava da sua boca. Ele se contorceu para a esquerda e para a direita.
— Lá. Lá em cima — gritou mamãe.
Todas as estrelas pareceram se apagar como lâmpadas, fazendo seus olhos lacrimejar nos cantos, mas nenhuma estava realmente se movimentando. Qual era a certa? Como o céu estava brilhando agora, quando um momento antes as estrelas não passavam de alfinetes pregados no negrume. Ele girou, deu um passo atrás, girou de novo, e o chão estava traiçoeiro. Ele escorregou de uma vez e caiu de bunda.

Mamãe bateu com as botas de plataforma e deu uma gargalhada.
— Ai, Gabe — disse ela, se sacudindo com as risadas —, olhe só para você, caído numa bosta de vaca. Como é que pode?
Ela fez duas xícaras de chocolate depois que ele tinha se lavado e trocado de pijama.
— Depois de tudo isso, acho que foi só um avião.
— E você? — disse ele. Ela pusera as xícaras na pia e mandou que ele subisse para o quarto. O relógio da cozinha mostrava 4:30. Ela acendeu um cigarro e ficou em pé com os tornozelos cruzados, como uma fotografia numa revista.
— Não estou com sono. Tenho um monte de coisas para fazer, e é mais fácil quando vocês todos não estão me atrapalhando.

Ele mudou de trem em Manchester sem telefonar para a irmã e ficou sentado, entorpecido, olhando para o piso. Quando entrou na plataforma da estação, sob a cúpula de vidro e as vigas de ferro verde, começou a chover. De imediato o peso caiu sobre ele, encurvando seus ombros. Em Blantwistle, parecia que ele vivia num estado de animação suspensa, uma oscilação constante entre a tensão insuportável e uma letargia aniquiladora. Era a agonia da familiaridade, a terrível inevitabilidade de estar em casa.

O telefone começou a soar dentro do seu bolso. Ele o apanhou como se lhe tivessem oferecido uma tábua de salvação.

Era Lena.

– Ouça isso – disse ele. – É assim que chove aqui no Norte.

– Eu quero perguntar... – disse Lena. – Você pode fazer uma coisa por mim?

– Preciso ver meu pai. Pode ser a última vez.

– Se você pode fazer essa coisa. Por favor.

Ele queria lhe dizer, não se preocupe. Queria lhe dizer, eu cuido de você. Podia dizer esse tipo de coisa? E estava falando sério? O que essas palavras significariam para ela? A ligação estava péssima, a voz dela estava entrecortada, ele grudava o celular na orelha. Não estava chovendo. Era granizo batendo no telhado lá em cima. Um aviso no alto-falante, a voz cortada de Lena, um garoto passando correndo, desculpe, amigo. Ele estava na entrada da estação e dentro de um instante teria de sair e se molhar. Ele disse a ela que a ajudaria. Ela não conseguiu ouvi-lo. Ele repetiu. O sinal estava fraco. Repete para mim, disse ela.

– Sim – gritou Gabriel. – Eu faço. É claro que eu faço isso para você.

Capítulo 11

—⁂—

NO ALPENDRE, VOVÓ SE AGARRAVA À PORTA DE VIDRO FOSCO, COMO um navio naufragado, com a neve derretida encharcando os chinelos.

– Você não vai adivinhar nunca – gritou ela para o caminho do jardim. – Vamos – insistiu, descendo hesitante o degrau, agarrada ao peitoril da janela. – Um palpite. Você não vai adivinhar nunca o que aconteceu.

Gabriel lhe deu um beijo e segurou seu braço.

– Oi, vovó. Vamos sair do molhado.

– Gladys morreu – disse vovó, com a voz aguda e trêmula, já sem conseguir se conter. – Foi Gladys. Em perfeita forma, é como estou, diria ela. Bem, era assim que ela era. Adorava se gabar, aquela ali.

– Vou só tirar os sapatos e deixá-los no alpendre. Dá para você se firmar? Agarre-se à maçaneta da porta.

– Foi semana passada – disse vovó. – Ou estou querendo dizer no mês passado? Coitada da Gladys. – Ela desanimou. Seu lábio superior, seu bigode puro e simples, começou a tremer.

– Gladys, não tenho certeza se conheço...

– Gladys – gritou vovó. – Você conhece. *Conhece*, sim. *Gladys*.

– Ah – disse Gabe, para acalmá-la. – Bem, se você se apoiar em mim agora, e eu conseguir abrir a porta... – Ele conseguiu fazer com que ambos entrassem no hall.

Ted, com os pés fincados no chão no portal da cozinha, cumprimentou Gabe com a cabeça.

– A chaleira está no fogo.

Eles ficaram sentados na sala de estar, na breve e estranha luminosidade de depois da tempestade, a luz extraterrestre no céu.

Vovó, muito bem acomodada em sua poltrona *bergère* com os pés pousados num tamborete, chupava um biscoito de aveia molhado de chá, com os dois olhos fechados com firmeza. Ted estalou os dedos e os entrelaçou sobre o colo. O bule de chá, o eficiente bule azul, estava na mesinha de centro com a jarra de leite e a lata de biscoitos. O relógio portátil tiquetaqueava no console da lareira, a dama vitoriana na gravura emoldurada espiava de debaixo da sua sombrinha. As folhas da seringueira estavam cobertas de pó.

– Um belo bota-fora – disse Ted. – Gladys, a sra. Haddock, você se lembra dela, Gabe.

A sra. Haddock, é claro que ele se lembrava. A pessoa com quem vovó adorava discutir, sua melhor amiga e inimiga numa só pessoa.

– Nunca voltou a ser a mesma depois que a enfiaram naquele asilo – continuou Ted –, mas cuidaram dela direito no final. Um velório e tanto, não foi, vovó? Uma bela mesa para a Gladys, né?

Vovó engoliu o biscoito e enxugou o olho com um pedaço de toalha de papel.

– Do berço à sepultura, eu e Gladys. Não são muitos os amigos que podem dizer isso. Chegue mais perto, Gabriel, meus olhos não são o que foram. Ela simplesmente me largou aqui, foi o que fez. Preste atenção, não vai demorar para eu ir atrás dela.

Gabe afagou a cabeça de vovó. Ted revirou os olhos.

– Ora, pegue outro biscoito. Vamos.

– Bem – disse vovó, tomada de uma súbita faceirice –, não tem ninguém vigiando minha silhueta agora.

Ao longo dos últimos dez anos, o tórax de vovó tinha se avolumado tanto que seu queixo podia pousar ali confortavelmente para uma soneca. Gabriel lhe passou a lata de biscoitos.

O relógio marcava 4:15. Talvez tivesse parado. Será que só fazia vinte minutos que ele tinha chegado?

– Mogno – disse vovó. – Com alças de bronze. *O que* você acha disso?

– Vovó – disse Ted. – Ora, vamos.

– Imagine só – disse vovó. – Que desperdício.

Gabriel olhou para Ted, que deu de ombros.

– É o caixão – explicou ele.

Ted se levantou e acendeu os abajures. Gabe viu como suas calças pendiam largas da cintura, sem nada que recheasse o assento.

– Seu programa já vai começar, vovó. Vou fechar as cortinas.

O aquecedor de ambientes estava ligado, assim como a televisão, com o som baixo, enquanto esperavam o início do programa. Vovó fechou os olhos. Gabriel lutava para manter os seus abertos. O chiado do fogo, a confusão das vozes, o calor envolvente. Essa casa nunca era do jeito de que ele se lembrava. O pé-direito era muito baixo. Tudo dava a impressão de ser de papelão. Quando se mudaram para ela, parecia um palácio. Agora, a sensação era de uma casa de bonecas grande. Todas as cores estavam desbotadas; as capas dos sofás tinham caído do ferrugem avermelhado para um marrom empoeirado; as paredes de um amarelo vibrante para um tom de creme que sugava a energia vital. Era de partir o coração como tudo ali estava arrumado, como se nada de importante acontecesse, e era provável que não acontecesse mesmo.

Gabriel tentou fazer uma pergunta a Ted. Queria formulá-la de um jeito que fizesse Ted se abrir.

– Como você está? – Foi tudo o que conseguiu pensar em dizer.

– Não posso me queixar.

Ele estava mais magro, decididamente mais magro, mas estava forte e empertigado. O rosto talvez estivesse um pouco mais esticado no corte aguçado do nariz e nas extremidades da boca séria e direta; mas ainda era possível enxergar seu caráter ali.

Procurando se livrar da sua irritação, Gabriel tentou mais uma vez.

– Você perdeu algum peso.

– É – respondeu Ted. – Faz parte do processo.

Gabe percebeu que a camisa dele estava puída no colarinho e que havia uma mancha na manga do suéter.

– Papai – disse Gabe.

Ted mexeu com os pés.

– Não estou tão mal assim. Um pouco cansado. Ele só pega a gente de jeito no final.

– O que o médico...

– Vovó é que não aceitou bem. Quer dizer, quando ela se lembra.

– Ela está perdendo a memória?

Gabriel olhou para vovó, um fio de baba na boca, a toalha de papel enfiada na gola da blusa. O cabelo, fiapos curtos grisalhos, estava arrepiado de cada lado da cabeça, dando-lhe um ar vagamente chocado ou ligeiramente eletrocutado, ali jogada na poltrona e no tamborete.

– Às vezes funciona, às vezes falha – disse Ted. – Ainda está descobrindo novos modos de me enlouquecer. Como vai o trabalho?

– Vou sair logo, logo – disse Gabe, inclinando-se para a frente. – Papai, vou abrir meu próprio restaurante.

– Sair? – disse Ted, bufando. – Você não ficou lá cinco minutos.

– Cinco meses. Seis. Mas nunca pretendi que fosse ser por muito tempo.

Gabriel deu um suspiro. Agora não fazia mais sentido discutir.

– Seu próprio restaurante – disse Ted. – Que bom para você. Magnífico, de verdade.

– Perdi alguma coisa? – disse vovó, acordando. – Aumente o volume, Ted. Você está tomando um xerez? Porque vou querer também um pouquinho.

Ela deixou os pés escorregarem do tamborete e se endireitou um pouco na poltrona.

– Certo, Phyllis – disse Ted, piscando um olho para Gabriel. – Andei tomando seu xerez de novo.

Gabe se levantou e arrumou a bandeja do chá.

– Vou apanhar, vovó. Papai, tem cerveja na geladeira?

Quando ele voltou, os dois estavam vendo televisão, um daqueles programas de bate-papo com gente esquisita, em que o apresentador fala de "cura" e torce para que um dos entrevistados dê um soco em alguém.

– Não consigo lidar com isso – disse Ted –, é a única coisa que se ouve nesse programa. Ele não consegue. Ela não consegue.
– Psiu – disse vovó. – Essa aí teve seis filhos, como é que foi mesmo? De sete pais diferentes. Não é um espanto, Gabe?
Gabriel riu enquanto lhe servia o xerez.
– Exijo uma recontagem – disse ele.
Ted alisou os braços da poltrona, aquele velho gesto conhecido.
– No meu tempo, era isso o que se fazia. A gente conseguia lidar com as coisas. Era isso o que se tinha de fazer.

Vovó, no seu terceiro xerez, ganhou ânimo suficiente para se sentar ereta na poltrona. A pele solta e macia do seu rosto tremia com palavras que procuravam escapar, enquanto a boca ia se preparando devagar para entrar em ação, aquecendo-se com algumas modelagens e aberturas labiais. Gabe a examinava detidamente, tentando se lembrar de como ela era quando era pequeno. Parecia que os anos tinham lhe roubado o que era exclusivo seu: com todas as feições se dissolvendo numa generalidade da velhice. Por mais que ele olhasse, não conseguia vê-la de verdade, apenas as linhas, as pregas, as rugas, uma segunda membrana amniótica na outra ponta da vida.
– Ouça só essa, Gabriel – disse ela, por fim. – Foi Edith quem me contou, e não se pode duvidar da veracidade. Aconteceu com um vizinho dela. Bem, ela mora lá para as bandas das praias, não é? Está lá desde... bem, faz muito tempo mesmo. – Vovó hesitou, meio perdida por um instante. E enveredou direto pela história. – Seja como for, o camarada está lá de noite sentado na cama, cuidando da própria vida, quando ele ouve um barulho. De lá de cima – disse vovó, apontando para o teto com um dedo tornado irritadiço pela artrite e por um sentido incipiente de indignação. – Que estranho, pensa ele. Parece que um rato entrou no sótão. Um rato grande.
– Vovó – disse Gabriel, começando a suspeitar onde a história ia dar.

— Foi em Prince Street – disse vovó, enxugando o olho esquerdo, que parecia sofrer de algum tipo de infiltração constante de pouca gravidade. – Perto das praias, você se lembra, Gabe?

— As praias, claro que me lembro, vovó. Onde aprendi a andar de bicicleta, lembra? Logo do outro lado da rua principal a partir de Astley Street. Mas estamos falando de mais de trinta anos atrás, não é, vovó? Não estamos falando de hoje.

"As praias" eram um trecho de concreto, com um chafariz que estava se desfazendo e um banco, que se estendia entre as ruas de casas geminadas da cidade velha, onde uma bomba alemã tinha destruído as fileiras. Gabe, nos tempos em que a circunferência da Terra podia ser descrita girando uma castanha na ponta de um barbante, tinha passado muitas horas lá, aperfeiçoando a arte de não fazer nada.

Vovó se inclinou tanto para a frente que Gabe teve medo de que ela tombasse da poltrona.

— Estranho, pensa o camarada. – As feições de vovó podiam ter se apagado com o tempo, mas sua voz era bastante nítida. Ela subiu de registro e começou a pronunciar as palavras com mais cuidado, para articular melhor sua repulsa. – Então, ele vai apanhar uma escada de mão e sobe até o sótão. Abre o alçapão, e é claro que está com uma lanterna...

Gabriel sabia o que ela ia dizer e desejou fervorosamente que não dissesse. Ele olhou para Ted, sentado com as mãos nos lados da poltrona, pressionando no tecido do estofamento o toco do dedinho esquerdo, do qual faltava a ponta.

— Bem, você nunca vai adivinhar o que ele viu – disse vovó, fechando a boca com firmeza.

— Ah – disse Gabe. – Acho que vou.

— O sótão inteiro – disse vovó, num arroubo de indignação – estava cheio de paquistaneses.

— Não, vovó, isso não...

— Ah, sim, sim. Com seus colchões e sabe-se-lá-mais-o-quê, e lá estão todos eles enfileirados, dormindo entre os turnos, e tem outros que vêm e ocupam o mesmo lugar quando essa leva sai para a fábrica. O camarada chegou bem no fundo, entende, e você sabe como todos os sótãos nessas casas geminadas são unidos. Pois bem, tem paquistanês ao longo da fila inteira de casas, até o fim da rua. Isso foi em Bartlett Street. June me contou tudo porque o camarada era vizinho dela. E ela me disse, Phyllis, aonde este mundo vai chegar; e eu disse, June, eu simplesmente já não sei, realmente não sei.

Vovó se recostou e enxugou o olho.

– Vovó – disse Gabriel –, você já ouviu falar em "mito urbano"?

– Ele devia ter 9 ou 10 anos quando ouviu aquela história pela primeira vez.

– Melhor deixar para lá, Gabe – disse Ted. – O disco está arranhado, se você me entende. Um pouco confusa, de vez em quando.

– Quem está confusa? – protestou vovó. – E também não estou surda.

Ted sorriu.

– Ainda bem alerta, é a pura verdade. O que era mesmo que Albert dizia? Se nossa Phyllis tivesse a língua só um pouquinho mais afiada, ela se cortaria a si mesma. Não é verdade?

A boca de vovó se franziu e estremeceu.

– É – disse ela num suspiro prolongado e assobiado. – Foi uma vida boa. Isso eu posso dizer. Quando me casei com Bert, estava só com 17 anos, e ele com 21. Nunca trocamos uma palavra de raiva – disse vovó, com a voz e o rosto trêmulos de emoção. – Nenhuma em todos aqueles anos.

– Nunca uma palavra de raiva – disse Ted. – É verdade, Phyllis, é mesmo.

Gabriel estava em pé na cozinha, descascando batatas. Vovó queria ovo com batata frita no lanche. A cozinha, nos fundos da casa, dava antigamente para o campo, mas agora sua vista era para um empreendimento imobiliário, no qual as casas eram "individuais" (para aumentar o preço pelo qual poderiam ser comercializadas), mas eram basicamente idênticas, todas no mesmo estilo arquitetônico – uma mixórdia tudorbetiana de revestimento de pedra e enxaimel falso – que estava nas boas graças dos grupos em ascensão social.

Gabriel fechou as cortinas. O descascador estava cego. Deixou-o de lado e pegou uma faca de cozinha na gaveta. Ela também estava cega. Passou a mão pela estante de temperos que estava presa à parede, um troço desengonçado que segurava frascos estreitos, altos e antiquíssimos de cominho, páprica e chili seco. Mamãe a comprara muito tempo atrás. Gabe duvidava de aquilo ter sido usado algum dia. Os azulejos junto da pia precisavam ser rejuntados; todas as maçanetas dos armários pareciam estar soltas; e somente duas lâmpadas direcionais estavam funcionando, duas punhaladas de luz implacável sobre o desgaste geral daquilo tudo. Mas a cozinha estava limpíssima. Nenhuma sujeira nas superfícies. Por que as paredes se fechavam tão rápido sobre ele? Como o lugar tinha encolhido tanto?

Ele pôs a frigideira no fogão e acendeu a boca. Fatiou as batatas, secou-as em toalhas de papel e as dispôs na cesta. Se Charlie estivesse ali, ela anularia aquilo, aquela sensação de decrepitude, com um movimento do cabelo. Seu perfume disfarçaria o cheiro da morte. Ele precisava dela. Tinha pensado nisso antes e agora sabia. A batata de teste chiou e saltou na gordura quente. Gabriel mergulhou a cesta. O que precisava fazer era falar a Charlie sobre Lena. Não que tinha dormido com ela, é claro, mas o resto. Era preciso que o sexo parasse. Agora ele sabia disso. Precisava protegê-la agora.

Seria um pouco constrangedor contar a Charlie. *Tem uma garota que está ficando no meu apartamento.* Mas ele poderia remendar um pouco, deixar vaga a questão do tempo. E, assim que Charlie soubesse tudo que Lena tinha sofrido, só esse lado é que seria do seu interesse.

– Meu irmão está em Londres – dissera Lena. – Por favor, me ajuda a encontrar.

– É claro que eu faço isso por você. – Por que fez essa promessa? Por onde haveria de começar?

Naquela manhã, Lena tinha posto a camisa de Gabe para se cobrir e o deixou no sofá enquanto ela se enroscava num canto da *chaise longue*. Ela lhe contou tudo o que tinha acontecido, sem olhar para ele, com o olhar vazio dirigido para o centro da sala. A cigana em Mazyr, disse ela, aquela vaca. Era provável que ainda estivesse fazendo a mesma coisa, que ardesse no inferno. Boris era o homem, sim, o homem alto, moreno e bonito, com o sinal aqui, no pescoço. Ele veio buscá-la, exatamente como as folhas de chá disseram, e era o homem certo. Era para ela ir para a Itália, cuidar de idosos, era para lá que ele disse que a estava levando, mas ele a levou para um lugar diferente. Era uma vida nova, sim, a vaca cigana não tinha mentido nesse ponto.

Ele a viu trançar os dedos das mãos. Os joelhos estavam recolhidos junto do peito. Quando ele só a imaginava, ela parecia tão real. Mas quando estava com ela, ela parecia se apagar. Era tão descorada que a palidez comprometia sua existência, como se fosse possível estender a mão e passá-la direto através do seu corpo, como se ela fosse somente um jogo de luz.

Lena, pensou Gabriel, com a palavra o percorrendo como um calafrio.

– Está se arranjando bem? – disse Ted, por trás dele.

– Vou só tirar essas do fogo um pouco e depois devolvo para ficarem crocantes.

– Vou pôr a mesa – disse Ted, abrindo a gaveta dos talheres.

Sua roupa, calça marrom-escura, pulôver bege de decote em V e camisa xadrez, era o mesmo uniforme das horas de lazer que ele usava desde as lembranças mais remotas de Gabe, uma espécie de protesto permanente contra a mudança, que vinha se mantendo pelas décadas afora.

Gabe apanhou uma frigideira baixa. Tirou os ovos da geladeira. Desejava poder ser ele mesmo com o pai, conversar com ele naturalmente, com os dois batendo papo à vontade. Não importava o que tivesse acontecido antes, apesar de eles nunca terem sido próximos, embora fosse pequeno e árido o campo que podiam compartilhar, ele queria falar com o pai antes que o tempo se fosse. Queria pôr de lado a irritação que surgia com tanta facilidade na presença de Ted, mas ela parecia existir numa parte dele que era impossível alcançar, como uma coceira num membro que se perdeu.

— Vovó e vovô nunca trocaram palavras de raiva — disse Gabe.

— É verdade?

— É — respondeu Ted. — E eu sou a rainha de Sabá. Não, eles se davam bem, mas tinham seu quinhão de problemas, como qualquer casal.

— Papai, você acha que vovó está um pouquinho, sabe...

— Ah, sim, ela está um pouco... Diz para qualquer um que Albert era contador. Bem, você sabe, ele fazia algum serviço de contabilidade e usava camisa e gravata para trabalhar. — Ted riu e começou a tossir. Ficou ali parado arfando um pouco, e Gabriel percebeu que estava se apoiando no encosto da poltrona. — Mas veja bem — prosseguiu ele. — Ela dizia isso antes. E é claro que acredita nisso agora.

— Eu achava que vovó era sofisticada — disse Gabe. — Ela me enganou.

— Ela se enganava a si mesma e a todos — disse Ted. Ele foi até a pia, encheu a jarra de água e a pôs na mesa. — Isso me perturbava. Mas agora acho... eu não sei. O que é verdadeiro sobre qualquer pessoa, de qualquer modo? Vovó diz que nunca trocou uma palavra de raiva com Albert. É essa a impressão que ela tem, e isso a deixa feliz. Faz sentido para ela. Está me acompanhando? O que realmente aconteceu não faz muita diferença, não para vovó. Agora, aquilo que ela lembra, ah, faz toda a diferença neste mundo. Entende? Sabe o que estou querendo dizer?

— Sei — disse Gabriel. — Mais ou menos.

Seu pai o encarou nos olhos. Gabe percebeu que essa era uma oportunidade. Essa fala, com suas hesitações e incertezas; sua ideia vaga e, francamente, duvidosa; seu apelo, enfim, por compreensão, era uma abertura. Não era o tipo de discurso que o pai costumava fazer. A luz direcional brilhava na careca de Ted, o couro cabeludo ainda vermelho e esticado. Uma pequena faixa de cabelo, totalmente branca, restava acima das orelhas. Quando menino, Gabe tinha visto as fotografias, Ted usava o cabelo suficientemente comprido no alto para que ele se cacheasse; mas, quando Gabe nasceu, Ted já o usava curto e sob o mais estrito controle.

– Essas batatas ainda voltam para a panela? – perguntou Ted.

– Eu estava tentando me lembrar de como você perdeu a ponta do seu dedo. Sei que foi na fábrica.

– Antes de você nascer – disse Ted. – Um acidente sem importância no galpão de tecelagem.

Gabriel olhou para as próprias mãos, as velhas marcas e cicatrizes de queimaduras, os calos, a unha enegrecida, a protuberância no indicador da mão que manejava a faca, a pele espalmada entre o primeiro e o segundo dedo da mão esquerda, onde uma queimadura de terceiro grau tinha rompido a pele e sarado toda errada. Quando era menino, ele olhava para as mãos do pai. As mãos de Ted continham um mundo inteiro, de trabalho, de masculinidade, e agora Gabe queria exibir as próprias mãos porque papai nunca tinha se dado conta de que o filho tinha mãos de trabalhador.

– Quantos ovos? – perguntou Gabriel. – Dois por cabeça?

– Não estou com muito apetite, para dizer a verdade.

– Você precisa comer.

Gabe não tinha aproveitado a oportunidade, ele sabia, e agora continuariam se esforçando da forma de sempre.

– Vou só me sentar um instante antes de ir apanhar vovó.

– Papai – disse Gabriel –, como você vai dar conta?

– Estou bem, filho. Só estou descansado um minuto.

– Mas estou falando de você e vovó, como você dá conta... como você vai...

– Um par daqueles. Eu sei. – Ted espanou da mesa algumas migalhas imaginárias. – Temos uma empregada que vem de manhã. Jenny faz o que pode. Vovó está tomando medicação, agora que recebeu o diagnóstico. E a enfermeira vem me visitar de lá do... como é que se diz?

– Hospital.

– Sanatório.

– Certo – disse Gabe, sentindo vontade de vestir o casaco e sair pela porta. Essa história de morrer não lhe dizia respeito. Poderia continuar perfeitamente sem ele. – Qual foi o diagnóstico que deram para vovó?

– Demência – disse Ted. – Costumavam dizer que fulana ficou senil; mas agora diz-se que fulana está com demência.

– E tem tratamento? O que podem fazer?

Ted fez que não.

– No fundo, não podem fazer muita coisa. Ela está tomando uns comprimidos, talvez retarde um pouco a doença. Alguns dias são bons, outros não. Hoje você a pegou num dia bom.

– Aquela história que ela contou sobre os paquistaneses no sótão. Engraçado como se pode perder a memória, mas não os preconceitos.

– Ela sente falta dos velhos tempos, só isso.

Gabe despejou as batatas numa tigela forrada com toalha de papel. Ele não ia discutir com Ted, mas não podia simplesmente deixar passar.

– Os velhos tempos em que se podia começar uma piada com "um inglês, um irlandês e um paquistanês entraram num bar". É disso que está falando?

– Não se faça de bobo.

– Os tempos em que tínhamos a boa Frente Nacional e suásticas pintadas com spray em todas as pontes e passagens subterrâneas ferroviárias?

– Não é disso que estamos falando – respondeu Ted. – Estamos falando de como tudo era quando as pessoas por aqui se importavam umas com as outras. Quando você conhecia todo mundo na rua, e todos conheciam você. Não que isso tenha o menor significado para você.

– Você está mudando de assunto.

– Esse *é* o assunto, mas você não quer saber. Você despreza tudo isso. Mas existia uma comunidade... é, pode virar o nariz para cima, é verdade... existia uma comunidade aqui, e ela se perdeu.

– Nem mesmo é esse o assunto. – Gabe bateu com a frigideira na chama.

– É o assunto porque esta cidade está morrendo, Gabriel. Agora não existe cura para ela.

– Qual é a doença, papai? Os estrangeiros? O progresso? O quê? – Gabriel estava quase gritando. Ele abriu as cortinas com violência. – E, seja como for, olhe lá fora, o novo conjunto residencial. – Ele mesmo olhou mas não viu nada além da sua própria imagem espiando ameaçadoramente a partir da escuridão. – Aquilo ali, a meu ver, não parece ser a morte.

– Você não entende nada, filho. – Ted ergueu a mão, como se quisesse afastar dali as palavras de Gabriel. – Casas não passam de casas. Aquelas ali poderiam estar em qualquer canto. Poderiam estar até mesmo em Marte. Mas esta cidade teve seu coração arrancado à força. E isso eu lhe digo sem cobrar nada.

– Pelo amor de Deus. – Gabriel começou a quebrar os ovos na frigideira. – Muitos velhos são racistas. Eu não estava culpando vovó...

Foi interrompido pelos inconfundíveis guinchos e chocalhadas do carrinho de bebidas que anunciavam a chegada de vovó. Havia muito tempo que ele era usado por ela como andador e já não havia garrafas nele, mas vovó vinha trazendo sua preciosa garrafa de *amontillado* Harvey para a cozinha; e, quando conseguiu parar junto da mesa, a garrafa escorregou para a frente. Gabriel mergulhou para tentar pegá-la, caindo de mau jeito sobre o ombro enquanto o vidro verde se estilhaçava, e o líquido cor de âmbar escorria pelo linóleo para formar uma poça junto da sua orelha.

Os ovos estavam queimados por baixo. Gabriel largou o garfo e a faca, para pegar uma batata frita com os dedos. Ele a mergulhou no ketchup.

– A verdadeira culinária britânica. Não há nada que se compare, não é mesmo?

– Cuidado – disse Ted –, nosso Gabe vai acusar você de racismo daqui a um minuto.

Gabriel sentiu o rosto se contorcer no exato instante em que vovó sorria para ele. Estava furioso com o pai, estava furioso consigo mesmo por sentir tanta raiva e estava furioso principalmente por seu pai não ser o gigante enfurecido da infância de Gabriel, mas esse velho doente e macilento, contra quem era absurdo dirigir toda aquela raiva.

– Eu nunca – disse vovó, agitando o garfo perigosamente perto do rosto de Gabriel – fui racista.

Gabe não abriu a boca.

– O que não compreendo – disse vovó – é por que eles reclamam tanto. Os paquistaneses, os asiáticos, seja lá o que for, estão sempre falando de alguma coisa, se queixando disso e daquilo. Bem no outro dia, tinha essa menina no jornal. Ela quer usar o véu para ir à escola. Bem, quer dizer. Isso aqui é a Inglaterra. Se eles querem as coisas exatamente como na terra natal, eles que voltem para lá, não é mesmo? Não adianta tentar fazer isso aqui parecido com a terra natal, porque eles não gostavam da terra natal, e foi por isso que saíram de lá para vir para cá.

– Eles vieram em busca de trabalho, vovó – disse Ted.

– É verdade – concordou vovó. – Vou lhe dizer o que me revolta. Quando as pessoas dizem que tudo está ligado à cor, bem, é uma tolice só, porque eu não tenho nada contra qualquer cor, negra, branca ou parda. O que você faz é que é importante. Você age certo comigo, e eu ajo certo com você, não é assim?

Gabriel raspou os pratos e os empilhou. Ted e vovó eram quem eles eram. O que ele esperava deles?

– Que bom que isso ficou claro, vovó – disse ele.

– Adoro ver você, Gabriel – disse vovó, radiante. – É um acontecimento.

Depois do lanche, eles continuaram à mesa, e o sr. Howarth veio fazer uma visita.

– Gabe vai abrir um restaurante – disse Ted.

– Verdade, Gabe? – disse o sr. Howarth, esfriando a caneca de Ovomaltine. – Lugar elegante, lá no sul?

– Agora – disse vovó – preciso ir me trocar para não me atrasar. Estão me esperando... ai, onde é que é mesmo?

– É só amanhã à noite, vovó – disse Ted. – Trate de voltar a se sentar.

– Ele diz isso todas as noites – disse vovó. – Não sei que tipo de palerma ele pensa que eu sou.

– Vai ser um restaurante de que tipo, Gabe? – perguntou Ted. – Já tem nome?

– Talvez eu o chame simplesmente de Lightfoot's. O que você acha?

– Acho – respondeu Ted devagar – que não é uma ideia tão má assim.

– O que eu não entendo é por que eles sempre criam tanta encrenca.

– Quem? – disse o sr. Howarth. – Os chefs?

– Os paquistaneses, os sei-lá-como-se-chama, muçulmanos, não é assim agora?

– Não me importo mais com cavalos – disse o sr. Howarth. – Minhas apostas agora são todas na sua avó, Gabe. Nunca se sabe para que lado ela vai se virar.

– Tem essa menina no jornal, bem no outro dia, que quer usar véu para ir à escola. Bem, ora essa. Ela se esqueceu do país em que está.

– Ah – disse o sr. Howarth. – Mas a culpa não é deles, ao meu ver. Não se pode culpá-los por pedir. Faz parte da natureza humana pedir aquilo que se quer. É a prefeitura, é lá que está a culpa. Um monte de perfeitos idiotas, e só estou dizendo isso em respeito à senhora aqui presente. Tão metidos com esse tal de... como é mesmo que se diz?... "multiculturalismo" que perderam todo o senso comum.

"Vou lhe dar um exemplo. Eu passei no Tesco's ontem, e você conhece Sally Whittaker, ela estava no caixa. Ela é um amor de menina, e eu lhe pergunto como vai a mamãe. E ela responde mamãe está bem, sr. Howarth, mas está um pouco amolada agora porque vão parar com a biblioteca sobre rodas e ela não pode sair de casa, sabe, como ela está. São cortes de despesas, Sally, digo eu. E ela diz: sabe em que eles gastam dinheiro sr. Howarth, fui lá em pessoa para conversar com a bibliotecária, e ela não estava nem um pouco satisfeita. Todos os folhetos que eles fazem, precisam traduzir para 14 línguas diferentes. Isso gasta uma nota preta. E eles compram livros de autores muçulmanos, alguns deles presos, que dizem que você deve empunhar armas contra os infiéis, ou seja, contra você e contra mim, e esses livros eles arrumam num mostruário bem organizado. É uma sociedade multicultural, diz Sally, não discordo disso. Mas e minha mãe, que pagou impostos a vida inteira e não consegue os romances históricos que não fazem mal a ninguém. Quem vai defender os direitos dela?"

O melhor aspecto de Londres, pensou Gabe, era que todo mundo era simplesmente um londrino. A cidade unia a todos ou os mantinha igualmente isolados. Ou talvez não fizesse nada disso, mas pelo menos todos estavam ocupados demais para se deter no assunto.

– Isso parece injusto, sim.

Vovó concordava, balançando a cabeça como uma boneca com uma mola quebrada.

– É, é verdade – disse ela. – Eu tive uma vida maravilhosa. Maravilhosa, maravilhosa, foi uma vida maravilhosa. – Seus dois olhos estavam vazando, e o peito começou a arfar.

Ted afastou a cadeira da mesa, arrastando-a no chão. Foi se postar atrás de vovó e afagou seu ombro.

– Você está bem, Phyllis. Está muito bem. Uma boa noite de sono, e você estará novinha em folha.

Ele a ajudou a se levantar e a conduziu ao carrinho, uma afetuosa dança de pés se arrastando pelo chão da cozinha.

Aquele momento pareceu a Gabriel de uma intimidade insuportável, e ele precisou desviar os olhos. Ficou olhando para a mesa. O pinho claro parecia macio como serragem mas tinha se provado bastante duro ao longo dos anos para aguentar o peso dessa família, absorver nos veios toda aquela atividade, toda aquela história. A cozinha era onde eles comiam, já que a sala de jantar era um mausoléu de porcelana, vidro e castiçais. Nessa mesa eles costumavam misturar a massa para fazer pãezinhos. Mamãe estendia os moldes dos seus vestidos aqui. Eles esvaziavam um canto para fazer o trabalho de casa, derramavam cola, purpurina e refrigerante e brigavam para ver quem deveria limpar tudo. Ele costumava dar chutes nas canelas de Jenny por baixo dessa mesa, e ela não conseguia se esticar o suficiente para beliscar seu braço.

Essa mesa tinha ouvido todas as discussões, presenciado todas as brigas, prestado serviço fielmente e um dia, não muito distante de agora, acabaria sendo jogada numa caçamba de lixo.

A porta dos fundos se abriu, e uma loura gorda e radiante entrou e jogou os braços para cima como se estivesse no alto de uma montanha-russa.

– Você está aqui – gritou ela, com a voz esganiçada.

– Jenny? – disse Gabriel.

– Certo, Jen – disse o sr. Howarth. – Bom você ter chegado. Acho que a esta altura seu irmão já está farto dos velhotes.

Jenny se sentou.

– E aí, o que acha? – perguntou ela, tocando no cabelo.

– Muito... hum... legal – disse Gabe. – Ele tinha achado que era uma peruca, um corte de pajem louro platinado, escorrido dos dois lados do rosto.

– E perdi uns quilinhos. Não que você fosse chegar a perceber, certo?

– Eu estava mesmo pensando que você tinha perdido – respondeu Gabe.

– Ora, pare com isso – disse Jenny, feliz. – Vou só dar uma olhadinha em vovó. E depois vou levar você para tomar um drinque.

O céu noturno acima da charneca estava da cor de uma contusão velha. O terreno se estendia a partir da cor leitosa da luz refratada para se afastar em dobras de negrume. Jenny baixou o farol quando passaram por outro carro. Eles costumavam às vezes ir a pé por esse caminho, por quase uma hora, para chegar à Estalagem da Última Gota, quando estavam suficientemente altos para querer respirar o ar puro e não tão altos para não encarar um caneco no fim do caminho.

– Sinto muito por Harley e Bailey – disse Jenny. – Eu avisei não uma, mas mil vezes, que era hoje, mas você acha que eles me ouvem?

Jenny tinha reformulado toda a sua aparência e abandonado os conjuntos de *plush*. Gabe olhou de relance para as botas que pareciam cortar o alto da barriga das pernas; os joelhos largos, redondos, que surgiam a partir da bainha da saia.

– Desculpe, do que você está falando?

– Eles vão vir aqui para ver você amanhã – disse Jenny. – Afinal de contas, eles têm um único tio, e você também tem só um sobrinho e uma sobrinha. Mas, ai, Bailey é um caso... ela é... Mas vou precisar de um drinque na minha frente para depois lhe contar. Um drinque, um cigarro e um bom bate-papo, eu sou assim. Bem, acho que todos nós somos assim.

O carro tinha cheiro de cigarro e do purificador de ar Magic Tree que estava pendurado no espelho retrovisor. Gabe abriu a janela só um pouco.

– Bem, se vamos baixar as janelas, vou dar uma fumadinha rápida – disse Jenny, apanhando os Silk Cuts no painel. Quando ela tragou no cigarro, foi com uma intensidade tão calculada que ela se transformou, como se a tagarelice nervosa jamais fosse voltar.

Todas as vezes que a via, ele a conhecia menos. Os anos não acrescentavam nada, somente diminuíam. Ele olhava enquanto ela soprava pela janela jatos de fumaça que, naturalmente, voltavam voando, como nuvens. O cabelo estava realmente extraordinário. Havia algo de violento nele, embora fosse difícil dizer se a violência era voltada para dentro ou para fora.

Ela viu que ele estava olhando.

– Faz séculos que quero experimentar isso, mas Den sempre dizia que detestava louras oxigenadas. Bem, agora tenho minha liberdade... – Ela tocou no cabelo. – De novo!

Gabriel se perguntava se tinha conhecido esse Den. Parecia que Jenny sempre estava com alguém diferente.

– Sei que você gostava de Den, e ele também era um grande fã seu, mas o que tiver de ser será. Para ser franca, nós não combinávamos, e ele às vezes era um filho da mãe, era, sim. Mas era legal, quer dizer, nós tivemos nossos momentos, e sempre era uma companhia, não é, quando se leva tudo em conta...

Jenny continuou a falar enquanto estacionava o carro. Gabriel não fazia uma ideia clara do que ela estava tentando dizer a respeito de Den. E suspeitava que nem Jenny fazia ideia.

* * *

O bar praticamente tinha permanecido inalterado ao longo dos anos; e por isso faltava a ele o toque "tradicional" dos bares que tinham sido reformados com velhas cadeiras de igrejas e utensílios agrícolas fora de uso. Na Estalagem da Última Gota, os bancos eram estofados em couro artificial que havia muito tempo estava rachado e partido, tendo feito correr o fio de muitas meias femininas e até mesmo cortado um dedo ou dois. O piso era acarpetado. Havia uma máquina caça-níqueis que encobria a lareira.

– Entra em reforma no ano que vem – disse Jenny. – Está mais do que na hora. Precisando mesmo, você não acha?

A caminho do cantinho (uma sala pequena e cheia de correntes de ar, com piso de cerâmica, mas era onde sempre se sentavam), eles cumprimentaram algumas pessoas. Está lembrado de Gabe, claro que está, dizia Jenny, com a voz aguda, a cada parada. Tudo bem, diziam eles, tudo bem, Gabe, uma expressão que abrangia tudo – pergunta, aceitação, uma afirmação geral de que tudo estava como deveria estar. Bev estava ali com o marido. Ela afastou o casaco e a bolsa para permitir que eles se sentassem, mas Jenny disse que não, que ia ficar com ele só para si, e guiou Gabriel segurando-o pelo braço.

– Eu não teria me importado se você tivesse querido sentar com Bev.

Jenny mexeu sua vodca-tônica.

– Vejo Bev todos os dias, não é? No galinheiro.

– Onde?

– No centro de atendimento telefônico. Um enorme galpão antigo cheio de aves estridentes. – Ela riu. – Vejo Bev praticamente todos os dias da minha vida desde quando eu estava com meus 6 anos. Acho que foi nessa época que nós nos tornamos oficialmente a Melhor Amiga, uma da outra.

– Eu me lembro de você chorando uma vez porque dizia que Bev tinha fugido com...

– Com Mandy Palmer. Eu sei! Mas ela voltou rastejando.

— No fundo, os meninos não têm um melhor amigo – disse Gabe. Devia ser bom ter alguém que nos conhecesse tão bem. Mas Charlie o conhecia tanto quanto qualquer ser humano poderia conhecer outro. Disso ele tinha certeza.
— É verdade – disse Jenny, olhando para ele com atenção.
— Imagino que papai tenha Tom Howarth.
— É.
— E não é como se eu não...
— Tivesse amigos.
— ...tivesse amigos. O que aconteceu com Michael Harrison?
— Michael Harrison? Ai, não sei. Aquele coitadinho de macacão sujo e caspa na cabeça. Ele vivia debaixo da sua asa.

Gabriel bebericou a cerveja. Estava sentindo uma pena inexplicável de si mesmo. Jen tinha Bev; e Ted tinha Tom. Bev não era simplesmente uma amiga: ela era a testemunha de uma vida. Havia partes da vida de Gabe das quais Charlie jamais poderia tomar conhecimento, por mais que ele lhe contasse. Havia partes da vida de Gabe – períodos em hotéis meio esquecidos, quartos que ele já não conseguia invocar, com pessoas das quais já não se recordava – que aparentemente ele próprio não conhecia de fato. Eles não existiam, a não ser na sua mente, e podia ser que nem mesmo nela.

— Não sei disso, não – disse ele. – Nem sei por que deixamos de ser amigos.

Jenny deu uma respirada no inalador e acendeu mais um cigarro. Ela ajeitou o cabelo para trás das orelhas.

— Ele começou a se meter em encrenca, polícia e tudo o mais. – Gabriel estendeu dois dedos, e ela lhe passou o cigarro. – Não o vejo por aqui. Deve ter se mudado. Fique com esse aí. De qualquer modo, gosto de acendê-los. O primeiro trago é sempre o melhor.

Ela franziu os olhos com a luz do isqueiro. Eram olhos bonitos. Jenny tinha o nariz longo e fino de mamãe; e o lábio superior formava uma curva para o alto como um arco esculpido. O oval que continha suas feições cobria-lhe o rosto como uma máscara, sem ser tocado pela gordura das bochechas e do queixo. Ser gorda não combinava com ela. Não parecia certo. Parecia antinatural, uma brincadeira, como se ela estivesse prestes a saltar dali de dentro.

– Fale-me das crianças – disse ele.

Os dois conversaram sobre Harley e Bailey; Jen fez perguntas sobre Charlie, e eles conversaram também sobre ela. Gabriel queria lhe falar de Lena, mas as palavras ficaram entaladas na garganta. Eles passaram para papai e vovó, e Jenny explicou a alternância de consultas ao clínico geral, ao especialista e à enfermeira. Ela descreveu um a um os medicamentos, sua dosagem, seus horários e sua finalidade, apesar de que no final tudo teria sido em vão. Explicou como eram feitas as compras e preparada a comida (ela fazia um purê recheado com carne moída às segundas, e Mary Mahoney, do número 82, trazia um cozido às quintas). Ela ainda lhe transmitiu a lista de visitas a casa, tanto oficiais quanto não oficiais, que tinham sido cuidadosamente organizadas para que alguém desse uma espiadinha pelo menos duas vezes por dia. Gabe começou a avaliar a enorme dedicação que tudo aquilo exigia. O que lhe tinha parecido dois velhinhos se esforçando para seguir adiante era na realidade um plano meticulosamente orquestrado. Ele não tinha feito ideia daquele trabalho todo, da mesma forma que um freguês que tem diante de si um belo prato não sabe nada sobre o que acontece na cozinha.

Por fim, Jenny parou de falar. Ela parecia estar exausta, como se também ela estivesse surpresa com toda a trabalheira envolvida. Balançando a cabeça lentamente, ela prosseguiu.

– Detesto fazer isso, mas vai ser preciso, Gabe. Ela vai ter de ir para um asilo.

– Vovó? Mas você organizou tudo tão bem.

– Por enquanto. E mal consegui organizar tudo isso. Ai, pense bem, por favor. Daqui em diante, as coisas não vão ficar mais fáceis. Papai vai piorar. Vovó vai piorar, e eu não posso abandonar o trabalho. Imagino que você também não possa. – Seus olhos chisparam como antigamente.

– Sinto muito. Você sabe o que é melhor, sem dúvida.

Jenny sugou no inalador.

– Alergia – disse ela. – Ouça, vamos falar de você. Quero saber desse seu novo restaurante.

– Não vai ser nada sofisticado. Cozinha francesa da velha guarda, mas preparada com perfeição, essa é a ideia. Não se trata de um bistrô de filé com fritas, com toalhas de mesa de xadrez vermelho e branco e velas enfiadas em garrafas. Mais elegante que isso. E culinária realmente clássica: *blanquette de veau, trout meunière*... esse tipo de coisa.

– Nada de sofisticado? – disse Jenny, rindo. – Bem, imagino que, se você quer aquelas estrelas, as estrelas do Michelin, vai precisar ter toda essa comida requintada no menu, se não eles nem vão dar uma passada por lá.

– Pode acreditar, Jenny, só estou falando de cozinha francesa da velha escola... carne com cenoura, *pêche melba,* não é de modo algum culinária que dê estrelas no Michelin.

Jenny pareceu não acreditar.

– Tudo parece ainda mais requintado quando você fala em francês. E não se rebaixe desse jeito. Você vai acabar conseguindo suas estrelas. É o que você sempre quis, e você merece depois de todos esses anos.

– No fundo, eu nunca quis essas estrelas. Quer dizer, não é uma coisa que eu sempre tenha almejado. E é certo que eu não me disporia a tentar entrar nessa competição agora. É um mundo totalmente diferente, eu lhe garanto.

– Se é você que está dizendo – respondeu Jen. – Mas você era louco por elas, sim. Por um tempo, era só sobre elas que você falava. Eu me lembro quando você voltou daquele lugar na França, onde trabalhou num restaurante de duas estrelas, e você só estava realmente começando e estava tão empolgado com tudo que tinha visto, que tinha provado e com o jeito deles de fazer as coisas. E acabava dormindo na pilha de roupa para lavar porque passava dezesseis horas por dia em pé. Meu Deus, como você era entusiasmado. Nunca vi ninguém tão sério a respeito de qualquer outra coisa, nem antes nem desde aquela época. E era lindo. Era lindo de ver.

– Mas não era uma coisa que eu quisesse para mim mesmo – disse Gabe. – Eu só queria aprender o máximo possível.

Jenny tocou no seu braço.

– Nós todos tínhamos nossos sonhos, não tínhamos? Mas cá estamos nós. – Seus dedos se apertaram com cumplicidade no antebraço de Gabe. – Cá estamos nós.

Enquanto Jenny estava apanhando a rodada seguinte, o celular de Gabriel tocou.

– Onde foi que você se meteu?

– Rolly – disse Gabriel. – Que bom ouvir sua voz.

– Duas horas da tarde de hoje, no local, montagem da cozinha, está lembrado?

– Droga. Desculpe.

– Você está precisando se concentrar, ouça o que lhe digo.

– Sinto muito. Precisei vir ao norte para ver meu pai.

– Nesse caso, tudo bem, não é? Porque aqui estava eu pensando que você tinha deixado seus sócios na mão por nenhum motivo razoável.

– Rolly – disse Gabriel. – Vá à merda. – E desligou.

– Tudo bem? – disse Jenny, com um saquinho de amendoim pendurado no canto da boca.

– Tudo bem – disse Gabriel. – Não. – Ele esfregou seu ponto de calvície, e mais alguns fios de cabelo saíram na sua mão. – Está tudo certo. Vou tirar água do joelho.

Ele ligou para Rolly do banheiro e não conseguiu ser atendido. Deixou uma mensagem de desculpas, dizendo que seu pai estava à morte. Assim que desligou, desejou poder retirá-la.

O saquinho de amendoins torrados estava aberto e vazio quando ele voltou para a mesa, e Jenny estava tentando pegar as migalhas.

– Eu podia comer isso minha vida inteira. E você, Gabe, qual é sua comida preferida? Sua refeição preferida?

– Gosto de todas as cozinhas, francesa, italiana, japonesa.

– Bolo de salsichas – disse Jenny. – Com molho de cebola. É meu prato predileto. E o seu?
– Não sei. Olhe, essa história de estrelas não passa de uma aposta no escuro. Nunca fez parte dos meus planos.
– Você se lembra das almôndegas de mamãe? – perguntou Jenny. – Fiz um peso de papel com uma.
– Papai em pé junto de nós até que tivéssemos comido tudo – disse Gabe.
Onde sua irmã tinha ido parar? Ele sentia vontade de enfiar a mão nessa gorda para tentar encontrar a irmã outra vez. Mas, se conseguisse chegar por baixo da camada de gordura, ainda haveria essa mulher na blusa de poliéster de mangas japonesas. Ele teria de abrir caminho através da tagarelice ofegante. E haveria outra camada que era feita de preocupações, com Harley e Bailey, com vovó e papai. Depois uma boa raspagem para se livrar dos hábitos e pensamentos de cidadezinha pequena, indo realmente fundo, como se estivesse abrindo uma boneca russa, até chegar à verdadeira Jenny, a que se deitava de bruços na cama, numa minissaia de jeans rasgada, e dizia: "Se, quando eu fizer 18 anos, ainda não tiver saído daqui, pode me matar. Me mata, por favor."
– Eu sentia tanta pena dele – disse Jenny. – Coitado de papai.
– Coitado de papai? Coitado de mim, coitada de você, coitada de mamãe. Nunca lhe permitiam, fosse como fosse... Não sei. E você? Às vezes, você não tem vontade de voltar a ser você mesma?
Ela olhou para ele com os olhos semicerrados.
– Eu sou eu mesma. O que você vê é o que vai levar, Gabriel. E, se não está gostando, bem, você sabe o que pode fazer.
– Eu não quis dizer...
– Você não quis dizer? O quê? Esqueça, Gabe, não, simplesmente, esqueça. Não estou nem ligando. Quanto à mamãe, você não deveria assumir esse tom superior, porque papai fez o melhor que pôde, e você nunca teve uma família para lidar, não daquele jeito, não quando uma pessoa passa anos e mais anos doente, e ninguém entende o negócio direito, e você está ali simplesmente lutando sozinho. Ponha-se no lugar dele, por que não faz isso? E poderá ver em que pé as coisas estão realmente.

Ela fumava como mamãe fumava, sempre segurando o cigarro muito perto do rosto, sempre fumando até a ponta.

– Vovó não estava doente, de verdade não. Ela era hipocondríaca, e fosse como fosse era mamãe que cuidava dela, não papai.

– Não vovó – disse Jenny, chiando. – Mamãe. – Ela mal conseguia recuperar o fôlego.

– Cadê seu inalador, Jen?

– Você sempre foi tão envolvido consigo mesmo – disse Jenny, arquejando.

Gabriel abriu a bolsa de Jenny.

– Meu Deus, como é que você consegue encontrar alguma coisa aqui dentro?

Jenny arrancou a bolsa da mão dele e a sacudiu com delicadeza para reorganizar o conteúdo como se estivesse bateando em busca de ouro.

– Ela às vezes me assustava. Principalmente quando fugia. Eu achava que nunca voltaria.

– Fugia? Nós ainda estamos falando de mamãe?

– Suas *pequenas férias*. Era assim que nós as chamávamos. Quando ela fugia com outro camarada, alguma pessoa aleatória que conhecera no ponto do ônibus ou na lavanderia, se bem que uma vez foi Daniel Parsons, e ele a trouxe de volta depois de um dia, pedindo desculpas e dizendo que ela era muita areia para o caminhãozinho dele. E foi horrível porque papai tinha de trabalhar com ele, e foi pior ainda do que quando ela começou a andar com o leiteiro e passeava com ele naquela carroça desgraçada; e é claro que ele negava que alguma coisa estivesse acontecendo, mas que ela podia andar na carroça com ele, se quisesse, ele é que não ia impedir se o marido dela não impedia. E todo mundo ajustava o despertador para não deixar de estar olhando pela cortina quando a droga do leiteiro passasse.

Gabriel olhava espantado para Jenny. Ele viu o sorriso malicioso do homem do ferro-velho, sua mãe descendo em meio às plumas de vapor que emanavam do cavalo.

– Você está falando de mamãe. De nossa mãe.

— Ela era doente — disse Jenny. — Isso aconteceu umas quatro, cinco vezes; e ainda havia todas aquelas compras, uma quantidade interminável de produtos de catálogos que papai e eu embrulhávamos de novo para devolver. Essa era a mania, os episódios maníacos; e depois ela entrava em depressão. Bipolar é como chamam agora.

Gabe fez que não. Ele abriu a boca e a fechou novamente. Voltou a abanar a cabeça.

— Eu não sabia que ela era tão doente assim — disse Jenny. — Só fui saber mais tarde. Uma vez ela foi posta em isolamento. Papai levou anos para me contar. Era o estigma. Levada à força para o hospício, as crianças não podem saber. É claro que as crianças sabiam, as da escola, meu Deus, as crianças conseguem ser tão cruéis.

— Você não pode me falar de mamãe desse jeito, como se... como se... Você se dá conta do que disse? Do que você a acusou?

— Ora, trate de crescer — disse Jenny. — Será que você vai crescer um dia?

Alguém da equipe do bar vinha percorrendo as mesas, esvaziando cinzeiros num balde, agitando um pano para lá e para cá. Na boca de Gabe, havia um sabor desagradável — os cigarros, a cerveja —, e ele engoliu algumas vezes, enquanto a bile subia até sua garganta.

— Não estou acusando ninguém de nada — disse Jenny, quando Gabriel não respondeu. — Ela não podia deixar de agir como agia. Era uma doença. E era provável que não estivesse nem mesmo tendo um caso com o leiteiro. Ela só não via nada de errado em dar uma voltinha com ele. Ela era assim quando estava para cima.

— Mas os outros...

— Não sei ao certo, e agora não faz diferença, mas sim, tenho certeza de que alguns dos outros... um ou dois pelo menos.

— Não — disse Gabe, abanando a cabeça. — Não, eu teria tomado conhecimento. Se você sabia, eu também teria sabido. Sou mais velho que você.

— Você não *queria* saber, Gabriel. Eu tentei dizer alguma coisa para você uma vez ou duas quando éramos crianças.

— Mamãe tomava Valium — disse Gabriel. O vidro do caneco estava pegajoso nas suas mãos. — Mais ou menos na época em que vovó veio morar conosco. Mas um monte de donas de casa tomava também. Ajudava a mantê-las sossegadas, mantendo-as no seu lugar, suponho.

Jenny deu um suspiro tão prolongado e tão forte que Gabe quase imaginou que ela fosse se esvaziar.

— Isso não era da missa a metade. Ela usava medicação mais forte, mais como uma bordoada química. E vovó veio morar com a gente para ficar de olho nela, e você tinha começado sua formação e praticamente nunca estava por aqui. E mamãe dizia que não podíamos incomodar Gabe. Aquele menino vai chegar aonde quer, e não cabe a nós prejudicar seu avanço com preocupações. E ela se sentava e ficava vigiando o telefone porque você disse que ligaria em tal noite assim, assim. E ela ficava sentada olhando fixamente para o telefone, levava uma cadeira para o hall e a colocava ao lado da mesinha. Não sei por que as pessoas mantinham o telefone lá ao pé da escada; e é claro que você não ligava. E ela acabava subindo para ir dormir e fazia a escada parecer uma montanha, tão difícil era a subida.

— Eu era um merda, certo?

— Você era a menina dos olhos dela. E ela era sua fada madrinha, pelo menos até você sair de casa. Eu às vezes pensava que não foram os medicamentos que a derrubaram...

— Diga de uma vez.

— Era como se seu coração estivesse partido.

— Você esperou todos esses anos, sem nunca dizer nada. E agora está tentando me dizer todas essas coisas ... que não são... que *não* são... e você espera que eu aceite tudo isso de você?

— Ouça o que você está dizendo. Tudo sempre tem de ser a *seu* respeito? E não é que eu não tenha tentado antes. Mas você sempre foi o protegido e nunca precisou escutar. Você nunca esteve por perto. O que espera que eu faça? Que entoe hosanas quando você vem chegando?

— Ela lhe causava vergonha — disse Gabe, com os olhos começando a arder com a fumaça do cigarro de Jenny. — Vergonha a você assim como a papai. Vocês nunca puderam deixar que ela fosse ela mesma.

– Eu não me daria ao trabalho de lhe contar agora – disse Jenny. – Não pelo seu bem, eu não me daria ao trabalho, nem em um milhão de anos. É só por papai que estou fazendo isso, porque ele está morrendo, e você precisa entender. – Ela começou a chorar.

– Jenny – disse Gabriel. – Jen.

– Eu estou bem – disse ela, continuando a chorar.

– Você se lembra de quando ela transformou a sala de estar numa tenda de beduínos?

– E ela estava com uma toalha de prato enrolada na cabeça. – Jenny riu e depois gemeu. – Mas a gente sempre faz isso. Transformamos mamãe num conto de fadas.

– Eu sei que ela não era perfeita. Mas às vezes era engraçada, não era?

Jenny olhou para ele com ar sério.

– O que aconteceu entre papai e você? Eu sempre quis saber. É como se ele fosse seu herói e então, da noite para o dia, você devia ter uns 11 ou 12 anos, foi como um único golpe, você acordou um dia de manhã e odiava até a sombra dele. Eu sempre quis saber o que foi.

– Acho que você pode estar reescrevendo a história nesse caso – disse Gabriel, apertando um pouco a mão de Jenny. – Papai e eu, nós sempre entramos em atrito por qualquer coisa. E não o estou culpando de nada, antes que você me acuse outra vez. Embora ele não parasse de me arrastar para visitar a fábrica.

– Você adorava ir – disse Jenny. – E então de repente você se recusou. Alguma coisa deve ter acontecido; e a partir desse dia, era como se tudo o que ele fizesse estivesse errado.

Gabriel, de repente, foi dominado por uma sensação de coisas deixadas por fazer. Tinha se esquecido de uma reunião importante. Deveria ter dito a Oona que terminasse o levantamento do estoque. Maddox não largava do seu pé. Ele não tinha descoberto o que Gleeson andava aprontando. Charlie precisava – ela merecia – receber alguma coisa melhor dele. E Lena, pelo amor de Deus, Lena. Que confusão ele tinha feito com aquela história. Uma sensação de vertigem se abateu sobre ele, e agarrou-se à beira do assento.

– Nós nunca nos demos bem – resmungou ele. – Eu achava, você sabe... que eu estava defendendo o lado de mamãe, mas tudo isso que você disse, se for verdade, não sei, pode ser que eu não entendesse.

– Vou levar você para casa – disse Jenny. – Você está pronto para uma cama. Mas será que não chegou a hora de resolver esses assuntos com papai? Não importa o que tenha acontecido, Gabriel, chegou a hora de deixar para lá.

Capítulo 12

―⚹―

DURANTE O SONO, A VERTIGEM VOLTA E O DEIXA PARALISADO NUMA saliência no alto de um rochedo. Depois ele cai, esse sonho antigo, sem fundo. Ele despenca na escuridão, solto, em abandono. A queda negra, morta, sem peso. A luz começa a se insinuar, e agora ele está no subsolo, nos corredores intermináveis. Ele se agacha apoiado nos calcanhares, junto ao cadáver, e começa o exame, fechando as mãos em torno dos pés, apalpando cada dedo dos pés com os das mãos, acompanhando as linhas de cada peito do pé. Ajoelhando-se, ele aperta os tornozelos enquanto examina detidamente as panturrilhas. E agora ergue uma perna um pouco e abriga a carne sem vida na palma da mão.

Pouco a pouco, ele toma conhecimento da comida. Ela está empilhada bem alto ao redor, em torno do corpo e em todas as direções, esplêndida e reluzente. E finalmente ele vai apreciar a refeição, porque esse é seu prato predileto. Ele arranca a coxa de um frango assado e dá uma mordida na pele crocante e crespa. Isso lhe dá vontade de chorar soluçando. Ele apanha outro pedaço de carne entre os dedos, vai se aproximando e o enfia delicadamente nos lábios negros de Yuri.

Ele acordou com um peso esmagador fazendo pressão sobre o peito. Tentou se sentar na cama, mas não conseguiu se mexer. Afastou as cobertas e ficou imóvel até a dor melhorar. Sentou-se então, acendeu a lâmpada e viu a hora. Cinco e meia, o que significava que não conseguiria voltar a dormir. Desejou ter um cigarro. Era impossível que ele voltasse a ser fumante, mas naquele exato momento não havia nada que quisesse mais do que um cigarro.

Mal tinha pensado nisso, e a ideia lhe deu vontade de vomitar. Era evidente que estava com náusea, talvez estivesse adoentado. Deitou-se novamente, e o sonho voltou a ele. Enrodilhou-se, tentando afugentar o mal-estar, a sensação de nojo. Não era responsável por um sonho.

Era impossível dormir direito nessa cama de solteiro. Os joelhos eram forçados a encostar na parede. Ele se virou. No canto, abaixo da janela, estava a cadeira de assento de vime que ele costumava fincar por baixo da maçaneta da porta quando precisava de privacidade, quando se deitava na cama com uma caixa de lenços de papel e um catálogo de lingerie. Sempre que estava doente, de cama com gripe, amigdalite ou dor de barriga, mamãe trazia a cadeira para se sentar ao seu lado, e o toque fresco da sua mão na testa de Gabriel fazia com que ele se sentisse seguro.

Ela nunca estava doente, não naquela época. Não que ele soubesse. Estava radiante ou entristecida, mas era assim que ela era, ou era o que ele achava. Quando a perdeu, foi um esvanecimento gradual, uma fusão, uma mistura de cinza sobre cinza, e ela foi se esgotando tão devagar que ele nem prestou atenção. Quando ela morreu, ele percebeu que ela já tinha se ido havia anos, e ele mal chegou a chorar por ela porque, àquela altura, restava muito pouco a lamentar.

Mamãe tinha passado a andar arrastando os pés. Eles nunca deixavam o chão. Sempre que Gabe voltava para casa, ela dizia: "Você tem a vida pela frente", como se para ela tudo estivesse acabado; e, no instante em que ele entrava pela porta, ela sussurrava no seu ouvido: "Não se sinta na obrigação de ficar por aqui."

Se ele tivesse sabido. Se Jenny lhe tivesse contado. Jenny, papai e vovó nunca lhe disseram nada. Ele estava com 28 anos quando ela sofreu o ataque cardíaco. Um adulto. Deveriam ter lhe contado muito tempo antes. Gabriel enfiou o rosto no travesseiro para enxugar as lágrimas. E ficou deitado de bruços por um tempo, deixando-se chorar. Ele gemia dentro do travesseiro. Sua respiração saía quente na pele do rosto. Ele forçou os quadris contra o lençol. Quando gemia, o som percorria todo o seu corpo e movia seus pés para a frente e para trás. Seus quadris se mexiam um pouco. Ele não chorava havia anos. A boca roçou na fronha enquanto o sangue retumbava na cabeça. Sua língua se mexia pelos dentes. Com os olhos fechados com força, ele a via. Ela voltava para ele, sua criança abandonada, sua desgarrada, Lena, estendida no sofá, só pele e osso.

Ele ergueu a cabeça e emitiu um ruído horrível, meio ganido, meio lamento. Que tipo de homem ele era? Na sua dor, mesmo no meio da sua dor, ele se deixava penetrar pelo desejo, o desejo por uma garota que não queria. Gabriel rolou na cama e se sentou. Abaixou a cueca com um puxão e examinou a região traiçoeira. Seu pênis olhava fixamente para ele, um inimigo implacável, de um olho só. Ele não demonstrava nenhum sinal de remorso. Gabriel fechou a mão em torno dele e se deixou cair deitado de novo, com a mão se movimentando para cima e para baixo, furiosa, como que para dizer, certo, você pediu, agora não vai escapar.

Depois do café da manhã, ele ligou para Charlie.

– Estou olhando para minha coxa – disse ela. – Estou na cama, assistindo ao jornal, mais um carro-bomba em Bagdá, 17 mortos, mas estou mais preocupada com essas covinhas que estão começando a aparecer na minha coxa.

– É só numa coxa? Talvez você pudesse pedir para extirparem a perna. É a segunda cirurgia cosmética mais comum em Los Angeles, depois do *lifting* do corpo inteiro.

– São as duas coxas. São pensamentos totalmente banais. Será que vou conseguir removê-los cirurgicamente também?

– Você é tão dura consigo mesma.

– Mas não sou. Só disse isso porque é um jeito de me absolver, e de fazer com que você me absolva. E isso não melhora as coisas. Só piora.

Ele decidiu não avançar mais aos trancos por esse campo minado.

– Eu queria ter trazido você comigo. Não consigo conversar com papai. Vovó está praticamente senil. Jenny está com o cabelo branco, descolorado, e grita muito. É como se estivesse sempre a ponto de cair do alto de um precipício.

– Tudo me parece muito sedutor. Uma pena você não ter me convidado.

– Não sei o que dizer para ele... meu próprio pai.

– Seu pateta – disse Charlie. – Não faz diferença o que você disser. Fale com ele. Sobre o trabalho, sobre qualquer coisa.

– Charlie – disse Gabriel. Não era como tinha planejado fazer aquilo, mas de repente foi dominado pela ideia de que essa era uma coisa que podia ser resolvida naquele instante. Se estava sentindo a cabeça meio oca, era só pela facilidade vertiginosa daquilo tudo, a investida que estava prestes a fazer. – Charlie, quer casar comigo?

Por alguns momentos, fez-se silêncio.

– Espero que você tenha se abaixado sobre um joelho – disse Charlie. – Exatamente como sonhei todas aquelas vezes.

– Meu amor – disse ele, saindo da cadeira para se ajoelhar no assoalho do quarto. – Estou com os dois joelhos no chão.

Ted estava na sala de jantar, debruçado sobre o *Mary Rose*, que tinha colocado em cima de um jornal na mesa, ao lado de um tubo de cola, uma caixa de fósforos, uma cumbuca de água e alguns cotonetes. No passado, a embarcação ficara um tempo no console da lareira, mas o calor do fogo começou a derreter a cola, e pedaços da amurada se soltaram.

– Ela já viu melhores dias – disse Ted.

– Ainda é uma bela embarcação – disse Gabe. – Eu até gosto dela desse jeito. Seja como for, foi um naufrágio, não foi?

Ted mergulhou um cotonete na água e começou a limpar a poeira da popa.

– Já consertei dois navios: o HMS *Endeavour* e o *Titanic*. Tem mais uns dois que eu gostaria de acertar, se tiver tempo. Você tem seis meses de vida, o que você faz? Típica conversa de bar. Bem, diz um, eu faria a volta ao mundo de navio. Outro diz, eu iria procurar aquela ruivinha de Fleetwood, ver como ela é de verdade. Alguma coisa desse tipo.

– Restaurar navios de palitos de fósforo não deve estar entre os dez preferidos – disse Gabriel, sorrindo. Ele pegou um cotonete e começou a ajudar o pai, trabalhando na limpeza do mastro da mezena.

– Nem passar esse tempo com uma enfermeira com uma agulha fincada no seu braço e um balde para recolher vômito junto da cama. Isso não ocorre a ninguém. – Ted deu uma risada.

– Volto aqui nas próximas semanas – disse Gabriel. – Não vou demorar muito. Mais uma visita antes do Natal, pelo menos uma.
– Ele realmente amava o pai, mas seu amor tinha um quê de fugidio. Sempre cabia a Gabriel persegui-lo.

Ted tentou desenrolar uma vela de papel que tinha se enrolado toda. Ela se esfarelou entre as pontas dos dedos.

– Leve vovó para passear – disse ele. – Enquanto o tempo está bom. Dê uma arejada nela. Já não consigo empurrar a cadeira de rodas.

– Você podia ir a Londres quando o restaurante abrir. Com Jenny e vovó. Vamos dar um jeito de organizar isso.

Ele ficou olhando com atenção para Ted, mas não discerniu nenhuma reação. Quando era menino, costumava esquadrinhar o rosto do pai em busca de sinais de advertência. Como algum meteorologista amador, ele tentava ver as nuvens se formando, empenhado em prever a tempestade por vir. Mas, mesmo quando Gabriel tinha previsto, especialmente quando tinha previsto, se a raiva vinha, ela o atordoava todas as vezes.

Ted continuava com seu trabalho delicado, uma das mãos aninhando a proa do *Mary Rose*, enquanto a outra cuidava da popa.

– O que eu disse ontem de noite, não dê atenção. Sobre sair do emprego. Eu não o culparia de nada se você saísse do país, muito menos de uma droga de emprego. Do jeito que as coisas vão, quem pode faz as malas e vai embora.

– Nós encontramos um ponto maravilhoso.

– Grã-Bretanha – disse Ted, sem olhar para Gabriel. – Ninguém mais diz isso. Agora é Reino Unido. Ora, isso dificilmente é o que somos. Tudo está indo por água abaixo, Gabe. Por água abaixo.

— Esse tipo de oportunidade... estou esperando há muito tempo por ela.

— Perdemos o "Grã". Sabe o que mais nós perdemos? O britanismo. As pessoas não param de falar no britanismo. É assim que se sabe que ele já não existe.

Gabriel passou o olhar pela sala de jantar, pelas cadeiras a mais encostadas na parede à espera de visitas que não viriam nunca, a melhor porcelana presa, como sempre, numa cristaleira, condenada a toda uma vida de inutilidade, por ser constantemente "guardada" para uma ocasião especial.

— Papai — disse ele —, as coisas mudam. Não faz sentido tentar manter tudo sempre igual. E só porque as coisas são diferentes, isso não quer dizer que elas sejam piores.

Ted pôs na mesa seu cotonete. Estalou os dedos.

— Testes de britanismo — disse ele. — Que safado enlouquecido foi inventar uma coisa dessas? Hem?

Converse com ele, dissera Charlie. Ela não sabia como isso era difícil. E esse cara nem mesmo era seu pai. Era um impostor, fraco demais para o papel. Era exasperante. Agora que Gabe tinha tamanho suficiente para enfrentá-lo de igual para igual, seu pai tinha convenientemente desaparecido.

— É um teste de cidadania, só isso.

— Nós sabíamos o que significava ser britânico — disse Ted. — Não precisávamos debater o assunto porque sabíamos. Sabíamos o que significava ser inglês. Agora isso virou palavrão.

— Ai, não sei — disse Gabriel, determinado a dissipar o tom de melancolia e fatalidade. — Tolerância. Justiça. Jogo limpo. Essas são decididamente qualidades britânicas. Acho que nós dois concordaríamos quanto a isso.

— Só palavras — disse Ted. — Agora não significam nada.

— Ora, vamos — disse Gabriel, rindo. — Não é tão ruim assim. Isso faz parte do caráter britânico: sempre nos colocarmos para baixo.

— Essas velas — disse Ted — simplesmente viram pó na mão da gente. — Ele abanou a cabeça. — Caráter britânico. Não existe nada que se possa chamar disso. Não agora. Veja só esses políticos, falando do caráter britânico, e é como um teatro de marionetes. Não, é um discurso sem substância. Houve um tempo em que se podia falar de decência. E isso significava alguma coisa. Neste país, significava, sim.

– Você devia ver minha cozinha, papai. Tenho todas as nacionalidades lá, e todos se dão bem.

– O prazer sem responsabilidade – disse Ted. – É assim que é, sabe? O caráter não significa nada; não conta para mais nada. Perder sua boa reputação, isso era uma coisa terrível no meu tempo. Mas agora, você toma um comprimido, fala sobre isso na televisão, põe a culpa em todo mundo, menos em você mesmo.

– Eu tenho gente da Somália, da Polônia, da Sérvia, da Rússia...

– O caráter britânico – disse Ted, pronunciando as palavras com desdém. – Esse foi pelo mesmo caminho da dança do pau de fita, foi, sim.

Gabriel estava só ligeiramente irritado, e encarava isso como uma espécie de vitória, se não sobre Ted, pelo menos sobre si mesmo.

– Talvez seja um pouco de exagero – disse ele. – E acho que você está confundindo duas coisas. Quando me referi ao "caráter britânico", eu quis dizer, sabe, a identidade nacional, como os políticos dizem. Mas o que você está acabando de dizer a respeito do caráter foi mais sobre indivíduos, sobre a personalidade. São coisas diferentes.

– É – disse Ted. – Pode ser. Não sei. Você sempre foi um garoto esperto. – O sol baixo de inverno rasgou as nuvens e penetrou nas dobras da cortina de tela, iluminando as partículas de poeira que atravessavam a sala em camadas, como se o próprio ar estivesse pregueado. – Mas, seja como for, estou dizendo a mesma coisa.

– Que é o quê? – perguntou Gabriel, indulgente. – Vamos tomar um café, e depois eu levo vovó para passear.

– É que não tem nada ali, é o que quero dizer. Nada que se consiga segurar.

– Mas "ter caráter" era só um jeito de dizer que você fazia o que se esperava de você. É quase o oposto de ter um caráter, uma personalidade própria. Ora, é preciso que você se conheça, que saiba quem é realmente.

Ted concordou.

– Então é isso? Eu não ia querer estar no início da minha vida agora. – Ele pegou o *Mary Rose* e inspecionou o casco. – Nós construíamos navios neste país, Gabe. Isso fazia parte de quem nós éramos. Construímos navios mercantes para o mundo inteiro. Para mim, quando você construía um navio, você sabia que tinha cumprido uma tarefa. Não se constroem mais navios em Teesside hoje em dia. Agora lá é um estaleiro de desmonte. Navios são mandados para lá de todos os tipos de lugar, cheios de asbesto, petróleo e só-Deus-sabe-o-quê, e eles os desmontam.

– Esse tipo de indústria... – Mal valia a pena terminar a frase. Gabe se levantou e afagou o ombro do pai. – Agora vou fazer aquele café para nós.

Vovó estava usando um casaco de peles mostarda e marrom que, embora Gabe não se lembrasse dele, deveria ter visto melhores dias. Ele estava meio mastigado e tinha trechos sem pelos, parecendo um monte de gatinhos sarnentos costurados juntos. O troço tinha cheiro de gato morto também.

– Belo casaco, vovó – disse Gabriel, empurrando-a por Plodder Lane. – É de verdade?

– De verdade? – gritou vovó. – De verdade? É claro que é de verdade. É um casaco de pele verdadeira, sim.

Ela olhou ao redor, por ser essa informação digna de ser divulgada para uma plateia mais ampla, mas não havia mais ninguém para ouvir.

– Lindo dia – disse Gabe. Estava começando a falar como vovó. – O tempo acabou ficando bom.

No ar havia uma espécie de sol gelado, mas o dia dificilmente poderia ser considerado lindo. Do outro lado do vale, havia um nevoeiro sobre a charneca. O vento estava frio e úmido.

– Lindo – disse vovó, com o queixo enfiado no casaco, as mãos nos bolsos, as botas separadas indecentemente nos apoios dos pés da cadeira de rodas. – Lindo, lindo, lindo.

Gabriel parou um instante e olhou lá do alto para a cidade inteira, as casas, as chaminés e torres das fábricas aconchegadas em busca de calor na parte baixa, as ruas que marchavam tortas morro acima, os longos galpões do parque industrial, onde Jenny cacarejava ao telefone, os carros brilhantes espalhados pela tela cinzenta e parda como borrões de tinta metálica.

– Ela é uma mocinha de Lancashire – cantou vovó, *vibrato*. – Um babado na anágua, um pente no cabelo...

Gabriel começou a empurrar. Acelerou o ritmo.

– Uuuui – cantou vovó, voltando um olho lacrimejante para Gabe. – Se aqueles lábios... – Sua boca continuava a se movimentar, mas demorou alguns segundos até o som ser restaurado. – Se aqueles lábios ao menos pudessem falar. La-la-la la-ra la-ra.

– Vamos seguir por esse atalho aqui, está bem, vovó? Descendo pela lateral do parque?

– Gabriel! Gabriel! – gritou vovó, com a voz estridente. – Esqueci meu chapéu. Não posso entrar na igreja sem chapéu.

Gabriel se debruçou por cima dela, sem parar de empurrar.

– Tudo bem, não vamos mesmo à igreja. Você queria ir ao mercado, dar uma olhada por aí.

Vovó fungou ruidosamente.

– Eu tenho perfeita noção disso.

As casas de Park Street eram mansões vitorianas com pórtico e amplas janelas salientes, que tinham sido transformadas em lares de idosos, escritórios da previdência social e agências de emprego temporário, ou tinham sido doadas para instituições de caridade. Somente algumas continuavam a ser residências e não pertenciam a prósperos industriais, mas a paquistaneses ricos, proprietários do salão de bingo, de uma série de lojas de conveniência, de uma fábrica de conservas e restaurantes especializados em curry nas duas encostas dos East Lancashire Pennines. À medida que eles se aproximavam do centro de Blantwistle, as ruas começavam a se tornar íngremes e estreitas. Gabriel reduziu o ritmo, com receio de uma derrapada que fizesse vovó disparar ladeira abaixo. Estavam se aproximando de Astley Street agora, passando pelas velhas casas geminadas, sem quintal, com a porta da frente que se abria direto para a rua, janelas que exibiam salas de estar entulhadas com conjuntos de couro artificial e aparelhos de televisão gigantescos. Algumas dessas casas, em adiantado estágio de desleixo, estavam vazias. Outras, igualmente dilapidadas, tinham janelas embaçadas e portas que batiam com violência.

– Nós nos sentávamos diante do fogo no domingo à noite – disse vovó – depois que a mãe tinha assado pães e bolos levedados, e eles eram postos a esfriar em toda a volta da sala. Hum, o aroma, era delicioso. Mas não podíamos comê-los porque quentes eles não faziam bem ao estômago. Mas às vezes nós comíamos, quando nossa mãe não estava olhando. Surrupiávamos um bolinho levedado e o levávamos para a cama, escondido dentro do pijama.

Na esquina, um grupo de rapazes asiáticos, alguns usando gorro grudado na cabeça, outros de capuz, estava empenhado em destruir a chutes uma televisão portátil. Eles pareciam extrair pouco prazer da atividade, que executavam com um ar de tédio, como se, caso coubesse a eles decidir, aquela fosse a última coisa que eles desejariam fazer.

Agora os dois estavam em Astley Street, a fileira de casas dois-em-cima, dois-embaixo, onde ele tinha começado a vida. Ali estavam eles, passando pela casa. FELIZ EID estava escrito em letras douradas de um lado a outro da janela do térreo, e um velho estava sentado à entrada, com uma criança muito pequena no colo.

Gabriel calculou que vovó fosse fazer algum comentário – sobre como os asiáticos tinham provocado a queda dos preços das casas, como eles nunca areavam a soleira, como abatiam cabras no quintal. Mas vovó estava perdida na sua infância, sem parecer perceber onde eles dois estavam.

– Levei uns tapas da minha mãe, muitas vezes, por ser respondona. Ela era uma boa mulher, de verdade, e me forçou a aprender a ser boa. Isso eu devo agradecer a ela. E naquela época nós respeitávamos os mais velhos. Fazíamos o que mandavam, sem desculpas. De vez em quando, eu tentava alguma, e minha mãe nunca deixava passar. "Isso aí é história de pescador", dizia ela.

Vovó jogou na boca uma bala de hortelã fortíssima, que estalou entre suas dentaduras.

– E nós todos vivíamos num entra e sai, uns nas casas dos outros. Bem, era assim que vivíamos. Nenhuma porta trancada. E uns ajudavam os outros, nos reuníamos, sabe? O melhor eram os enterros. Fazia-se uma vaquinha. Depois vinha o velório. E o corpo ficava na sala de visitas. Era assim que se fazia naquela época. Ah, havia alguns enterros ótimos. E todos os adultos cantavam, principalmente depois de beber um pouco.

Gabriel olhou para a delicada casca de ovo do crânio de vovó, visível através da nuvem de cabelo.

– Você vai precisar me mostrar umas fotos, vovó, dos velhos tempos. Vamos apanhar os álbuns quando voltarmos para casa.

– Nós vamos nos encontrar com Sally Anne? – perguntou vovó. – Vamos nos encontrar com ela aqui?

Eles tinham acabado de fazer a curva para entrar no mercado coberto. O lugar tinha um cheiro nítido de vegetação e podridão, como folhas molhadas em decomposição. Gabe, surpreso pela menção ao nome de mamãe, deixou de responder.

Vovó se voltou para ele, agitada. Ela parecia perceber que alguma coisa estava errada: meio temerosa, meio envergonhada e totalmente desorientada.

– Sally Anne – repetiu ela. – Sally Anne.

– Mais tarde vamos estar com ela – disse Gabriel. – Depois das compras.

Eles avançavam devagar pelas lajes, entre as bancas que vendiam carne de abates segundo as normas muçulmanas, tortas de carne de porco, aparelhos eletrônicos baratos e roupas de baixo em tamanhos espantosamente grandes. Lâmpadas de Natal estavam suspensas entre as vigas. Não estavam acesas, o que combinava com a atmosfera de economia e sovinice. Os fregueses eram idosos e brancos ou jovens famílias asiáticas empurrando carrinhos de bebê, sendo que os providos de maior mobilidade tinham fugido dali havia muito tempo. Gabe e vovó foram ultrapassados por uma cadeira de rodas motorizada, com sua ocupante velha e gigantesca.

– Atenção por onde passa – gritou vovó. – Viu o *tamanho*? – resmungou. – Pare um instante – disse ela, quando chegaram à próxima banca. – Vamos comprar uns frios para o almoço.

Gabe examinou os tabletes e rolos jogados nas bandejas de metal. Havia morcela, língua defumada, galantina de vitela, carne-seca, carne apresuntada, carne prensada, presunto cozido, carne em conserva e coração de boi – todos ligeiramente cinzentos nas bordas. Vovó quis língua de boi e galantina de peito. Gabe disse "ótimo" e torceu para ela já ter se esquecido quando chegasse a hora do almoço.

Sentaram no Bolinho da Vovó para uma xícara de chá.

– É maravilhoso sair – disse vovó, levantando os ombros como sempre fazia quando abria seu sorriso mais deslumbrante.

– O que você quer ganhar no Natal, vovó?

– Costumávamos pendurar as meias na lareira – disse vovó –, e de manhã havia uma tangerina e algumas nozes lá dentro, talvez um caramelo também. Podia ser que viesse uma bola, uma boneca de pau e fitas para o cabelo. E, puxa, como transbordávamos de alegria. Todas as coisas que as crianças ganham hoje em dia.

– Acho que posso me esforçar para lhe dar uma boneca de pau – disse Gabe. Quando voltasse para casa, ligaria para Lena, só para ver se tudo estava bem.

– Não ganhávamos roupas novas para o Natal. As roupas novas eram para a festa de Pentecostes, sabe? E depois elas eram nossa melhor roupa de ir à igreja no domingo. Você sabe, aquelas caminhadas de Pentecostes... – A voz de vovó foi sumindo, os olhos se fecharam, e o queixo foi caindo até tocar no peito. Gabe estava se perguntando se deveria acordá-la ou empurrá-la para casa ainda dormindo, quando ela levantou a cabeça. – Em maio, eram em maio, e todo mundo comparecia daquele jeito, a cidade inteira nos trinques, e tínhamos mais procissões em junho. Já acompanhei muitas procissões, quando menina e quando mulher. Íamos com nossas igrejas, bem, tínhamos uma capela em cada esquina, estou falando naquele tempo, é claro. Os católicos também tinham as deles, sabe? Eles desfilavam por Nossa Senhora, no primeiro domingo de maio. A igreja do Sagrado Coração foi demolida. Mas aquele tempo era uma delícia para as famílias, com todas aquelas procissões. Sabe, muitas vezes desfilei de vestido de noiva por baixo de uma faixa, Congregação das Mães, e eu me orgulhava de estar ali. Ah, sim, nós nos orgulhávamos.

– Você desfilava com sua mãe? Ela também usava o vestido de noiva? – perguntou Gabriel. Parecia que o passado distante ia se tornando mais brilhante à medida que o passado recente se toldava. O passado distante era agora um lugar de segurança.

– Ela era tecelã – disse vovó – num tear vagabundo, produzindo tecido simples, que era só o que aquele tear podia fazer. Você só jogava a lançadeira de um lado para o outro. Mas ela parou de trabalhar quando teve os filhos, porque nosso pai disse que ter filhos era a tarefa mais importante que uma mulher podia cumprir.

Logo eu terei uma mulher, pensou Gabriel. Ele mal podia acreditar, por isso falou.

– Vou me casar. Você é a primeira a saber.

Mas vovó não o ouviu. Ela inclinou a cabeça para um lado, dando a impressão de estar tentando ouvir alguma coisa de muito longe ou de muito tempo atrás.

– Íamos a New Brighton nas férias. Às vezes a Blackpool, mas minha mãe preferia New Brighton porque Blackpool podia ser um pouco vulgar. Na semana de férias coletivas, sabe? – As próprias palavras pareciam deixá-la extasiada. – A cidade inteira fechava, todas as fábricas, e nós tínhamos aquela semana para nossa diversão e sabíamos nos divertir. – Ela sorriu e olhou para Gabriel, para depois olhar em volta, parecendo cada vez mais preocupada e cheia de dúvidas. – Gabe – disse ela, com a voz chiada. – Gabe! A que horas é a consulta? E aqui estamos nós de bate-papo na cantina.

– Que consulta? – disse ele, sem pensar. Já deveria ter aprendido a lidar com ela àquela altura.

— Nós estamos no hospital, não estamos? — disse vovó, com sua melhor voz, toda certa e sufocada. — Para meu exame de rotina com o dr. Patel.

Ao entardecer, um sol vermelho mergulhou por trás da Rileys e uma lua branca pairava acima do esqueleto da Harwoods, aquela rival de outrora, com os poucos estilhaços de janela que restavam cintilando como lágrimas. Uma revoada de estorninhos se agitava e mergulhava ao longe, um caleidoscópio preto em constante mudança, tendo como pano de fundo o céu tingido de sangue. Mal passava das quatro da tarde, e Gabe e Ted estavam indo à Rileys porque não tinham outra coisa para fazer.

Subindo a ladeira na direção deles vinha um velho num casaco de saldos do exército, talvez um remanescente da Guerra da Crimeia, com as costas curvadas num ângulo extraordinário, avançando como uma lesma, apenas com o alto da cabeça aparecendo. Manter-se em movimento era uma espécie de feito, levando-se em conta as compras que carregava, a forte corcunda de que sofria e os sapatos em péssimo estado que estavam muito frouxos nos seus pés.

Quando se encontraram, Ted parou e o homem, para surpresa de Gabe, se empertigou imediatamente. Trocaram-se cumprimentos.

— Você se lembra do meu filho — disse Ted. — Gabriel, você se lembra do sr. Nazir?

— Ah — disse Gabriel, que não se lembrava —, prazer em vê-lo.

— Bom garoto — disse o sr. Nazir. — Forte como um touro. — Ele reprimiu um risinho e pôs as compras no chão.

— Rileys — disse Ted para Gabriel, vendo que ele não fazia a menor ideia —, há uns vinte anos ou mais.

O sr. Nazir deu mais um risinho e, se Gabe tivesse fechado os olhos, teria ouvido a voz de uma menina, não desse velho barbudo.

— É, é, 22.

— Está começando a ventar — disse Ted, cruzando os braços nas costas.

– Bem gelado – disse o sr. Nazir. – Como vai seu neto? E sua neta também?

– Tudo bem com Bailey. Ela conseguiu um trabalho aos sábados na Rileys, ganhando juízo, sabe. Harley, bem, Harley está desempregado... é um bom rapaz, mas às vezes eu acho...

– Certo no coração – disse o sr. Nazir, cofiando a barba –, mas errado na cabeça, não é?

– É – disse Ted, sério. – Isso mesmo.

– Eles já não querem nos ouvir, aos mais velhos – continuou o sr. Nazir. – Acham que não vão envelhecer nunca.

– E seus netos, como vão? Tudo bem?

– Asif é difícil. *Muito* difícil. Não para de me dizer o que está escrito no Alcorão. O Alcorão diz isso, o Alcorão diz aquilo. Eu digo, Asif, você não é o guardião da luz. Essa religião é minha também. – Ele sacudiu a cabeça. – Essa rapaziada. Eles acham que sabem tudo. Não existe humildade, nem respeito. É esse o problema. São os valores ocidentais que eles adotam, querendo tudo do seu jeito.

– Isso mesmo – disse Ted. – Você não está errado, não.

– De que adianta culpar os outros? – disse o sr. Nazir. – Fui eu que vim para cá. Para tudo existe um preço.

– E Amir?

– Amir saiu no jornal. O caso dele está na justiça. A acusação é vandalismo: grafitagem, quebra de janela, danos a um carro. Até no crime, ele não tem ambição. A mãe chora por ele.

– Cabeça vazia, morada do demônio – disse Ted. – O garoto precisa de um trabalho.

O sr. Nazir enrolou os dedos na barba.

– Ele precisa, sim, de um emprego – disse o sr. Nazir –, mas onde é que existe emprego? Eu mesmo estou levando ele para procurar trabalho naquela firma de distribuição, no armazém, por toda a parte. Mas em lugar nenhum tem emprego para ele. Sempre preferem os polacos.

– Já ouvi isso muitas vezes – disse Ted.

– Dizem que esses polacos trabalham muito. Que não se importam com a tarefa, que aceitam salários baixos e dormem 15, vinte, numa casa.

– É isso mesmo.
– É isso mesmo.
– Bem, você vai congelar se ficar parado aqui.
– Vamos morrer de frio – disse o sr. Nazir, com seu risinho. Ele segurou a mão de Gabriel e a sacudiu com um vigor espantoso. – Mas amanhã o tempo vai estar bom, não é? O céu vermelho de noite é a alegria de qualquer pastor.

Ele soltou a mão de Gabe e recolheu suas bolsas do chão. Gabe ficou olhando enquanto ele enfrentava a ladeira, com as costas inclinadas contra a subida.

– Gente boa – disse Ted, levantando a gola do casaco. – Gente boa mesmo.

Gabriel fingiu que queria olhar uma vitrine para dar a Ted uma chance de recuperar o fôlego. Eles seguiam lentos pela rua de lojas. Diante de uma joalheria, Gabe não se conteve.

– Papai, fiquei noivo.
– Não deixe transparecer tanto pavor na voz – disse Ted, rindo.
– Meu Deus, acho que estou apavorado mesmo.
– Ótima notícia – disse Ted. – Pode ser que agora nós a conheçamos. Já marcou uma data?
– Nem comprei a aliança ainda – disse Gabe. – Mas vai ser logo, decididamente.
– E você já está arrancando os cabelos, hem?
– Como assim?

Ted fez um gesto vago na sua direção. Gabe baixou o braço. Não tinha se dado conta do que estava fazendo. Nem tinha sentido.

– A questão é...
– Vamos continuar andando – disse Ted.
– Existe outra garota. Eu dormi com ela. Mais de uma vez.

Ted alargou o passo, talvez na esperança de deixar essa informação para trás.

– Seja como for, já terminou. Com essa Lena. Nem mesmo vou vê-la de novo.

Ted permaneceu calado.

– Não sei por que lhe contei isso.

Ele não conseguia pensar em nenhuma razão, a não ser a emoção de pronunciar seu nome em voz alta.

– Eu me lembro – disse Ted – de quando decidi me casar com sua mãe. Foi em Blackpool. Ela está lá com a família dela, e eu com a minha. Eu já a tinha visto, é claro, já a tinha visto por aí, mas ainda não a conhecia. Seja como for, estou caminhando pelo píer; e lá está ela, posando para um retrato, retrato baratinho lá na ponta do píer. E eu digo "Olá, Sally Anne", mas ela não me dá atenção. É verdade. Um pouco mais tarde, acho que na hora do chá, estou na praia e alguma coisa bate na minha cabeça. Eu olho para o alto, e ela está lá em cima no passeio, jogando batatas fritas. Eu digo "Sally Anne", chamando por ela, sabe, e ela me dá um sorriso e depois sai correndo. E eu sei que ela é a garota com quem vou me casar. Vejo isso com clareza, como a palma da minha mão.

– Aposto que ela era uma figura – disse Gabe.

Ted assoou o nariz.

– Precisei me grudar a ela, Gabe. Daquele dia em diante. Às vezes precisei me agarrar como se minha vida dependesse disso.

– No fundo eu não sabia – disse Gabe. – Eu sabia que tinha seus altos e baixos... mas... ontem eu estava conversando com Jenny, e ela me contou...

– Agora é um esforço para a gente tentar lembrar, de como não se comentava nada naquela época. E ela não queria. Não queria que você fosse perturbado por toda essa história.

– Houve alguns momentos dramáticos, não houve? – disse Gabe. Era mais fácil conversar assim, sem um encarar o outro, mas caminhando lado a lado.

– Nós tínhamos um gênio daqueles, nós dois. Não pode ter sido fácil para você e para Jen.

– Ora, não tivemos problemas.

– Ela sempre foi a única para mim – disse Ted, falando baixinho, como que consigo mesmo. – E ela sabia, porque eu sempre a trazia de volta para casa. Foi assim que eu também descobri, para ser franco.

— Seus sentimentos nunca mudaram, em todos aqueles anos?
— O casamento dos pais, que na melhor das hipóteses tinha lhe parecido uma pena mútua de trabalhos forçados, começava a parecer mais ou menos como um feito.
— Sentimentos? — disse Ted, mastigando como se fosse uma palavra estrangeira, do jeito que pronunciava "vol-au-vents". — Eu sentia raiva a maior parte do tempo. As pessoas não param de falar sobre como se sentem. Eu lhe digo uma coisa que aprendi com a velhice. Você nem sempre sabe como se sente, pelo menos não na hora. E é fácil confundir os sentimentos, misturar a raiva com o medo. Talvez o importante não seja o que você sente, mas o que você faz.

Rileys Shopping Village era, segundo o letreiro suspenso acima da entrada, UMA EXPERIÊNCIA LENDÁRIA. Depois que os últimos teares convencionais e *jacquards* foram despachados para o Egito, tinha começado como uma pequena loja de varejo que vendia retalhos e peças com pequenos defeitos, descobertos depois que esvaziaram o depósito geral. Ao longo dos anos, ele tinha se transformado num centro comercial razoável com cafeteria e restaurante, jardins projetados por paisagistas, uma área interna de recreação para crianças e estacionamento gratuito para os ônibus que traziam visitantes dispostos a provar as compras no estilo Rileys.
Ted e Gabe seguiram as indicações para chegar ao Café do Urdidor Faminto. Estava quente dentro do velho galpão, mas os fregueses, em sua maioria velhos e de meia-idade, não tiravam os casacos e anoraques, enquanto percorriam diligentes os pontos alugados. A Galeria Vitoriana estava lotada com "moda para senhoras", cerâmica, utensílios para fornos, bolsas e acessórios, vasos de cristal e canecas de café "personalizadas". Gabe viu letreiros com o caminho para a Terra das Velas, a Terra dos Gnomos e a Terra das Bolhas. Além de outros indicando o Mundo das Flores, o Mundo dos Cães e Gatos e o Mundo dos Aparelhos e Ferramentas. No Pátio do Tecelão, eles passaram de raspão pela falsa vitrine

saliente (completa com vidraças abauladas) da Velha Loja de Chita e assistiram a uma exibição de caramelos sendo puxados à mão.

    Numa lojinha que vendia toalhas de prato, três senhoras idosas, com o cabelo recém-"feito" para o dia de passeio, manuseavam os artigos oferecidos com enorme deliberação, como se estivessem escolhendo peças para seu enxoval.

    – Veja só essa – disse Gabe, apanhando uma toalha da prateleira de novidades, e lendo-a em voz alta para Ted. – "Normas a Serem Cumpridas pelos Empregados desta Fábrica." – E mostra a data, 1878.

    – Ah, essa aí, eu já tinha visto.

    – "Por fios torcidos, emaranhados e puxados, 2d por fio. Por qualquer bobina encontrada no chão, 1d por bobina. Por uso de imprecações ou linguagem insolente, 3d pela primeira vez e demissão caso o fato se repita. Os Afiadores, Cinzeladores, Estiradores e Maçaroqueiros deverão varrer o chão pelo menos oito vezes ao dia."

    – Tempos difíceis – disse Ted, com um risinho. – Mas, pelo menos, eles recebiam para estar aqui. Agora, olhe, é o oposto.

Eles se acomodaram no café, onde, apesar de ainda não serem cinco da tarde, nem mesmo dezembro já ter chegado, um jantar de Natal de ônibus de turismo já estava a toda. A música de fundo informava que todos estavam simplesmente tendo um Natal maravilhoso. Ramos de pinheiro e de azevinho, adornados com fitas vermelhas e enfeites cintilantes, decoravam as paredes.

    Ted e Gabe bebericavam o chá num silêncio agradável. Gabe olhava fixamente para a coluna à sua direita. Ela exibia as mossas e arranhões de mais de cem anos, e as letras que ele achava que tinha gravado estavam pequenas e praticamente invisíveis. Ele tinha se esforçado com o canivete, para no fim não ter deixado nenhuma marca. Mas não, lá estavam elas, um G e um L, com um sublinhado irregular. Gabe tinha trabalhado nisso depressa, meio febril, quando Ted foi chamado para lidar com um travamento numa das máquinas.

Eram férias de verão, e papai levou Gabe à Rileys para passar o dia, mas havia uma falta de pessoal, e ele não parava de deixar Gabe sozinho. Quando papai voltou, Gabe enfiou o canivete na manga da camisa.

– Pronto – dissera Ted. – Vou começar do início. Essa aqui é uma máquina atadora de urdume. Todos a chamam de Topmatic, é assim que é conhecida.

– Posso experimentar esse troço de soprar, papai? Posso? Posso experimentar?

– Não passe o carro adiante dos bois – disse Ted. – OK. A Topmatic funciona bem no alto aqui, no caixilho de atação do urdume. Está lembrado do que estamos prestes a fazer? Qual é a tarefa que temos de cumprir?

– Fácil – disse Gabriel. – Eu sei. Acabou o urdume do tear. Ele precisa de um cilindro novo. Papai, dá para eu ganhar uma bicicleta nova?

Ted ligou a máquina. Ela parecia alguma coisa que ele poderia construir com seu jogo de peças de armar. Ted operava o equipamento com uma precisão amorosa, respirando forte pelo nariz. Ele verificou os primeiros nós individualmente e então acelerou o processo. A Topmatic rolava adiante.

Ted falava, e Gabe olhava fixamente para ele, para conseguir descartar o barulho de fundo.

– Vamos, pode usar. – Papai lhe entregou o soprador, uma bomba de borracha com um bico simples. – Isso mesmo, a gente se livra da felpa para que os nós não fiquem presos nos liços e se rompam. Sabe o que é um liço? – Gabe apontou para as faixas de aço plano com ilhós no centro pelos quais o fio tinha de passar. – Você é o maior – disse papai.

Depois que Gabe terminou, papai passou por todos os nós com uma escovinha para se certificar de que eles ficassem baixos e lisos.

– Papai, quando foi que você resolveu que queria trabalhar na Rileys? Quantos anos você tinha?

– Resolvi? – disse Ted, bufando. – Trabalhar aqui era simplesmente o que se fazia. Naquele tempo, eles diziam: "Ponha um espelho debaixo do nariz. Se estiver respirando, ele pode entrar para a fábrica."

Gabe enfiou as mãos nos bolsos e deixou que o canivete descesse até a mão. Ele conseguiu abri-lo e acabou cortando o dedo na lâmina. Não parecia certo o que papai disse, como se qualquer idiota pudesse fazer o que ele fazia.

– Mas você poderia ter sido um maquinista de trem, por exemplo? Se você quisesse, papai?

– É – respondeu Ted. – Acho que poderia. – Ele girou a manivela outra vez e mostrou para Gabe como os fios entravam através dos passadores para chegar ao pente. – Certo, a esta altura o atador precisa chamar o encarregado da manutenção. Mas adivinhe só.

– Eu sei – disse Gabe, irrompendo com a resposta –, você é o encarregado da manutenção, papai.

– O encarregado da manutenção aperta o que se conhece nesta cidade, em qualquer lugar, como os "templos", dê uma olhada, aquelas argolas farpadas que seguram o tecido no lugar. É um trabalho importante, o de encarregado da manutenção. Não é qualquer um que consegue fazer isso.

"Depois eu aperto o urdume. Venha dar uma volta aqui atrás. E agora estamos prontos para tecer alguns centímetros. Depois eu ponho um aviso no quadro dizendo que o tear está preparado. O auxiliar de tecelão verifica o tecido para ver se encontra algum defeito e, se tudo estiver certo, o tecelão aciona o tear."

– Papai – disse Gabe.

Estava sentindo o sangue se escoar veloz do seu dedo. Era uma surpresa que não houvesse uma poça dele no chão. Se tirasse a mão do bolso e mostrasse a papai o que tinha acontecido, levaria uma bronca. Se não fizesse isso, poderia sangrar até a morte. Ele não conseguia decidir qual dessas opções era preferível.

Enquanto hesitava, ele percebeu uma louca que vinha correndo na direção deles, agitando os braços.

– Respire fundo, Rita, agora – disse Ted. – Parece que você vai pegar fogo.

– É Jimmy – disse Rita. – Jimmy. Um cilindro caiu em cima dele.

– Vá procurar Maureen e fique lá com ela – disse Ted a Gabe.
– Você sabe onde ela trabalha. Ande.
– Mas papai – disse Gabriel. Ted já estava se afastando a passos largos. – Papai.

Gabe passou correndo pelos galpões com um dedo para o alto, sangrando. Papai não se importava. Ele nem mesmo olhou para trás quando Gabe gritou seu nome. Gabe deu um encontrão em Maureen, direto no seu busto acolchoado, e ela disse "Ah, cá está você", como se estivesse esperando por ele.

No caminho para casa, Ted estava calado.
– Papai – disse Gabe depois de um tempo –, tudo certo com Jimmy?
– Tomei uma cerveja com ele depois do trabalho – disse papai – ontem mesmo.
– Ele foi para o hospital? Uma ambulância veio buscar? Você foi com ele, papai?

Ted indicou uma virada à direita. O tique-taque enchia o carro como uma bomba-relógio. Ninguém falava, e Gabe sentia que seu estômago se contraía, agora desejando não ter dito nada.

Quando o carro foi forçado a parar num sinal de trânsito, Ted falou.
– É claro que antigamente a amarração era feita manualmente. São poucos os que ainda sabem fazer isso. Eu sei. Jimmy sabia. É, só um ou dois sabem. Eu me lembro de quando estava aprendendo, um camarada mais velho tentou me mostrar como era. Mas ele era tão rápido que eu não conseguia enxergar o que ele estava fazendo com os dedos. E ele não conseguia fazer devagar. Estava no sangue, no sangue.

Foi mamãe quem contou a Gabe o que aconteceu com Jimmy, na manhã do enterro.

Uma garçonete trouxe um pudim de Natal à mesa comprida, com o peso forçando sua língua a se projetar entre os dentes. Ela o flambou. O grupo de excursionistas fez "Oh" e "Ah".

– Você já entregou seu pedido de demissão? Eles sabem que você vai seguir adiante?

– Estou esperando pela hora certa – disse Gabe.

– O sr. Riley tinha um jeito de saber quem estava prestes a ir embora. Era estranhíssimo. Como se ele tivesse um sexto sentido. Bem, parecia que ele sabia de tudo, quem tinha batido o ponto tarde. E ele tinha muita coisa para cuidar, mas sempre sabia. E seu patrão agora? Ele é gente fina, gente boa?

– Não sei – respondeu Gabriel, dando de ombros. – Mas, você sabe, o hotel não pertence a ele. Ele é só um empregado como eu.

– Ah – disse Ted. – Entendi. Então a quem o hotel pertence?

– A acionistas – disse Gabe. A PanCont tinha hotéis no mundo inteiro e estava entre as ações vendidas na bolsa dos Estados Unidos. – Acionistas americanos, acho.

– E seus colegas de trabalho. Você já contou para eles?

– Ainda não, papai. Eles não vão se importar. A atividade culinária tem muita rotatividade. As pessoas não param num lugar.

– Não posso dizer que fiz muito disso. – Ele sorriu para admitir o toque de ironia. – Não, não me mexi tanto assim. Talvez devesse ter feito, mas agora está um pouco tarde para pensar nisso. A fidelidade não significa mais nada. Ela representa pontos no seu cartão do clube Tesco. Significa beba cinco chás e ganhe um grátis.

– Somos uma nação de comerciantes, papai.

Ted assoou o nariz. O esforço fez com que parasse um pouco de falar.

– Mas não olho para trás com o desejo de ter agido de modo diferente. Só nas coisas pequenas, talvez. Você sabe, eu estava parado junto da janela esperando Jen, acho que foi na outra semana, e havia um melro no gramado. E eu estava ali apreciando seu jeito de tentar puxar uma minhoca da terra. E há uma fascinação nisso tudo, se você estiver disposto a perceber. Bem, nós nunca olhamos de verdade. Dá para ver as cores nas penas, como um vazamento de óleo sobre a água, dá para ver a beleza na ave, quando se leva o tempo necessário.

— Sabe de uma coisa – disse Gabe. — Você se lembra de que estávamos falando sobre o que é ser britânico, sobre o que isso significa. Aí está sua resposta. É isso o que sempre fizemos como país: mercadejar. Somos uma nação mercantil. Se existe uma identidade nacional, é essa. É o que ela é.

Ted pôs as mãos na mesa e as passou pela toalha de mesa de papel.

— No passado, sim, mas já não é assim. Você sabe a quantas anda o balanço de pagamentos? É, calculo que saiba. Quando éramos a fábrica do mundo, vendíamos para todos os cantos e tínhamos um superávit saudável, sabe. Mas agora temos um deficit enorme porque tudo o que conseguimos fazer é comprar. Não somos uma nação mercantil, mas uma nação de consumidores, só isso.

— De onde vem o dinheiro, então? É preciso ganhar dinheiro para poder gastar. Se as pessoas querem gastar dinheiro em compras, cabe a elas decidir.

— É claro que cabe a elas. Não estou dizendo a ninguém o que deve fazer. — Ted cruzou os braços, como se, mesmo que lhe implorassem, ele fosse se recusar a conduzir a nação agora. — Mas este país precisa acordar. Ele está num mundo de fantasia. Por quanto tempo poderá continuar?

— Por quanto tempo poderá o quê continuar? — Gabe procurou impedir a irritação de aparecer na sua voz.

— Já não temos indústria – disse Ted. — Não produzimos nada. Não se pode construir uma pirâmide de cabeça para baixo. Ela há de tombar. Os alicerces precisam estar certos.

— Você está querendo dizer que já não fazemos navios? Automóveis? Tecidos? E daí, papai? E daí? Tem mais gente empregada em restaurantes de curry agora do que na soma de todas aquelas antigas indústrias. E daí? O que há de errado nisso?

— Não se pode comprar uma caixa de fósforos feita neste país; um navio, nem pensar. Não se pode comprar uma televisão, uma máquina de lavar roupa ou qualquer produto elétrico feito aqui. Todos os componentes são estrangeiros, e tudo o que temos são algumas montadoras, na maioria de proprietários estrangeiros.

Gabe estava com os cotovelos em cima da mesa, as juntas dos dedos se pressionando umas às outras. Enquanto escutava, ele mordia o punho.

– Nós seguimos em frente. Passamos para um patamar mais alto. As pessoas têm dinheiro para gastar. Nos principais restaurantes de Londres, não se consegue nem mesmo arrumar uma mesa. E estamos falando de lugares que cobram cem libras por cabeça. São os invisíveis, papai, sabe? Bancos, finanças, propaganda. Tudo isso.

– Invisíveis – repetiu Ted, transformando-a numa palavra desajeitada. – O rei está nu. O país inteiro está vivendo de crédito.

– A economia está em forte desenvolvimento. O que pode estar tão errado com isso?

– Você entende essas coisas melhor que eu – disse Ted, com um suspiro. – Para um velho como eu, é um castelo de cartas. Não há nada sólido, é só isso o que estou dizendo. Mas você não precisa me dar ouvidos.

Gabe não gostava dessa última tática de Ted, a de dizer "você é inteligente" ou "você compreende", para depois contradizer tudo o que Gabriel dizia.

– Não se precisa entender toda a economia para conseguir viver bem. É possível simplesmente dançar conforme a música sem se preocupar com ela. Já tenho motivos suficientes para preocupação.

– É, tem o casamento – disse Ted.

Gabriel mordeu a língua. Não estava preocupado com o casamento, mas, sim, com o restaurante. Típico de papai, interpretar absolutamente tudo errado.

De noite, ele ligou para o celular de Lena. Entrou em correio de voz, e Gabe deixou uma mensagem. Tentou outra vez mais tarde e depois mais uma vez antes de ir dormir. Sentou-se na cama com o celular e digitou seu número, contou os sete toques antes de o serviço de secretária eletrônica interromper a chamada e então desistiu. Ele desligou o abajur e se deitou com o telefone no travesseiro. Por que ela não tinha ligado de volta para ele? Onde poderia estar e por que não tinha levado o telefone? Ele apanhou o celular e verificou toda a sua agenda de endereços. Lá estava o nome dela, Lena, esses pequenos fragmentos de letras numa telinha luminosa. Isso era tudo o que ele tinha dela, e era melhor do que nada. Por isso ficou ali deitado, no escuro, imaginando se nunca iria vê-la outra vez e olhando para seu nome.

Capítulo 13

—⚝—

OONA CHUPAVA A PONTA DO LÁPIS, ENQUANTO SOMAVA OS VALORES DA noite anterior. Ela anotou alguns números, lambeu a ponta do dedo e virou a página do livro de reservas.

– Ora, me esqueci totalmente até onde contei. – Ela voltou rápido para a página anterior.

Gabe empurrou o pé contra a cesta de lixo. Equilibrou o sapato na borda e ficou balançando a cesta para a frente e para trás.

– Dezenove mesas de quatro, isso dá... 76. – Oona cantarolou baixinho enquanto se debruçava sobre o livro, como se fosse possível ninar os números para que se submetessem. – E 17 de dois... 32, não, 34.

– Oona – disse Gabe –, temos uma calculadora aqui. – Uma bola de papel rolou para o chão. Gabe endireitou a cesta, mas seu pé ainda brincava na borda.

– Ora – disse Oona. – Uma calculadora. – E ela deu sua risada cósmica.

– Me passe esse livro – disse Gabe, fincando uma caneta na calculadora.

– Exercício – disse Oona. – Preciso exercitar o cérebro.

Tinha recebido uma mensagem de Rolly naquela manhã sobre algum problema com seguros no novo ponto. Rolly não parecia estar no melhor dos humores.

– Vamos seguir adiante. Me passe o livro.

– Estou quase terminando – disse Oona. – Só faltam os que não fizeram reserva. Agora, a quantas estávamos? Em 67 e 32?

– Não, 76 e 34 – disse Gabe.

Para ser um *restaurateur* de sucesso, era preciso saber muito mais que culinária. Havia as questões de saúde e segurança no trabalho, as normas tributárias, o regulamento do corpo de bombeiros, as leis trabalhistas, as normas da construção civil, alvarás, proteção ambiental e vigilância sanitária. Era preciso lidar com seguros. Havia o marketing, promoção e propaganda. E mais, sempre mais.

– São 67 e 34 – disse Oona, arrastando as palavras dali até o infinito.

– São 76 – disse Gabe. – SETENTA E SEIS. – A lata de lixo rolou e caiu com estrondo quando ele deu um pulo da cadeira e arrancou o livro das mãos dela. – Meu Deus! – disse ele, enquanto voltava a se sentar. – Olhe, sinto muito, mas não temos o dia inteiro.

Oona tirou seus prendedores de cabelo da frente do jaleco branco de chef. Ela os aninhou na palma da mão, talvez pensando se deveria devolver suas insígnias.

– Não se preocupe – disse Gabe. Ele estava precisando de mais uma dose de café, depois de mais uma noite de sono interrompido. – Diga a Damian para me trazer um *espresso* duplo e reúna todos daqui a dez minutos. Preciso rever algumas coisas. Certo?

– Hum, hum – disse Oona, com os olhos amendoados, sonolentos de indiferença. – Certo.

Ela voltou a fixar os prendedores de strass na frente do jaleco. Quando fez uma pausa de alguns instantes, Gabriel precisou se conter para não dar um pulo e derrubá-la da cadeira.

Naquela manhã, a brigada da cozinha estava menos parecida com uma assembleia das Nações Unidas e mais com uma tripulação de navio pirata. Ivan estava com sua bandana vermelha. Benny, com as calças arregaçadas. E Damian fedia a bebida. O Chef Albert estava parado à frente, com um gancho de bater massas na mão, atacando e se defendendo diante de algum inimigo invisível. E Victor estava com um cigarro apagado pendurado na boca. Gabriel ficou olhando fixo para Victor até ele pegar o cigarro e o encaixar atrás da orelha. Gabe deu uma passada pelos pratos do dia. Damian se apoiou na superfície de trabalho e arrotou. Alguém precisava pô-lo na linha antes que a bebida o dominasse totalmente.

– Setor de confeitaria – disse Gabe. Oona mais uma vez tinha metido os pés pelas mãos. E agora Gabe ia ter de escutar enquanto o chef Albert se queixava e se lamentava. – A festa de hoje à noite... eles não queriam um bolo grande. Queriam bolos individuais, com uma vela em cada.

Chef Albert pendurou o gancho de bater massas no cinto.

– São 95 convidados, não? Noventa e cinco bolos de aniversário para hoje à noite?

– É – respondeu Gabe.

Oona não tinha lido direito a planilha. Estava tudo anotado lá. Não era só o trabalho a mais para a confeitaria. Era também o aumento nos custos.

Chef Albert fez biquinho e deu de ombros, com as mãos nos quadris.

– Sou um *pâtissier*.

– Bem – disse Gabe –, não adianta chorar. É bom melhorar o planejamento para a próxima vez.

Ele fez um gesto de cabeça para Oona, na esperança de que ela entendesse o recado, mas ela retribuiu com um cumprimento satisfeito e sorridente que o fez perceber de uma vez por todas que era totalmente inútil esperar qualquer coisa dela.

– Chorar? – disse chef Albert, olhando ao redor. – Está ouvindo algum choro? Um *pâtissier* não adora fazer bolos?

– Você está se sentindo bem? – perguntou Gabriel.

Era inconcebível que Albert perdesse uma oportunidade para se queixar. Deixar de se queixar, no que dizia respeito a chef Albert, era praticamente o mesmo que desistir de viver. Ele não seria o primeiro confeiteiro que Gabriel conhecia que tinha decidido abandonar todas as esperanças.

Chef Albert arregalou os olhos tristonhos.

– Esto-ou – disse ele, alongando a vogal com espanto. – *Je suis en pleine forme*. Como vocês dizem? Estou em perfeita forma. – Ele enfiou a mão no bolso do peito e dali tirou um frasco de comprimidos. – Meu médico me dá mais do que a saúde. Ele me dá *mim* mesmo!

— Fico feliz — disse Gabriel, ansioso por passar adiante na lista antes que Albert enveredasse por algum lamento gaulês de peito aberto. — Certo...

— Como eu queria — disse Chef Albert — que esse homem estivesse na minha vida há dez, vinte anos. Toda essa tristeza e todo esse sofrimento... eu achava que era simplesmente meu temperamento, minha sensibilidade, o artista em mim. Mas não! — Albert estava realmente muito animado hoje. E parecia ter perdido aquela sua aura de gelo quebradiço, embora talvez isso fosse por seu uniforme estar menos engomado do que de costume. — Não! Esse sofrimento não tem nenhum significado. É só um desequilíbrio químico! *Alors,* mais um milagre! Meu primeiro nascimento foi com minha mãe, que sua alma descanse em paz, e meu segundo foi com os comprimidos.

— Sorte sua — disse Gabriel. — Natal. Não falta muito para o Natal, e vamos ficar ocupadíssimos daqui até o Ano-novo. Se alguém quiser tirar alguma folga no período do Natal, entregue o pedido até o final do dia de hoje, e eu vou pensar. Se não conseguirem entregar o pedido até amanhã, já será tarde demais. Fui claro?

Ele olhou para sua turma de valentões mal-amanhados. Damian olhou de volta para ele com os olhos vidrados, sendo o tremor involuntário da sua pálpebra o único sinal de vida. Qual era o problema com o garoto? Onde estava sua ambição? A cozinha levava muitos homens a beber, mas Damian — quantos anos teria?, 17, 18? — mal tinha tido tempo de ficar com sede.

— Eu achava meu primeiro chefe um filho da mãe — disse Gabriel, tentando segurar o olhar inquieto de Damian. — Ordens dadas com violência, faça isso, faça aquilo. E, quando ele lhe passava um sabão, costumava empurrar você contra a parede com o braço atravessado no seu pescoço. Ninguém apresentava pedidos para as festas de Natal. Ele pregava uma lista no quadro de avisos e cada um ficava com o que lhe estava designado. Os péssimos velhos tempos. Mas sabem de uma coisa? — Gabe pôs as mãos na superfície de trabalho e as passou pela beirada. — Depois de algum tempo, eu me dei conta de que desperdiçava muita energia odiando aquele cara. Peguei essa energia e a transformei em algo de útil. Gastei-a fazendo um plano: o de aprender o máximo possível, sair dali, ir para algum lugar melhor e depois algum lugar ainda melhor até que eu fosse o chefe. E foi isso o que fiz. Dediquei alguma energia a isso. Persisti.

Nikolai, que estava em pé ao lado de Damian, abanou a cabeça.

– Bela história – disse ele. – É para isso que as histórias existem: para criar a ordem a partir do caos da nossa vida.

– Ah, é mesmo? – disse Gabriel. – E para que serve um *chef commis*? Para picar legumes, é para isso.

Ele detestava o jeito de Nikolai se fazer de rei filósofo em trapos, intelectual no *gulag*. Este era um país livre. Ninguém o estava prendendo ali. Ele rejeitava até mesmo uma promoção ínfima, para poder ter uma melhor sensação de ser oprimido, em vez de procurar galgar postos como um homem honesto.

Victor, com um largo sorriso, embaralhava um baralho imaginário.

– Cara, agora é você quem é o filho da mãe.

– Victor, meu amigo – disse Gabriel, começando até com bastante calma. – Vou ficar grudado em você hoje. Vou ficar mais grudado em você do que essas espinhas aí entre seus olhos. Estou em cima de você como os furúnculos no seu traseiro. Entendeu? ENTENDEU O QUE EU DISSE? – Gabe arrancou a mão do alto da cabeça, onde ela fora parar, e ficou ali em pé abrindo e fechando os punhos. Ele controlou a respiração, lenta e profunda. – Agora, mais alguém tem alguma coisa a dizer?

Ivan avançou afastando um auxiliar de limpeza e uns dois *commis*.

– Eu tenho uma coisa. Quem foi o sacana que roubou minha faca? – Seu jeito furioso de olhar para Victor sugeria que a pergunta era meramente retórica.

– Nunca pus as mãos na sua faca imunda, meu irmão – disse Victor, estremecendo.

O encarregado da grelha levou a mão à virilha e arrumou o saco de uma maneira estranhamente ameaçadora, como se os testículos, e não o cérebro, fossem determinar qualquer linha de ação que ele pudesse tomar. Sua orelha estourada agora estava vermelha como a bandana.

– Faca Henckels – rosnou ele. – Faca alemã. Minha faca, trate de devolver.

– Escute aqui, seu veado, não peguei sua faca.

– Veado? – disse Ivan. – Veado? Pode se curvar e abrir a bunda que eu vou lhe mostrar... – Ele fez um gesto obsceno com o punho. – Vou lhe mostrar quem é bicha.

Embora a cena o entediasse, Gabe sentiu vontade de rir. Todos estavam se esforçando para ver o que iria acontecer em seguida. Até mesmo Damian estava mais ou menos empertigado.

– Vi uma faca – disse Benny –, perto das lavadoras de louça. Pode ser que seja a sua. – Ele se apressou a ir até lá. – É essa? – disse ele, voltando.

Ivan deu uns resmungos, que não transmitiram grande coisa em termos de gratidão. Ele arregaçou uma manga e experimentou a lâmina, raspando os pelos no antebraço.

– Não há de quê – disse Benny. Suas boas maneiras nunca o abandonavam. Se ele fosse assaltado, Gabriel imaginava, ele diria *não há de quê* quando os agressores estivessem indo embora.

– Fim do espetáculo – disse Gabe, batendo palmas. – Continuem com os preparativos. Tratem de se mexer. Vamos.

Alguns cozinheiros resmungaram sim, Chef, quando lhe deram as costas.

– Não ouvi nada – gritou Gabriel. – O que vocês disseram?

– Sim, Chef – entoaram eles em voz alta e clara, dessa vez.

Gabe puxou Oona de lado enquanto ela tentava ir se afastando arrastando os pés chatos.

– Posso falar com você?

– Vou fazer uma boa xícara de chá para nós.

– Não, Oona, sem chá. Não vai levar muito tempo. É essa história dos bolos. Bem, não é só isso, é tudo, ela foi só a ponta... – Gabe recomeçou. – Oona, estou lhe dando uma advertência formal. Vou pôr por escrito. Você nos fez gastar tempo e nos fez gastar dinheiro, mais uma vez.

– Mas, querido – disse Oona. – Não foi...
– Não, Oona, chega de oportunidades. De agora em diante, vou seguir as normas.

Gabriel estava sentado no escritório examinando sua lista. Riscou o primeiro item e acrescentou três. Olhando na gaveta, em busca de uma esferográfica nova, ele encontrou outra lista. Havia ainda mais uma no caderno que trazia na bolsa, e outra em casa, além da que ele tinha começado a digitar no computador. Era muito provável que houvesse outras, escondidas por baixo das pilhas de papelada, esquecidas em bolsos de paletó, presas em arquivos em algum lugar. Se ele agora conseguisse se organizar, poderia criar uma lista geral, com absolutamente tudo nela. Ou talvez o que fosse necessário fosse um conjunto de listas nitidamente separadas, divididas em categorias de... bem, o ponto a partir do qual ele deveria começar seria fazer uma lista das listas necessárias. Era isso o que faria neste exato momento. Depois de verificar seus e-mails de novo. Quem sabe não ligaria primeiro para Lena?

Ela estava enroscada numa posição fetal no sofá quando ele voltou ao apartamento na noite anterior. Todas as luzes estavam apagadas, e a televisão estava ligada. Ela estava assistindo a um reality show.

– Oi – disse Gabe, abaixando-se para se sentar no sofá. – Senti falta de você. – Era ridículo dizer isso.

Lena deslizou uma perna para cima do seu colo. Ele massageou o arco do seu pé.

– Por que você gosta de ver isso?

– É televisão ao vivo – respondeu Lena –, qualquer coisa pode acontecer.

– E o que acontece de verdade?

Eles estavam vendo alguém limpar um tampo de armário de cozinha. A câmera cortou para duas moças, uma penteando o cabelo da outra.

– Nada – disse Lena, estalando a língua.

– Então por que você gosta?

— Não tem motivo. Só porque... — Ela deu um suspiro com a imbecilidade dele. — É só do que eu gosto.

Ele olhou para o rosto dela em perfil, à luz dardejante da tela. Num instante, seu cabelo estava engordurado, e ela parecia macilenta e de rosto encovado; e no instante seguinte o cabelo estava muito bem penteado, e as feições apresentavam traços finos. Ela era como um daqueles desenhos de Escher, o que se via dependia de como se olhava ou do que se estava procurando.

— Liguei para você e deixei mensagens — disse ele. — Duas ou três. Você abriu?

— É, acho que abri — disse Lena. Ela dava a impressão de que o assunto não era do menor interesse concebível para ela.

— Mas não ligou de volta. Você estava aqui?

Ela estalou a língua. Era como uma adolescente mal-humorada. Não tinha a menor elegância. Não conseguia pensar em ninguém além de si mesma.

— Lena, essa história do seu irmão.

Ela se sentou.

— Eu tenho uma foto. — Ela revirou a bolsa, que estava no chão. — Pasha — disse ela, empurrando a fotografia na direção de Gabe. Ela se levantou e acendeu uma luz. — Muito bonito, é.

O irmão não era em nada parecido com Lena. Era moreno, tinha um olhar debochado e havia um toque de roxo nos seus lábios.

— Diga-me de novo — disse Gabe — o que aconteceu. Como vocês perderam contato?

— Quando eu moro com garota da Bulgária, falo com Pasha, e ele diz que vem logo para Londres. Então... já contei, Boris aparece no meu trabalho, e eu fujo.

— Bulgária? — disse Gabe. — Eu achava que a garota era da Ucrânia.

Lena torceu os brincos. Transformou isso num gesto de desdém.

— Garota da Ucrânia, primeiro. Garota da Bulgária depois. Por quê? Qual é a diferença para você?

– Não é nada. Seus pais devem saber onde Pasha está. Você não pode ligar para eles para descobrir?
– O telefone deles não funciona. – Falou como se estivesse sendo submetida a um interrogatório.
– Pode ser que tenha sido consertado agora.
– Não funciona. Pode ser que eles foram para outro lugar.
– Seu irmão não tem o número do seu celular?
– Por que você está perguntando isso?
– Estou tentando ajudar você, Lena.
– Por que você pergunta se Pasha tem esse número? Yuri compra esse telefone para mim. Depois que eu fujo, Pasha não tem jeito de descobrir. Você acha que meu irmão não levanta telefone para mim?

Havia alguma coisa na história de Lena que não se encaixava. Mas, se pudesse ajudá-la, ele ajudaria a coitadinha.

– Certo – disse ele, com delicadeza. – Certo. O que você quer que eu faça?

Lena tentou suavizar sua expressão e conseguiu somente parecer dissimulada. Olhou para ele com olhos semicerrados enquanto falava.

– Pode ser que Pasha está em curso de línguas. Você encontra ele lá. Pode olhar alguns lugares onde os russos vão conversar e beber. Estação de ônibus também. Sabe onde fica? Victoria. Lugar para arrumar trabalho. Muita gente vai lá buscar trabalho.

Era um pedido ridículo. Quantos cursos de línguas havia somente em Londres? E, mesmo que Pasha tivesse se matriculado num deles, para obter um visto de estudante, não havia a menor garantia de que ele fosse realmente aparecer lá. Era mais provável que tivesse desaparecido na economia clandestina e que não quisesse ser encontrado.

– Vou tentar – disse Gabe. – Não posso prometer nada, mas vou tentar.

Ela o recompensou com um tapinha no peito.

– Você é um homem bom – disse ela, e voltou a se acomodar para ver televisão.

Nunca lhe ocorreria, pensou Gabriel, perguntar por seu pai. A menos que isso lhe trouxesse alguma vantagem, que estimulasse Gabriel a fazer alguma coisa por ela. Pelo menos, ela não tinha voltado a perguntar pelo dinheiro. Embora fosse provável que isso logo fosse acontecer. E tudo bem. Era sincero. Quanto mais ele pensava no assunto, mais clara a situação se tornava. Se ele ia ter mesmo um caso – melhor dizer um deslize, porque "caso" era uma palavra imponente demais –, na realidade, tinha sido uma sorte que tivesse sido com Lena. As coisas poderiam ter se complicado se ele tivesse escolhido outra pessoa, aquela mulher na sacada, por exemplo, cujas emoções e expectativas seriam desprovidas de qualquer clareza. Com Lena, pelo menos, a interação era bastante simples.

Não havia nada entre eles. Estavam em polos opostos, sem nada em comum. Quando conheceu Charlie, ele soube bem rápido que era provável que funcionasse. Eles tinham o mesmo senso de humor, ela estava na idade certa, os dois gostavam de comida e de música e iam dormir em horários semelhantes. Era um pouco como cozinhar, supôs ele. Se você tivesse os ingredientes certos, poderia preparar alguma coisa boa.

Mas Lena... era só olhar para ela ali, num estado de vida latente diante da televisão. Ele podia continuar a observá-la porque ela mal se dava conta dele. Era tão desprovida de encantos que chegava a ser engraçado. Era realmente encantador, a seu próprio modo.

Depois que foi ao banheiro, ele a encontrou esticada nua na cama. Estava deitada de um jeito tão rígido que parecia que estava esperando não por ele, mas por uma mortalha. Teve vontade de cobri-la, de dizer que não, que aquilo não estava certo. Ele se sentou na beira da cama. Pôs as mãos nos seus pés. Deu-lhe um beijo num dedão e depois no outro. Lentamente examinou cada dedo. Fez massagem ao longo do peito de cada pé. Segurou seus tornozelos nas mãos. Passou a ponta dos dedos pela aresta da canela para sentir como era aguçada. Se pudesse tê-la mais uma vez, o ato terminaria e se dissiparia. Não era nada além de uma sangria, para eliminá-la do sistema, para expurgá-la de uma vez por todas.

Quando terminou, ele a segurou junto do peito, e ela adormeceu. Ele não conseguia dormir mas estava satisfeito por estar ali deitado. No instante seguinte, ele estava caindo. Acordou com um solavanco. Melhor não dormir do que ter aquele sonho de novo.

Lena se soltou, rolando para o outro lado da cama. Gabriel se levantou e foi até a cozinha. Bebeu um copo d'água. Era só um pesadelo, e os pesadelos não matam ninguém. Recentemente, alguém tinha dito exatamente isso para ele.

Gabe tinha apanhado o telefone para ligar para Lena quando Ernie entrou pela porta, segurando junto do peito um porta-fólio, as pernas das calças batendo nas canelas.

– Chef – disse ele. – Tenho uma oferta especial de cartões de Natal. Você gostaria de dar uma olhadinha?

– Vou querer um maço – disse Gabriel, rapidamente. – Quanto lhe devo?

– Ah! – disse Ernie, recolhendo a cabeça. – Num pensei nisso.

– É preciso ter uma lista de preços, Ernie. Ora, vamos, achei que tudo isso estaria no seu projeto.

– Ah, sim – disse Ernie, olhando com ar de súplica para algum ponto à esquerda da orelha de Gabriel. – Num pensei em maços.

– Vou levar dez, está bem? – Meu Deus, pensou Gabriel, como se ele já não tivesse o suficiente a fazer. A outra coisa que Rolly tinha dito na mensagem, *para onde quer que eu me volte, vejo um novo bistrô de luxo sendo inaugurado*. Ele jamais tinha dito nada acerca de um bistrô de luxo para Rolly. Não era isso o que Lighfoot's seria. – Basta que você me dê dez ou doze. Pode me dar uma dúzia.

Ernie pôs o porta-fólio em cima da mesa e abriu o zíper.

– Veja o que eu fiz. Todos são iguais por fora, só com o carimbo da árvore de Natal. E então cada um escolhe o verso que quiser. Preços diferentes para tamanhos diferentes.

– Maravilha – disse Gabriel.

Culinária clássica francesa executada com o tipo de rigor que ele iria impor. Não o surpreenderia se a cozinha acabasse recebendo uma estrela. Os fiscais trabalhavam incógnitos e, se gostassem do lugar... bem, eles gostavam, e isso significava que os preços podiam ser aumentados.

– Esta é a lista de preços – disse Ernie –, e essa aqui é uma lista do primeiro verso de cada poema, em ordem alfabética. E tenho também uma lista dos que já vendi. Desse jeito, vou saber quais são os mais populares e posso planejar para o ano que vem.

Gabe abriu um cartão e leu. *Blim, blom, os anjos tocam o sino, Blim, blom, vejam Jesus Menino...* Ele tirou da carteira uma nota de vinte libras.

– Dê-me quantos eu puder pagar com essa nota.

Sentia-se constrangido por ser forçado a bancar o assistente social, mas havia alguma coisa nas listas de Ernie que era tocante, heroico, como todas as empreitadas irrealizáveis.

– Nosso próprio Poeta do Plástico Bolha, nosso Bardo da Plataforma de Descarga.

A figura impressionante do sr. Maddox enchia o portal e escurecia o escritório. De terno preto, camisa escura e gravata combinando, as mãos juntas à altura da virilha, ele parecia um carregador de féretro à espera do próximo caixão.

– Ernie fez alguns cartões – disse Gabe, enfiando a nota de vinte no bolso superior do auxiliar.

O sr. Maddox entrou com toda a sua altura.

– Como vai, Ernie? Como está a velha inspiração poética, hem?

Se Ernie estivesse usando boné, ele o teria tirado.

– Muito bem, sr. Maddox, obrigado. Muito bem. – Ele ficou numa espécie de posição de sentido mal-ajambrada, encolhendo os ombros e batendo os calcanhares.

Quando o gerente-geral inspecionava os subalternos, era como ver o público em fila para conhecer a rainha. Eles eram dominados por constrangimento, deferência e embaraço, até mesmo os mais rebeldes entre eles, os republicanos não declarados.

— Muito bem — disse o sr. Maddox, retumbante. — Pode sair.

O gerente-geral sentou à escrivaninha.

— Entre aqui, Gareth, sente-se. O que está esperando? Uma droga de um telegrama?

O sr. James, que estava dançando de um lado para outro naquele portal, como o rabo de um rato, tentando ver por cima do chefe, se deixou cair na cadeira disponível.

— Estive na sua cozinha, distribuindo alguns tapinhas nas costas — disse o sr. Maddox. — É preciso dar a quantidade exata. Poucos demais, e os nativos ficam inquietos; uma quantidade excessiva, e eles calculam que vão ganhar algum aumento. Você precisa se livrar de Ernie, por sinal. É você quem vai dizer a ele. — Coçou a parte interna do pulso, ao longo do espectro da tatuagem.

— Ai, Ernie — disse Gabe. — Esse não faz mal a ninguém. Está aqui desde sempre.

— Então dê-lhe um belo de um relógio portátil, mas trate de tirá-lo daqui. — O gerente-geral apanhou um furador de papel e o desmontou, deixando cair no chão pequenos discos de papel branco. — Agora, já temos a data do depoimento — prosseguiu o sr. Maddox. — Você sabe, por causa daquele auxiliar de limpeza noturno... o nome dele, Gareth, o *nome* dele. Você está pigarreando ou é esse o nome dele? Ah, sim, certo. Já entendi. Yuri. Ponha isso na sua agenda, Chef. Vão querer que compareça, imagino eu.

— E a família dele virá? — perguntou Gabriel.

O sr. Maddox pôs um dedo sobre os lábios, com ar de zombaria.

— Puxa, nem pensei em perguntar.

— Ele tinha duas filhas — disse Gabe —, uma estudando economia, e a outra no segundo ano de medicina.

— O resultado do exame toxicológico já veio. Totalmente mamado, é claro. Passe-lhe a data, Gareth. É provável que ela mude. Vamos, tome nota.

— Na realidade — disse Gabe —, Yuri era engenheiro, perfeitamente qualificado.

— É uma investigação criminal, Chef, não um programa de perguntas e respostas. Daqui a pouco, você vai me dizer a cor da escova de dentes do cara. Bem, perdemos um bom homem. É o que vou dizer quando me chamarem para depor. Um bom homem perdeu a vida. – Ele fez uma pausa para saborear a frase, que obviamente achava que soaria muito bem no tribunal do júri de instrução. – Essa é a notícia que lhe trazemos hoje, Chef. E o que você tem para nós?

– É – repetiu o sr. James –, o que você tem para nós?

O sr. Maddox levou a mão a uma orelha.

– Alguém mais está ouvindo um eco aqui dentro? Aqui dentro faz eco?

Gabriel viu o vice-gerente contrair e relaxar as nádegas, com uma camada vidrada de sofrimento sobre o rosto.

– O que você estava esperando de mim, Gareth?

O sr. James consultou a prancheta.

– Os números da noite de ontem e da noite anterior. A previsão trimestral da cafeteria. Os orçamentos definitivos do serviço noturno de copa.

– Não estamos na droga da reunião de Alimentos e Bebidas – disse Maddox, mudando de posição na cadeira, batendo numa caneca e derramando borra de café em cima da lista de Gabriel.

– O Chef faltou à reunião de Alimentos e Bebidas desta semana – disse o sr. James, como se estivesse citando um crime punível com pena de morte.

– Gareth...

– Sim, sr. Maddox?

– Cale a boca.

Gabe se voltou para o sr. James.

– Irei ao seu escritório para repassar os números com você.

Recostando-se e derrubando uma pilha de panfletos de fornecedores, o sr. Maddox farejou o ar, respirando fundo.

– Está sentindo algum cheiro?

– Sinto o cheiro do almoço – disse Gabe.

– Neste nosso ramo – disse o sr. Maddox, falando mais alto do que Gabriel –, nós desenvolvemos o faro. Um faro para detectar encrenca. Um faro para detectar qualquer coisa podre. O que

houver de suspeito. Não se sabe o que é, nem onde está, mas acaba-se descobrindo porque se seguiu o faro.
— Não tenho certeza se...
— Tudo o que estou dizendo... a conversa que tivemos no outro dia... você tem alguma coisa para mim? Estou confiando em você.
— Não, no fundo não tenho. Mas é claro que estou atento.
— É claro, é claro — disse Maddox —, você está conosco, não está? Ele está, não está, Gareth? Ele faz parte da equipe. Você está satisfeito conosco, Chef? Está acomodado? Não está planejando dar o fora?
— Eu? — perguntou Gabe. — Não. — As palavras soaram com uma clareza e falsidade tão alarmantes que ele entrou em pânico. Ele precisava mudar o foco da atenção. — Stanley Gleeson — disse ele. — Tenho certeza de que ele está aprontando alguma coisa.
— Certo — disse o sr. Maddox. — Prossiga.
— Ainda não sei, mas estou de olho nele. E depois tem o Pierre — continuou Gabe, meio tagarela, mencionando o gerente do bar.
Ele se levantou e foi mexer no ar-condicionado. O suor escorria pelas suas costas. Mas qual era a pior coisa que podia acontecer se Maddox descobrisse que ele estava planejando ir embora? Ele seria demitido seis meses antes do tempo previsto, mas e daí? E daí! Ele não podia permitir que isso acontecesse. Tinha investido dinheiro próprio na sociedade. Já havia custos: o arquiteto já tinha enviado a fatura. E Gabe não aguentaria passar seis meses sem remuneração. Ainda pior, Rolly e Fairweather poderiam usar a demissão como pretexto para se retirar da sociedade. Passe um ano no Imperial, disseram eles. Prove do que é capaz. Um ano, disseram. Não seis meses. Maddox, que filho da mãe. *Estou confiando em você.* Que safadeza dizer uma coisa dessas.
Gabe ajustou o termostato.
— É, eu ia tocar no assunto... Pierre, às vezes faz pedidos escritos à mão pelo bar e nunca os registra no caixa. Ou ele está embolsando o dinheiro ou dando refeições de graça.
— Verdade, Sherlock — disse Maddox —, dando refeições de graça? O barman? Não me diga que ele está servindo doses duplas e cobrando simples?

Ele riu. Seu riso, que não continha alegria, era como uma série de objetos pesados caindo ao chão, talvez bolas de chumbo, alguma coisa que provocasse na gente a vontade de sair correndo do caminho.

– Só estou sendo franco com você – disse Gabriel.

Por um instante, Maddox se inclinou na direção dele, atirando seu olhar como uma bola de demolição pelo rosto de Gabriel. Pareceu satisfeito.

– A franqueza tem seu valor. E, como você diz, fique de olho em Stanley. Tem alguma coisa de estranho naquele homem. Não sei o que é, mas meu faro me diz. Ele está aprontando alguma, tenho tanta certeza disso quanto dos olhos na minha cara. – Ele se levantou e olhou ao redor da mesa. – Talvez você devesse dar uma arrumada nisso aqui. Não sei como consegue encontrar alguma coisa nessa bagunça toda.

O pessoal de atendimento no salão transformou o serviço de almoço num banho de sangue inesperado, cometendo erros a cada instante. Pratos eram devolvidos frios, e Gabe sabia com tranquilidade que tinham saído quentes da cozinha. A garçonete sueca estava confundindo os pedidos, levando-os às mesas erradas e voltando sem a menor pressa para a cozinha para avisar que o "prato errado" tinha sido mandado.

– Trate de cuidar dela – disse Gabe a Gleeson – antes que eu me encarregue disso.

– Um pouco estressante na cozinha hoje, não é mesmo? – Gleeson parecia um boneco de cera, todo rígido e artificial, sem um fio de cabelo fora do lugar.

– O que ela está usando? Drogas ou sei lá o quê?

– Ora, vamos – disse Gleeson, com a voz melodiosa –, essa é uma alegação grave a fazer.

– Então o que ela *está* usando? A ponta do seu pau? Stanley, a garota vive voando. Ah, olhe só, ali vem ela. Pronto? Vou contar até dez. Stanley, tire essa filha da mãe da minha cozinha, ponha para servir café, porque, se você não fizer isso, estou avisando, vou enfiá-la num freezer horizontal e deixá-la trancada lá dentro até o fim do serviço hoje à noite.

– Vindo de você – disse Gleeson, com um brilho desonesto no olhar –, vou levar isso a sério. Afinal de contas, já houve uma morte aqui embaixo.

Ele foi se aproximando da garota sueca e curvou um braço solícito por trás das suas costas enquanto a conduzia para longe dali.

– Seu merda – gritou Gabriel, conseguindo recuperar a voz só quando Gleeson chegou às portas de vaivém. – Seu palerma! Idiota!

Gleeson deu meia-volta, tapando as orelhas com as mãos e revirando os olhos.

– Esse seu gênio – disse ele, sem levantar a voz, – ainda vai lhe causar problemas um dia desses.

Oona veio se juntar a Gabriel na passagem, murmurando fórmulas encantatórias.

– "Vinde a mim, todos vós que labutais e estais sobrecarregados; e eu vos darei descanso." Mateus 11, versículo 28.

– Esse aí vive para me provocar – disse Gabriel. – Ele...

– "Pois de que lhes adiantará se conquistarem o mundo inteiro mas perderem sua alma?"

– Deus do céu – disse Gabe, enxugando a testa.

– Hum, hum – disse Oona.

– Olhe, dá para você assumir? Preciso dar uma parada.

Oona estalou a língua.

– Eu não acabei de lhe dizer isso, querido? Trate de ir descansar um pouco.

Seu cubículo estava tão quente quanto a cozinha inteira. Gabe baixou mais uns cinco graus no termostato. Ligou para o celular de Charlie, e a única palavra que disse foi o nome dela, mas isso foi o bastante.

– Você parece um pouco perturbado, meu noivo, não dá para sair daí um pouco?

– Não – respondeu ele, verificando seus e-mails. – Na verdade, não dá, mas vou sair. Onde você está?

— A caminho do Museu Britânico. Venha se encontrar comigo. Eu lhe levo uns sais aromáticos.

Em cima do balcão, no jornaleiro onde Gabriel parou para comprar cigarros, havia uma bandeja de papelão com anéis ajustáveis "de namoro" para que menininhas comprassem quando entrassem ali em busca de uma barrinha de chocolate ou de um exemplar da revista *Sugar*. Gabe comprou um e o enfiou no bolso. Foi andando na direção norte pela Charing Cross Road. A caminhada foi desanuviando sua cabeça. Eles tentariam ter um filho assim que se casassem. Não era como se Charlie tivesse tempo a perder. Os primeiros anos seriam difíceis, com ele trabalhando o dia inteiro no restaurante, mas ele imaginava que ela traria o filho quase todos os dias. O filho cresceria numa cozinha. Ela seria como um segundo lar para ele. Ele se importaria de ser arrastado para lá? Eu costumava ir à Rileys, pensou Gabe. Não me prejudicou em nada. Ele sorriu com o lugar-comum. Bem, não prejudicou mesmo. E o menino iria aprender ao seu lado.

O que ele ensinaria ao menino? O que o menino teria aprendido no dia de hoje se tivesse passado o dia com Gabe? Não era um dia bom para ser acompanhado. Será que era assim tão diferente de todos os outros? Gabe deu um suspiro porque uma geração atrás estava perfeitamente certo levar o filho ao trabalho, como Ted fazia, para lhe mostrar como ser homem. Os valores que Ted pregava em casa, ele praticava no trabalho. Mas o mundo não era mais daquele jeito. Gabe não tinha orgulho de como as coisas estavam agora. E também não sentia vergonha. Se não era franco com o sr. Maddox hoje, era porque era assim que tinha de ser. O gerente-geral pedia lealdade. E ao mesmo tempo queria que Ernie fosse mandado embora depois de trinta anos de trabalho. Confiança, lealdade, dedicação... palavras que não passavam de fragmentos do discurso gerencial. Era preciso ter táticas, mergulhar no estado mental exigido pelas reuniões, deixar evidente que se cooperava. O comportamento de um homem no trabalho não dizia nada sobre seu caráter.

A família, pensou Gabe, *é nela que cada um mostra que tipo de pessoa é.* Em breve, teria sua família. Subiu correndo a escada do museu para o lugar onde Charlie estava esperando, e a envolveu num abraço.

Ela lhe deu três beijos nos lábios.

– Você deve ter sido uma jiboia numa vida passada. Esse casaco que você está amassando é novo, sabia?

– Desculpe – disse ele, soltando-a. – Olhe o que trouxe para você.

– Da Tiffany – disse ela. – Não deveria ter feito isso. Quer dizer que agora estamos noivos oficialmente.

– Vamos escolher outro juntos, mas não pude resistir à ideia de pôr um anel de noivado no seu dedo nesta tarde.

Charlie riu e estendeu a mão.

– O incrível é que até que eu gostei deste aqui.

– Certo. Laranja é bonito, combina com seus olhos. Charlie, estive pensando. Não vamos demorar muito nisso, é preciso pensar em papai... e, seja como for, poderíamos marcar uma data no cartório, sem grandes festas, só fazer o que tem de ser feito.

Eles agora estavam entrando no Grande Pátio, com o domo de vidro se estendendo lá no alto, abrigando as pessoas, os prédios, como uma daquelas tempestades de neve que se agita e se põe em cima da mesa de trabalho.

Charlie pegou Gabe pelo braço e o guiou na direção da escada.

– Um romântico incurável – disse ela. – E eu não vou poder chegar de carruagem puxada por cavalos brancos? E não vou poder usar vestido de noiva?

– Vamos fazer do jeito que você quiser – disse Gabe, perguntando-se qual seria o modo mais rápido de tirá-la dali. O ar estava viciado. Havia uma quantidade excessiva de grupos de escolares. Eles sempre acabavam olhando para fragmentos de velhos potes de barro.

– E então me fale de vovó Higson – disse Charlie – e me fale do seu pai.

Eles seguiam pelos corredores primorosamente iluminados, falando com a voz abafada de fiéis num templo, parando de quando em quando para se debruçar sobre uma vitrine de moedas antigas.

— Pensei que podíamos ir à Idade do Bronze — disse Charlie.
— Tem alguma coisa sobre banquetes que você gostaria de ver.

Eles contemplaram inúmeros baldes e conchas de bronze, bem como "ganchos de carne" feitos de pedaços de bronze unidos por hastes apodrecidas de carvalho. *Os banquetes eram importantes ocasiões sociais e políticas para as pessoas da Idade do Bronze,* leu Gabriel. *Oferecer um banquete podia fortalecer a lealdade e reforçar laços de obrigação nos convidados. Também proporcionava aos anfitriões uma oportunidade de exibir seu status e seus bens valiosos.*

— Você não acha tudo isso um pouco... sabe? — disse Gabe.
— Um pouco o quê?
— Chato.
— Gabriel Lightfoot — disse Charlie, cruzando os braços e jogando a cabeleira flamejante. — Agora que decidimos nos casar, você não vai se revelar um filisteu enrustido.
— De modo algum — disse Gabriel. — Mais culto que eu é difícil. Mas acho que estou precisando de um café. Vamos ao café.

Pegaram os cafés para viagem porque Gabriel disse que precisava de ar fresco também. Foram se sentar no muro que limitava o gramado da frente, vendo o desembarque dos ônibus, o movimento requintado de Great Russell Street, as lâmpadas preguiçosas que bocejavam com o entardecer. Gabriel acendeu um Marlboro Light.

— Já entendi — disse Charlie. — É por isso que você queria sair. Desde *quando* você fuma?
— Deixei o cigarro anos atrás — disse Gabe —, antes de conhecer você. Mas... não voltei a fumar.

Charlie estremeceu e pôs as mãos nos bolsos do casaco. Era um casaco creme com a gola e uma borda de pele escura, perfeito para chamar um táxi até o Savoy, não para pegar um ônibus de volta a Edgware Road.

— Estou tendo uma alucinação — disse ela.
— Sempre fumei um ou dois, no trabalho — disse Gabe. Por que estava mentindo para ela? Qual era o sentido? — Uma saída

até a área de descarga de mercadorias, uma fumadinha, nenhum mal nisso, certo?

– Não – disse ela, olhando para ele. – Acho que não. – E descansou a cabeça no seu ombro. – Vou ao seu apartamento hoje, ou você vem ao meu?

Gabriel tragou coragem e nicotina para o fundo dos pulmões. Era agora. Ele precisava falar com ela agora.

– Charlie, isso vai parecer... Deixe-me começar do início. Está lembrada de eu ter lhe falado do auxiliar de limpeza, o que morava no porão?

Ela se afastou. Já havia suspeita no ângulo dos seus ombros, na inclinação da cabeça, e ele não tinha dito nada ainda.

– Yuri – disse ela –, o que morreu.

Ele precisava desembuchar rápido, não dar a impressão de que estava fazendo rodeios.

– Havia uma garota morando lá com ele, uma das lavadoras de louça. De início, nós não sabíamos da existência dela. E então eu a vi. Ela voltou para procurar um dinheiro que tinha escondido na parede, e ele tinha sido roubado. E ela voltou para procurar e não tinha para onde ir. Ela não tinha nenhum dinheiro, nenhum lugar aonde ir e estava apavorada... se você tivesse visto... estava morrendo de medo de que pusessem a culpa nela por alguma coisa, que se encrencasse. Por isso, resolvi ajudá-la. Nem pensei muito, só lhe ofereci um lugar para ficar.

Ele terminou o cigarro e jogou fora a guimba. A história parecia razoável, pensou ele.

– Você quer dizer – perguntou Charlie, lentamente, – que essa garota está ficando no seu apartamento?

– É – disse Gabriel –, vocês vão se conhecer. Ela é uma coisinha magricela, esquelética, cabelo horrível.

– Como é que ela se chama?

– Lena. Meu Deus, está um gelo agora. Você sabe, eu saio de uma cozinha escaldante para um frio desses... quente, frio, quente, frio, é um milagre eu não ficar doente. Lena. A questão é... eu descobri... ela me falou de todas as coisas medonhas, coisas que aconteceram com ela, você não ia acreditar, ela é só uma menina.

— Vamos ver se acredito – disse Charlie, dando-lhe um sorriso torto.

— O motivo para ela estar se escondendo no porão com Yuri é que ela estava fugindo do cafetão.

— Ai, meu Deus – disse Charlie. – Do Leste da Europa?

— O cafetão? Não sei. Imagino que sim. Ele se chama Boris. Lena é russa, da Bielo-Rússia. De Mazyr – acrescentou ele, dando um detalhe desnecessário, um hábito de mentiroso que ele parecia ter adquirido.

— Ela foi traficada – disse Charlie, como se lhe estivesse dando uma explicação.

— É verdade. – Ele olhou para o relógio de pulso. Precisaria voltar para o Imperial dali a pouco tempo.

— Temos de ajudá-la – disse Charlie, assumindo o comando como ele sabia que ela faria –, levá-la à polícia, registrar a queixa, procurar aconselhamento psicológico para ela.

— Não, ela se recusa a procurar a polícia. Tem medo demais de Boris. Ela acha que, de algum modo, ele vai pegá-la.

Charlie pôs a mão no braço dele.

— Gabe, aqueles homens, os clientes dela, eles a estupraram. Essa é a palavra certa para o que fizeram.

— Eu sabia que você ia querer ajudar – disse Gabriel.

Ele lhe deu um forte abraço, olhando por cima do seu ombro para a entrada do museu, com a sábia colunata grega de algum modo lhe infundindo a confiança de que tudo agora seria encarado com calma.

— E então, quando foi que você a encontrou? – disse Charlie. – Hoje?

— Não – disse Gabe –, há uns dias. Você vem me buscar mais tarde? Termino às dez.

— Você quer dizer antes de ir a Blantwistle? Ela está no seu apartamento desde aquela época?

— Calculo que sim – disse Gabriel. – É. Você está tremendo de frio. Suas mãozinhas viraram gelo. É melhor a gente começar a se mexer, você não acha?

– Você calcula – disse Charlie. – Você calcula? Você veio passar a noite na minha casa antes de viajar. Você *calcula* que ela estava na sua casa naquele dia? Estou entendendo. Ou talvez não esteja. Nós passamos as primeiras horas da noite, a noite inteira, juntos, mas ela sumiu da sua mente, essa Lena, porque você não chegou a mencioná-la.

– É claro que ela não "sumiu da minha mente". Charlie... não fique desse jeito. Essa garota, se você a visse, haveria de entender. Ela já passou por tanta desgraça. E me fez prometer que não contaria a ninguém. Talvez eu devesse ter lhe contado, mas eu prometi; e, agora que conquistei um pouco da sua confiança, ela concordou... concordou em deixar que a ajudemos.

Charlie deslizou de cima da mureta e ficou em pé diante dele, respirando colunas gélidas no ar. Ela virou a cabeça, observando as idas e vindas das pessoas, que seguiam com vigor pelo caminho de entrada.

– Preciso lhe perguntar. Só vou perguntar esta única vez e pronto. – Ela ainda não olhava para ele. – Você dormiu com ela?

Ele poderia contar, e os dois superariam a dificuldade. Ela era madura o suficiente para isso. Mas não quis agir assim com ela. Acomodou o queixo dela nas mãos e virou seu rosto.

– Não.

Ela sorriu, hesitante, como se sorri depois de um trabalho dentário difícil, com o risco de sentir dor.

– Eu precisava perguntar.

– Não tem problema. – Ele a beijou na testa.

– Quer dizer que você deparou com ela no porão e depois ela veio para casa com você. Você lhe ofereceu um lugar para ficar, simplesmente assim. Não são muitas as pessoas... Geralmente elas sentem pavor de se envolver. Desculpe eu ter feito essa pergunta. Você é generoso, Gabe. É de verdade.

Gabriel acendeu um cigarro.

– Bem – disse ele, soprando a fumaça –, você me conhece.

Charlie ficou olhando enquanto ele fumava. Não disse nada. Olhava para baixo quando ele batia a cinza, para cima quando ele soprava a fumaça, acompanhava o avanço do cigarro, o arco que ele descrevia quando Gabe o levantava e o abaixava.

– Será que conheço? – disse ela, finalmente. – Será que eu conheço você? Eu não sabia que você fumava.

– Já lhe disse. Fumo um ou dois. Que diferença faz?

Ela parecia zangada. Era preciso que ele pisasse com cuidado. Ela estava tremendo de frio ou de raiva?

Ela sacudiu a cabeça e deu meia-volta como se pretendesse ir embora e então girou outra vez e investiu contra ele, derrubando o cigarro da sua mão.

– Você trepou com ela, não trepou? Seu covarde! Sentado aí, fumando, seu covarde. Achou que eu não iria saber?

Gabriel virou as palmas para o alto. Olhou ao redor para recorrer ao juiz e ao júri.

– Como? Só porque estou fumando, isso quer dizer que eu transei com alguém?

– É – sibilou Charlie. – Isso mesmo.

Ele estava calmo. Tudo o que precisava fazer era continuar a negar. Dentro de um minuto, ela estaria pedindo desculpas de novo.

– Olhe para mim, Charlie. – Ele se calou por um instante. – Certo, é verdade, eu fiz isso. Você acertou.

Charlie se abraçava. Um vento começou e soprou seu cabelo de um lado a outro do rosto. Quando ela afastou o cabelo para trás, ele viu o mal que tinha feito, mas não conseguiu acreditar.

– Quantas vezes? – disse ela.

– Charlie...

– Quantas vezes? Bem, foi uma vez? Foram duas?

– Não sei. Não é o que você está pensando. Ela precisava...

– ... que você trepasse com ela? Você enlouqueceu? – Charlie berrava com ele, e ele não conseguia se fazer ouvir. – Essa garota... essa pobre coitada... que você afirma ter sofrido abuso.

– Por favor – disse Gabe –, pare de gritar. Eu sei que estava errado. Mas poderia ter mentido. Pelo menos, eu lhe contei a verdade.

– Você *mentiu*. Meu Deus, você mentiu, e eu acreditei em você. – Seus olhos cintilavam, sinistros, cheios de lágrimas.

– Não foi por muito tempo – disse Gabe, baixinho, estendendo a mão para segurá-la. – Meu bem, estou tão arrependido. Sinceramente, não sei como fui nos meter nessa encrenca. Mas podemos sair dela, não podemos? E podemos ajudá-la também.

Ela descansou a testa no ombro de Gabe e ficou ali um pouco fungando. Depois levantou a cabeça e olhou direto nos olhos dele.

– Você acha que conhece uma pessoa – começou ela, antes que sua voz falhasse. – Você acha que conhece uma pessoa... – Ela segurou a mão dele, pôs alguma coisa nela e apertou os dedos para que se fechasse. – Espero que você a ajude mesmo. Tenho a impressão de que ela precisa de ajuda. Não piore as coisas para ela.

Charlie foi recuando, com as mãos nos bolsos, e estava magnífica, iluminada por trás pelas luzes da rua, com o casaco bem amarrado na cintura, o cabelo com um brilho profundo. Gabriel segurou o anel com firmeza. Parecia importante não perdê-lo, não desistir assim com tanta facilidade.

– Espere – gritou ele. – Precisamos conversar sobre isso tudo. Existem coisas que você não compreende.

– Eu compreendo o suficiente, Gabriel. A questão é saber se você compreende.

Ela se virou então e o deixou. E, antes que ela saísse do seu campo visual, ele acendeu um cigarro e começou a planejar o que precisava fazer para tê-la de volta.

Capítulo 14

GABE FICOU OLHANDO ERNIE E OONA SE APRESSAREM ARRASTANDO os pés na direção da cabine pré-fabricada, vindo de extremidades opostas da área de descarga de mercadorias. Oona tinha o centro de gravidade baixo. Se fosse mais baixo do que era, ela estaria permanentemente enraizada no chão. Ernie parecia aflito e perturbado, que era como sempre aparentava estar quando em movimento. Ele precisava de uma coluna ao lado da qual pudesse se ocultar, uma rocha atrás da qual pudesse se abaixar, uma sombra onde pudesse descansar. Era um risco constante de sua atividade de auxiliar de restaurante que, mal tivesse alcançado um local de relativa segurança, ele fosse forçado a se expor ao perigo novamente. Talvez fosse mais generoso tirá-lo dessa desgraça, cumprir a "iniciativa de reestruturação e tratamento do excesso de pessoal" delineada no pequeno memo repugnante do sr. James, datado do dia anterior.

Com passos leves e velozes, Gabe ultrapassou sua *sous-chef* executiva.

– Meu Deus – disse Oona, como se tivessem brotado asas nas costas de Gabe, e ele tivesse voado.

– Bom-dia – disse Gabe, passando por cima de um engradado, e entrando de um salto na traseira da caminhonete de entrega de queijos.

– Ernie tá precisando de uma ajudinha – disse Oona, em tom neutro.

Gabe viu o casal chegar junto à cabana de Ernie. Ele devia um pedido de desculpas a Oona. Ele tinha preenchido incorretamente os detalhes da festa de aniversário e depois dera a Oona uma advertência formal por esse motivo. Ernie e Oona pisaram juntos na soleira e ficaram, momentaneamente, entalados no vão. Gabe se virou para outro lado, rindo e gemendo.

– Tropas de elite – disse, entre os dentes. – Equipe de primeira.

Ele pegou um Vacherin du Terroir e levantou a tampa. Deixou-o de lado. Depois examinou os Roqueforts, e eles não o inspiraram. Fazia uma semana desde que tinha visto Charlie, e ainda não ligara para ela. O plano era ligar hoje. Dar-lhe uma semana para se acalmar e telefonar quando ela já tivesse desistido de esperar por um telefonema seu. Talvez ela ainda estivesse furiosa. Talvez ele devesse ter corrido atrás dela de imediato.

Ele usou o canivete para cortar uma fatia de Demi Pont l'Évêque. Segurou-a perto do nariz. Por que tinha contado? Essa era a pergunta a que não conseguia responder. Tinha decidido (não tinha?) não contar para ela. E então foi e contou. Sem mais aquela. Contou sem pensar. Mas essa era apenas uma expressão (não era?), uma maneira de dizer. *Fiz sem pensar.* Você se desvia de um soco sem pensar. Você evitar pisar num buraco no calçamento, sem pensar. Você *respira* sem pensar. Mas ninguém conta para a namorada que transou com outra sem pensar. Fosse como fosse, ele tinha pensado no assunto, pesado os prós e contras, e tinha rejeitado essa opção. Depois ele falou e de algum modo tudo acabou saindo.

Devia estar na sua cabeça a ideia de contar para ela. Não se pode pronunciar as palavras sem o pensamento. O pensamento chega primeiro, e as palavras lhe dão forma. Elas vêm depois, por infinitesimal que seja o atraso. Portanto, foi ele quem decidiu contar para ela. Por quê? Ele tinha tido mesmo essa ideia. Conte para ela, ele tinha pensado. *O pensamento foi meu. Mas de onde ele veio? Não foi minha ideia pensar em fazer uma idiotice dessas.*

Ele não parava de girar em torno do mesmo ponto. Que diferença fazia? Não importava como tivesse acontecido, estava feito. Mas ele não podia deixar o assunto para lá. O que queria saber era o seguinte: ele produziu o pensamento, ou o pensamento foi alguma coisa que lhe aconteceu? *De repente me ocorreu.* As pessoas diziam isso, não diziam? Mas, se ele não era responsável pelos próprios pensamentos, o que era "ele"? Existia um "ele" que era separado daquela parte dele que pensava? Gabriel achava que não. Como poderia saber? E qual era o sentido de todas essas perguntas? Elas só se voltavam cada vez mais para dentro de si mesmas num enorme emaranhado.

Falei sem pensar. Talvez fizesse mais sentido assim. O pensamento acompanhando as palavras. O subconsciente, era isso. Bem no fundo, ele queria romper com Charlie, queria destruir o relacionamento. Deu um gemido com essa maravilhosa sacação. Não fazia sentido que ele quisesse arrasar com tudo. Tudo girava sem parar. Ele mal conseguia distinguir um pensamento do seguinte.

Ele saltou da caminhonete, e o vendedor de queijos estava esperando.

– Pena – disse Gabe –, mas realmente não vou querer nada hoje.

Um sapo-boi gigante, trajando smoking, tinha sido posicionado estrategicamente, fechando a entrada do Dusty's. Ele se afastou para um lado para permitir que um par de garotas vestidas com duas ou três lantejoulas descessem pela escada saltitando como corças. Gabe olhou para Nikolai.

– Aqui nunca teve leão de chácara.

Um sonoro bando de garotas passou roçando por eles, e o segurança abriu a corda de veludo vermelho. Gabe olhou para as pernas das garotas. Elas davam a impressão de que poderiam se partir. Os joelhos eram a parte mais grossa. Sem dúvida, aquela não era a clientela normal do Dusty's.

– Sócios? – perguntou o segurança, com os olhos semicerrados passando de Gabe para Nikolai. Ele não esperou pela resposta, mas apontou para o cartaz ali em cima: – Exclusivamente para sócios agora.

– Ruby in the Dust – disse Gabriel. – Onde está Dusty? O que ele fez com esse lugar?

– Quem? Nunca ouvi falar. Vocês não podem entrar.

Nikolai pôs a mão no braço de Gabriel.

– Não faltam lugares por aí. Vamos.

– Olhe – disse Gabe. – Eu bebo aqui há...
– Não bebe mais, cara.
– Pela madrugada – disse Gabe. – Você acha que eu *quero* entrar aí?
– Não sei o que você quer, cara. Só sei que você ainda está por aqui. E que não vai entrar.
Gabriel investiu contra a corda vermelha. Ficou olhos nos olhos com o segurança. Quase conseguia sentir o latejar gordo do seu pescoço.
– Você – disse ele – não é muito civilizado. Eu lhe fiz uma pergunta sobre Dusty. Esse lugar pertencia a ele.
– Chef – disse Nikolai –, esse cavalheiro não está disposto a conversar. Vamos procurar outro bar.
Gabe deixou que Nikolai o afastasse dali.
– Não consigo acreditar – disse Gabe, embora acreditasse perfeitamente, tendo em vista a quantas andavam os preços dos imóveis. – Dusty's sempre foi ali.
Eles tentaram uns dois outros, mas não havia lugar para sentar, um bar no qual foram rejeitados (educadamente) à porta de entrada e outro em que a música era intolerável e a clientela insuportavelmente estridente e jovem.
– Tenho uma garrafa de vodca – disse Nikolai. – No meu armário no vestiário.
Gabriel não queria beber vodca no trabalho com Nikolai. Não queria ficar sentado naquele bar. Não queria sair perambulando por aquelas ruas. Não queria voltar para casa para Lena. A única coisa que queria era ligar para Charlie, e isso ele ainda não conseguia fazer.
– Então, vamos – disse ele.

Embora fosse rigorosamente contra o regulamento, eles fumaram no vestiário. Beberam a vodca barata de Nikolai em copos plásticos do bebedouro. Pequenas manchas de cor surgiram nas bochechas de Nikolai, brancas como as de um morto. Ele quase poderia ser albino, Nikolai, com os cílios e as sobrancelhas brancas. Ele tinha os olhos de um camundongo. Mas o cabelo era louro avermelhado e da cor de avelã, para forçar a pessoa a tentar adivinhar, como Nikolai sempre fazia.

– A que vamos beber? – perguntou Gabriel, enchendo os copos.

Nikolai sorriu, mas não respondeu.

– A Yuri? – disse Gabe.

– Como queira – disse Nikolai.

– Tem um sonho que eu não paro de ter – disse Gabe.

Nikolai assentiu, com a cabeça.

Gabriel sentou em cima da mão direita para impedi-la de se lançar mais uma vez para a cabeça. Ele segurou o copo plástico com a mão esquerda e tomou a vodca de um gole.

– Por que o chamam de Doutor?

O inglês de Nikolai praticamente não tinha sotaque. Era óbvio que ele era uma pessoa instruída. O que estava fazendo, picando cebolas o dia inteiro?

– Ah – disse Nikolai.

– Você não fala muito.

– Me desacostumei – disse Nikolai.

– Não me deixe forçá-lo – disse Gabe.

Nikolai sorriu. Gabe olhou em torno do vestiário. Parecia o lugar certo para beber com Nikolai. Combinava com sua austeridade. Havia algo de soviético na iluminação fria, nos armários de metal, com os dois que estavam escancarados totalmente vazios. Se bem que a Rússia agora, é claro, estivesse totalmente diferente. Moscou era só glamour e ostentação, pelo que ele tinha visto nas revistas, gângsteres e suas companheiras, o Velho Oeste transportado para o Leste. Mas nada disso era Nikolai. Nikolai era vodca barata, filas para comprar pão, prateleiras vazias.

Nikolai gostava de fazer de si mesmo um enigma. Bem, Gabe não estava entrando no jogo. Não ia lhe perguntar nada. Os dois ficariam ali sentados nas entranhas do Imperial, escutando os roncos e ganidos nas paredes. Era-lhe indiferente beber vodca em silêncio com Nikolai ou fazer qualquer outra coisa que não quisesse fazer.

– Beba ao ano que tem pela frente – disse Nikolai. – Que ele seja repleto de alegria. – Ele fez uma saudação com o copo.

– Minha namorada me deixou – disse Gabe. – Estávamos noivos.

– Uma beleza de mulher – disse Nikolai, como se isso explicasse tudo.

– Ah – disse Gabe –, você a viu. Naquela vez na boate.

Nikolai acendeu um cigarro e o ofereceu a Gabe, que tirou a mão de debaixo do traseiro. Quando estava fumando, o braço se comportava bem.

– Ela é um arraso – disse Gabe, como se fosse algum pateta irremediável. – Eu meti os pés pelas mãos.

– Vocês ficaram juntos muito tempo?

– Três anos. Três anos e alguma coisa.

– E antes disso? Você foi casado antes?

Gabe fez que não.

– Estava esperando, sabe... pela hora certa.

Nikolai cruzou as pernas. Ele bebeu outra dose de um gole só. Seus olhos estavam muito cor-de-rosa.

Gabe o acompanhou com outro drinque. Precisava beber um pouco hoje. Todo aquele estresse. Precisava relaxar.

– A questão com Charlie é que ela é muito independente. Gosta da liberdade que tem. Gosta de seguir o próprio nariz.

Nikolai serviu mais uma dose.

– Mas ela às vezes é muito carente. Relógio biológico e tudo o mais. Sabe como as mulheres são.

Nikolai concordou, piscando os olhos devagar.

– Ela olha no espelho e vê todos os tipos de defeitos em si mesma. E sabe que é maluquice.

– Ah – disse Nikolai.

Eles beberam.

– Mas não é burra. Ela percebe a verdade por trás de todos esses artigos de revistas. Botox, implantes... ela nunca faria isso. Pelo menos, eu acho que não.

Gabe esmagou uma guimba com o salto do sapato.

— Ela é bastante séria, interessada em política, cultura... e em música. A respeito disso ela é séria. Apesar de às vezes dizer que não é.

Pelo seu jeito de descrevê-la, Charlie parecia bastante inconstante, mas ele não tinha dito nada sobre ela que não fosse verdade. Ela era mutável, esse era o ponto. Uma hora de um jeito, depois de outro. Vivia se contradizendo. Ela não lhe tinha dito, *Só vou perguntar esta única vez*, e em seguida não lhe perguntou de novo? Forçou-o a dizer que sim, eu dormi com ela, como se aquilo fosse exatamente o que ela queria ouvir.

— Quando eu era criança — disse Nikolai, interrompendo-se para lidar de novo com a garrafa.

Gabe derramou um pouco de vodca no queixo. *Meu Deus, estou bêbado. Mas não tão bêbado que não perceba o quanto estou bêbado.* Ele decidiu corrigir essa situação e esvaziou o resto do copo goela abaixo. O que queria era se embriagar e não se dar conta de nada. Não queria pensar em graus de embriaguez.

— Quando eu era criança na União Soviética — disse Nikolai —, a feminilidade era uma coisa simples. Uma mulher era uma operária. Uma mulher era uma mãe. Uma mulher era uma esposa. Minha mãe trabalhava numa fábrica. Na fábrica, ela usava macacão azul, como uma operária. Quando estava em casa, usava um avental, como uma mãe. E uma vez por mês ela saía com meu pai para ouvir música e beber um pouco de vodca, e usava batom. Era um batom vermelho-vivo.

Quando Nikolai chegava a falar, a fala se transformava num discurso. Ele falava em seu tom costumeiro, modesto e preciso, mas a cadência atraía o ouvinte. Sua autoridade era como uma corrente marítima que arrastava as pessoas discretamente para longe da praia.

Gabriel fechou os olhos. Havia uma oscilação agradável na sua cabeça.

— Naquelas noites, eles faziam muito barulho quando voltavam para casa. Havia somente uma cortina que dividia o quarto. Nós dormíamos de um lado; e meus pais, do outro. Mesmo com minha cabeça por baixo do travesseiro, eu ouvia tudo.

Gabe voltou a abrir os olhos. Havia coisas em Charlie que o irritavam. Seu jeito de deitar na cama. Ela dobrava uma perna por baixo do corpo e trazia a outra com um movimento de balanço. Não havia nada de errado nisso. Mas era sempre exatamente do mesmo jeito. Se eles se casassem, ele teria trinta, quarenta anos daquilo, vendo-a entrar na cama, sempre exata e precisamente do mesmo jeito.

Nikolai lhe passou mais um cigarro. Sua mão era tão branca quanto uma luva cirúrgica.

– Mas agora – disse Nikolai – o que significa a feminilidade?

– Não faço a menor ideia – disse Gabriel, recostando-se mais do que pretendia e batendo a cabeça na porta de um armário. A questão com Charlie era... não, tinha sumido.

– Minha mãe tinha um batom – disse Nikolai. – Todos nós sabíamos o que aquilo significava. Quantos batons a sua namorada tem?

– Charlie? Ah, dúzias. Não sei. De todas as cores.

Ela nunca fechava a porta quando fazia xixi. Ora, isso era irritante. E ele nunca tinha mencionado.

– É como uma metáfora para as mulheres de hoje – disse Nikolai. Ele parecia extraordinariamente sóbrio, ou Gabriel estava, por fim, extraordinariamente embriagado.

– Mulheres – disse Gabe. – B-batom.

– Minha mãe tinha um batom só. Era vermelho-vivo. Todos nós sabíamos o que significava. – Nikolai já tinha dito tudo isso. Talvez estivesse na maior água. – Mas hoje em dia a mulher tem muitos tons. É possível que ela use todos eles num único dia. Depende das suas mudanças de humor. É muito confuso para os homens.

Gabe estendeu a mão para pegar a garrafa. Estava vazia.

– Vamos pegar emprestada uma do bar.

– E vamos beber em homenagem a Yuri – disse Nikolai.

– A Yuri – repetiu Gabe, com um riso descontrolado.

– Um homem bom. – Nikolai deu um arroto sonoro como tributo. – Ele guardava o dinheiro para as filhas. De dois em dois meses, ele mandava tudo para casa. Foi sorte eu saber onde era o esconderijo. Tinha dinheiro lá, à espera, e eu o enviei para a família. O escritório dos legistas me deu o endereço. Muita sorte da família, ou esse dinheiro ficaria apodrecendo dentro da parede.

Nas duas semanas desde que voltara de Blantwistle, Gabriel tinha como que entrado numa rotina com Lena. Quando ele voltava do trabalho, eles pegavam comida para viagem, pediam pizza para entrega ou comiam um pedaço de pão com queijo, diante da televisão. Às vezes, não se davam ao trabalho de comer. A monumental capacidade de Lena para a indiferença se estendia, é claro, à alimentação. E às vezes Gabe não conseguia suportar pensar em comida de novo depois de um dia na cozinha. Ou simplesmente não estava com fome. Ou podia ser que estivesse com fome, mas cansado demais para se importar. Hoje, porém, Lena tinha rompido a rotina e preparado uma refeição.

Eles se sentaram na cozinha. Lena tinha usado um lençol branco como toalha de mesa. Tinha dobrado dois pedaços de toalha de papel em triângulos para servir de guardanapos e tinha encontrado dois tocos de velas, que colocou em tampas de potes de geleia. A mesa estava sobrecarregada com bolinhos de massa, bolinhos fritos, panquecas e enroladinhos, picles, saladas e pães.

– Coma – disse Lena.

Tinha lavado o cabelo e o deixado aberto sobre os ombros. Ela começou com os *varenyky* e explicou todos os pratos para ele. A garota ucraniana lhe tinha ensinado como fazer os bolinhos fritos de queijo e passas. Os enroladinhos de repolho com arroz e carne moída, eles costumavam servir em casa.

– Maravilha – mentiu Gabe, provando as panquecas de batatas. – Você é uma chef e tanto.

Ela respondeu estalando a língua. Ficou remexendo num pouco de cogumelo e de beterraba, mas principalmente olhou enquanto ele comia.

– E então, Lena, por que o banquete?
– Você gosta?
– Gosto.

– OK.
– Porque você achou que eu ia gostar?
– Por que não?
– OK. – Ele não conseguia parar de olhar para ela. Era preciso se forçar a engolir a comida. – Você encontrou o vestido.

Ele o tinha comprado uns quinze dias antes porque queria vê-la em alguma outra roupa que não fosse sua saia e top pretos; mas tinha deixado o vestido no fundo do guarda-roupa num saco plástico. Nessa noite, ela estava esperando perto da porta quando ele entrou, e o estava usando: um vestido de menina, de verão, com um estampado de papoulas e mangas curtas, todo errado e totalmente certo.

– Quantos anos você tem, Lena? – perguntou ele, de supetão, e ela só deu de ombros.

– É – dizia Lena agora. – Encontrei.

Era assombrosa sua capacidade para cortar uma conversa pela raiz. Quando Gabe achava que tinha encontrado uma abertura, ela conseguia fechá-la.

Ele tentou novamente.

– Deve ter levado séculos.

– É.

O que significava toda aquela comida? Ele não tinha lhe falado da sua conversa com Nikolai. Aquele dinheiro não era dela. Se tivesse sido dela, ela nunca teria ido embora sem ele. Só lhe ocorreu mais tarde, e ela devia ter pensado que mais ninguém sabia. Ela não tinha mencionado o dinheiro desde que ele chegou de volta de Blantwistle, o que era suspeito. Talvez tivesse percebido, de algum modo, que ele descobrira a verdade. Ela ainda ia querer algum dinheiro dele. Talvez essa fosse uma nova estratégia sua.

– Quer dizer que Valentina a ensinou a preparar isso quando vocês estavam no apartamento em Edmonton?

– Pode ser. Pode ser Edmonton. Pode ser Golders Green. – Ela segurou o copo de vinho com as duas mãos. Realmente parecia uma criança.

Às vezes ele tentava apanhá-la numa mentira, e não era difícil. Sua história estava sempre mudando.

Gabe se forçou a engolir o último bolinho. Olhou para ela e tentou segurar seu olhar.

– Beleza – disse ele. – Maravilha. Fantástico.

Ela revirou os olhos.

– Você se lembra de Victor? – disse Gabe.

Ivan e Victor tinham estado se enfrentando de novo. Lena talvez soubesse o que havia acontecido entre aqueles dois: fofocas da Europa Oriental lá no subsolo. Talvez Nikolai tivesse contado a Yuri, e Yuri tivesse contado a Lena. E talvez Lena contasse agora a Gabriel.

– Não – disse ela, torcendo um brinco.

– E Ivan? – perguntou Gabe.

Ele ainda não tinha reservado tempo para ir dar uma verificada naquele quarto de hóspedes, aquele em que Ivan tinha entrado com Gleeson. Não que fosse encontrar nada. Era certo que eles apagassem suas pistas.

– Não me lembro – disse ela.

– Yuri devia conhecê-los.

– Pode ser – ela falou, ou resmungou, as palavras desaparecendo na sua língua.

Ele desistiu. De qualquer maneira, não estava com vontade de conversar. A única coisa que sentia vontade de fazer era olhar para ela, e dentro de um segundo ele ia se levantar e tirar a mesa. Depois os dois se sentariam na penumbra diante da televisão, e ele poderia examiná-la vezes sem conta enquanto ela fingia que não percebia, até que finalmente, quando a considerasse suficientemente hipnotizada, ele escorregaria para o chão e seguraria seus pés.

Ela passava, ao que dizia, a maior parte do dia diante da televisão. Ele lhe dava um pouco de dinheiro antes de sair de manhã. Não o suficiente para ela fugir. Ela o gastava na loja da esquina. Uma vez ele tinha esperado escondido para ver o que ela fazia. Ficou parado num portal umas duas horas, esticando o pescoço para ver. E, quando ela saiu do prédio, foi até a mercearia e voltou direto para casa.

Os vizinhos não diziam nada. Ele tinha respostas prontas, a respeito tanto de Charlie quanto de Lena, mas agora sabia que não ia precisar delas. Isso era o melhor de Londres. Ninguém se intrometia.

Um dia, ela começou a chorar de manhã quando ele estava prestes a sair. Ele tentou abraçá-la, mas ela se desintegrou entre seus dedos, caindo ao chão. Ela uivou até ele pensar que sem dúvida os vizinhos viriam trazendo a polícia. Isso não pode continuar, decidiu ele. Mas, no dia seguinte de manhã, ela acordou cedo. E, quando ele entrou na cozinha, ela estava cantarolando desafinada enquanto lavava a louça.

Às vezes, como agora, ele tinha a sensação de que, se estendesse a mão, ela passaria direto através de Lena.

– Obrigado pelo jantar – disse ele.

Ela estava olhando fixamente para algum ponto numa distância intermediária, como se fosse Gabe que não existia.

Se passassem para a sala de estar, poderiam flutuar juntos na penumbra, nenhum dos dois realmente presente, nenhum dos dois realmente se afastando dali.

Gabe empurrou a cadeira para trás. Passou o dedo no trecho de calvície. Esse, sim, era bastante real. E tinha crescido. Com Lena, a situação estava se aproximando do absurdo. Estava na hora de olhar com clareza e resolver o caso. Ele não ia permitir que isso se estendesse indefinidamente. Por que ele prendia a respiração perto dela? Como se, caso ele dissesse alguma coisa errada, ela pudesse se desfazer em fumaça.

– Estive pensando que devíamos procurar a polícia. É preciso fazer esse Boris parar. Tem outras garotas por aí.

– Você quer que eu vou embora – disse Lena.

– Preste atenção. Ele precisa ser punido.

– Sua namorada tem alguma coisa a ver com isso – disse Lena, com os tendões no pescoço salientes, orgulhosos.

– Você vai ficar em segurança, eu garanto.

Ele daria início ao processo, e uma coisa se seguiria a outra. No futuro, ele contemplaria em retrospectiva esse episódio com Lena e se assombraria com a rapidez com que tudo tinha se de-

senrolado e se organizado novamente, assim que tudo estivesse de volta nos seus devidos lugares.
– Sua namorada tem...
– Esqueça minha namorada – disse ele, interrompendo o que ela ia dizer. – Ela não tem nada a ver com isso.
Lena começou a raspar a comida dos pratos e derrubou no chão uma colher de servir.
– Eu conheço garota – disse ela. – Ela vem de Chişinău. Sabe onde fica? Moldávia, certo, você sabe, pode ser. Ela é puta como eu.
– Lena...
– Puta como eu – repetiu Lena, raspando com força, como se estivesse tentando tirar o desenho da louça. – Ela foge e vai à polícia e conta para eles o que aconteceu com ela. Eles dizem para ela, onde estão seus documentos? Eles dizem para ela, você é imigrante ilegal. Eles dizem para ela, você agora vai para casa, e põem ela num avião. Esses homens, eles encontram ela no aeroporto e trazem ela de novo para cá.
– Eu não acho... – disse Gabriel.
Lena deixou o prato cair na mesa.
– Eles trazem ela de volta para cafetão. – Ela falava rápido e com emoção, apesar de suas palavras, como de costume, não terem entonação, como se ela estivesse correndo para ler uma lista. – A polícia vem e prende ele e faz muitas, muitas perguntas para depois soltar ele. Ele diz para ela, viu, você não pode fazer nada comigo, cachorra. E então ele bate nela como nunca antes. Depois disso, ele vende ela para Boris. Viu o que vem de bom para Irina quando ela procura polícia?
Ele não sabia em que acreditar. Sem dúvida, ela mentiria se lhe fosse conveniente, mas será que tinha a capacidade de inventar uma história tão rápido? Era difícil dizer.
– Eles já não fazem isso – disse ele. – A lei mudou. Agora as garotas não são mais deportadas. Eles deixam que elas se instalem aqui no país.
Gabe não sabia se isso era mentira ou verdade. Não fazia ideia de como era a lei, mas existia uma coisa chamada justiça, e era possível consegui-la indo aos tribunais.

Lena retorceu os dedos macérrimos. Agora que estava olhando direito, Gabe via que o vestido era grande demais para ela. Ele caía pendurado dos ombros, com a linha da cintura nos quadris. Ela parecia uma menininha numa roupa de segunda mão. Ele nunca, jamais voltaria a tocar nela – não daquela forma.

– Você tem documento? – disse Lena. – Consegue para mim?
– Não – respondeu ele. – Não posso fazer isso. Precisamos ir à polícia.

Lena levantou um garfo. Estendeu o braço, abriu os dedos e deixou o garfo cair com barulho no chão. Apanhou uma faca e repetiu o procedimento. Fez o mesmo com o prato branco e azul, que se partiu, lançando um respingo de suco de beterraba na perna dela.

– Chega – disse Gabe.

Ela continuou com um prato e uma colher.

– Está bem – disse Gabe. – Pode parar.

Ela continuou a quebrar a louça até Gabe se levantar da cadeira e segurar seus braços.

– Ele sabe onde minha avó mora. Meus pais mudam para outro lugar mas minha avó está na aldeia muito perto. Ele vai mandar alguém.

Gabriel foi se abaixando devagar e se ajoelhou entre os enroladinhos de beterraba e repolho, ainda a segurando pelos braços.

– Tudo bem – disse ele. Como estava sendo idiota. Ele sabia que o tal Boris a apavorava. – Nada de polícia.

– Minha avó cuida de mim muito bom.

Ele foi soltando os braços dela, hesitante.

– Lena, por que você não volta para casa? Esquece toda essa história. Começa de novo.

Ela trouxe os pés para cima da cadeira e abraçou os joelhos. Olhou para o teto.

– Casa. Gente como eu, não, não tem casa.

– É claro que tem – disse Gabe, ainda de joelhos. – Confie em mim. Vai dar tudo certo.

Ela baixou o queixo, e seus olhos ficaram nivelados com os dele. Era estranho olhar para ela porque ela dava a impressão de não vê-lo. Era como fixar os olhos no rosto de um cego.

– Certo? – disse Lena. – Acho que não. Já ouvi tanta história. Você quer ouvir uma história também?

– Eu compro a passagem para você – disse ele.

– Uma garota, 16 anos, romena. Essa é a história que eu ouvi.

Gabe levou um dedo à boca.

– Pssssiu!

– O cafetão dela é da Albânia, e leva ela primeiro para a Itália e depois para a Holanda e depois... eu não sei. Eles passam um tempo na Inglaterra e depois acho que voltam para a Itália. E um dia ela é resgatada pelo polícia. A polícia invade o lugar, derruba porta, leva ela para abrigo com senhoras de caridade e sopa quente.

– Querida, pare por aí.

– Ela fica seis meses sem falar. – Lena, por alguns instantes, caiu no seu silêncio habitual. Gabe foi se aproximando aos poucos, de joelhos. – As palavras vêm só devagar. E ela não tem nenhum dente aqui na frente, o cafetão manda arrancar para boquete ficar fácil.

– Não fale mais – murmurou Gabe.

– Ainda não contei melhor parte da história – disse Lena. – Por que você me diz pra não falar? – Ela roeu uma unha. – Eles levam ela de volta pra casa – prosseguiu Lena depois de um intervalo. – A família acha que ela trabalha em restaurante. Depois eles descobrem o que acontece com ela. E o pai pega a arma e se mata.

Gabe olhou para a comida no chão.

– Você não precisa voltar – disse ele. – Fique. Fique pelo tempo que quiser.

Ela estava calada.

– Você quer ficar em Londres?

Lena deitou a cabeça nos joelhos.

– Vou ajudar você – disse Gabriel. Já tinha dito isso muitas vezes. Ele realmente a ajudaria. Não havia nada que ele não estivesse disposto a fazer. – Vou encontrar Pasha para você. Vou ajudar vocês dois a conseguir emprego.

Lena continuava sem falar. Ela balançou um pouquinho, abraçando os joelhos.

Os joelhos de Gabriel estavam doendo. Ele transferiu o peso para os calcanhares.

– Ei – disse ele. – Você está se saindo bem.

– Você sabe como preparam garotas novas para o trabalho? Você pode imaginar? – Ela roçou os dedos no rosto de Gabriel.

– Boris traz seis homens para minha primeira noite. Era festa para eles.

Gabe se pôs de pé.

– Vamos. – Ele pegou sua mão. – Vamos ver um pouco de televisão. Eu limpo isso tudo de manhã.

Ela deixou que ele a conduzisse. No corredor, na saída da cozinha, ela recuou.

– Eu luto com eles.

– Eu sei.

Gabriel apertou um pouco sua mão, tentando convencê-la a vir até a sala de estar, achando que estariam seguros assim que ligassem a televisão.

– Eu berro e chuto. Eu mordo. Acho que eles não vão continuar o que estão fazendo quando eles veem que não sou puta.

– Benzinho. Por favor.

Ela então olhou direito para ele, e foi com o desprezo que ele merecia.

– Essa não é história boa para você?

– Não quero que você se perturbe.

Mas ela já tinha se retirado, o vazio nos olhos mais uma vez. E falou com a voz baixa, pensativa, cheia de assombro diante dos mistérios do universo.

– Eles riem – disse ela. – Esses homens. Quando eu chuto e grito. Acho que pode ser que eles são loucos, que perderam a razão. Mas no dia seguinte acontece também, e também no outro. E então eu começo a pensar que isso é normal. É assim que as coisas acontecem. Sou eu... eu sou a louca, e é por isso que eles riem. E então, então eu não choro mais. Não luto. E Boris vem e diz, ótimo, agora você está pronta. E eu... – Lena sorri. – Eu tenho tanta vontade de ver o mundo.

Eles se acomodaram diante da televisão e passaram um tempo sem falar. Gabe examinou o rosto de Lena. Nos reflexos enganosos da luz, suas sobrancelhas quase não estavam visíveis, duas cicatrizes pequenas e finas que se erguiam de um lado ao outro da fronte. Ela puxava os brincos.
 – Lena, aqueles homens eram gente má. Você sabe isso, não sabe?
 Ela deu de ombros.
 – Psicopatas. Loucos. Não você. Eles.
 Ela parecia não ouvi-los.
 – E todos os homens que vinham aos apartamentos quando você estava... quando você estava trabalhando, eles também eram gente má. Mas a maioria dos homens não é assim.
 Ela mantinha o rosto voltado para a tela.
 – Deve ser difícil para você acreditar nisso, mas em sua maioria os homens são basicamente bons.
 – Como você, Gabriel? – perguntou Lena, sem se virar. – Você é bom?
 – Espero que sim. Não sou como esses homens que...
 – Eles são legais – disse ela –, a maioria.
 – Não – disse ele.
 – São, sim. – Ela bocejou. – Eles são legais.
 – Mas o que eles...
 – Tem um homem que quer me ver de sapato alto para andar em cima dele. Freguês bom. Nunca me tocou. Nunca.
 Um pervertido, pensou Gabriel, mas guardou o pensamento para si.
 – Só um freguês é muito mau.
 Ela se levantou e desligou a televisão. Foi se aproximando da janela e se encostou nela, uma silhueta negra.
 Atrás dela, a noite de Londres passava num nevoeiro de faróis, postes de iluminação, letreiros de neon e janelas iluminadas.

— Se eu vejo esse homem — disse Lena. — Se eu vejo esse homem, eu mato ele. É essa a promessa que faço para mim mesma.

Gabriel sempre quis que Lena conversasse com ele. Queria informações. Queria pegar pedaços dela, como um quebra-cabeça, e organizar todos os fragmentos. Mas agora que ela estava falando, ele queria que parasse. Quanto mais ela falava, mais ia se afastando dele. Ele não queria ouvir mais nada.

— Ele é... é, eu acho — disse Lena, não mais que uma sombra em contraste com a janela. — Acho que ele é do mal, esse homem.

— Você nunca mais vai vê-lo — disse Gabe. — Não pense nele agora.

— Quando fecho meus olhos, eu vejo. Esse homem muito feio. Senta na minha cama, gira sem parar a aliança.

Ele olhou em torno da mobília sem graça do quarto, em busca de uma âncora, uma pista do homem que morava ali e que não queria tocar nessa garota. Uma cômoda de pinho, uma gravura de aquarela, um criado-mudo, um livro de capa dura esperando para ser lido. Ele tremeu. Lena tinha fechado os olhos. Quase chorando, ele se sentou na beirada da cama e segurou os pés dela. Avaliou cada dedo, as unhas peroladas, cada pequena junta, a delicada articulação de cada junta. Deslizou os dedos em torno delas e desceu pelas solas, massageando os calcanhares com delicadeza, assombrado por ela ser tão de carne e osso, essa sua Lena, sua menina espectral. E os tornozelos eram perfeitamente concretos, os ossos da canela e os joelhos. E ela ergueu um pouco os quadris para ele poder subir seu vestido. Ele percorria lentamente seu corpo, ligando todas as partes dela, montando o quebra-cabeça outra vez.

Ele fumou um cigarro na cama, e Lena ficou deitada de bruços com uma das mãos roçando no chão. Uma vez, logo no início, ela representara, um hábito antigo, fingindo gostar do sexo, mas agora ela meramente se submetia ao que ele queria. Se a surpreendia esse exame noturno, esse toque elaborado que começava pelos pés, ela não demonstrava. Estava habituada a coisa pior, supôs ele. Mais um fetiche de cliente, melhor do que outros que tinha suportado. Depois de um certo ponto, ele não conseguia se conter. Seu desejo era uma criatura imunda que montava nas suas costas e enrolava os braços compridos em torno do seu pescoço. O que esse desejo queria com ele? Se pudesse, Gabriel o prenderia numa jaula. Um dia ele teria a força necessária para matá-lo, pois o desejo não fazia parte dele.

Ele apagou a ponta do cigarro num pires. Lena se sentou e se esticou, exibindo a fileira de costelas sem gordura.

– Encontro moldura para foto de Pavel. Você não se importa?

– Quem é Pavel? – perguntou ele.

– Pavel. Pasha. Meu irmão. – Ela abriu a gaveta ao lado da cama e tirou um porta-retrato decorado com contas de vidro colorido. – Tudo bem eu ponho na mesa?

– É claro que sim.

Lena segurou o porta-retrato no joelho e passou um dedo pelo vidro. Gabe a envolveu com um braço e também ficou olhando para Pasha. Se havia alguma semelhança de família, ele não conseguia vê-la. A cabeça de Pasha era quase quadrada, e seu cabelo e seus olhos pareciam pretos.

Lena levou dois dedos aos lábios, beijou-os e transferiu o beijo para o vidro. Uma centelha de calor surgiu nos frios olhos azuis, e Gabriel compreendeu o que deveria ter visto de cara: o homem em quem ela estava dando um beijo carinhoso não era seu irmão. Lena tinha um amante. Esse era o homem que Gabe prometera encontrar.

Capítulo 15

DESCENDO A PASSOS VIGOROSOS POR LOWER REGENT STREET, A CAMInho de um encontro com Rolly e Fairweather, passando por bares de sushi e de hambúrgueres, lanchonetes e cafés especializados em comida integral, Gabriel sentiu uma fisgada de fome, apesar de naquele dia ter comido razoavelmente no almoço, para variar. Londres não era o cérebro do país, como as pessoas diziam. E sem dúvida não era o coração. Londres era só barriga, com suas ruas curvas, intestinais, em funcionamento constante, digerindo, absorvendo, excretando, abastecendo e reabastecendo, moldando as feições da terra.

Onde a rua desembocava em Pall Mall, ele olhou para cima para o Memorial da Guerra da Crimeia, fundido em bronze dos canhões apreendidos durante o cerco a Sebastopol. Charlie lhe contara isso um dia, quando os dois passeavam de braços dados, a caminho do parque. A maioria das pessoas (e nela Gabe se incluía) não prestava a menor atenção a toda a história ao seu redor. Ele atravessou para entrar em Waterloo Place, ladeado pela pedra branca e discreta imponência da Londres sofisticada. Quantas vezes ele tinha passado por ali sem dar nem uma olhada nos monumentos? Viu a hora no relógio de pulso. Franklin, o Grande Navegador do Ártico, leu ele, e seus valentes companheiros sacrificaram a vida ao completar a descoberta da Passagem do Noroeste em 1848. O monumento foi construído com a aprovação unânime do Parlamento. Dava para se sentir o orgulho. Gabe passou de um lado para outro entre os marechais de campo vitorianos, observando as posturas de conquistadores, o movimento masculino dos casacos, seu jeito de segurar as espadas. Eles tinham o ar de confiança implacável, de homens que tinham mudado o curso da história, e para quem ele jamais voltaria a mudar. Eles mantinham a cabeça erguida para o futuro e apontavam os pés para o Império. Aqui estava John Fox Burgoyne, marechal de campo, e aqui John, primeiro lorde Lawrence, vice-rei da Índia. Lorde Clyde estava em pé mais alto que Britânia, que estava sentada sobre um leão, esses símbolos gêmeos da nação que agora somente podiam ser vistos com um sorriso irônico. Gabe lançou um último olhar pela praça, e Britânia, de um dourado brilhante, imponente lá no alto do Athenaeum, pareceu se voltar para ele e piscar um olho.

Ele desceu voando a escadaria abaixo da coluna do duque de York, quase sem tocar o chão com os pés, e passou pelos Guardas Montados. Era uma agradável tarde de dezembro e alguns pequenos grupos de turistas pisavam ruidosos no cascalho, dirigindo-se ao Museu da Cavalaria da Família Real. Eles pareciam estar se apressando; e Gabe, que nunca tinha visto a Troca da Guarda, resolveu que tanto fazia se descesse por Whitehall. Ele cortou caminho e chegou ao pátio no instante em que um novo par de Guardas da Cavalaria se adiantava para passar pela revista. De túnica vermelha e luvas brancas, com as botas providas de esporas e os elmos com espigões, a tira do queixo cobrindo os lábios e viseiras por cima dos olhos, eles pareciam soldados de brinquedo, uma companhia dedicada a reencenar feitos militares com a máxima fidelidade. Os turistas engoliam tudo com sorrisos e câmeras digitais. Essa era a Grã-Bretanha que eles gostavam de ver.

Ele seguiu apressado pela amplidão reconfortante de Whitehall, um largo par de ombros sobre o qual o país podia repousar. Os plátanos de Londres, com seus troncos de camuflagem, margeavam a avenida, deixando cair pequenos frutos espinhosos. Ele passou pela entrada enjaulada de Downing Street, olhou para o Big Ben, a pedra esfregada e a cara de lua cheia, e enveredou pela passagem subterrânea para sair nas Câmaras do Parlamento. Naturalmente, a segurança estava em alerta máximo. Gabe passou por gradis pretos, postos de controle, homens com espelhos em varas inspecionando a parte inferior da carroceria de veículos, sinais de advertência, rampas, barreiras e policiais armados com metralhadoras. Tudo isso tinha de ser feito pela segurança, mas acabava fazendo com que o lugar parecesse mais perigoso que seguro, como se aquela fosse uma situação de sítio, sendo a democracia o próprio refém.

Passando pela entrada de Santo Estêvão, Gabe se deteve perto da estátua de mármore de Walpole enquanto esperava ser apanhado por um subalterno, mas foi Fairweather, com uma pasta de couro enfiada debaixo do braço, que atravessou o saguão a passos largos.

– Você conseguiu! – Ele deu parabéns como se Gabe tivesse completado a travessia solo do Atlântico. – Admirando nosso primeiro primeiro-ministro, hem? Bela escultura. Não posso deixar de me perguntar – disse ele, baixando a voz, – o que vão fazer para o atual primeiro-ministro quando ele for embora. Alguma coisa um pouco mais moderna, adequar o meio à mensagem, talvez uma instalação de vídeo?

Ele riu alto e penteou para trás a franja loura e comprida.

– Eu nunca tinha vindo aqui – disse Gabe.

– Bem-vindo ao hospício – disse Fairweather, indo na frente. – Quer dar uma volta? Ver o plenário? Receio que seja bastante chato. Não, não o culpo. Para ser franco, é melhor na televisão. Bem, eles mostram os destaques, e toda a função parece mais impressionante. No fundo, é um pouco decepcionante para os visitantes quando eles veem esse salão público modesto e, sabe de uma coisa? Já os vi sentados lá na galeria, e adivinhe o que estavam fazendo. Olhando para as telas. E eu não os culpo, não. De algum modo parece menos antiquado, mais real do que a coisa em si.

Fairweather não parava de falar enquanto seguia lépido pelos corredores margeados por gabinetes, transbordando simpatia, dando cumprimentos a torto e a direito. Gabe tentou dizer que na realidade gostaria de ver o local dos debates, mas descobriu que suas tentativas eram sufocadas debaixo de um manto de charme ministerial. Ocorreu a Gabriel que ele tinha subestimado esse homem, vendo apenas a superfície amável, da qual Fairweather se valia com grande eficácia.

– Cá estamos nós – disse Fairweather. – A sala Pugin. A rigor, estamos na Câmara dos Lordes. Veja que o tapete mudou de verde para vermelho. Mas há alguns anos nós a trocamos por alguma sala de reuniões, e eles nunca vão consegui-la de volta. Vamos tomar café ou alguma coisa mais forte para comemorar? Rolly não deve demorar nada. Alguém o trará cá para cima.

– Está vendo aquele camarada logo ali? – disse ele, depois de pedir um bule de café. – Presidente do subcomitê de serviço de bufê. Ministro do interior, como costuma ser conhecido.

– Foi assim que você conheceu Rolly, não foi? – perguntou Gabe. – Participando desse comitê.

– Tudo é feito aqui mesmo, sabe, o serviço de bufê – disse Fairweather. – Ele veio aqui fazer algum trabalho de consultoria. Hoje em dia, não se pode vender um enroladinho de salsicha sem chamar um consultor.

– E é boa?

– O quê? A comida? – Fairweather abriu um sorriso. – Ai, quem me dera uma torta de vitela do Bellamy's.

– Devo entender isso como um não?

Sua Excelência chegou mais perto, como se estivesse a ponto de iniciar uma trama.

– Este *deveria* ser o melhor lugar para comer em Londres. Que chef não gostaria de testar seus talentos aqui? Acho... – ele baixou a voz –, acho que poderíamos muito em breve ter algum faturamento como terceirizados, e estamos falando de um movimento entre quatro e cinco milhões para começar. – Ele se recostou na cadeira. – Seja como for, não vamos pôr o carro adiante dos bois – continuou ele, voltando ao seu tom vigoroso. – Precisamos começar a funcionar, firmar nossa marca, por assim dizer.

– Você está com o contrato de aluguel? – perguntou Gabriel.

– Lucinda já assinou – disse Fairweather, abrindo a pasta. – Pode tacar sua impressão digital... aqui.

– Lucinda? – Gabe nem tinha sido apresentado à mulher de Fairweather, e agora parecia que ia abrir uma empresa com ela.

– Uma formalidade. Temos *permissão* para atuar como empresários, desde que as empresas sejam registradas, mas desse jeito as coisas ficam mais simples.

Gabe olhou para as bochechas rosadas de menino de Fairweather, seu terno caro e informalmente amassado, o ar de confiança em si mesmo que o envolvia como uma água-de-colônia.

– É complicado com sua posição no ministério, é isso?

Fairweather deu um suspiro.

– Só estou um grau acima de um Secretário Pessoal no Parlamento, sabia? E sou abordado... todas essas ofertas da mídia que preciso recusar. Fiz uma coisa ou duas que pareceram ter bom resultado. – Ele mexeu, com modéstia, na sua aliança. – Mas agora estou praticamente limitado ao programa *Today* e a *Question Time*. Cá entre nós, pedi para ser descartado.

– Você quer perder o posto?

– Quando o primeiro-ministro reorganizar seus clipes. Não é falta de lealdade. É... bem, decidi que este é meu último mandato no Parlamento; e, se eu quiser criar alguns interesses lá fora...

– Trabalho na mídia?

– Ai, não sei. Estou deixando minhas opções em aberto. É claro que vai haver o restaurante. E não vai prejudicar o perfil algum trabalho na mídia. Mas haverá oportunidades de negócios. Fiz alguns contatos ao longo dos anos.

A garçonete que trouxe os cafés, uma loura faceira, com os olhos excessivamente pintados, dedicou uma atenção extraordinária à arrumação dos pires e xícaras, do açúcar e do leite. Fairweather praticamente esfregava as mãos, avaliando-a como uma mordomia parlamentar. Em retribuição, ela ousava lançar olhares de relance. Lucinda, lembrou-se Gabe, passava a maior parte do tempo na residência funcional.

– Ah, sr. Rawlins – exclamou Fairweather, pondo-se de pé de um salto.

Rolly desabotoou o casaco e desenrolou o cachecol.

– A garota que me trouxe aqui diz que se formou em Oxford. Estaria melhor como mensageira de hotel, com toda essa correria. Pelo menos ganharia gorjetas.

– Bem, aqui está – disse Fairweather –, o texto definitivo, passado a limpo. Lucinda já assinou, e Gabe – ele tirou uma caneta do terno – estava prestes a pegar esta caneta emprestada.

– Eu estava? – disse Gabe.

Ele podia imaginar Fairweather numa reunião de comitê, discretamente ajudando a conversa a prosseguir, tirando palavras da boca das pessoas ou colocando-as lá, suavemente sufocando as opiniões contrárias com seu charme franco e impiedoso.

– Vamos terminar com isso – disse Rolly, passando os minutos seguintes a trabalhar em silêncio.

Fairweather, pensou Gabe, gostava de esconder seu intelecto. Era óbvio que sua inteligência era afiada como uma faca, mas as melhores facas sempre são protegidas por uma bainha. Rolly era mais como um ralador, com a probabilidade de ralar seus dedos no primeiro contato, mas que dificilmente poderia causar um ferimento mortal. *Terceiro filho meio obtuso,* dissera ele um dia a Gabe. *Um burro total na escola. Médico e advogado, os dois primeiros. E eu fui para o comércio. Alguém me chamou de exuberante uma vez. Eu devia estar usando uma dessas camisas. Foi ali mesmo. Pronto:* empresário exuberante. *Não discuti. Fiz mais dinheiro que o médico e o advogado juntos. Mostra o que um obtuso pode fazer.*

– Parece que está tudo certo – dizia ele agora. Depois de assinar, ele empurrou a pasta para Gabe, que também assinou.

– Um drinque leve – propôs Fairweather, radiante. – Precisamos brindar. – Ele traria os fregueses ao restaurante, pensou Gabe. Disso não havia dúvida.

– Quer dizer que o dinheiro sai da conta, quando? Quinta, sexta-feira? Se você visse meu fluxo de caixa, não me convidaria para comemorar.

Rolly estava usando um dos seus trajes "exuberantes". Tinha tirado o casaco para revelar uma camisa havaiana.

– Então, um drinque forte – disse Fairweather.

– Não tenho tempo – respondeu Rolly. – Só vim aqui para assinar e, ah, é mesmo, trouxe uma proposta de um designer de interiores. – Ele entregou um envelope a Gabe.

– *Três bien* – disse Fairweather. – Mas Lucinda também teve algumas ideias. Em algum lugar nesta pasta...

– Você está brincando.

– Ora, bem, ela não é profissional. Uma amadora bastante talentosa, eu diria.

– Não, sinto muito, mas não trabalho com amadores. Olhe aqui para o jovem Gabriel, devidamente intrigado, coçando a cabeça.

Gabe passou a mão por baixo da coxa e a prendeu ali.

– Está bem, está bem. Dê uma olhada nos esboços, é só o que peço.

– E o que acha de a *minha* mulher criar os menus? – disse Rolly. – E se chamássemos um Elvis chinês para as noites de segunda, uma tentativa de atrair multidões?

– Tudo bem – disse Fairweather, sorrindo. – Acontece que o design de interiores é uma paixão dela.

– Já vi um monte de trouxas abrirem restaurantes com *paixão* – disse Rolly. – Essa operação é sobre dinheiro; não sobre sonhos. – Gabriel fez que sim, e Rolly fechou a pasta, deslizando-a de volta por cima da mesa. – Vejam bem – continuou ele –, com que as pessoas sonham? Principalmente com ganhar dinheiro. Enriquecer.

– É, é, sim – disse Fairweather. – Todos querem viver como um rei.

Ele não parecia nem um pouco contrariado com o chega pra lá, acreditando que, com toda a probabilidade, fosse acabar fazendo valer sua vontade.

– Não, eles não querem. Todos querem viver como celebridades.

Rolly, aparentemente por princípio, discordava sempre que possível, mesmo quando a diferença de opinião fosse ínfima.

– Queremos viver como celebridades – disse Fairweather – porque merecemos, como dizem os anúncios.

Gabe percebeu que a camisa tropical de Rolly tinha atraído certo volume de interesse em meio aos ternos da cor de cinza e grafite.

– Meu filho – disse Rolly, indiferente –, está com 17 anos. Adivinhem que tipo de carro ele quer. É claro que espera que eu o compre para ele. Adolescentes. Você esteve perto de um ultimamente? Ouviu como falam? Eu não paro de dizer, Steven, não moramos em Kingston, Jamaica. Aqui é Kingston KT1, esse é nosso CEP.

– É esta nossa sociedade de mulheres de jogadores de futebol, não é? – disse Fairweather. – Receio dizer que ela realmente incentiva a ganância.

– Bobagem – disse Rolly, levantando as mãos gordas, cor-de-rosa. – A ganância é parte fundamental da natureza humana. Ela está no sangue.

A seu próprio modo, Rolly tinha tanta vontade quanto Oona de tirar a vida das pessoas das suas mãos. Entre Deus e a genética, parecia haver pouco espaço para manobra, para viver uma vida que se pudesse chamar de própria.

– Concordo totalmente – respondeu Fairweather – e é tão fácil para os anunciantes manipularem.

– Vocês, políticos, adoram achar que podem mudar as coisas com alguma intervenção. Biologia é destino, é isso que vocês não conseguem aceitar.

– Mas mantém meus pés no chão – disse Fairweather a Gabe.

– Você sabe que existe um gene da generosidade? – disse Rolly. – Ponha essa informação no seu copo de engenharia social e engula se puder. É, acabaram de descobri-lo, uns pesquisadores em Israel. A maioria de nós é gananciosa; alguns são generosos: aqueles com uma rara variante no gene AVPR1. É uma mutação, uma anormalidade, como nascer com um pé torto, com onze dedos, três mamilos... nada de que você possa se sentir culpado.

– Fascinante – disse Fairweather. – Mas nunca vamos poder compreender todos os nossos impulsos, você não acha?

Eles continuaram o pingue-pongue, esquecidos de incluir Gabriel. Gabe, observando em silêncio, viu mais uma vez que par singular eles formavam. De certo modo, era comovente.

– Desculpem a intromissão – disse Gabriel. – Mas acho que devíamos ir a Alderney Street, finalizar os detalhes do design no local.

Rolly começou a se esforçar para voltar a vestir o casaco.

– Preciso sair correndo – disse ele, se bem que, considerando-se seu tamanho e seu caminhar habitual, fosse improvável que ele tentasse correr. – Posso lhes dar minha opinião agora. Mantenham o preço baixo. Minha filha vai para a universidade e espera que eu lhe compre um apartamento. Geraldine vai ter uma cozinha nova, talvez seja feita de ouro, não me surpreenderia, vocês deviam ver o preço. Eu não me importaria... – Ele sacudiu a cabeça e piscou os olhos. – Eu não me importaria, se ela soubesse cozinhar.

Fairweather e Gabriel atravessavam os Victoria Gardens quando no horizonte do outro lado do rio, o dia se recolheu brilhante numa faixa rosa e prata e se extinguiu de imediato. Eles prosseguiram na penumbra ao longo de Millbank, passando por prédios impassíveis, de fachada de granito, na caminhada de Westminster até Pimlico.
Gabe acendeu um Marlboro Light.
– Ah, eu não sabia que você...
– Desde que fui a Blantwistle – disse Gabe. – A ida aos velhos bares com minha irmã, os velhos hábitos. Vou parar de novo logo, logo.
– A erva do mal – disse Fairweather, meio distraído. – Agora, Blantwistle. Blantwistle... Será que vi algo na minha mesa recentemente? Esse nome me diz alguma coisa.
– Na realidade – disse Gabe –, a melhor hora é agora. – Ele jogou o cigarro na sarjeta e o resto do maço numa lata de lixo.
– Ah, é mesmo! Aconteceu alguma coisa, um fechamento. A última tecelagem em funcionamento, prestes a fechar as portas. Acho que não vai virar notícia. Antigamente era notícia, esse tipo de coisa.
– Meu pai trabalhou numa tecelagem – disse Gabriel. – Trabalhou no mesmo lugar a vida inteira.
– Verdade? – O rosto de Fairweather reluziu de satisfação como condizia, nessa noite escura e fria, com um proprietário de um sobretudo de caxemira, com poucos questionamentos sobre si mesmo. – Que maravilha!

– Deve ser Hortons – disse Gabe –, a que está fechando.
– Gosto de me manter a par desse tipo de coisa no departamento. Se bem que não haja nada que se possa fazer, é claro.

Gabe se arrependeu de ter jogado os cigarros fora. Tinha sido inconsequente. Enfiou as mãos nos bolsos.

– Meu pai acha que a economia está desmoronando. – Ele riu. – Ele vem acompanhando a derrocada desse setor da indústria. Não compreende a criação de novos postos de trabalho. Se não vir a fábrica, tijolos e concreto, não consegue entender.

– Temos um excelente índice de emprego – disse Fairweather, com sua melhor voz para radiodifusão.

– Pelo jeito de meu pai falar, parece que estamos no meio de uma recessão.

– Deus me livre, não – disse Fairweather. – A economia está muito, muito forte, como o chanceler não para de nos dizer.

Gabriel olhou de relance para ele, detectando talvez um toque de ironia. Com a mão, Fairweather penteou para trás a franja apesar de ela já estar sendo soprada para trás pelo vento.

– Ele diz que ela é um castelo de cartas. Meu pai, quer dizer.
– É difícil, não é, do ponto de vista dele não enxergar a situação dessa maneira?
– Mas o que *você* acha?

Não era todo dia que se podia obter confirmação oficial, da boca de um integrante do governo de Sua Majestade, de que seu pai estava positivamente, decididamente, errado.

– Todos nós temos uma *perspectiva* própria – refletiu Fairweather.

Gabriel deu uma risada.

– Os políticos nascem assim ou são formados?

Fairweather riu ruidosamente.

– Nós somos determinados biologicamente no útero.
– E você evitou dar resposta a minha pergunta.
– O que está gravado nos ossos – disse Fairweather. – Não é aqui que entramos? – Eles viraram a esquina de uma rua residencial. – Passo tempo demais conversando com jornalistas – prosseguiu ele, desistindo da voz de locutor. – Eis o que acho – disse ele,

falando depressa. – Existem duas histórias que podem ser contadas a respeito da economia. Basta pegar alguns jornais, ler alguns dos bambas do assunto. Todos eles acham que estão sendo originais, é claro, mas existem apenas umas duas versões, expostas com ligeiras diferenças. A primeira é a que seu pai prefere. Falta substância à economia. Perdemos nossa base manufatureira, e as novas indústrias não chegam a compensar a perda, como explicita nosso monstruoso deficit comercial. Nessa versão, inclui-se o caso dos alemães. Diz-se, olhe para eles, com seu *Vorsprung durch Technik,* todos os seus automóveis, máquinas de lavar roupa e seu enorme superávit comercial. Fala-se do Japão: meu Deus! Onde estão nossos Sonys e Panasonics, nossos Mitsubishis? Você não sabe quanto eles estão vendendo para a China? Pega-se uma relação de países, e pode-se contar mais ou menos a mesma história. Um país escandinavo, mencionam-se os aparelhos celulares. Os Estados Unidos? Computadores, aeronaves, filmes. Você já captou a essência. – Fairweather falava mais rápido, impaciente para que as palavras acompanhassem o ritmo do seu pensamento. Com a guarda baixa, ele deixou escapar seu jeito descontraído. Perdeu a aparência de menino integrante de coro de igreja. – Então, não importa o que você faça, vai dizer que a economia britânica está oca, que ela é como um caniço ao vento, cantarolando uma bela melodia. Que ela é um boneco oco de pau. E, quando ele pegar fogo, vai queimar rapidinho porque não há nada sólido nele. Insista um pouco em falar do mercado de valores, da criação de uma economia capenga pelo mercado imobiliário e de como a especulação imobiliária alimenta o crédito ao consumidor. Faça a situação parecer tão inflamável quanto possível. Insinue que o país inteiro se transformou num mercado de derivativos, com um bilhão de negócios por dia, nenhum deles real. Diga que somos um cassino gigantesco que gira o dinheiro de especuladores, enquanto abutres saqueadores do patrimônio destroçam planos corporativos de pensão e transformam as poucas fábricas remanescentes em apartamentos luxuosos e em shoppings.

"Existe, porém, outra versão, um tipo de realidade diferente, se preferir. Eis como é contada. Diga que a economia está em forte expansão porque está em ótima forma. Qualquer um que for de opinião contrária é um masoquista, um idiota ou simplesmente está com inveja. Diga que nos dedicamos a indústrias novas e promissoras. Use as expressões 'economia do conhecimento' e 'economia criativa'. Acrescente a contabilidade, os seguros, a publicidade, a atividade bancária. Mencione que o necessário são mentes, não músculos. E não se esqueça de dizer que estamos formando mais universitários do que nunca antes. Insinue que os novos Deuses do Comércio se ofendem facilmente e que, se não os apaziguarmos todos os dias, eles desaparecerão nos céus. Termine dizendo que é fato comprovado que todos sairemos desta muito melhor do que antes."

– Certo – disse Gabe –, você pode dar duas respostas diferentes. Aceito isso. Mas em qual das duas você acredita?

– Você está fazendo a pergunta errada – retrucou Fairweather. – De nada adianta a resposta, se a pergunta estiver errada.

– E qual seria a pergunta certa?

– Você tem como dominar a situação? – disse Fairweather. – Você tem como assumir o controle, não importa qual seja? É isso o que você deveria estar se perguntando. É o que você deveria estar perguntando a si mesmo.

– Ganhar dinheiro, é o que você está querendo dizer? É o que pretende fazer quando abandonar a política?

Pareceu que Fairweather não o ouviu. Eles seguiram um pouco, em silêncio, pelas ruas elegantes, desertas. A cada vez que caminhava por Pimlico à noite, o mesmo pensamento ocorria a Gabriel. Onde estava todo mundo? Aquelas eram ruas residenciais sem moradores. Estava em vigor algum toque de recolher? Todos teriam morrido? Havia algum sobrevivente que comeria num restaurante, quando ele por fim fosse inaugurado?

– Acho – disse Fairweather, baixinho, – que vou me dedicar a investimentos privados.

– Aposto – retrucou Gabriel – que, quando se afiliou ao Partido Trabalhista, você nunca imaginou que acabaria... na outra extremidade da escala, por assim dizer.

— Essa dicotomia entre esquerda e direita – disse Fairweather, descartando a ideia. – Não, isso já está totalmente ultrapassado. Ou você pode ser supostamente de esquerda e ser tão rico quanto quiser, ou quanto conseguir se tornar, de qualquer modo. Você sabe, ter os livros certos na estante, sobre pobreza e globalização, e ainda fazer compras na Prada. Tudo está ligado ao estilo. Olhe para esses astros do pop, como eles agem. E já nem se considera que seja hipocrisia. Não, não creio que esse aspecto seja um problema para mim. Todos nós somos fascinados por dinheiro, esta é a pura verdade. Deslumbrados, se preferir.

Quanto mais ele se alongava, mais rápido falava; e quanto mais rápido falava, pronunciava as palavras com mais precisão, picando-as em cubos pequenos e perfeitos.

— É claro – prosseguiu ele – que os astros do pop são arraia-miúda. Eles só *acham* que comandam o mundo. E os que realmente comandam não estão tão interessados em publicidade. Vou lhe dizer uma coisa... – Ele parou por um instante para verificar uma mensagem no celular. – Vou lhe dizer o que é dificílimo quando se está no governo. Você está bem ali junto com eles, esses turbocapitalistas, esses Gengis Khans dos mercados financeiros, e começa a pensar, supostamente sou eu que detenho o poder. E o que estou ganhando? Noventa mil por ano.

"E então, isso eu vi acontecer com colegas, eles começam a pensar, que diferença faz mais dez mil aqui ou ali? É uma ninharia. Você já viu o que esses caras ganham? E são apanhados como..." Ele disse o nome de outro ministro. "Camuflando uma segunda ajuda de custo para moradia, pedindo reembolso de algumas despesas extraordinárias, dando um emprego a um parente quando esse parente nunca pôs os pés na Câmara. Bem, não é muito, pensam eles. Nada que justifique a menor empolgação."

Fairweather riu, um riso curto e seco, não sua costumeira risada ruidosa e continuou:

— É nisso que o raciocínio deles tropeça. É exatamente *porque* não envolve muito dinheiro que eles acabam encrencados. Esses são valores que as pessoas podem entender, e elas ficam furiosas porque *elas* bem que gostariam de mais dez mil libras por ano.

E esse valor pode estar fora do seu alcance, mas por muito pouco. Por muito pouco.

"Mas os Gengis Khans, esses são outros quinhentos. As pessoas não entendem o que eles fazem. Por sinal, nem eu entendo. Tente dizer *hedge fund* e olhe enquanto as pessoas caem em estado de coma. O que é mais importante é que os valores que eles ganham são incompreensíveis. Quando os números ficam assim tão grandes, eles se tornam sem sentido, como o número de células no corpo humano, ou a distância entre uma galáxia e a seguinte."

– E por isso as pessoas não se importam? – disse Gabe.

– É descabido. Fora do nosso alcance. Poderia estar acontecendo em Marte.

– Mas eles são os geradores de riqueza, não são? Estou querendo dizer para a economia, criação de empregos, esse tipo de coisa.

– Ah, no governo, estamos extremamente tranquilos quanto a isso – disse Fairweather, com a voz retomando um jeito de falar arrastado. – Extremamente tranquilos. – De repente, ele parou de andar. – Será que passamos direto?

Os dois deram meia-volta ao mesmo tempo, girando um para a esquerda e o outro para a direita, e cada um continuou na sua trajetória, de tal modo que se descobriram de frente um para o outro no meio da rua. E ficaram ali paralisados e mudos como se estivessem direcionados automaticamente para um alvo, esperando alguns longos instantes até Fairweather acionar o comando manual.

– Não, acho que é a próxima rua – disse ele, dando um passo atrás.

Gabriel não conseguia se mexer. Naquele momento, estava tomado por um pavor tão físico que ficou de imediato paralisado, receoso de um colapso. Fairweather ainda estava falando, como se de um lugar distante. Gabe queria alguma coisa à qual pudesse se agarrar, alguma coisa real e concreta, para que essa onda de medo não o varresse dali. Ela já lhe tinha arrancado o estômago, um vento gelado atravessava seu corpo, e ele tamparia o furo se ao menos sua mão se mexesse. Qual era o problema? O que havia de errado com ele? Se ele soubesse, se pudesse dar-lhe um nome, tudo ficaria bem. Será que aquilo era um sonho? Devia ser. Se não fosse um sonho, por que não se mexer, falar, rir, gritar? Qualquer coisa para interromper esse travamento. Ele estava dormindo, estava sonhando, não havia nada a temer.

Ele percebeu que estava sonhando, um sonho quase legal, em branco e preto, em tons de cinza com uma eventual pincelada vermelha. Os tijolos das casas geminadas georgianas do outro lado da rua eram cinzentos. O peitoril das janelas, pintado de branco; e as grades de um preto brilhante. Uma mulher apareceu por trás de uma porta da frente pintada de preto, trajando um casaco vermelho-vivo. Duas pegas vieram rolando pela rua e foram enxotadas por um carro preto. Um carro vermelho viria atrás, previu Gabe, e como previsto lá veio ele. Um gato preto se escondia por trás das grades, com alguma coisa na boca. Ele subiu a escada e passou por uma entrada de gatos, depois de se esforçar um pouco, calculando um jeito de levar o melro para dentro. Os pés de sálvia nas jardineiras elegantes estremeceram, e a fragrância das folhas de um cinza prateado chegou às suas narinas. Gabriel pensou em como aquela planta era maravilhosa, como era subestimada e como jamais a deixaria de lado outra vez.

– Chef – disse Fairweather. – Chef?

– Eu estava só... Eu estava...

– Viu algum fantasma?

– Pensando – disse Gabe. – Eu estava pensando. – O sangue que tinha se congelado no seu corpo começou a fluir de novo.

Fairweather tocou no braço de Gabe.

– Você sabe, eu também estava pensando. Estava pensando que finalmente consegui. Literalmente eu deixei alguém duro de tédio. Falei tanto até você ficar duro como uma tábua.

– Não – disse Gabe. – Não, mesmo. Eu estava interessado. *Estou* interessado. Às vezes, é bom... Eu gosto... às vezes, é uma questão de pouco açúcar no sangue, e se eu... se deu a impressão de que eu não estava escutando... não, não mesmo, não é sempre que tenho uma oportunidade... com o trabalho e tudo o mais. Não, eu gosto...

Eles estavam andando novamente. Gabe fez uma pausa para tentar formar uma frase completa. Tinham estado conversando sobre a economia, empregos, antes de ele apagar por um minuto ou dois.

– Perfeitamente compreensível – disse Fairweather, muito embora até mesmo Gabe, em seu estado atual, fosse capaz de reconhecer a falta de veracidade nisso.

Gabriel respirou fundo. Disse a si mesmo que estava de novo em perfeita forma. Isso pareceu ajudar.

– Geração de riqueza, estávamos falando sobre isso, todos os novos postos de trabalho que foram abertos.

– Nós, políticos... – disse Fairweather, revertendo ao tom habitual: uma mistura amena de humildade e total confiança em si mesmo. – Lamento dizer que temos uma tendência a adorar o som da nossa própria voz.

– Eu queria saber o que você pensa.

– Temos nosso próprio esquema de geração de empregos, não é mesmo? – disse Fairweather. – Oito empregos de início.

Gabe olhou para Fairweather. Era espantoso, realmente espantoso, como ele conseguia acionar algum tipo de interruptor e mudar. Agora ele tinha assumido por inteiro o estilo político. Não era apenas a voz. Era tudo: a postura, a expressão nos olhos, a atenuação da aspereza, como um molho que tivesse sido engrossado com manteiga e creme.

– E isso aqui é um deserto em termos gastronômicos – continuou Fairweather. – Não há aonde ir. Existe uma população que não está sendo servida. É por isso que as ruas são tão silenciosas. E ainda tem o pessoal de Westminster.

Mas todo mundo deve fazer isso, pensou Gabe. Ele mesmo não era uma pessoa diferente quando estava na cozinha com Oona ou Victor, quando saía com Charlie (melhor não pensar nela) ou quando estava em Blantwistle com papai? Gleeson sempre fazia surgir seu pior lado, e Lena, bem... como ele poderia começar a se explicar?

– Na realidade – disse Gabe, com as palavras saindo muito mais agressivas do que ele pretendia –, sou bastante capaz de debater questões com uma perspectiva mais ampla. De vez em quando consigo tirar a cabeça das panelas.

– Mas isso é claro – disse Fairweather. Ele olhou Gabe dos pés à cabeça e pareceu chegar a algum tipo de conclusão. – Olhe, o que você quer saber? É uma questão de interpretação. Cá entre nós e em caráter não oficial, não existe uma verdade revelada. Há mais gente empregada agora do que na época em que fomos eleitos. Creio que esse fato é inquestionável; o resto é cada um por si.

– E o que isso quer dizer?

– Quer dizer, a que você prefere dar ênfase? Eu poderia dizer que o setor financeiro está indo de vento em popa, ou poderia dizer que há cerca de um milhão de palermas em funções burocráticas, digitando dados e atendendo telefones. É claro que a oposição insistiria em se queixar do número maior de estrangeiros que estão ocupando postos de trabalho na construção, na agricultura e nas cozinhas industriais e também em salientar que existe todo um contingente de britânicos desempregados e praticamente incapazes de obter emprego.

– Tem muita xenofobia por aí – disse Gabe.

– Não duvide disso – disse Fairweather. – Diga-me uma coisa, o que acabou acontecendo a respeito daquele seu auxiliar de limpeza? O que morreu. Vocês descobriram mais alguma coisa a respeito? Será que foi uma dessas situações de trabalho forçado, morando no subsolo, desesperado para quitar as dívidas?

Eles estavam seguindo a passos vigorosos por Alderney Street. Gabe podia ver a vitrine de vidro laminado onde antes existia uma floricultura e onde em breve estaria o restaurante.

– A investigação ainda não terminou. Imagino que vamos descobrir mais detalhes... Mas que história é essa de trabalhos forçados? O que você quer dizer com isso?

– Uma forma de escravidão para o século XXI. Retenção de passaportes, servidão por dívidas, ameaças de violência, esse tipo de coisa. As matérias sobre os agenciadores de trabalhadores, você deve ter lido nos jornais. Os grupos de pressão gostam de chamar de escravidão, é um termo mais impressionante. E nós realmente estamos entre os melhores do mundo porque expandimos tanto nossa desregulamentação, sabe?

– Mas existem leis novas – disse Gabe. – Depois da história daqueles chineses, catadores de moluscos.

– A Lei de Licenciamento de Agenciadores de Trabalhadores.

– Fairweather parou diante da loja, pôs a mão na vidraça e espiou lá dentro. – Sabe, acho que os projetos de Lucinda não são maus. Ela tem uma ideia para a fachada que eu acho que poderia funcionar bem. Por sinal, você tem uma fé comovente no governo. A Lei de Licenciamento de Agenciadores de Trabalhadores estipulou a criação de um órgão governamental minúsculo, de recursos próprios, que dificilmente conseguirá mais que arranhar a superfície do problema. Mas calculo que, desde que não tenhamos outros afogamentos em massa ou outros fatos que inspirem o sensacionalismo, ninguém vai realmente prestar atenção ou mesmo se importar. Ninguém é favorável ao aumento dos preços dos alimentos, sabia?

– Não sei de nada sobre Yuri – disse Gabe. – Ele veio por meio de uma agência.

Fairweather e Gabriel estavam em pé na calçada, um ao lado do outro. O vidro laminado os refletia, suspensos na escuridão como duas almas perdidas no nevoeiro.

– Vamos entrar? – disse Fairweather, aproximando-se da porta.

Ficando um instante para trás, Gabe examinou o vulto na vitrine, os jeans para todas as ocasiões e a jaqueta anônima, de zíper. Achou que parecia muito neutro, muito despersonalizado, como um manequim sem feições, com todas as características eliminadas ou escondidas. Ele se inclinou para a frente para encontrar um ângulo diferente, para conseguir que seu rosto aparecesse, e foi nesse momento que as luzes se acenderam lá dentro, fazendo com que ele desaparecesse. E lá estava Fairweather acenando para que entrasse.

No meio do horário do serviço de jantar, Gabriel precisou mandar Damian para casa, depois que ele urinou numa lata de lixo cheia de cascas de legumes e se deitou na área de preparação de alimentos com a braguilha aberta e o boné cobrindo o rosto. Gabe farejou o copo do qual Damian estivera bebericando a noite inteira. Provou o conteúdo e cuspiu a vodca. Suleiman e Benny voltaram da sua missão, tendo despejado Damian num táxi preto.

– Chef – disse Suleiman, olhando sério para Gabe –, estou achando que esse garoto está precisando muito de ajuda.

– Eu sei – disse Gabe. – Vou pensar em alguma coisa.

Suleiman fez que sim. Quase chegou a uma reverência. Sua seriedade era profunda, como se ele tivesse total confiança nas palavras de Gabriel.

Victor veio se pavoneando com a calça aberta e um alho-poró, pendurado na frente.

– Suleiman! Benny! Me ajudem, por favor!

– Você está tendo um problema com esse legume? – perguntou Suleiman.

– Agora precisamos continuar com o trabalho – disse Benny, tentando conduzir Victor para longe de Gabe.

– Ai, cara – gemeu Victor –, me guarda dentro da minha calça. Ai, vocês, garotões fortes.

Suleiman balançava ansioso nos pés, com as perninhas curvas.

– Ele gosta muito de brincar.

Oona, à janela, gritou um pedido. A cozinha estava como uma sauna úmida, com alguns dos exaustores sem funcionar. Ivan tinha apanhado uma faca e cortado janelas de ventilação na calça e no peito do jaleco branco. O trabalho prosseguia num ritmo violento, com os rapazes algemados aos postos, sem falar nem levantar a cabeça, todos com exceção desses três, esse palhaço e os dois que tinham ficado para protegê-lo, ambos retorcendo as mãos.

Gabe deu um passo na direção de Victor, que pulou para fora do alcance, indo para o outro lado. Gabriel deixou por isso mesmo.

– Muita animação – disse Benny. – É uma coisa que não podemos deixar de ter na nossa juventude.

– Eu sou exigente demais? – perguntou Gabriel. – Eu sou um homem exigente demais?

Ele deu uma volta pela cozinha sem atormentar, sugerir nem provar, simplesmente observando sua brigada no trabalho. As costas de Nikolai estavam cobertas de suor à mesa dos *réchauds*, o rosto tão vermelho quanto seu cabelo. Uma bolha aquosa crescia no polegar de Ivan. Suleiman, abaixo do pequeno santuário que tinha construído para Ganesh, labutava com devoção; e Benny, assumindo a carga adicional das tarefas de Damian, se concentrava nas suas atividades cantarolando sem queixas.

Gabe pisava de leve entrando e saindo das passagens, atravessando a cozinha de um lado para outro, pairando momentaneamente atrás de cada trabalhador, com sua presença sendo suficiente para aprimorar o desempenho, acelerar ao máximo os movimentos de cotovelos e pulsos. Satisfeito, ou pelo menos apaziguado, ele se juntou a Oona quando uma garçonete voltava do salão com uma pilha de pratos nos quais a comida praticamente não tinha sido tocada. A garota passou e largou os pratos com estrondo na área de lavagem, onde um auxiliar de limpeza começou a raspá-los.

– Espere aí – disse Gabe, interceptando a garçonete. – Houve alguma reclamação?

A garota limpou as mãos no traseiro da roupa.

– Não.

– Eles não devolveram a comida? Tinham acabado a refeição?

A garota olhou ao redor, como se estivesse procurando alguém que a salvasse.

– Vai ver que não estavam com fome. Não sei. Você quer que eu vá perguntar?

– Não.

Ele começou a observar os pratos e as travessas que voltavam, e a calcular a quantidade de comida desperdiçada. Deixou Oona e foi para perto do auxiliar de limpeza, levantando a tampa do latão de restos e dando uma boa olhada ali dentro. Isso apavorou o auxiliar de limpeza, que começou a deixar cair coisas no chão.

Gabe acabou entrando no salão, ao retinir suave de risadas, às engenhosas cascatas de luz, às imagens esfumaçadas tremeluzindo nos espelhos dourados. Foi ocupar um lugar no bar, deixando de lado as cabeças que se voltavam na sua direção, preferindo olhar para a dança da água no chafariz do outro lado do salão.

– Aceita alguma coisa, Chef?

Ele disse que não ao barman. Olhou para os clientes. Observou pratos sendo servidos e sendo levados embora. Quando ergueu os olhos para o teto, viu num dos nichos uns salpicos de estrelas.

Ao voltar para a cozinha, ele deparou com Gleeson e Ivan, à toa no corredor. Ivan, de voz grave, resmungou alguma coisa para seu colega de conspiração, tirou o calcanhar da parede e se virou sem cumprimentar Gabe.

– Completou a inspeção do salão, Chef? – disse Gleeson, com a voz tão melodiosa que quase parecia estar cantando. – Acho que você vai descobrir que tudo anda na linha.

Gabriel detestava a linha definida do repartido de Gleeson, o brilho do seu cabelo, o corte justo demais das calças, a gravata de seda, o brilho dos sapatos, a língua afiada, a expressão de serpente no seu olhar. Detestava aquele homem.

Sem responder, Gabe seguiu adiante e foi para seu escritório. Ali dentro estava mais quente que na cozinha. Ele apertou o botão para baixar a temperatura do ar-condicionado, que parecia estar travado. Bateu na caixa com o lado do punho. Depois apertou o botão para subir a temperatura para ver se o aparelho reagia ou se tinha pifado de vez. Houve um bipe, e ar quente começou a soprar pelas saídas. Gabe enxugou a nuca. O suor escorria pelo seu peito. Saiu para a área de descarga de mercadorias para fumar um cigarro do maço que tinha comprado no caminho de volta até o Imperial.

Era uma noite fria, de céu limpo, e ele estremeceu encostado num muro. Pararia de fumar quando quisesse; quando decidisse que tinha chegado a hora. Droga, estava frio. Ia fumar na cabana de Ernie.

Quando abriu a porta, viu Ernie, inconfundível mesmo só um vulto, torto e magricela, sentado no escuro.

– Como vai, Ernie?

– Ah, sim – disse Ernie. – Tudo nos conformes.
– Ótimo.
– E com você, como vão as coisas?
– Ótimas – repetiu Gabriel. – Tudo indo... nos conformes. O que você está fazendo? Por que não foi para casa?
– Estou compondo – disse Ernie. – Na cabeça. Um lugar quieto e escuro é tudo de que preciso. Componho na cabeça antes de escrever.

Gabe deu uma última tragada no cigarro e o apagou numa caneca na mesa de Ernie.

– Então não vou perturbar você. – Ele puxou a porta depois que passou e voltou a abri-la. – Ernie, venha me ver amanhã bem cedo. Precisamos ter uma conversa.

Antes do serviço, Gabe não tinha tido tempo para verificar o estoque. Decidiu fazer isso naquela hora. No porão, no depósito de secos, passando a mão pela prateleira de feijões e sementes de leguminosas, ele se lembrou daquela primeira visão de Lena, seu jeito de ficar parada no portal, com a luz da lâmpada nua caindo úmida sobre ela, o olhar que ela lhe dera. Ela o procurara. Era ela que o tinha procurado. Não se esqueça disso. Ele não a mantinha trancada no apartamento. Ele não tinha roubado seus documentos. Ela não lhe devia nada. Não havia ali servidão por dívida. E, fosse como fosse, ele a amava. Por que não deveria amar? Havia alguma lei contra isso?

Ele amava Lena. Amava aquela garota burra. Alguma coisa, um barulhinho, borbulhou na sua boca. Ele enxugou os olhos.

Papai tinha de conhecê-la. Ela precisava conhecer Jenny. Precisava conhecer papai antes que... e Gabriel lhe contaria tudo. Não ocultaria nada porque não tinha vergonha dela. Seja homem e diga a verdade. Tire as mãos dos bolsos. Endireite o corpo. Seja homem. E diga a verdade como ela é.

Ele estava com 10 anos, as mãos enfiadas nos bolsos das calças boca de sino de veludo cotelê da Bedford, encostado num armário na sala da manutenção, chupando uma bala de goma, conseguindo que ela ficasse bem fina e pontuda, quando papai entrou furibundo pela porta e fez as bochechas de Gabe se incendiarem.

– Com que você acha que estava brincando?
– Eu? – disse Gabriel. – Quê?
– Tire as mãos dos bolsos.

Gabe arrancou as mãos dos bolsos.

– Você cortou os fios.
– Eu nunca fiz nada disso – gritou Gabe. Pensando melhor, acrescentou. – Que fios?
– Eu deveria lhe dar uma boa de uma surra. Me fazer perder tempo desse jeito.

As orelhas de papai estavam de uma cor perigosa, os lábios finos como os de um lobo. Nos bancos, os encarregados da manutenção tiraram os olhos dos jornais e dos cigarros. O sr. Howarth tossiu.

– O que foi que ele fez?
– Pegou alguma droga de tesoura e simplesmente cortou a urdidura do número 25.

Todos riram. Qual era a graça? Estavam rindo dele por ser tão criança. Estavam rindo de papai por deixar que vissem como estava irritado. Não tinha graça nenhuma. Por que não paravam? O que aquela história tinha a ver com eles?

– Eu não fiz nada – berrou Gabe.

Era dele a culpa de tudo. Papai não deveria tê-lo trazido para a fábrica se não tinha tempo para lhe dar atenção. Papai tinha sumido horas a fio, deixando-o parado junto de um tear. Gabe não tinha feito *nada*, nada por séculos. O tear nem estava ligado. Não havia nada para ele fazer. Alguém (que agora obviamente não estava encrencado) havia deixado a tesoura por ali. Ele não tinha pretendido fazer nada e só cortara um pouquinho.

– Sei que foi você – disse papai. Ele também estava rindo, de modo que agora todos estavam contra Gabe. – Acabei de passar quase uma hora consertando o estrago, e não eram pontas partidas. Foram cortadas. Vamos ouvir a verdade e não se toca mais no assunto. Seja homem. Nada de choro. Conte a verdade como ela é.

* * *

Gabe queria ir para casa de ônibus. Papai disse que não. Queria que dessem um aperto de mãos. Gabe disse que não. Papai fingiu que tudo estava de volta ao normal (como se isso pudesse um dia acontecer), e Gabe desejou que papai morresse. Queria ir para casa para ver mamãe.

Indo atrás de papai pelo galpão de tecelagem, ele lançava raios letais pelos olhos. Exterminar. Exterminar. Nem mesmo pediu desculpas. Rindo. Será que *ele* ia gostar de ser tratado daquele jeito?

— Certo — disse papai, curvando-se um pouco, todo natural, respirando ali acima de Gabe. — Isso aqui é um tear de maquineta, um dos antigos, está vendo a lançadeira de madeira, a espada? O motor elétrico que faz passar de um lado para o outro está bem ali.

Gabe fez que sim com um alto grau de sarcasmo que papai nem percebeu.

— Vou lhe mostrar os Northrops. Vai vir ou não?

Como se ele tivesse escolha.

— Northrop foi um grande inovador. Todos esses que você está vendo são Northrops. Esta máquina aqui chega a uma velocidade de 260 batidas por minuto, o que quer dizer que a pinça vai de um lado ao outro todas essas vezes. Está lembrado do que eu estava dizendo? É ela que leva a trama, como a lançadeira no tear de maquineta. Isso é tecer. Passar a trama entre a urdidura, como eu disse.

Chato. Chato. Exterminar. Exterminar.

— Dez anos atrás, você estaria olhando para uma bateria simples, aqui desse lado da máquina, que continha as bobinas. A parte de baixo da bobina tinha uma quantidade de trama, que se chama de reserva, com o suficiente para passar três vezes.

Quem se importava? Quando chegassem em casa, papai iria dizer que estava tarde demais para brincar na rua. Não era justo. Jenny nunca era arrastada para dentro da fábrica.

Papai afagou o lado do tear como se fosse um cavalo selvagem, como se achasse que era algum tipo de caubói, que iria domá-lo.

– Foi então que apareceu essa belezinha. O Unifill. Está vendo aqui? Essa é a cabeça noveladeira, e aqui fica o magazine.

Por Deus, como ele queria que papai caísse duro bem ali diante dele. Ele não parava de matraquear igualzinho a uma droga de tear.

– ... tecidos especiais, materiais complicados que nunca vão conseguir fazer no exterior... isolamento para cabos elétricos que passam por baixo do mar...

– Papai! Papai! Posso ir para casa agora? Tô enjoado. Minha barriga tá doendo.

Papai parou de falar. A boca estava cortada reta, como uma régua, de um lado a outro do rosto. Ele abaixou a cabeça até a altura de Gabe.

– Ainda não chegamos à parte mais emocionante. Você não quer dar uma experimentada na máquina Dacty? Deixo você perfurar uns cartões.

Gabe passou o olhar pelo mar de metal e fibras, até o horizonte da parede. Não havia como escapar.

– Tá bom – disse ele.

– Bom garoto. Não saia de perto de mim. Vamos dar uma passada pelos *jacquards* primeiro.

Gabriel estalou o pescoço de tanto olhar para o quadro dos liços amarelos lá no alto e ficar naquela posição como se estivesse mesmo maravilhado e não pudesse deixar de olhar para as máquinas. Papai continuava sua lenga-lenga sobre a largura do rolo, e o quadro e o pente terem de ser exatamente iguais, e o urdume passar pelas bobinas e os liços levantarem o urdume para criar o desenho. E Gabe apostava que o pai de Michael nunca o fazia ir junto ao trabalho. O pai de Michael nunca o forçava a fazer nada. O pai de Michael nem mesmo emprego tinha. Michael era sortudo. Na casa dele, eles ficavam com a TV ligada o tempo todo.

– Gabe, volte e espere por mim na sala da manutenção.

– Quê? Por quê? Aonde você vai? Posso ir para casa?

– Lá em cima – disse papai, apontando para as vigas. – Preciso subir lá.

— E para que você quer ir lá em cima?
— Preciso cuidar do *jacquard* — disse papai, rindo.
— Como você vai chegar lá?
— Por uma escada, seu moloide. Depois eu fico em pé na viga, como um doido de um acrobata.

Gabe chutou com o dedão um monte de fiapos e o foi empurrando pelo piso. Ele começou a rolar direitinho. Quando chegou à sala da manutenção, já tinha acumulado uma quantidade do tamanho de uma bola de futebol, se bem que não do formato. Não havia mais ninguém na sala. Ele jogou a bola de fiapos para o alto e a pegou de volta muitas vezes até que a maior parte dela estava grudada na sua camiseta e na calça de cotelê, e praticamente nada nas mãos. Gabe tentou se espanar. Repetiu algumas vezes o exercício de ficar na vertical apoiado sobre as mãos, encostado na parede. Sentou-se então no banco. Deitou de bruços, teve um acesso de tosse e adormeceu.

Quando acordou, calculou que papai tinha ido embora e se esquecido dele porque já estava escuro e ninguém tinha acendido a luz. Era provável que todos tivessem ido para casa, que a fábrica inteira estivesse trancada e que ele precisasse passar a noite toda ali. A maioria dos meninos da sua idade talvez começasse a chorar. Gabe não estava nem mesmo assustado. Não sentiria medo nem se todas as lâmpadas tivessem queimado e ele precisasse ficar no escuro.

Levantou-se, atravessou a sala e tateou em busca do interruptor. Acionou o interruptor, e as lâmpadas se acenderam. Esfregando os olhos, ele abriu a porta, e por algum motivo estranho ouviu o barulho dos teares. Seguiu pelo corredor curto na direção do galpão de tecelagem onde tinha deixado o pai. Tinha se esquecido do turno da noite. A fábrica funcionava a noite toda.

— Que horas são? — perguntou ele a alguém que passava no sentido contrário.

— Quase cinco.

Só isso? Mas ele tinha passado horas dormindo!

Quando chegou ao galpão, viu papai deitado no chão abaixo da viga, como se tivesse caído de lá de cima. O sr. Howarth estava agachado ao seu lado. Papai não se mexia. E, quando o sr. Howarth olhou para cima, Gabriel viu o pânico na sua expressão e concluiu que papai – que safado! – tinha resolvido morrer.

O sr. Howarth fez menção de vir na direção dele, mas Gabriel saiu correndo do galpão, passou pelo pátio de piso de pedras arredondadas, pelos portões de ferro trabalhado e seguiu sozinho em disparada para casa.

Ele girou ao sentir o toque no ombro, ainda com uma das mãos na prateleira de feijões secos.

O rosto burocrático de Suleiman subia e descia, cheio de consideração.

– Chef, desculpe-me incomodá-lo, mas você talvez queira saber... está havendo uma briga.

– Quem são os envolvidos? – perguntou Gabe, embora soubesse a resposta.

– Apesar de meu campo visual estar em parte encoberto – disse Suleiman –, creio que se trata de Victor e Ivan.

Capítulo 16

MARCHANDO SEM SAIR DO LUGAR, ALGUMA ESPÉCIE DE RITUAL DE VItória, Ivan prendia a cabeça de Victor entre as costelas e o bíceps volumoso. Gabriel abriu caminho aos empurrões em meio aos cozinheiros. Ivan avançou trôpego enquanto o corpo de Victor, uma confusão de braços e pernas que se debatiam, era empurrado por cima de um balcão de trabalho. Isso não chegou a amenizar a expectativa de Gabe de que, a qualquer momento, o chef de grelhados agarraria um punhado de cabelo de Victor e penduraria sua cabeça no alto.

Todos estavam reunidos a uma distância respeitosa. Cédulas de cinco libras trocavam de mãos. Benny, ainda no seu posto, perto do local da ação, dobrava toalhas de prato brancas e as empilhava com perfeição e rapidez, como se estivesse preparando material para atendimento médico de emergência. Suleiman, estudioso como sempre, observava atento, para a eventualidade de um dia esse tema cair num exame. Oona estava falando baixinho, sem dúvida fazendo suas preces e de vez em quando estalando alto a língua. Estava na hora de encerrar o espetáculo.

Entretanto, Gabriel se conteve porque uma parte dele, alguma veia cruel que ele teria jurado não possuir, estava gostando daquilo tudo, do vermelho-framboesa no rosto de Victor. No exato instante em que por fim ele estava prestes a abrir a boca, Victor conseguiu se soltar. Gabe esperou para ver o que iria acontecer. Se ficasse calado, talvez descobrisse alguma coisa sobre essa inimizade.

Victor, com o sangue ainda no rosto, investiu contra seu adversário, urrando, com a cabeça baixa como um touro. Ivan apenas saiu da frente. Victor colidiu ruidosamente com a geladeira de sobremesas. Houve vaias e algumas palmas. Victor voltou para o ringue. Dessa vez, levantou os punhos. Ivan deu um soco que por um triz não atingiu o rosto de Victor. Ele reagiu com um chute nos ovos. A expressão nos olhos de Ivan fez com que os espectadores recuassem um passo ou dois.

Victor estava ali parado, ofegante, com o suor gotejando da testa.

– Veado – disse ele. – Filho da puta. Eu te mato. Vou te matar. Vou te matar mesmo.

Ivan avaliou o peso dos testículos.

– Você briga igual menina.

– Se você algum dia falar dela de novo... – Victor se apoiava totalmente nas palavras, tremendo de paixão juvenil. – Uma palavra que seja... Estou lhe dizendo, cara. Eu mato você. Tá me ouvindo?

Ivan, com as roupas recortadas e a bandana, parecia um amotinado. Só lhe faltava um cutelo. Voltou a orelha amassada para Victor e delicadamente a protegeu com a mão. Ela estava vermelha como uma boca.

– Ouvindo? Estou ouvindo alguma coisa?

Victor chiou por entre os dentes.

– Namorada? – disse Ivan. – Eu não digo nada. Nada. – Ele fez um gesto obsceno com a boca e a língua. – Ela largou você?

Victor girou sobre os calcanhares e apanhou uma faca do posto de trabalho de Benny, com a lâmina larga cintilando instantaneamente, famosamente, na sua mão. Brandindo a arma, Victor deu um grito de enregelar o sangue, que por fim fez Gabe agir. Ele alcançou Victor de um único salto, liberando-o da terrível necessidade de levar a briga ao fim. Victor deixou a faca cair.

– Eu devia demitir os dois – disse Gabriel, fumegando. – Deveria chutar vocês daqui neste minuto. Considerem que este é meu último aviso. Entenderam?

– Foi ele... – começou Victor.

– "Foi ele quem começou." Não seja tão criança. Chega.

Não era a primeira briga que Gabe presenciava na cozinha, e não seria a última. Sem dúvida, não tinha sido a pior. Em Brighton, um dos *commis*, cansado de ter o traseiro acariciado diariamente, pegou uma faca Excalibur de 15 cm de cortar filés e a fincou fundo na bunda do *sous-chef*. Se a escaramuça de Victor e Ivan era por causa de uma garota, Gabriel não iria interferir. Deixaria que ela se extinguisse por si só.

O serviço já estava praticamente encerrado, e por isso a arrumação e a limpeza já tinham começado. Gleeson tentou acomodar uma mesa de dez pessoas sem reservas antes que a cozinha fechasse. Gabe ainda estava com a adrenalina a toda, porque mal foi preciso um olhar para dissuadir o gerente do restaurante.

– Vejo que não é do seu agrado – disse Gleeson, com o mesmo sorriso que dirigia a clientes que jantavam às 6:30 da noite de sábado com sua melhor roupa domingueira.

Gabe entrou no seu cubículo pegajoso. Tirou o uniforme branco e se sentou de camiseta e cueca quadriculada, para examinar os números do setor de banquetes no computador. Os números se derretiam com o calor. Era impossível se concentrar. Ele precisava organizar os turnos para o período natalino. Isso seria mais fácil. Olhou para a cozinha ali fora. A maior parte do pessoal tinha ido para casa. Ele iria para casa e ficaria lá pelo maior tempo possível no Natal. Oona teria de trabalhar todos os dias. Pena. Mas o que ele podia fazer? Podia ficar sentado aqui sentindo culpa, porque a culpa é aquilo com que nos consolamos quando alguma coisa está fora do nosso controle. Se fosse possível mudar a situação, a culpa seria supérflua, porque o problema poderia ser corrigido, qualquer que ele fosse. A culpa era apenas um prêmio de consolação.

Estava devaneando de novo. Não conseguia se lembrar de ter voltado à fábrica depois daquele dia. Meu Deus, como papai o tinha deixado emputecido! E depois ainda foi cair e fraturar as costelas. Papai era invencível. E em seguida não era. Era difícil perdoar. Mas tudo aquilo estava agora no passado. Fazia décadas que ele não pensava no assunto. E agora estava começando a ficar parecido com vovó: a fábrica, o passado, mais reais para ele do que o que tinha diante dos olhos.

– Tudo bem se eu for para casa? – disse Oona, entrando pesadamente e se espremendo para sentar na cadeira de visitas.

– Pode ir – disse Gabe. – Quase terminei aqui.
– Pois eu estou acabada, querido.
Ela tirou os sapatos e esfregou os pés um no outro. O som era o de dez fósforos sendo riscados de uma vez. Encostou-se na mesa. A qualquer momento agora, iria lhe perguntar se ele aceitava uma boa xícara de chá.
– Estou encerrando a escala para o Natal – disse Gabe, animado. – Vou passar em Blantwistle, sabe, com meu pai. Você vai assumir o comando.
Oona pegou um bloco e começou a se abanar.
– Mas é claro. Seu pai, que Deus o abençoe e preserve. Como vai ele?
– Ainda está morrendo – disse Gabe, talvez com excesso de vivacidade.
– Pode tirar o tempo que precisar – disse Oona, a cabeça com uma inclinação sentimental. – Fico feliz de poder ajudar.
Gabe fez que sim. Olhou de volta para o monitor e deu umas mexidas no teclado. Daí a pouco tempo, Oona se levantou, com ruído.
– Desmanchei com minha namorada, com Charlie – disse Gabriel, o olhar ainda voltado para o computador. – Ela desmanchou comigo.
Ele ouviu Oona se reinstalando na cadeira. Ela ia dizer, *vai dar tudo certo no final.* Ela ia dizer, *às vez, uma coisa não é para acontecer mesmo.*
– Aquela moça linda? – disse Oona.
– Ela mesma – respondeu Gabe.
– Você quer voltar com ela?
Gabe olhou para Oona, com seu sorrisinho triste, as bochechas gorduchas estourando de preocupação.
– Claro que quero – disse ele, sem saber, sem se importar se estava falando sério, com a conversa avançando, como avançaria necessariamente com Oona, numa série de banalidades.
– Então temos um problema. – Essa percepção penetrante, fornecida assim de graça.
– É – disse Gabe –, é verdade.

– Hum – disse Oona, fincando a base do polegar no meio do busto. – Um problema a ser resolvido.
– O que está feito está feito.
– Chef, se eu conheço você...
– Obrigado, Oona. – Gabe se levantou de um salto e segurou a porta para ela. – Obrigado, está ficando tarde. Pegue um táxi, se quiser, e ponha na minha conta. Nos vemos de manhã. Boa-noite. Você cuidou do pedido de manutenção dos exaustores? Ah, bom. E o ar-condicionado já está maluco de novo. Precisamos dar umas broncas no pessoal da manutenção. Não, não se preocupe com isso agora. Fora daqui, muito bem, vamos, boa-noite.

Gabe pegou uma muda limpa de uniforme na gaveta de baixo do arquivo. Amarrando o avental, ele saiu para a cozinha. O auxiliar de limpeza da noite foi escapulindo depressa e em silêncio. Gabe começou a trabalhar. Picou em cubos cebolas, cenouras e aipo. Naquela cozinha, o *mirepoix* nunca era preparado direito. Era exatamente assim que deveria ser feito. Ele aqueceu um pouco de óleo em fogo médio. Sempre havia um toque de queimado no *jus de veau lié* porque eles douravam a carne e os legumes rápido demais. Sempre apressados. Ele pôs a vitela e o *mirepoix* na panela e ajustou a chama.

Quanto tempo fazia desde a última vez que cozinhara a partir do zero, desse jeito? Se criasse um prato novo todas as semanas antes que o restaurante abrisse, se os testasse no salão e selecionasse os seis melhores...

Ele mexeu a panela.

Suleiman subiu do vestiário à paisana e estava se dirigindo para a saída, mas recuou quando viu Gabe.

– Chef – disse ele –, precisa de alguma ajuda?

– Não – disse Gabe. – Só estou cozinhando. Pode ir para casa.

Suleiman se curvou ligeiramente na altura da cintura, cumprimentando com o corpo inteiro. Voltou-se então para ir embora.

– Espere um pouco – chamou Gabe. – Queria lhe perguntar uma coisa. Você... Isso aqui é uma coisa que você sempre quis fazer? Cozinhar?

– Chef?
– Sabe, quando você era criança? Você decidiu que isso era o que queria fazer? Ou aconteceu de acabar fazendo isso?... Não sei.

Suleiman, no seu sobretudo moderno e barato, com o cachecol de lã em volta do pescoço, estava em posição de sentido. O cabelo estava grudado ao crânio num círculo preto e liso.

– Foi decidido. Com toda a certeza. É claro.
– Você decidiu, certo? Quando? Como você soube?
– Chef, algum problema?
– Por que deveria haver? Não, nenhum problema. Estou só interessado, só isso.
– Escola Secundária Padma Sheshadree Bala Bhavan – disse Suleiman, empertigando-se até sua altura total. – Na minha cidade natal de Chennai. Décima primeira série. Foi decidido em conversas com meu pai. Ele é o dono de três casas de chá e tem o pensamento muito voltado para o futuro no que diz respeito ao turismo em Tamil Nadu. Depois de passar pelo exame central da educação secundária, frequentei a Faculdade Sri Balaji de Administração Hoteleira e Tecnologia de Alimentos em Trichy, onde recebi um Diploma de Administração Hoteleira. Foi um curso de três anos de duração, equivalente a um grau de bacharel em ciências. Depois disso, um ano na Suíça para adquirir experiência internacional e também obter conhecimentos de culinária de primeira. Dezoito meses a dois anos a serem passados no Reino Unido para adquirir conhecimentos diretos de operações em larga escala, fornecimento de banquetes e também para aprimorar o inglês. Ao voltar para Chennai, esses conhecimentos deverão ser aplicados inicialmente numa oportunidade de emprego de alto nível numa grande cadeia de hotéis. Daí em diante, meu pai e seus sócios farão um investimento significativo na construção de um novo complexo balneário, com o intuito de atender ao mercado de turistas ocidentais, em local a ser decidido mais tarde, mas com muita probabilidade de ser em Kanchipuram, Kanniyakumari ou Coimbatore.

Ele olhou ansioso para Gabriel para ver se tinha passado pela prova oral. O cachecol, inchado pelo calor, tinha se afofado em torno do queixo e do lábio inferior. Ele tentou abaixá-lo.

Gabe acrescentou purê de tomate à panela e se debruçou um pouco para sentir o aroma delicioso.

– Você leu *Larousse*? – perguntou. Havia muita coisa que ele podia ensinar a esse rapaz. – Você já leu Elizabeth David? Ela dá vida a tudo. Leia Brillat-Savarin, que recomendo. Não sei com que propósito. Zola escreveu sobre Les Halles, e eu o li quando estava trabalhando em Paris. E não consigo me lembrar com exatidão, mas Zola, vale a pena dar uma olhada nele. Mas me procure se quiser recomendações. Vejo que você é sério, e é isso o que gosto em você. – Isso era papo-furado, e Gabe sabia. – E o que dizer de Balzac a respeito da gastronomia, ah, é, eu era sério como você e estava sempre lendo quando tinha sua idade. Dá para conseguir ideias, sabe, inspiração, apesar de que na maior parte seja necessário trabalhar muito. Li o que Hemingway escreveu a respeito de peixes fritos no Sena. – Ele queria chegar a algum lugar. Qual seria? Era alguma coisa que estava na sua cabeça. Ele podia sentir a pressão; mas, quando abria a boca, a coisa continuava presa e todas essas outras palavras saíam. – Seja como for, não vou segurá-lo aqui. – Ele parou de falar e sacudiu a panela, desnecessariamente.

– Tentarei obter esses livros – disse Suleiman. – Com qual deles devo começar?

– Ah, vai dar tudo certo para você – disse Gabe.

Ele acrescentou o caldo de vitela. Usaria o *jus* para um molho de *chardonnay* e alho-poró; e estava com a ideia de experimentar um pouco de funcho fresco em vez das habituais sementes de mostarda.

Ele se inclinou para olhar na geladeira, decidindo que pegaria os três primeiros ingredientes na prateleira superior como ponto de partida para fazer alguma coisa nova e surpreendente. Quando estava em Lyon, às vezes faziam isso. O chef dava a todos eles três ingredientes a serem incluídos e trinta minutos para criar um prato novo. O melhor, se fosse suficientemente bom, ia para o menu do dia. Era divertido, mantinha todos os rapazes com uma atitude competitiva e talvez ele devesse fazer o mesmo amanhã bem cedo quando todos chegassem.

Um figo, um abacate, um chili. Gabe os enfileirou numa tábua de picar. Esfregou as mãos.

Suleiman pigarreou.

– Ah – disse Gabe –, achei que você já tivesse ido.

– É para eu ir? – perguntou Suleiman.

– É, é. Pode ir.

Agora, onde é mesmo que ele estava? Tinha pensado em alguma coisa boa, algo que estava se formando, antes de Suleiman interrompê-lo.

O que devia fazer era ler mais. Nunca tinha tempo. Quando trabalhava no exterior, costumava deitar na cama entre os turnos com um livro, se não conseguisse uma garota. Livros de culinária, é claro, mas também de todos os tipos. Ele gostava de livros sobre a Segunda Guerra Mundial, catados em bancas de sebo no seu país. Livros sobre comida. Anton... puxa, fazia anos que não pensava em Anton!... Anton, em sua fase intelectual, tinha lhe emprestado volumes elegantemente gastos, em cuja folha de rosto tinha inscrito com caneta hidrográfica roxa "*ex-libris* Anton Durlacher". Qualquer coisa que ficasse esquecida nos quartos de hóspedes, histórias de fantasmas, histórias de guerra, histórias de amor, aventuras no rio Nilo. Ele as lia e se entretinha com elas, mesmo com as histórias de amor, mas jamais conseguia se lembrar delas depois de passada uma semana, de modo que lhe parecia um tempo desperdiçado, perdido.

Agora Charlie era alguém que sempre estava com um livro em andamento. Quando saíam de férias, ele se sentava na praia com um livro popular de ciência, aprendendo alguma coisa sobre *quarks* ou átomos, e ela se deitava, toda descontração e curvas, esticada numa toalha cheia de areia, perguntando por que Gabe não lia um romance, há mais verdade na ficção que nos fatos.

Em Lanzarote, ela o fizera ler um livro, de cujo título ele agora não conseguia lembrar-se. Não se lembrava de nada, a não ser que nele havia um vigarista que trabalhava como ascensorista num hotel em Paris. O que você está achando, ela não parava de dizer, não é brilhante? Ele disse que estava gostando, mas isso não foi suficiente. Não se trata apenas de uma história engraçada sobre um vigarista, disse ela. Isso foi novidade para ele. Então, me diga do que se trata. Ora, disse ela, você não percebe? Como se fosse culpa dele.

Gabriel tirou as sementes e fatiou o chili. Provou um pedaço minúsculo com uma fatia de figo. É, aquilo podia funcionar.
Ele escumou o caldo.
Mas o que estava fazendo? Por que estava fazendo aquilo? Tinha se esquecido de que tipo o restaurante seria? Culinária francesa clássica, executada com precisão. *Rognons de veau dijonnaise, poussin en cocotte Bonne Femme, tripes à la mode de Caen.* Nada de pratos inventados de qualquer modo como num desafio entre chefs famosos na televisão, como num concurso entre estagiários, como numa escola de culinária vale-tudo-com-chili-e-balsâmico.
Puta merda. Merda. Tinha tocado no olho. Não tinha lavado as mãos depois de fatiar o chili. Ai, meu Deus!
Ele se agarrou à beira da superfície de trabalho.
Como podia ter cometido um erro tão idiota?
Talvez, só talvez, ele não estivesse destinado a ser um chef.
Poderia ter feito qualquer coisa. Poderia ter sido qualquer coisa. Papai não parava de dizer. Você é um garoto inteligente. Não desperdice seu talento, filho. Deveria ter continuado a estudar. Deveria ter entrado para a faculdade, para a universidade. Tudo feito e não feito para contrariar o pai.
Meu Deus. Ai, meu Deus. Tentou jogar água no olho na pia, mas só conseguiu piorar a situação porque ainda não tinha lavado as mãos. As mãos! Lave as mãos!
Ele as ensaboou cuidadosamente. Seu globo ocular, pronto para estourar. A dor perfurando para trás para penetrar no cérebro.
Fosse como fosse, não era verdade. Ele adorava cozinhar. Quando se adora fazer alguma coisa...

Nada se reduz a um dia, a um momento. A vida não está suspensa por um fio.

Ele tinha ficado do lado de mamãe. Era natural, pelo jeito com que papai a tratava.

Gabe secou as mãos.

A dor era aguda. Meu Deus. Uma vez um fragmento de vidro atingira seu olho, quicando de uma travessa estilhaçada, e a dor foi menos forte. Se fosse possível escolher entre vidro e chili, ele preferiria o vidro.

Ela era maravilhosa. Papai nunca a valorizou. Mesmo que fosse doente, isso não era motivo, nem desculpa. Era sempre uma aventura estar no mundo dela. Voltar da escola correndo para Astley Street, passar pela porta para cair em outra dimensão, sem nunca saber o que ia encontrar. Uma vez, ele a descobriu no quarto de dormir, usando uma crinolina, tendo picotado o cabelo. Ele lhe deu uma almofada de alfinetes, sabia que ela ia gostar, uma margarida no meio, sua flor preferida. Eles dançavam na cozinha ao som de qualquer música que tocasse no rádio, Val Doonican, os Beatles, os Stones. Ela girava e girava com ele, até ele ficar tonto. Às vezes, ela exagerava. Com mamãe nunca se sabia como ia ser. Era provável que ele sentisse um pouco de alívio com a chegada de papai e Jen.

Ele tinha feito sua própria cama.

O que o irritava, realmente o deixava furioso, era como outras pessoas, com menos talento, tinham sucesso.

Estava com 42 anos.

A sorte batia à porta dos outros, eles se casavam com gente rica, vendiam a alma para a televisão, se envolviam com jogadores de futebol, adotavam modas e tendências.

Ai, meu Deus! O fogo no olho estava ficando pior. Ele ia desmaiar em chamas. Meio cego, foi cambaleando para o escritório e fez um pouso forçado na cadeira. Recostando-se com as pernas estendidas, ele agarrou os braços, com o pescoço esticado, a boca aberta num rugido poderoso e mudo.

Tudo o que ele queria, tudo o que *sempre* tinha querido, era ter seu próprio lugar, nada de extraordinário, nada de ostentação. O que havia de tão difícil nisso? Deveria ter conseguido já fazia muito tempo. No Guy Savoy, ele era o cara. O mais rápido, o mais inteligente, o melhor. Chegava mais cedo que todos, ficava até mais tarde, trabalhava nos dias de folga. Conseguia encantar os chefs, comia de tudo nos mercados e devorava um milhão de livros.

Aos 24 anos, estava lá, num restaurante de duas estrelas no meio de Paris, e não perdeu o juízo.

Mas o que dizer do Le Chevalier? Naquela época ele não andava assim tão sóbrio. Anton ligara para ele de Londres. *Seu patife, canalha, amigão. Que tal uma volta na roda da fortuna com seu antigo companheiro de armas?* Havia três meses que ele estava com Guy Savoy. Pareceu tempo suficiente. *Eles me fizeram general, e eu o nomeio meu coronel. Traga sua faixa, seu chapéu tricorne e sua espada cerimonial.* Gabe estava com 24 anos; e Anton, com 25. Eles aceitavam quem aparecesse. Usavam drogas aos baldes. Anton tinha encerrado sua fase intelectual. Agora estava direcionado para a ação. Eles tocavam Jesus and Mary Chain na cozinha, cheiravam cocaína nas tábuas de cortar e transavam com as garçonetes em cima dos sacos de farinha, quando elas estavam a fim. A comida começou pretensiosa e inovadora; e a partir daí teve uma rápida queda na qualidade. Pareceu que ninguém percebeu. Por um tempo, o restaurante era o máximo. E terminou mal, previsivelmente. Anton, abandonado pela honra e pela coragem, desapareceu, deixando Gabe com uma ressaca monumental, induzida apenas parcialmente pela súbita retirada do seu papelote noturno de cocaína.

A verdade, não havia como evitá-la, era que esse era seu jeito de ser: de pouca força de vontade, desconcentrado, desprovido de garra. Incapaz de se dedicar. Não tinha sido a primeira vez que deixara as coisas lhe escaparem.

Tudo estava indo por água abaixo. Bastava olhar para ele agora. Estragando tudo com Charlie, bebendo e fumando no banheiro como um adolescente, trepando com uma...

Ele se empertigou de repente. Sua vida particular estava um pouco confusa, mas ela não o tinha desviado da rota. Ele era um cara equilibrado.

Era mesmo? Um momento atrás, não achava isso. No fundo, porém, ele era... o quê? Não conseguia pensar com clareza, era muita coisa se acumulando, conceitos em excesso, pensamentos fluindo como num aumento súbito da glicose.

Dava para fazer formas fantásticas com açúcar. Uma vez ele ganhara um concurso. Dava para girá-lo como se quisesse, tudo no movimento do pulso, fazer com que assumisse qualquer forma.

Gabriel se debruçou por cima da mesa e deitou a cabeça nos braços. Não vinha dormindo bem. Se rolasse a testa de um lado a outro da manga, fazendo uma pequena pressão, a dor no olho se reduzia. Ele se concentrou nisso, e alguns minutos depois foi se dissolvendo num sono de caramelo.

Acordou por volta de 4:30, frágil e sedento, com um torcicolo. Depois de beber um pouco d'água, ele saiu da cozinha e foi para o andar de cima. Desde que tinha presenciado o encontro clandestino de Gleeson e Ivan num dos quartos de hóspedes vazios, tinha pretendido dar uma verificada. Agora seria uma boa hora, sem o menor medo de ser perturbado.

A porta estava meio aberta. Era um quarto comum de casal, a reforma ainda não tinha começado. Ele tinha o cheiro de flor enlatada de lustra-móveis, e um abajur fora deixado aceso. Gabe abriu o guarda-roupa. Abriu uma gaveta. Nada, nenhum sinal de vida. A cama estava feita, as cortinas fechadas, a cesta de lixo vazia, o vaso sanitário fechado por uma fita, o papel higiênico deixado com uma ponta dobrada. Ele deveria olhar debaixo da cama? Talvez devesse se esconder ali embaixo e ficar ouvindo por um dia ou dois. O que esperava encontrar? Contrabando empilhado no boxe? Um cadáver no guarda-roupa?

Estava a ponto de sair quando percebeu um envelope na mesa. Era o envelope normal timbrado que o Imperial Hotel deixava em todos os quartos. Mas estava fora do lugar, bem no centro, isolado. Gabe continuou a andar na direção da porta; mas, quando chegou a ela, deu meia-volta outra vez. *Vamos, Sherlock, investi-*

gue. Ele apanhou o envelope descuidadamente – com um excesso de descuido – e uma cascata de fotografias caiu no chão.

Agachando-se ele as recolheu depressa, e de imediato seu coração começou a disparar. Lá estava Charlie em seu vestido prateado de melindrosa, em pé diante do microfone. Maggie, a garçonete do Penguin Club, olhando com cara de pastel para a lente. Tomadas de mesas, de fregueses, de cabeças de pessoas vistas de costas. Uma foto da rua mostrando a porta de entrada. E ali estava ele, Ivan e Victor, com Suleiman mais atrás, na noite em que os convidou para sair. Alguém tinha levado uma máquina fotográfica. Ele não se lembrava quem. Era inocente, totalmente inócuo, nenhuma prova de crime. Ele enfiou as fotos de volta no envelope com as mãos pegajosas. Colocando o envelope com cuidado na mesa, como o tinha encontrado, ele voltou a se encaminhar para a saída, dessa vez na ponta dos pés.

– Chef – disse Gleeson, parado no umbral da porta, chiando, como uma lâmpada prestes a explodir –, que surpresa agradável!

O braço de Gabe se atirou para o alto da cabeça.

– Oi, olá, Stanley. Estava passando, vi o abajur aceso...

– É claro – disse Gleeson, apressado.– Eu também vi a luz, errado, errado, o desperdício, preciso entrar para apagá-la.

Gabriel olhou para o relógio de pulso.

– Pois é.

– Pois é, mesmo. Você vai se encarregar ou eu me encarrego?

– De quê?

– Da luz – disse Gleeson. – Da *luz*.

– São cinco da manhã – disse Gabe. – Acho que nós dois sabemos...

Gleeson ajeitou os punhos da camisa. Inclinou a cabeça.

– Sabemos?

– Sabemos... – disse Gabe – que... – Droga! O que ele sabia? – ... esta é a melhor hora para pôr o trabalho em dia. Sem ninguém por perto.

– Sou da mesma opinião – concordou Gleeson, com um sorriso viscoso. Ele olhou de relance para a mesa.

Branka, a supervisora das camareiras, enfiou a cabeça dentro do quarto.

– Ela está pronta.

Branka tinha todas as qualidades certas para manter suas garotas sob controle. Quando passava por um corredor, verificando o trabalho delas, movimentava-se como se estivesse sob fogo cruzado. Era provável que conseguisse segurar balas com os dentes.

– Ela está pronta – repetiu Branka. – Quer que a traga para cá?

Capítulo 17

—⁂—

A PORTA DO ESCRITÓRIO BATEU NO NARIZ DE ERNIE E VOLTOU PARA a mão de Gabriel. Ernie estava ali parado no escuro. O auxiliar de limpeza da noite tinha desligado a luz, e o pessoal do café da manhã ainda estava por chegar.

– Ernie – disse Gabe –, desculpe. Se eu tivesse imaginado que alguém estava aqui dentro, teria tido mais cuidado.

Ernie recuou para deixar Gabe passar.

– Você se machucou? – perguntou Gabe, sentando-se enquanto Ernie continuava em pé.

– Eu tô bem – disse Ernie.

Ele tinha passado um pente no cabelo. O macacão dava a impressão de talvez ter tido algum contato com um ferro de passar. As meias estavam bem esticadas para cima. Ele estava ali parado, com um maço de listas de mercadorias recebidas nas mãos, girando-as como se fossem um boné de pano, tirado como demonstração de deferência.

– Bem – disse Gabriel, bocejando. Ele esperou um pouco. – Você está precisando de alguma coisa? Eu já estava de saída.

– Você disse para eu vir bem cedo de manhã, foi o que você disse.

– Ah, é mesmo – disse Gabe. Ele tinha querido se referir ao seu próprio "bem cedo", que seria às nove, ou mais provavelmente às dez; não à manhã de Ernie que começava às seis ou até mesmo antes disso hoje.

– Precisamos ter uma conversa, você disse.

Ernie, como de costume, olhava para além da orelha direita de Gabe. Gabe supunha que isso talvez se devesse a algum defeito, algum estrabismo ligeiro; mas, ao olhar agora para Ernie, perguntando-se se deveria fazer o que era necessário, ele viu que tinha se equivocado. Também não parecia que Ernie estivesse simplesmente evitando todo e qualquer contato visual. Ocorreu, sim, a Gabriel que o auxiliar estava olhando direto para outra pessoa, outro Gabe que estava ali junto do seu ombro, uma outra versão dele mesmo.

Gabe estava tão cansado que tinha começado a imaginar coisas. Não estava de modo algum em condições de lidar com a questão de Ernie. O estoque real e os registros no computador nunca batiam, e era provável que Ernie devesse ser dispensado. Mas agora não era a hora certa para isso. A "conversa" teria de esperar.

– A questão, Ernie, é que... A questão é que me esqueci do assunto que queria comentar com você. Desculpe.

Ernie esticou o pescoço.

– Então não pode ter sido tão importante. Você vai achar que fiquei biruta. Por um instante, achei que fosse ser dispensado.

Quando Ernie foi embora, Gabe decidiu ligar para Charlie. Precisava avisá-la. Apanhou o telefone. Avisá-la de quê? Ele desligou. Gleeson, munido de sua gentileza letal, praticamente o empurrara de dentro do quarto.

– Permita-me, se assim o desejar, que eu me encarregue do que precisa ser feito aqui.

Gabe não tinha insistido. E Branka, talvez pressentindo a existência de minas terrestres, promoveu uma retirada tática e veloz. Não havia o que contar a Charlie. Ele tinha encontrado umas fotografias. E tinha ficado apavorado.

Quem estava pronta? Por que Branka traria uma das suas garotas para ver Gleeson? Não importava o que Gleeson, Ivan e a supervisora das camareiras estivessem aprontando, era assunto deles. Por que Gabriel deveria tomar alguma atitude? Não era nada que estivesse relacionado a ele. O sr. Maddox que arranjasse outro espião.

A menos que estivesse de algum modo relacionado com Charlie. Como poderia estar? Talvez, se ele contasse para ela, isso já fosse suficiente. Ele queria falar com ela de qualquer maneira, não queria? Era melhor fazer agora ou ficaria com o assunto pairando ao seu redor, mais um item, mais um dever, mais uma coisa que não tinha feito. Escreveu "Ligar para Charlie" na lista que mantinha no bloco em cima da sua mesa. Apanhou o telefone com a mão esquerda e, com a direita, ticou "Ligar para Charlie".

Ela atendeu ao terceiro toque, tonta de sono.

– Sou eu, Gabe. Sei que é cedo, desculpe, mas preciso lhe contar uma coisa.

Ele ouviu a respiração dela.

– Pode não ser nada, sabe? Talvez seja melhor eu dar uma passada por aí.

– Gabriel – disse Charlie.

– Sim? – ele respondeu, com um abismo de repente se abrindo dentro dele.

– Não me ligue de novo.

Envolto em seu sobretudo cinzento, o dia foi saindo com esforço das trincheiras. Gabe, no banco traseiro de um táxi, com os olhos semicerrados, assistia ao filme bruxuleante dos prédios. A cidade àquela hora pertencia a um velho filme de guerra. Ele abriu direito os olhos e viu mais no alto as poucas raias de amarelo, como gás de mostarda de um lado a outro do céu.

Quando chegou a casa, Lena estava na banheira. Não falou nem se mexeu. Havia algum tempo que ele tinha parado de esperar qualquer tipo de reconhecimento da sua chegada.

– Desculpe por ontem de noite – disse ele. – Eu deveria ter ligado. – Em algum momento da madrugada, ele tinha sido amaldiçoado, condenado a não parar de pedir desculpas a todos por tudo.

Lena encolheu os ombros, uma leve ondulação na água.

– Vou repor algumas horas de sono – disse Gabriel. Ele abaixou a tampa e se sentou no vaso sanitário. – Depois preciso voltar ao trabalho.

– Eu tive sonho – disse Lena. – Na minha cidade, Mazyr. Eu ando nua pela rua, e todo mundo olha para mim.

– Me fale da sua casa, a casa em que você cresceu.
– Depois do sonho, não durmo – disse Lena.
Sua pele era quase tão clara como a água. Se Gabe pusesse a mão na banheira e mexesse a água, Lena se dissolveria.
– A casa tinha um jardim? Quantos quartos? Como era a cozinha?
Às vezes, ela lhe fornecia alguma pequena informação. Uma frase ou duas sobre uma escola, uma amiga, um animal de estimação. Isso os aproximava um pouco, mesmo que ele tivesse precisado sugar a informação à força, e era um modo de distrair Lena quando parecia provável que ela fosse se irritar.
– Quantos quartos ela tem, a casa dos seus pais? – disse Lena. Era frequente que ela pegasse as perguntas de Gabriel e as atirasse de volta como insultos.
– Quando eu era muito pequeno, tínhamos dois. Essas casas, quase todas demolidas agora, eram conhecidas como dois-em-cima, dois-embaixo. Não eram tão ruins assim, de verdade. Seja como for, acho que a gente não percebe, quando se é criança. – Ele revirou os bolsos em busca de um cigarro. – Vou fumar perto da janela – disse ele, mas continuou fumando sentado no vaso sanitário.
Se eles conseguissem conversar, se ela ao menos conversasse com ele... Fazer perguntas era contraproducente. Era como tentar ordenhar um gato.
– Tínhamos um banheiro lá fora no quintal – disse Gabriel. – Tínhamos outro dentro de casa, mas ainda usávamos o de lá de fora de vez em quando; e eu e Jen pregávamos peças um no outro. – Ele lhe contou da vez em que sua irmã apanhou uma rã e a deixou dentro do vaso; como era possível subir no telhado e mostrar a cabeça ou (com enorme cuidado) a bunda pela janelinha alta sem vidraça; como uma vez ele tinha deixado Jenny trancada lá dentro até depois de anoitecer. Lena continuava na água, afagando delicadamente o braço. – Jenny é maravilhosa. Você deveria ir conhecê-la. Você ia gostar dela. E Pavel? Será que nós dois íamos nos dar bem?

Gabe cruzou o piso com leveza e veio se sentar na borda da banheira.

– Ele é mais velho que você, não é? O que ele faz? Quer dizer, ele tinha um emprego?

Ela olhou para ele de esguelha e baixou os olhos de novo. Queria falar sobre o irmão, o amante, quem quer que fosse, mas Gabe viu que ela estava com medo. Se começasse a falar, talvez revelasse mais do que pretendia.

– Diga qualquer coisa, então. Não sobre ele, mas sobre você. Alguma coisa que você fazia na escola, uma pequena história, qualquer coisa, que cartazes você punha na parede do seu quarto?

Ela pousou o rosto nos joelhos e olhou através dele.

– Não sei.

– Por favor – disse ele, afastando uma mecha de cabelo do rosto dela. Sua mão ficou pairando ali no alto. E ele a recolheu.

– É idiota – disse Lena. – Você, você é idiota.

– É – disse Gabe. – Pode ser.

Ele queria conhecê-la. Mas informações não é o mesmo que conhecimento. Ele não podia dar entrada nela como em dados numa droga de planilha.

– O que você fez para encontrar Pasha? – disse Lena e então, respondendo à própria pergunta. – Nada.

– É aí que você está enganada – disse Gabriel. – O que acha que estive fazendo a noite inteira?

Isso a surpreendeu. Ela encolheu os dedos dos pés.

– Fui a Victoria, à rodoviária, ao clube que você mencionou...

Ela realmente o encarou nos olhos.

Gabe sacudiu a cabeça. Era horrível, o que ela fazia com ele. Um dia quando ele voltava da escola para casa, com Michael Harrison, eles salvaram um passarinho da boca do velho gato de Michael. Ele tinha perdido não mais que duas penas, sem sangue nem nada. Gabriel segurou o passarinho. O jeito com que o coração batia fez com que ele entrasse em pânico. Ele queria salvá-lo. Queria que morresse. Puseram o passarinho numa caixa de papelão no armário aquecido de guardar roupa de cama e banho. E, quando abriram a porta no dia seguinte, ele estava morto. Isso os

deixou chocados. Se não fosse por estar morto, ele até parecia bem saudável. Não parecia ter sofrido nenhuma lesão.
— Não — disse Lena. — Não acredito.
— Não adianta — disse Gabe. — Eu tentei. Isso aqui não é um pequeno vilarejo, onde se pode sair perguntando e acabar encontrando alguém. Estamos em Londres, pelo amor de Deus.

Ela virou o rosto para a parede.
— Lena... — Ele roçou a ponta dos dedos nos seus ombros. — Lena, acho que sei um caminho. O que vamos fazer, vamos contratar um detetive particular. Eu contrato alguém para encontrar Pasha.
— Não.
— O que você quer dizer com não? É o que eu vou fazer. Um detetive particular, um investigador. Sabe o que é?
— Não.
— Um pouco como um policial... não, não tem problema, não é da polícia. Um detetive particular não conta nada para a polícia. Ele só faz o que a gente paga a ele para fazer. E eles encontram pessoas. Eles sabem como se faz.

Ela abriu a água quente.
— Meu Pasha... ele quer ver... — ela parou para conseguir formar as palavras — ... estádio de Wembley. Ele diz que é casa do futebol.
— Ótimo — disse Gabe. — Isso é bom. Poderia ser útil. O que você deveria fazer é escrever tudo. Qualquer coisa que possa ser uma pista. Lugares que ele possa visitar, seus interesses, esse tipo de coisa. Comece pelo essencial e depois dê todas as informações que puder. — Isso a ocuparia. Ela precisava ter alguma coisa para fazer. — Vou continuar procurando por enquanto. Depois, quando tivermos tudo anotado num papel, procuro um detetive particular, um dos bons. Pago o melhor. Talvez consigamos alguém que comece depois do Natal, comece direto no Ano-novo. Não falta muito para o Natal, e depois vai estar resolvido. O trabalho será feito.

Ela respirou fundo e deslizou para dentro d'água, a perturbação na superfície desarticulando seus membros momentaneamente.

Gabe também prendeu a respiração. Se pudesse ficar com ela até o Natal, deveria ser tempo suficiente. Até lá, ela poderia sentir alguma coisa. Se Gabe podia se apaixonar por Lena, parecia pelo menos razoável que ela também pudesse se apaixonar por ele.

– OK – disse Lena, vindo à tona. A água quente tinha deixado um rubor no seu peito. – Você quer sexo agora? Já vou. – Ela fez menção de se levantar.

– Não – disse Gabe, pressionando seus ombros para baixo. – Não é isso o que eu quero. – Ele tremia de exaustão. – Não é certo. Não quero. Preciso dormir algumas horas.

Ele sorriu para ela, e Lena quase sorriu de volta para ele. Gabriel pegou um sabonete. Delicadamente, levantou um pé de Lena e o ensaboou, o massageou, esfregando a espuma entre os dedos. Ajoelhou-se no chão para conseguir um ângulo melhor para alcançar seu outro pé. Fazia movimentos circulares, meio hipnotizado pelo deslizar do seu polegar. Pegou uma esponja e, descansando o pé de Lena junto da torneira, começou a viagem pela canela acima.

Deitado na cama, ele lhe perguntou pelo cliente que ela dissera ter vontade de matar. O que ele realmente queria saber era por que ela não odiava os outros, mas isso ele não podia perguntar.

– O que ele fazia com você?

Lena deu uma mordida numa cutícula solta. O dedo sangrou.

– Ele a espancava, Lena? Era isso?

– Ah – disse Lena, limpando o sangue no braço. – Você gosta de ouvir essa história? Essa é uma coisa de que você gosta?

– É claro que não. – Em outras horas, ela o forçava a escutar histórias que ninguém queria ouvir, e agora essa acusação. Com ela, ele não tinha como sair ganhando. – Achei que fosse ajudar se você falasse abertamente sobre isso. Não se você não quiser. Estou disponível, é só isso o que estou dizendo, se você quiser...

– *Eu não quero falar* – sibilou Lena. E rolou para se deitar de lado.

Ele se mexeu tão devagar na direção dela que teve a impressão não de ter se movimentado, mas de ter crescido. Lançou raízes que se torceram em torno dela, prendendo-a a ele. Quando ele estava quase dormindo, ela falou.

– Um dia ele vem. E quando vem no meu quarto, eu vejo que está mexendo com aliança. E eu digo: "Ah, você é casado? Você tem mulher?" Assim eu falo porque acho que pode ser que ele pensa na mulher e vai ser melhor comigo, ele não vai fazer as coisas que faz comigo. Está vendo a idiotice? Está vendo como eu sou idiota?

No sonho, ele perambula pelas catacumbas, flutuando em meio a uma luz roxa, viscosa. Ele acha que nunca vai encontrar o lugar. Não faz diferença avançar.

Quando descobre o cadáver, fica tão grato que cai de joelhos. A comida começa a se empilhar em toda a volta. Ele pega um pedaço de bolo. Já está com ele nos lábios, quando sente o cheiro de como está estragado. Apanha um doce de uma gigantesca pilha caramelada. Uma gorda larva branca sai dançando na sua direção. Mas ali, logo ali, está seu frango preferido, e ele está crocante, com um aroma delicioso, perfeito. Gabe arranca uma coxa e a examina detidamente, a bela pele tostada, o cheiro de alho e ervas. Ele dá uma mordida e cospe tudo fora. Quando olha de novo para o frango, vê que ele está preto, totalmente coberto de moscas. Engatinhando, ele volta para o cadáver e agarra os pés. Um dedão se solta na sua mão, e Gabe o joga no chão ao lado da coxa de frango.

Nos dois dias passados desde que tinha encontrado as fotografias, Gabriel ligou cinco vezes para Charlie. Uma vez, para sua casa, naquela mesma manhã; e quatro vezes para seu celular. Ligações que ela não atendeu; mensagens às quais ela não deu resposta. Ia tentar agora mais uma vez, a caminho do trabalho, e deixar por aí. Enquanto esperava para atravessar em Lollard Street, uma Mercedes entrou em Kennington Road, e um ciclista passou voando por cima do capô, com a bicicleta ainda entre as pernas, descrevendo uma volta inteira no ar antes de se estatelar no asfalto.

— Alô — disse Charlie.

O mundo inteiro parou por um instante, parecendo se preparar para aplaudir esse balé aéreo.

Vi um cara ser morto, pensou Gabriel. Vi alguém morrer no meu caminho até o trabalho.

— Gabriel — disse Charlie.

As pessoas correram na direção do ciclista. O motorista saltou da Mercedes. Na fila de veículos que se formou em questão de segundos, outros motoristas começaram a buzinar.

O ciclista se levantou. Três pessoas o levaram para o meio-fio e o sentaram.

— Charlie — disse Gabriel. — Charlie, você ainda está aí?

Ele voltou a ligar umas duas vezes, em pé no ponto do ônibus. Ela não atendeu.

Quando chegou ao escritório, sentou-se com o celular, abriu a agenda de telefones, desceu até o nome de Charlie e apertou o botão de chamada. Mais uma vez, caiu na secretária eletrônica. Ele repetiu o processo. Uma terceira vez. Uma quarta. E não parava, cada vez mais depressa, cortando a chamada e apertando a rediscagem antes que a secretária entrasse. Levantou-se de um salto, abriu o arquivo, jogou o telefone ali dentro e trancou a gaveta. Coçou a careca no alto da cabeça. Esfregou-a. Coçou de novo. Pôs a chave do fichário no bolso traseiro dos jeans. Ótimo. Feito. Virou-se então e olhou direto para o telefone que estava em cima da mesa.

Apanhando ao acaso uma pasta de sua bandeja de entrada, ele resolveu ir trabalhar num canto tranquilo do salão de refeições. O problema era que fazia calor demais no seu escritório. Ele poderia ter uma insolação ali dentro.

De manhã, Jacques servia um desjejum até as 11 horas, quando tinha início a arrumação para o almoço. Eram mais ou menos dez, e o lugar estava praticamente deserto, com alguns homens de negócios se demorando com seus cafés e palmtops. Por isso, Gabe viu Fairweather de imediato, empurrando a franja para trás como uma menina, inclinando-se na direção de seu companheiro, como se estivesse disposto a flertar com ele. Obviamente dotado de excelente visão periférica, Fairweather interrompeu a conversa.

– Ah, Chef!

– Não quero perturbá-los – disse Gabe.

– Acho que já terminamos – disse Fairweather. – Terminamos?

Ele se levantou enquanto falava, de modo que seu companheiro, um homem de ar faminto, com um pulôver por cima da camisa e gravata, não teve escolha a não ser concordar.

– Eu já tinha esgotado minha cota de comentários espirituosos com ele – disse Fairweather, enquanto o companheiro se retirava. – Sente-se, sente-se.

– Eu tinha me esquecido de que íamos nos encontrar – disse Gabe.

– E não íamos – disse Fairweather. – Eu tinha uma reunião com esse camarada na hora do café da manhã e pensei, por que não o Imperial? Sair um pouco de Westminster, para variar.

– Colega seu? – Gabriel examinou o salão. Nenhum sinal de Gleeson.

– A questão é que você se encontra com um jornalista para um bate-papo e logo sai alguma coisa no jornal, algum vazamento, escândalo ou seja lá o que for, e o dedo da suspeita fica apontando para você.

– Não pode ser bom para a carreira – disse Gabe. Era mesmo irritante que ele tivesse *pensado* em Gleeson, como se não pudesse fazer o que bem entendesse. Como se não devesse conversar com qualquer pessoa que quisesse, como se devesse se preocupar com o fato de ser visto.

– Dedo da suspeita – disse Fairweather, ruminando. – Essa é a expressão correta?

Era Gleeson quem deveria se preocupar. Era ele quem tinha algo a esconder.

– Seja como for – prosseguiu Fairweather, rindo –, o problema com a carreira política é o fato de envolver tanta política.

– É por isso que você está caindo fora.

– Vamos ver o que acontece na próxima reorganizada. Peça demissão às pressas, tenha todo o tempo para se arrepender. Não é o que dizem?

Gabriel levantou o vaso de gérberas. Por fim, flores frescas, como combinado. Esfregou uma pétala e depois segurou uma haste. Devia ter sabido. Eram artificiais.

– Você não está pedindo para sair, nessa reorganizada? – perguntou Gabe.

– É possível. Até posso. Veremos. Depende do que me oferecerem. Houve alguns rumores. Existem postos *muito* difíceis de recusar.

– Mantendo portas abertas.

– A quintessência do britânico – disse Fairweather. – Não é esse nosso jeito de ser?

Nós sabíamos o que significava ser britânico. Esse era o velho Ted.

– Você quer dizer, manter a mente aberta?

– É claro – exclamou Fairweather. – Um valor britânico essencial. A liberdade, a justiça, tolerância, pluralidade. Aqui é preciso pedir que sirvam mais café ou ele simplesmente aparece? O que você acha?

Gabe ergueu o queixo para um garçom. Pediu um expresso duplo para si mesmo. A expectativa da cafeína lhe deu uma empolgação instantânea.

– Você não está no palanque – disse ele.

– Acha que estou lhe passando o discurso do partido? – Fairweather sorriu. – Falo sério. Pluralidade. Nossa chamada identidade britânica é como nossa economia, Gabriel, desregulamentada ao extremo. Ela é uma feira de ideias, valores e culturas; e nenhum deles tem privilégio em relação aos outros. Cada um encontra seu próprio nível, dependendo da oferta e da procura. – Fairweather tinha passado a falar como uma metralhadora. – Falamos do modelo multicultural, mas na realidade ele não é nada mais que o *laissez-faire*. Creio que isso é uma exclusividade nossa. Nossa identidade nacional, sob essa perspectiva, é muito característica.

– Não é esse o sentido de todas as identidades nacionais? Serem todas diferentes umas das outras?

Fairweather ergueu uma sobrancelha. Parou alguns instantes, talvez perguntando-se se Gabriel seria um depositário merecedor da generosidade intelectual que ele, se quisesse, lhe proporcionaria.

– Naturalmente é uma função da construção de uma nação poder dizer "somos diferentes deles". O que é interessante, Gabriel, é a forma pela qual a ideia do britanismo é ou veio a se tornar essencialmente uma identidade neutra, isenta de valores. É, por assim dizer, uma não identidade. Um vazio.

– Não vejo dessa forma – disse Gabe. – Não é assim que me sinto.

– Fico feliz por você – disse Fairweather. Ele sacou a carteira apesar de o café não ter chegado. – Bem, foi um prazer como sempre. Mas preciso sair correndo.

– É... você acha que é preocupante?

Fairweather fez que assinava no ar, e o garçom foi providenciar a conta.

– Não, por sinal não acho. Vejamos, seria possível dizer que os franceses, por exemplo, são mais positivamente... franceses na sua identidade. Mas por que isso deveria ser bom? Depende do que você prefere. Nós temos os Beatles. Eles, Johnny Hallyday.

– E nós temos frango *tikka masala* – disse Gabriel – enquanto eles têm comida decente.

– Papai, não está tarde demais para eu ligar, está?

– Eu tava lá em cima no sótão, só isso. Levei um tempinho pra descer.

– É certo você estar fazendo isso? E se você caísse?

– Não vou cair. Não conte para sua irmã. Ela já não larga do meu pé, sem mais essa.

– O que você estava fazendo?

– Separando as coisas. Vai sobrar menos para você e Jen fazerem.

– Papai...

– Ei, não estou fazendo isso por vocês. Ali em cima tem toda uma vida de recordações.

– Um verdadeiro museu.

– Isso mesmo.

– Vou subir com você quando eu for aí. Devo estar em casa antes do Natal, para passar uns dias.

– Não vá gastar seu dinheiro comigo.

– Não vou.

– Já é um presente ter você em casa.

– OK.

– E o que vou lhe dar?

– Nada.

– Bem, você não vai *não* ganhar nada. Ainda não morri.

– Não... quer dizer... preciso de umas meias. Uma carteira nova cairia bem. No fundo, tem um monte de coisas de que preciso.

– E o casamento? Já marcaram a data?

– Papai, veja só. Pode ser que ele seja adiado. Quer dizer, nós dois concordamos em repensar tudo.

– Vocês brigaram.

– Mais ou menos. É complicado. Eu lhe conto quando chegar aí.

– Pensar só leva a gente a parte do caminho, Gabriel. A vida continua sem dar a menor atenção.

– Não paro de pensar na Rileys. Quando você me levava ao trabalho. Lembra? Eu faltei à aula uma vez ou duas.

– É. Eu me lembro.

– Eu adorava a oficina Benninger. Quando estavam fazendo um trabalho complicado, todas as cores voando de um lado para o outro.

– É.

– Você disse uma coisa sobre a tecelagem. Disse que ela era um pouco como a vida. Você tem a trama que passa para um lado, e ela dá a padronagem e a cor. E você tem o urdume, que é constante, e atravessa tudo. Papai... eu... às vezes eu acho...

– É aquela garota? Aquela Lena? Não, não me esqueci. Escute, filho, você deveria saber que os fios se rompem o tempo todo. O bom tecelão não depende do encarregado da manutenção. Ele conserta o problema e segue em frente.

Capítulo 18

—⚞—

ELE CAIU DO SONO COM ESTRONDO E ATERRISSOU NA CAMA, DE BUNda para cima. Gabriel ficou ali deitado, com a cabeça pendurada para fora do colchão e o coração estourando como que saindo do peito. Tinha se esforçado tanto para acordar, aplicado tanta força, como se estivesse se jogando contra uma porta trancada, que de repente se abriu, e ele caiu de cara no chão. Mesmo assim, estava feliz por ter saído dele. O sonho cada vez se tornava pior. Os pesadelos não matam ninguém. Esse pesadelo talvez matasse, pensou Gabe. Ele morreria de privação do sono. Morreria de um ataque do coração.

Aquela era a manhã da audiência da investigação da morte, e Gabriel vestiu um terno antes de sair para o Tribunal de Investigações Criminais de Westminster. Ficou sentado na sala forrada de lambris, enquanto as poucas testemunhas davam seu depoimento. Tanto ele quanto o sr. Maddox foram chamados. Depois de um breve recesso, o legista encarregado declarou o veredicto: morte acidental. A causa da morte deveria ser registrada como fratura da coluna cervical. Não houve familiares presentes, embora a audiência tivesse sido adiada duas vezes para permitir que comparecessem. Circunstâncias financeiras, explicou o legista, não lhes tinham permitido fazer a viagem. Um representante do Serviço Social do Tribunal de Investigações Criminais agora leria uma declaração em nome dos familiares.

Era o de sempre – marido amoroso, pai dedicado –, um detalhamento da vida e da morte. Gabriel passeou o olhar pelos gatos pingados no tribunal, o atendente da ambulância, o policial. Como era difícil prestar atenção. Talvez ele sentisse alguma coisa, registrasse algum tipo de emoção, se não estivesse totalmente exausto.

Lá fora, em Horseferry Road, o sr. Maddox deu um soco no ombro de Gabe.

– Bom resultado – disse ele, como se os escores do futebol tivessem acabado de chegar. – Vamos, vou lhe dar uma carona. Gareth pode ir atrás.

Com sua permanente barba por fazer, a gola do sobretudo preto virada para cima, Maddox parecia o chefe de uma família do crime organizado, carreira na qual se daria muito bem.

– Ponto final para Yuri. Tudo encerrado. – Repentinamente furioso, Gabe atacou um cigarro.

– Parece que você dormiu numa vala, Chef. Como sempre querendo dar o passo maior que as pernas?

– Você não liga a mínima, não é mesmo? – disse Gabriel. – E daí que alguém morreu?

– Escutem Madre Teresa. Ela vai dizer uma oração.

O sr. James, obediente, sufocou um risinho.

– Se nos apressarmos, vai dar para o senhor pegar o das 2:30. Vamos? – disse ele.

A expressão no olhar do sr. Maddox era como um soco na cara. Gabe deu um passo involuntário para trás.

– Qual é? – disse Maddox. – O que você quer que eu faça? Passe a bandeja da coleta?

– Por que não? – perguntou Gabriel, dando de ombros. – Na próxima reunião da diretoria. Indenização trabalhista, digamos.

– Não – rugiu o sr. Maddox. – Nem pensar. Não há a menor chance. Você não ouviu o que foi dito no tribunal? Nesse caso, não há acusação de negligência. Se houvesse, nós a questionaríamos. Eles não tirariam de nós sequer um pêni.

– Então como um ato de caridade – disse Gabe.

– Tenho uma ideia melhor – retrucou Maddox. – Por que você não consagra as catacumbas? Transforme-as num maldito santuário. Bem, Gareth, você ainda está aqui? Bem, trate de ir pegar o carro. O Chef resolveu ir andando. Está precisando espairecer.

No dia seguinte, o serviço do almoço foi fúnebre. Falsas ameaças de bombas em duas estações de metrô, um tempo horrível, a redução da "confiança do consumidor" da qual Gabe tinha ouvido falar no rádio – Gabe não sabia ao certo a quem atribuir a culpa. Tinha havido alguns cancelamentos para o jantar, e ele podia apostar que algumas reservas não se cumpririam e que poucos clientes sem reservas apareceriam. Foi um dia nervoso.

Gabriel, um especulador de curto prazo num mercado em baixa, estava sentado com Nikolai entre um turno e outro num bar nas proximidades de Shaftesbury Avenue. Ele queria falar do sonho. O sonho estava numa pilhagem descontrolada. Roubava suas noites. Não sabia a hora de parar.

Gabe bebericava de um caneco rançoso, de fundo de barril.

– Não paro de ter esse sonho... sobre Yuri.

Nikolai estava bebendo cerveja de garrafa. Ele fechou os olhos por um instante. Que era aquilo? Algum tipo de reconhecimento? Uma saudação ao morto? Um sinal de respeito?

– Olhe para esta mesa – disse Gabriel. – Está imunda. Um, dois, três caras, sem fazer nada atrás do balcão.

O bar era um típico buraco para turistas e gente de fora da cidade, daquele tipo que nunca espera ver o cliente outra vez e por isso não dá a mínima. A comida, o tradicional grude de bar, consistia em tortas para aquecer no micro-ondas, servidas numa lavagem de feijão cozido, uma mistura impossível de ser comida, como um bando de turistas americanos estava prestes a constatar.

– É uma vergonha – disse Nikolai, com uma seriedade desnecessária.

Gabriel de repente foi dominado pela irritação. Nikolai, com seus longos dedos brancos e o cabelo louro-avermelhado, com seu silêncio pretensioso, com o nariz feio, o palavrório cheio de superioridade, os ombros encurvados, o olhar de quem está esperando a hora. Nikolai! Por que Gabriel haveria de querer conversar com ele?

Com a mesma velocidade com que irrompeu, a irritação se extinguiu. Gabriel tentou outra vez.

– A questão com esse sonho é que ele é sempre igual. Seja como for, ele começa sempre igual.

Ele passou as informações para Nikolai, cercando os detalhes como se fossem bandidos, expulsando-os do seu território.
– Entendo – disse Nikolai.
– Bem? – disse Gabe. – Bem – repetiu ele. – O que você acha que significa?

Nikolai ofereceu um cigarro a Gabriel, uma prescrição para todos os seus males, e deu de ombros.
– Um sonho é só um sonho.
– Eu sei – concordou Gabe. – Mas ele não para de se repetir. Isso tem de significar alguma coisa.

Quando entrou naquele maldito bar, ele disse a si mesmo que era tranquilo e próximo, motivos pelos quais o tinha escolhido. A verdade era que ele não sabia a que outro lugar poderia ir, agora que o Dusty's estava fechado e o Penguin era como se estivesse fechado também. Antes ele conhecia dezenas de lugares. Antes ele conhecia esta cidade.
– Um analista freudiano – disse Nikolai – lhe diria. Mas talvez você não acreditasse nele.
– Não preciso de psicanalista – disse Gabe.

Londres estava escorrendo por entre seus dedos. Quanto mais tempo ele morava ali, mais desconhecida ela se tornava.
– Não – disse Nikolai. – É claro que não.
– Eles não ficam só sentados ali? – perguntou Gabriel. – Sentados ali em silêncio enquanto a gente fala. Na realidade, um pouco como você, Nikolai. Você não é psicanalista, por acaso? Psicanalista de cozinha, ah, ah, ah.

Nikolai dignou-se rir.
– Vamos – disse Gabe –, conte-me alguma coisa. Por que o chamam de doutor? Você é mesmo médico, ou não?
– Fui um dia.
– E então? – disse Gabe. – Qual foi a história?
– Aconteceram coisas – disse Nikolai. – Minha vida mudou.
– Se você preferir não falar sobre o assunto... – disse Gabe.
– Não tenho nada a esconder. Eu era médico na União Soviética. Depois fui acusado de ser espião e... – Com o cigarro, ele fez um gesto de renúncia. – Precisei ir embora.

— Espere aí – disse Gabe. – Quando foi isso?
— Gorbachev – disse Nikolai. – *Glasnost! Perestroika!* – Ele falava como se estivesse num palanque, com um sorriso de inspirar multidões. – O fim da Guerra Fria! O fim da história!
— E você não tinha feito nada? Você não tinha feito nada de errado?
— É claro que fiz algo de errado.
— Ah – disse Gabe –, estou entendendo.
— Eu era obstetra. Estava investigando defeitos congênitos. Havia muitos, de um tipo específico, na nossa cidade. Fiz alguns estudos do rio, do fornecimento de água potável, e descobri coisas interessantes sobre os produtos químicos despejados pela fábrica. Esse conhecimento eu tornei público. Por esse motivo, fui tachado de espião. A fábrica fornecia peças para equipamentos militares, de modo que eu tinha exposto segredos militares. Foi o que disseram no meu julgamento. Vi o relato disso, preferindo, por motivos que você há de entender, permanecer foragido na ocasião. Fui condenado à revelia a 14 anos na cadeia.
— Isso foi durante o governo de Gorbachev?
— Não se tratou do fim da história – disse Nikolai. – Ela simplesmente se repetiu.
— E por que... – começou Gabriel, perguntando-se como formular a pergunta.
— Por que uma faca de cozinha? Não seguro um bisturi há muitos anos.
— Por que você não continuou a clinicar? Não prestou alguns exames?
— Quando vim para cá, pensei... – Nikolai abanou a cabeça. – Eu me envolvi... Demorei demais... – Ele sorriu e sacudiu um dedo na direção de Gabriel, como se quase tivesse sido apanhado. – Digamos que foi por *força das circunstâncias,* por falta de uma expressão melhor. Não importa. Já aceitei. Vamos chamar de destino.

Gabriel mexeu o cotovelo, que estava grudado num ponto pegajoso da mesa. *Destino,* quanta importância, quanta grandiosidade! Como isso era típico de Nikolai. Era preciso que você se considerasse especial para se sentir destinado a qualquer coisa.

– Você não acredita nisso. Quer dizer, você acredita *mesmo* nisso?

– Acredito em quê? – perguntou Nikolai.

– Destino, fado, predestinação... não importa o nome que lhe dê. Um plano geral de Lá do Alto. Isso é papo-furado, não é? O que acontece com a capacidade de escolha, com o livre-arbítrio?

– Não existe um plano geral – disse Nikolai. Ele fez uma pausa demorada, trançando os dedos finos, sem dúvida calculando que esse silêncio valorizaria sua frase quando ele a pronunciasse. – Com isso eu concordo – prosseguiu ele. – Mas, como um homem dedicado à razão e à ciência, sou forçado a discordar da sua ideia do livre-arbítrio. Não posso concordar com ela.

– Suponho que você esteja brincando – disse Gabe.

As mãos de Nikolai não eram mãos de chef. Não eram cobertas de velhas cicatrizes de cortes e queimaduras. Ele trabalhava com precisão cirúrgica. Por que os ferimentos deveriam ser motivo de orgulho?

– Ou pode ser que eu tenha passado tempo demais lendo Schopenhauer – disse Nikolai.

– O quê? Quem?

– Falando sério – disse Nikolai –, deixe-me perguntar. Deixe-me descobrir em que você acredita. Por exemplo, você acredita que somos livres para escolher as coisas mais importantes a respeito da nossa vida? Nascer no Ocidente no século XX é um golpe de sorte dos mais incríveis. Depois disso, os pais que temos são os fatores mais significativos a levar em conta. Você não concorda que os maiores acontecimentos da nossa vida são coisas que nos acontecem, em vez de coisas que resolvemos fazer? E o que dizer do presente, da nossa conduta diária? Será que controlamos até nossas funções básicas? Você consegue acordar quando quer? Dormir quando quer? Você consegue esquecer seus sonhos? Você consegue decidir quando pensar, no que pensar e quando não pensar em nada?

Nikolai tirou um cantil do bolso, tomou um gole e o passou para Gabe.

– Um pouco cedo para mim – disse Gabe – mas tudo bem, obrigado.

A vodca fez com que se lembrasse de Damian. Devia fazer alguma coisa com relação àquele garoto. Se tivesse tempo. Fosse como fosse, Damian era um desastre anunciado. Era provável que não houvesse muito que se pudesse fazer a respeito. Ele devolveu o cantil.

– Entendo o que você está dizendo – disse ele a Nikolai. – Mas essa não é a questão. Você passou ao largo da questão.

– Que é? – perguntou Nikolai.

– É óbvio. Pode ser que eu não consiga adormecer quando quero; mas, quando estou acordado, posso decidir o que fazer, quando fazer e como fazer. Isso é livre-arbítrio. Fazemos escolhas o tempo todo. Como nos comportamos é uma decisão nossa. Por exemplo, posso decidir que me comportarei direito... em outras palavras, que serei bom... ou posso adotar outra conduta, ser egoísta e assim por diante.

– Como nos comportamos – disse Nikolai, estendendo as palavras, fingindo nitidamente estar pensando, quando na realidade ele tinha preparado o sermão havia muito tempo. – Como nos comportamos, pode-se dizer, é determinado por nossa infância, pelos acidentes do nascimento e dos progenitores, bem como pelo que nos aconteceu ao longo do caminho. Uma infância específica nos priva de certas escolhas, nos impele em certas direções.

Michael Harrison, seu amigo de infância, invadiu seu pensamento sem ser convidado. Não era difícil ver, pensou Gabe com relutância, em que rumo Michael ia seguir. E, no entanto, não. Michael era brilhante o suficiente. Era provável que Michael tivesse dado certo.

– Um psicanalista – prosseguiu Nikolai... meu Deus, ele não parava, uma vez que tivesse apanhado impulso... – talvez discorde dessa sua hipótese. Freud nos ensina que precisamos examinar o passado de uma pessoa para entender seu comportamento atual. Se uma pessoa não é "boa", se é até mesmo sádica, o que provocou essa pessoa a ser assim? Outra pessoa não consegue criar re-

lacionamentos estáveis? Por quê? Podemos descobrir os motivos, se assim desejarmos.
– Freud – disse Gabriel – já está totalmente desacreditado. – Ele não fazia ideia se essa afirmação era verdadeira, mas parecia bastante provável.
Nikolai contraiu os olhinhos de camundongo, enquanto acendia mais um cigarro.
– Vamos examinar a questão de outro ângulo. Você prefere uma abordagem mais científica?
– Prefiro.
– Experimentação científica, controlada, resultados mensuráveis, em outras palavras, provas?
– Suponho que sim – disse Gabe.
– Filósofos e terapeutas nunca nos dão provas. Mas, quando vemos resultados concretos, aceitamos as evidências, não é mesmo?
– Não temos o dia inteiro – disse Gabriel.
Não era tolo. Podia ver o que Nikolai estava fazendo: conduzindo-o por um corredor, fechando as portas das objeções ao longo do caminho. Truque de vendedor.
– Serei rápido. Estou pensando num experimento clássico realizado na Universidade de Harvard no início da década de 1990. Psicólogos investigaram como alunos avaliavam seus professores. Foi pedido a um grupo de estudantes que desse notas a palestras com base num videoclipe sem som, de trinta segundos de duração. Revelou-se que os estudantes concordaram quanto a quais professores eram mais competentes e profissionais, quais possuíam outras qualidades positivas para dar aulas. Tudo isso depois de trinta segundos de observação de totais desconhecidos. – Nikolai tomou outro gole de vodca e lambeu os lábios descorados.
– E daí? – perguntou Gabriel.
– Eles não só concordaram entre si, mas as notas que aqueles estudantes deram também previram com exatidão as avaliações que os professores receberam de seus verdadeiros alunos ao final de um semestre inteiro. Naturalmente o primeiro grupo de estudantes estava atuando a partir do instinto. O segundo grupo, os

verdadeiros alunos, *acreditava* estar atuando com a razão, fazendo escolhas lógicas, mas o resultado foi o mesmo.

– Se esse exemplo for o melhor que você puder apresentar – disse Gabriel –, ele não prova nada.

– De acordo com muitos cientistas da cognição – disse Nikolai –, nós apenas pensamos que agimos conscientemente porque nossa voz interior é muito boa na criação de explicações para comportamentos que, na realidade, foram gerados a partir do inconsciente.

Gabriel se esticou. Ele coçou a parte de trás da cabeça, de um jeito tranquilo para variar, apreciando uma boa massagem. Se Nikolai queria desperdiçar a inteligência para justificar sua própria inércia, para expor os motivos pelos quais não deveria nem se incomodar em tentar melhorar a própria situação, problema de Nikolai.

– Você está falando de psicólogos, certo? Esses caras de Harvard? Quantos psicólogos são necessários para trocar uma lâmpada?

– Eu poderia falar sobre neurociência – disse Nikolai. – Poderia falar do atraso de meio segundo entre o início de uma ação e a decisão consciente de agir. Poderia falar sobre tudo isso, mas talvez fosse muito... perturbador.

Gabe podia imaginar Nikolai numa reunião política, trabalhando a multidão, manipulando emoções, empregando sua retórica. É, era bem provável que tivesse sido um encrenqueiro. Gabe podia imaginar as circunstâncias. Mas Nikolai não estava conseguindo convencê-lo.

– Precisamos assumir responsabilidade.

– Pelo quê? – perguntou Nikolai.

– Por nós mesmos, uns pelos outros, não podemos recuar para esse tipo de... esse tipo de... jogo de palavras.

– Jogo de palavras? – Nikolai deu seu sorriso anêmico. – Não, está bem. Vai ver que é por isso que você sonha com Yuri. Você assume alguma responsabilidade pelo que aconteceu com ele.

– Não – disse Gabe. – O que você está querendo dizer? Como aquilo poderia ter sido por minha culpa? Não fui eu que disse que ele podia morar lá embaixo.

– Eu não falei em culpa. Fiz uma especulação sobre seu sentimento de responsabilidade, pelo mundo em que vivemos, pelo tipo de mundo em que sempre haverá outros Yuris, lutando pela existência.
– Eu não criei o mundo – disse Gabriel, apanhando o cantil. – Eu só moro nele. Igual a você.

No caminho de volta para o trabalho, Gabriel deu uma parada na cabana de Ernie. Ernie e Oona, grudados juntos diante do computador, se separaram de um salto, olhando para ele.
– Não foi nada – disse Gabe, recuando para sair dali. – Não se preocupem. Continuem o que estavam fazendo.
Ele olhou de relance pela janela e viu Oona chupando a ponta da caneta feito louca.
Gleeson estava à toa no corredor, falando no celular.
– Victoria, como sempre – disse ele –, mas o embarque vai ser mais tarde... bem, eles simplesmente vão ter de esperar.
Ele se virou e viu Gabriel, apontou o dedo indicador e o médio na direção dos olhos e depois na de Gabriel: *Estou de olho em você*. Ele que se fodesse.
Gabe passou direto por ele e foi até o setor de confeitaria para falar com o chef Albert. O lugar estava uma bagunça, as latas de lixo transbordando de tão cheias, o processador Hobart repleto de um grude qualquer, a Carpigiani besuntada com sorvete. Alguma coisa estava queimando no forno; a Rondo tinha sido deixada com uma tira de massa pendurada, e parecia haver respingos de gema de ovo numa parede. O abobado do ajudante do chef Albert, enchendo forminhas de merengue, estava coberto de farinha, que também cobria todo o piso como uma leve camada de neve.
Chef Albert estava debruçado sobre uma superfície de trabalho, examinando um par de seios.
– Chef – exclamou ele. – Veja! É uma obra de arte, não é?
– O que aconteceu aqui? – perguntou Gabriel.
Chef Albert fechou o jornal. Pôs as mãos nos quadris gordos e balançou a cabeça de modo que seu toque oscilou perigosamente.

— Espontaneidade — disse ele. — Criatividade. Para fazer a omelete, é preciso quebrar muitos ovos.

— Ah — disse Gabe. — Por um instante, achei que alguém tinha estado jogando bombas de farinha.

— Ah, ah! A, ah, ah, ah! — O chef confeiteiro bateu com a mão na coxa. Seu chapéu escorregou por cima de um olho. Quando a agitação passou, ele se empertigou e endireitou o chapéu. — É — disse ele —, é isso mesmo.

— Certo. Bem, tenho certeza de que você vai mandar limpar tudo. Eu queria lhe falar a respeito...

— Psiu — disse chef Albert. — Eu tenho uma coisa para lhe mostrar.

Ele foi de mansinho para um canto, fazendo gestos furtivos para Gabriel acompanhá-lo.

— Você não precisa olhar o forno? — perguntou Gabe.

— Depois, depois — disse chef Albert. — Desculpe, Chef, mas ouvi falar da sua linda namorada, de como ela... — Ele segurou os ombros de Gabe, puxou-o para perto e lhe deu um beijo de cada lado do rosto. — Você está sofrendo!

— Na realidade, não — disse Gabe.

Ele olhou na direção do ajudante, que agora estava ocupado injetando merengue na própria boca.

— Está — disse chef Albert, com o bigode trêmulo. — Sofrendo! — Com agilidade, ele tirou uma cartela de comprimidos do bolso do peito. — Ah, este aqui não. Se bem que, talvez sim, também. Você está com depressão, *n'est-ce pas?*

— Não — respondeu Gabe. — *Non.* — E gritou para o ajudante. — Dê uma olhada naquele forno.

Chef Albert balançou um pequeno frasco marrom diante do rosto de Gabriel.

— Na-na-ni-na-ni-nha — disse ele, como se estivesse tranquilizando um bebê com um chocalho. — Você decide... como é que se diz... ser livre atirador... ba-bum! — Ele fez um gesto fálico com o punho e o antebraço. — Você fica bem com a namorada... ba-ba-bum! Ela implora para você ficar.

— Obrigado — disse Gabriel —, agradeço, mas não.

– Chef, estou com 52 anos, e minha ereção dura duas, três horas. Que dádiva de vida! Você deveria ver com seus próprios olhos.

– Obrigado pelo oferecimento – disse Gabe.

Chef Albert tentou enfiar o frasco no bolso da calça de Gabe. O ajudante abriu o forno. Uma densa fumaça negra escapou, violenta. O frasco caiu no chão, fazendo subir uma nuvem de farinha branca.

– É Viagra autêntico – exclamou chef Albert, com sua pressa chutando o frasco por baixo de um balcão. Ele se pôs de quatro no chão.

Gabriel saiu dali, enquanto o chef confeiteiro engatinhava para cá e para lá, chamando baixinho pelos seus comprimidos, e o ajudante saltava pela cozinha com um extintor de incêndio, revestindo tudo com a espuma.

Suando em bicas no escritório, Gabe não conseguia se concentrar em nada. Sua mente estava muito inquieta, e ele precisava organizar algumas coisas na cabeça. Por exemplo, ele estava com o coração partido com relação a Charlie ou não? A resposta parecia às vezes ser sim e às vezes não, o que no mínimo não ajudava muito. Vamos deixá-la de lado por enquanto. E Lena? Gabe era seu príncipe encantado, ou atualmente era o último de uma longa lista de homens que tinham abusado da pobre coitada? Sendo dolorosamente honesto consigo mesmo, ele precisava admitir que não sabia. Talvez a resposta honesta fosse tanto uma como a outra. Até mesmo sua carreira, o caminho que ele vinha trilhando, a linha reta que ele achava que tinha percorrido, era serpenteante e cheia de curvas, agora que ele olhava para trás, meio escondido na vegetação rasteira.

Ele saiu do escritório para a cozinha na hora em que estava para começar o serviço do jantar. Benny estava passando bifes de vitela na farinha, depois em ovos batidos para, por fim, recobri-los com farinha de rosca. Uma bandeja já estava totalmente preparada e pronta para seguir.

– Tudo indo bem? – perguntou Gabriel.
– Sim, Chef – disse Benny.
– Você... você precisa de ajuda?
– Não, Chef. Obrigado.
– Posso fazer alguns para você.
– Está bem, Chef.
– Benny?

Benny passou para mais adiante na superfície de trabalho, abrindo espaço para Gabe. Ele inclinou a cabeçorra, concentrado no trabalho. Gabriel ficou olhando para a cicatriz prateada no seu rosto.

– Benny, você se lembra de ter me falado do seu amigo, o pequeno general?

– Kono – disse Benny, com a palavra ressoando fundo a partir da garganta.

– É, Kono. Onde ele está agora?

– Não sei.

– Quando... – começou Gabe, sem saber exatamente o que queria perguntar. – Quando saímos para tomar um drinque naquela noite e você me falou dele, dos seus amigos, um pouco da sua vida...

– Eu me lembro. O álcool me faz falar. – As palavras foram pronunciadas com um sotaque tão forte que seria possível pousar uma colher nelas. – Normalmente não bebo.

– Mas seu jeito de falar foi... – As histórias de Benny eram tão certinhas e organizadas, compactas como o próprio Benny. – Estou querendo dizer que você sabe contar uma boa história – disse ele.

– Obrigado, Chef – Benny empertigou-se como se Gabe lhe tivesse prendido uma medalha no peito. – Mas cada refugiado sabe contar sua história. Para cada um, sua própria história é um bem valioso. Na realidade, é a coisa mais importante que ele possui.

Gabe saiu cedo do trabalho, levando uns bifes de vitela que, já em casa, fritou para si mesmo e para Lena. Depois do jantar, Lena se sentou à mesa da cozinha para trabalhar no seu "resumo" para o detetive particular, torcendo, alternadamente, a tampa da caneta e os brincos. Ela escrevia em russo, mas ainda assim cobria o papel com o braço sempre que Gabe se aproximava. Ele lhe deu um beijo na testa e foi se arrumar para ir dormir. Concluíra que, quanto mais cedo fosse para a cama, melhor dormiria. Era a exaustão que estragava suas noites.

Sentou na cama com um livro nas mãos. Pensou em Ted. Pensou em mamãe. Pensou na escola de culinária. Por que tinha parado os estudos? Tinha seguido seus interesses, não tinha? Direcionado seu interesse pela ciência para um lado prático. Tudo fazia sentido.

Que interesse pela ciência? Um exame final de ensino médio de química. Um caderno, preenchido quando estava no Jarvis em Manchester, enquanto ainda era estagiário, com anotações das suas "experiências" com filés grelhados, incluindo tempos, temperaturas, resultados, suas observações atentas no que dizia respeito às reações de Maillard, à desnaturação e coagulação da proteína dos músculos. Gabriel começou a sentir a própria coagulação, o sangue engrossando nas veias.

Abriu o livro de novo, *O universo numa casca de noz*. Começou a ler. De qualquer modo, que diferença fazia, se ele não passava de um cisco, menos que isso, muito menos, num planeta que girava na órbita de um astro numa ramificação remota da Via Láctea, uma galáxia entre bilhões e bilhões de galáxias, num universo que está sempre em expansão, sem fronteiras no espaço ou no tempo?

Seu peito começou a queimar. Ele não fez caso, virou a página e leu a respeito de buracos negros.

Não conseguia respirar. O único buraco negro que conseguia compreender era o que se abria agora diante dele. Passou as pernas com todo cuidado por sobre o lado da cama e empurrou os ombros para trás, procurando expandir os pulmões. Oxigênio, eles precisavam de mais oxigênio. Formigamento nas mãos e nos pés. Falta de oxigênio. Seu sangue estava grosso demais. O coração não conseguia bombear o sangue. Estava se atirando contra a parte interna das costelas, ficando todo contundido. Ele acabaria tendo um... ataque cardíaco. Meu Deus, era um idiota. Tentou gritar chamando Lena, mas nenhum som saiu. O celular estava no suporte ao lado da cama. Ele tentou agarrá-lo, e o aparelho caiu no chão. Gabriel caiu também.

A dor no peito e nos ombros era excruciante. Ele conseguiu digitar o número. Achou que aquela podia ser a última coisa que faria na vida.

– Atendimento de emergência.

– Socorro – disse Gabriel. – Socorro.

Capítulo 19

—⚋—

O SOL DA MANHÃ SALPICAVA AÇÚCAR AQUI E ACOLÁ PELA CHARNECA que se estendia mais adiante, reluzentes manchas brancas em meio aos tons avermelhados do verde e do marrom. Gabriel franziu os olhos para contemplar os cortes e as faixas distantes. Essa terra sem fim, de inclinações suaves, estava tomada de uma vaga sensação de nostalgia. O solo turfoso era macio sob suas botas. As samambaias vermelhas do inverno resistiam ao vento.

Era véspera de Natal. Eles costumavam subir à torre na véspera do Natal, e parecia que Blantwistle inteira estava lá, arejando as crianças, os idosos, o cachorro.

– Onde está todo mundo? – perguntou Gabe.

Ted se apoiou com as duas mãos na bengala.

– Nas lojas, fazendo compras. Eu garanto.

– Podemos parar aqui, se você quiser.

Gabriel tinha vindo dirigindo (despertou o velho Rover de Ted, adormecido debaixo de uma mortalha) e estacionou num acostamento. Eles mal tinham caminhado meio quilômetro.

– Pode parar com tanta preocupação comigo – disse Ted. Mas ficou onde estava.

Gabriel foi se desviando do caminho. Atravessou um trecho pedregoso.

– Volto num instante – gritou para Ted, esperando que o vento não tivesse levado embora as palavras.

Era só samambaia. Onde estavam as urzes? Quando era menino, havia ali urzes de campânula, urzes rosa e é claro que havia a urze comum por toda parte. No verão, eram vastos e densos os tapetes cor de púrpura dessas plantas. Depois que se mudaram para Plodder Lane, ele e Jen saíam do jardim, passavam por pastos, atravessavam Marsh End, lá para os lados da fazenda de

Sleepwater, e saíam correndo pela charneca. Só sentiriam falta deles quando papai chegasse do trabalho. Gabe batia com uma varinha nas flores peludas dos pés de erióforo. Jenny colhia arandos e framboesas, pequenas e ácidas. E às vezes ela encontrava camarinhas, duras e pretas, e não as comia, mas desenhava com elas numa rocha. Havia também o esfagno verde da cor da lima, que saltava de volta quando era empurrado para baixo; além das esparsas estrelas amarelas da natércia e da orvalhinha que devorava insetos. E, se você tivesse sorte, podia deitar de bruços no chão macio e esponjoso e ficar olhando uma borboleta se dissolver lentamente na boca peluda, amarela e vermelha, da planta.

Agora não havia nada além de capim grosseiro e samambaias. Nada que mantivesse um menino ali. Quando eram pequenos, eles passavam um dia inteiro ali no verão. Se voltasse no verão, talvez encontrasse flores e frutinhos.

Eles sempre mantinham a torre Twistle à vista porque sabiam o caminho para casa a partir da torre, e era fácil se perder na charneca. A torre tinha um nome certo, mas ele não se lembrava. Ele se lembrava de fingir que ela era um foguete espacial, quase vinte e seis metros de pedra encimada com uma carlinga de vidro. De lá do alto dava para ver a baía de Morecambe. Dava para ver a torre de Blackpool. Dava para ver a ilha de Man. Isso, quando o nevoeiro permitia, o que geralmente não acontecia. Gabe tinha fumado seu primeiro cigarro no poço úmido da escada; dado um beijo de língua em Catherine Dyer encostada na parede de pedra de sessenta centímetros de espessura, contado os oito lados, dezesseis janelas, noventa e dois degraus, cento e quinze cravos na plataforma panorâmica, tantas vezes que levaria aqueles números consigo quando morresse.

Às vezes mamãe se esquecia de que eles estavam brincando no jardim dos fundos e trancava todas as portas. Sempre havia o abrigo da torre Twistle, para onde eles iam quando queriam sair da chuva, se bem que seria possível ficar sentado ali dentro um mês inteiro sem conseguir se secar. Se planejasse com antecedência, ele levaria os binóculos e procuraria ver aves. No verão, dava para ver todos os tipos: maçaricos, cotovias, ventoinhas. Estes não lhe despertavam tanto interesse. É claro que ele gostava dos esmerilhões, dos busardos e dos falcões-peregrinos, a emoção de avistar uma altaforma ou um tartaranhão-cinza. Uma vez ele tinha visto uma águia-real.

Hoje não viu sequer um caminheiro, não ouviu o grito estridente de um tetraz que fosse. Em Londres, dificilmente via um pardal, um melro. Dos pombos não havia como escapar.

Gabriel pensou que devia dar meia-volta, encontrar Ted, mas a charneca o atraía um pouco mais e ainda mais um pouco. Viu que havia urzes ali, em meio às samambaias, e moitas extensas mais adiante. Agora que tinha parado de olhar, ele via que o lugar não era assim tão árido. O corniso rasteiro com sua folhagem roxa de inverno cobria o solo; aqui havia um grupo de andrômedas, ali um pé de zimbro. Ele chegou a uma trilha e olhou para um vale raso, a partir do qual a charneca se erguia como leves asas douradas, e o sol pulsava branco no céu, mandando revoadas de luz encostas abaixo e por cima das nuvens distantes, que agora começavam a se aproximar, escuras e baixas.

Gabe respirou fundo e se entregou a um único pensamento. *É, estou vivo.*

Desde que chamara a ambulância, mais de uma semana antes, ele não parava de pensar exatamente nisso. Quando os socorristas chegaram, ele já tinha se recuperado, estava só ofegante pela experiência difícil, pelo constrangimento, mas eles insistiram em levá-lo ao hospital. O médico fez um eletro.

– Isso acontece muito – disse ele. – Você ficaria surpreso. As pessoas sempre acham que são os primeiros a confundir a obstrução de uma artéria com um ataque de pânico.

Não tinha sido um ataque cardíaco, mas ainda o fez pensar. *Estou vivo.* Ele poderia ter um ataque cardíaco. As pessoas caíam duras e mortas. Se podia acontecer com qualquer um, podia acontecer com ele. Por que não? O fato de que com toda a certeza poderia morrer fez com que se sentisse ainda mais vivo.

Ele fechou os olhos por um instante para apreciar o vento no rosto.

Lena não tinha ido ao hospital; mas, quando ele voltou, embora lhe dissesse que tudo estava bem, ela pousou a mão no seu peito e o observou. Nos dias que se seguiram, ela não parou de olhar para ele em vez de ver televisão, e até mesmo ria um pouco sempre que ele fazia uma piada.

Gabe encontrou Ted ao lado do muro de pedra sossa. Um carneiro desgarrado tentava arrancar um tufo de capim. Ted agitava a bengala numa moita cerrada.

– É aqui em algum lugar – disse ele.
– O que você perdeu?

Ted se ajoelhou no chão, com a dificuldade da manobra transparecendo somente numa contração da boca.

– Aqui está – disse ele, afastando as plantas. – A lápide.

Gabe curvou o corpo para ler a inscrição. *Herbert Haydock, William Railton, Roger Wolstenholme.*

– Que é isso? Não estão enterrados aqui, estão?
– Estão enterrados em Kitty Fields. No cemitério. Você nunca ouviu a história deles?
– Acho que não.

Ted se levantou usando a bengala e Gabe como alavanca. Eles se encostaram no muro.

– Sempre tive vontade de contar – disse Ted. – Vai ver que achei que você era pequeno demais para ouvir a história, quando a gente saía naqueles passeios de domingo. E quando você não era pequeno demais, bem...

– História de fantasmas, é isso? – disse Gabe.

Ted fez que não.

– Você lê os jornais hoje em dia, vê televisão, esses reality shows, tudo o que eles mostram é o pior das pessoas. – Ele fechou a boca com firmeza.

– Papai, você vai ou não vai contar a história? Já não sou tão pequeno assim, sou?

– Esses três rapazes – disse Ted – saíram numa tarde de sábado de Sleepwater, onde um deles morava. Acredita-se que pretendiam ir a Duckworth Fold, apesar de que outros dizem que era a Higher Croft. E isso faz sentido porque o tio de William morava na fazenda de Higher Croft. Seja como for, era inverno, e começou uma tempestade de neve, a pior de que se ouviu falar. E tem gente que morreu não faz muito tempo que lhe diria que a neve chegou à altura da janela do andar de cima, e isso foi lá na cidade. Aqui em cima, dá para imaginar que ficou tudo branco. De não se enxergar nada.

– Quando foi isso? – perguntou Gabe.

– Foi em 1921 – disse Ted. – Três rapazes, Herbert Haydock e William Railton, os dois com 16 anos, grandes amigos, ao que diziam. Roger Wolstenholme era primo de Herbert. Tinha acabado de fazer 10 anos, um garotinho.

– Foi aqui que eles morreram?

– Encontraram William bem perto de Rough Hall. Tinha ido buscar ajuda e quase conseguiu, apesar de não se enxergar a mão diante do nariz. Foi poucos dias antes de encontrarem os outros. Quando tinha começado o degelo. A neve acumulada chegava em alguns lugares a três metros de altura, veja bem. Muito fácil perder todo o sentido de direção quando não se consegue ver a torre. Herbert Haydock estava mais para aquele lado, se bem me lembro... – Ted apontou com a bengala. – A cerca de cem metros do primo. Morreu congelado, com toda a certeza. Decidiu tentar buscar ajuda. Claro que não chegou longe. Quando o encontraram, estava usando só camisa e um paletó leve.

– O que não é muito sensato numa tempestade de neve.

– Ela se formou muito depressa, segundo contam. Não havia tempestade quando eles partiram. E Herbert estava usando um sobretudo grosso quando saíram. Mas deu para o menino, enrolou-o bem, deixou o primo com o máximo de conforto possível, encostado no muro. Fez o melhor por ele, é o que se poderia dizer.

– É – disse Gabriel. Ele olhou para Ted, viu a subida e descida do pomo de adão quando ele engolia, a pele esticada no rosto. – É o que eu diria.

– Precisamos nos apressar – disse Ted, começando a se mexer. – Não queremos que a chuva nos pegue.

– Aposto que foi um enterro daqueles – disse Gabe.
– É o que dizem – respondeu Ted. Ele olhou para Gabe e afastou o olhar enquanto falava. – Você é um bom rapaz, Gabriel. Precisamos dizer esse tipo de coisa enquanto temos tempo. – Ele confirmou com um gesto de cabeça e saiu andando.
Gabriel foi um pouco atrás, examinando as coisas que deveria dizer em resposta. *Você é um bom pai*, decidiu ele, uma frase curta e simples. Mas deveria tê-la pronunciado imediatamente. Se a dissesse agora, ela pareceria falsa, como se ele tivesse levado todo esse tempo para criá-la, como se ela fosse alguma coisa que ele precisasse se forçar a dizer. A chuva começou a pingar.
– Papai – gritou ele –, e o pudim de Natal? Jenny vai trazer amanhã, ou deveríamos parar para comprar?

Ted e vovó cochilavam nas poltronas de tarde enquanto Gabriel, inerte no sofá, anestesiado pela televisão, pelo aquecedor de ambiente, pela impossibilidade de viver de verdade numa sala entulhada de enfeites de Natal, gente velha e seringueiras, tentava fazer um plano de ir até a cidade comprar presentes de última hora. Ele ainda estava vivo, não estava? Podia arrastar sua carcaça lastimável daqueles estofados de veludo de lã. Seu coração ainda pulsava. Talvez. Mas ele tinha a sensação de que alguém, alguma coisa, tinha sugado todo o tutano dos seus ossos.
Ted roncava alto, como que despertou sobressaltado e voltou a adormecer. Quando o pai atendeu a porta na noite do dia anterior, Gabriel quase tinha dado um grito ao deparar com uma caveira fincada numa vara. Depois de cerca de uma hora, seus olhos já tinham se ajustado, o horror passara, e um pai com uma nova imagem tinha surgido. Afinal de contas, ele era parecido com o velho Ted, só que mais anguloso e tenso, e as bolsinhas sob seus olhos estavam mais soltas e ondulavam quando ele andava. Mas ele conseguiu comer o jantar e o café da manhã, e com a volta do apetite Gabe achou que ele também voltaria a ganhar peso. Naquela manhã, ele tinha conseguido caminhar. Talvez Ted estivesse tendo uma remissão. Gabe não encontrou um jeito de perguntar; mas, quando Jenny chegasse no dia seguinte, ela o informaria.

Vovó, com os pés no tamborete de tapeçaria, estava usando meias de dormir e um traje florido que poderia ser um vestido, talvez fosse uma camisola e tinha grande potencial para ser uma cobertura de poltrona. Adormecida, ela deixava escapar secreções por todos os orifícios visíveis. Gabriel se esticou até a borda do sofá, pegou a caixa de lenços de papel na mesinha e estava decidindo se começava pelos olhos, pelo nariz ou pela boca, quando vovó acordou e puxou um lenço por entre os botões no seu peito. Ela limpou o nariz.

– Hoje é dia de lavar roupa? – perguntou vovó. Ela continuou a movimentar os lábios um pouco, mas não disse mais nada.

– Acho que é – respondeu Gabe.

– É a vez da nossa Nancy pilotar o fogão. Não se esqueçam de que foi minha vez na semana passada.

– É verdade. Foi você.

– Ora, está bem – disse vovó com um suspiro. – Não me importo nem um pouco. – E foi se apagando em algum sonho opiáceo.

Gabriel mudou de canal. Encontrou uma retrospectiva das notícias do ano. Alguns homens de negócios estavam falando.

– Por mim, posso dizer que foi um ano de vacas magras.

O estômago de Gabriel se contraiu. E se fosse papai quem estava certo a respeito da economia? Vivem num mundo de fantasia, dissera ele. *Por quanto tempo poderá continuar?* Se fosse haver uma recessão, o setor de restaurantes seria gravemente atingido. Todas as suas economias... bem, agora era tarde demais.

– Ouçam o que ele diz – disse vovó, acordando. Ela franziu o rosto, obtendo o feito aparentemente impossível de multiplicar suas rugas. – Não deve saber o significado da palavra. Magras! Ele não faz a menor ideia!

Ela se esforçou para sentar mais empertigada, caindo para um lado e se agarrando aos braços da poltrona como se estivesse sendo jogada por ondas oceânicas.

– Não é um absurdo? – exclamou ela. – O desperdício! Esse é o nosso Gabriel? É ele? Bem, eles não são criados direito hoje em dia. – Ela moveu a boca de um lado para o outro do rosto. – Dois xelins por semana chegavam para alimentar uma família de quatro. Ela era a rainha das cozinheiras, nossa mãe. Você se lembra, Gabe? Sabia assar pães e bolos como ninguém. Nós lambíamos as vasilhas, você, eu e Nancy. Uma cabeça de carneiro todas as semanas, e esse era um corte econômico, não se engane. Os miolos para papai com uma boa fatia de pão com manteiga. Prensar a língua para sanduíches. Legumes e cevada junto com a cabeça e, pronto, um caldo delicioso. Delicioso, delicioso... eu preciso estar em algum lugar daqui a pouco?

– Não, vovó. Tudo bem. Você ainda tem séculos pela frente.

Mas o que papai sabia sobre economia? Fairweather sabia e disse que o mundo financeiro estava em franca expansão. Não disse? E o mercado financeiro era a locomotiva.

– É meu neto – disse vovó, radiante. – Ele vai se casar com uma moça linda.

– Eu sei – disse Gabe, pondo a mão por cima da dela. – Mas não vai ser por enquanto.

Vovó tocou nos cachos frágeis, de um cinza-azulado, junto das têmporas. E afundou de volta na poltrona.

Eles ficaram olhando para a televisão. Uma manifestação em Londres contra a guerra. TRAGAM DE VOLTA AS TROPAS AGORA dizia uma faixa. REINO UNIDO FORA DO IRAQUE dizia outra.

– NOSSO SANGUE NAS SUAS MÃOS – leu vovó. – Esses sei-lá-o-quê, esses muçulmanos, não há como entendê-los, não é mesmo? Quer dizer – disse ela, subindo a voz –, nós os recebemos. Nós lhes demos um lar.

Gabriel olhou para Ted. Ainda dormindo.

Fotos de identificação de criminosos, planos terroristas, campos de treinamento, vídeos sem definição. Vovó enxugou um olho.

– O que *nós* fizemos a eles? E ainda precisamos olhar debaixo da cama todas as noites. Ninguém está seguro, nenhum de nós. Será que estamos? Não estamos seguros nem na nossa própria cama.

A única coisa que vovó encontraria debaixo da cama era um urinol. Talvez uma bala de hortelã. Nossos piores inimigos, dizia Charlie. Preocupados com nada. Era isso o que ela queria dizer. Ou alguma coisa parecida.

A retrospectiva do noticiário passou para um programa sobre celebridades. O QUE É QUENTE, O QUE NÃO É. QUEM SE CASOU, QUEM SE SEPAROU. QUEM FICOU RICO, QUEM PERDEU A FORTUNA. De cinco em cinco segundos, uma nova manchete sensacionalista.

– Vou ter de dar uma saidinha – disse Gabe. Precisava fumar. Precisava fazer compras. – Vocês vão ficar bem sem mim?

– Claro que vamos – disse vovó. – Não estou gagá, sabia? Agora, o que é isso tudo? O que estão mostrando agora? Por que eles simplesmente não param, esses muçulmanos? Protestando por isso, protestando por aquilo.

– Não, vovó, é só um desfile. Uma celebração do Eid, mais cedo neste ano, aqui mesmo em Blantwistle. Acho que agora a transmissão passou para as estações locais.

– Veja como fecharam a rua – disse vovó. – Hoje não vai passar nenhum veículo por ali. É terrível, não é? É, sim. – Vovó estalou a língua, em reprovação. – Hoje mesmo eu estava dizendo a Gladys, como é que esses paquistaneses ocupam todas essas casas, compram a droga da rua inteira e você sabe que nenhum deles tem uma hipoteca. Eles se associam, é o que fazem, se bem que eu não faça ideia de como conseguem o dinheiro. E Gladys, bem, eu conheci a Gladys minha vida inteira, e ela me diz, Phyllis... – O rosto de vovó tremeu, sua boca se entreabriu e se fechou. – Phyllis... – Talvez ela tivesse se lembrado de que Gladys tinha morrido, que na realidade não havia nada que elas pudessem ter dito uma à outra hoje. – Uuui! – disse ela, refugiando-se na televisão. – Ui, olhe só para todas aquelas crianças. Eles sempre têm tantos filhos, não é mesmo? – Vovó olhou para Gabe, ansiosa para saber se desta vez estava dizendo coisa com coisa.

Gabe hesitou. Ela olhava para ele, como se estivesse suspensa da borda de um penhasco. Ele pisaria nos seus dedos ou lhe estenderia a mão para ajudar?

– É, vovó – disse ele. – Você está certa.

Vovó suspirou. Estava de volta à terra firme.

– Ninguém pode me chamar de racista. Não aceito nada disso. Mas vou lhe dizer uma coisa que percebi nas mulheres. Quando elas vão às compras, sabe o que fazem? Elas apertam todas as frutas e todos os legumes. E depois nós temos de comprar a mercadoria que elas tocaram e deixaram para trás.

A rua principal estava ornamentada com luzes e guirlandas de enfeites. O calçamento molhado fazia girar cores para dentro dos bueiros. Pedestres colidiam aqui e ali sob a influência de pesadas bolsas de compras ou do álcool. Uns dois carros da polícia estavam estacionados por perto.
Nossa principal festa religiosa, pensou Gabe.
– Feliz Natal, amigo.
Um homem de agasalho esportivo e corrente de ouro cumprimentou Gabe. Sem motivo, por pura amabilidade. Você para de esperar esse tipo de coisa quando morou em Londres tanto tempo.
– Feliz Natal – disse Gabe. E sorriu.
– Feliz Natal – disse o homem para uma mulher quase totalmente escondida por um grande lençol preto, com um véu preto cobrindo a cabeça.
A mulher virou o rosto para o chão e apressou o passo.
– E Feliz Ano-novo para você também – disse o homem, ainda amável.
A mulher fez que não o ouviu. Enveredou por uma rua transversal. Gabe parou para vê-la se afastar como um besouro, uma concha negra, uma carapaça sólida, interrompida apenas pelo tique-taque dos saltos do sapato.
Que se foda, pensou ele.
Não pensou, não. Não teve esse pensamento em si. Estava pensando no tipo de reação que as pessoas poderiam ter. Como o pé que sobe veloz, quando o médico atinge um determinado ponto no seu joelho. Um pensamento que surge voando na sua cabeça. Não na cabeça dele, mas na de outras pessoas. Bem, não estava certo, mas às vezes dava para entender.
A questão era que aquela mulher – aquelas mulheres – tinham decidido que havia apenas um modo de enxergar as coisas. Em preto e branco. *É isso quem eu sou. É isso o que eu sou.* Fácil. Todas as respostas prontas. Não como todos nós, que precisamos

ir criando, à medida que avançamos. Talvez Fairweather estivesse certo.

Você que se foda por ter o que eu não tenho.

Já não há Caminhadas de Pentecostes, nem desfile da Congregação das Mães. Crianças de roupa nova e sapato engraxado. Isso ainda acontecia, mas só para a festa do Eid. Famílias numerosas, reunidas, companheirismo e comunidade... todas as coisas de que vovó sentia mais falta.

Quando Gabriel chegou de volta a Plodder Lane, papai estava na cozinha fazendo purê recheado com carne moída. As batatas estavam na panela para ferver. Papai esvaziava um pacote de carne moída numa frigideira com algumas cebolas picadas. Gabe teria recomendado amaciar as cebolas e dourar a carne separadamente.

– Posso fazer alguma coisa? – perguntou ele.

– Cairia bem um chá.

Gabriel encheu a chaleira. No peitoril da janela, estava uma rena que ele tinha feito na escola primária com um rolo de papel higiênico, limpadores de cachimbo, palitos de pirulito e algodão. Ele deu a papai de presente de Natal, e papai incluía na decoração de Natal todos os anos.

Ted salpicou um pouco de caldo de carne desidratado na panela e mexeu a mistura com vigor.

– Pingue um pouco de água quente aqui.

Gabe despejou um pouco da água da chaleira.

– Vovó gosta que se misture só um pouco de ketchup. – Ted espremeu um pouco, fechou a tampa, agitou o recipiente e acrescentou mais um tanto. – Será que está certo? – perguntou ele.

– Ah – disse Gabriel. – É mais ou menos isso.

– Preciso desmanchar esses caroços – disse Ted. – Eles atrapalham a mastigação dela. – Ele trabalhava com cuidado, curvando-se bem perto do fogão.

Então era esse o significado de tudo, pensou Gabriel. Todos aqueles programas de culinária e revistas ilustradas, a pornografia da cozinha. É claro que eles nunca mostrariam alguém como Ted Lightfoot, cozinhando para alguém como vovó, com ketchup e caldo de carne desidratado. Mas aquilo ali era o significado de tudo, não encher um vazio no estômago, mas encher um vazio numa vida.

– Papai, sinto muito por ter estado tão ausente.

– Nós damos um jeito. Nem tão mau assim.

– Não estou falando de agora. Estou falando...

– De quando sua mãe estava viva.

Gabe coçou a cabeça.

– É. Não. Tudo junto. Papai?

Ted sorriu. E limpou as mãos no avental de açougueiro.

– Se você tem alguma pergunta a fazer, filho, eu não deixaria para depois.

– Você... eu tenho uma lembrança... Mamãe com o homem do ferro-velho. Ele a trouxe para casa. Eu não sei. Você se lembra disso? Quer dizer, você se lembra de quando isso aconteceu?

Ted esticou a mão para dentro do armário. Estava tão magro que doía olhar para ele, esboçado em alguns traços vigorosos.

– Cá está – disse ele. – Farinha de trigo. Uma colherada para engrossar. Foi vovó quem me ensinou.

Já é uma resposta, pensou Gabe.

– Quando mamãe tomava a medicação... – disse ele. Será que deveria continuar? Que sentido havia em revirar o passado? – Ela ficava tão mudada que era como se tivesse perdido a personalidade. Como se ela não fosse mais ela mesma.

Ted pegou um garfo para testar as batatas. Ele as escorreu e o vapor que subiu do escorredor escondeu por um instante seu rosto.

Gabe pensou, não, ele não vai responder.

– Concordo com você – disse Ted. – Até certo ponto. A questão é que era o que ela queria. Ela estava cansada. Era extenuante ser ela mesma o tempo todo.

Ted deixou a panela cair ruidosa na pia. Gabe assumiu o controle e fez o purê. A chuva batucava na janela. O linóleo chiava sob seus pés.

Antigamente era mamãe com vovó na cozinha, as duas preparando o chá. Elas tagarelavam sem parar como um par de agulhas de tricô, sem nunca lhes faltar algo a dizer. Devia haver um truque para conseguir isso, um talento especial, que ainda não tinha cruzado o caminho de Gabe e Ted.

– Vou consertar esses azulejos atrás das torneiras amanhã – disse Gabriel.

– Amanhã é dia de Natal – disse Ted.

– Ah, é mesmo.

Ted se movimentava devagar, apanhando louça para pôr a mesa, tirando uma cabeça de brócolis da geladeira. Suas calças marrons pareciam tão vazias que era difícil imaginar um par de pernas ali dentro. Ele estava mais baixo do que tinha sido.

– Eu soube da Hortons – disse Gabriel. – Do fechamento.

– É – disse Ted. – É verdade.

– É uma pena – continuou Gabe. – A última tecelagem.

– É. A última.

Gabe abriu um armário no alto para procurar o sal de cozinha. A maçaneta se soltou na sua mão.

– Papai? – disse ele. – É ruim, não é? O fechamento da Hortons.

– Pode ser feito mais barato em outro lugar, Gabriel, só isso. No final das contas, é a economia, não é?

– Mas eram bons empregos – disse Gabe. – Esta área precisa de bons empregos como aqueles.

– Lugares barulhentos, sujos. É isso o que as fábricas são – disse Ted, com as mãos na cuba de lavar louça.

Por que ele não tirava as mãos da espuma de sabão? Ted sempre passava as mãos com firmeza pela superfície rígida mais próxima, quando queria reforçar um ponto.

– Mas o emprego era garantido, não era? – insistiu Gabe. – Não como esses biscates que o Harley pega.

– Houve um ciclo – disse Ted. – A indústria algodoeira... viu uma quantidade de sucessos e fracassos... Houve ocasiões... – Sua voz foi se abafando.

O fundo da garganta de Gabe estava áspero. Ele tossiu mas de nada adiantou.

– Eu me lembro dos passeios – disse ele –, quando íamos assistir à pantomima, tudo isso. As pessoas fazendo coisas juntas, sabe? Tem algo de positivo nisso.

Ted enxugou as mãos no avental. A faixa de cabelo branco em torno da careca estava mais comprida e mais penugenta do que

Gabe jamais tinha visto, dando a impressão de que o crânio tinha encolhido.

– Espírito comunitário – disse Ted. – Acho que tínhamos isso. Havia...

– Continue, papai. Continue.

– Tudo sempre tem outro lado, essa é a pura verdade. – Ted falava baixinho. – O sentido de comunidade é bom para aqueles que estão dentro, mas, se existem alguns dentro, existem outros que ficam de fora. Estou pensando na sua mãe. Pensando na minha Sally Anne.

Gabriel foi dormir cedo. A cortina parecia se mexer, mas era só o luar passando pelo tecido fino. Ele deitou de costas, com as mãos debaixo da cabeça, sentindo-se agradavelmente entorpecido. Não estava se saindo tão mal assim. Ele recomendaria um ataque cardíaco (talvez não um verdadeiro) a qualquer pessoa. O efeito era eletrizante. Ele tinha conseguido fazer muita coisa na última semana. Aqui, com papai e vovó, é claro que estava um pouco mais letárgico. Mas o que se podia esperar? Assim que entrava na sala de estar, ele já estava meio adormecido com o tique-taque do relógio portátil, um pouco desmaiado com o perfume de lustra-móveis, xerez e balas de menta. Mas tinha conversado com papai, isso é que era importante. Tiveram umas duas conversas longas. Papai estava muito mudado. Estava sempre hesitante. Gabe desejava que ele voltasse a ter certeza de tudo, apesar de nunca ter gostado dele, quando ele era assim.

Ele desligou o abajur. Deitou de lado e virou o travesseiro para encostar o rosto no tecido frio. Michael Harrison. Agora, o que tinha acontecido com ele? Aquele era um menino que qualquer um podia indicar, rotular, dizendo que ele, sem dúvida, iria para o lado do mal. Mas no final coube a Michael decidir, não é? Jenny disse que perguntaria às pessoas, alguém devia saber. Amanhã, ele precisava se lembrar: descobrir o paradeiro de Michael e pôr o peru no forno antes das 10:15.

Capítulo 20

TINHAM ACABADO COMENDO DEMAIS, COMO SEMPRE. NENHUM DELES conseguia se mexer por enquanto. Gabe estava sentado à mesa da sala de jantar com os outros, sentindo-se empanturrado e esfogueado. Estava exausto e irritado, com uma sensação de aconchego, companheirismo e desnorteamento, flutuando nesse caldo familiar. No aparador havia azevinho de plástico e visgo de plástico, um cobertor e uma toalha cobriam a mesa para proteger o mogno, uma fila dupla de cartões de Natal ao longo da parede dos fundos. Era sempre assim.

Vovó tinha trocado seu Harvey's amontillado pela tradicional garrafa de Advocaat da época de Natal, que ela aninhava no colo enquanto dormia. Na prateleira do seu busto enorme, tinham se acumulado migalhas de batata assada, cenouras, ervilhas, pastinaca e pudim, praticamente o suficiente para outro almoço. Diante dela, Ted estava usando uma coroa de papel e tratando com carinho uma lata de Boddington's, que ele disse ser a única coisa que conseguiria encarar hoje. Fosse como fosse, tinham enchido seu prato, que ainda continuava ali, realçando sua compleição esquelética. Ao lado de Ted, estava Jenny, com os braços gordos e o cabelo violento. Eles pareciam uma ilustração num livro infantil, aqueles dois, alguma fábula ou história edificante. Ao lado de Jenny, estava Harley, não, Bailey. Era difícil distinguir os dois. Tinham pintado o cabelo num tom de preto-azulado, usavam a franja comprida e picada, jeans justíssimo, cintos com tachões, piercing nos lábios e delineador. Parecia que estavam usando panos de prato quadriculados em volta do pescoço. Os dois afagavam sua garrafa de *cooler* com uma das mãos, e com a outra digitavam textos no celular. Talvez estivessem enviando mensagens um para o outro.

Talvez o envio de mensagens de texto fosse seu vestígio de capacidade de comunicação.

Durante o almoço, Gabriel tinha tentado sem sucesso entabular conversa com eles, se bem que fosse necessário admitir que seu interesse era mais antropológico do que familiar. Bailey agora olhou para o alto e – por uma fração de segundo – fez contato visual. Ela puxou a franja por cima do rosto.

– Eu passei por uma fase gótica – disse Gabriel. – Provavelmente quando tinha a sua idade.

Bailey torceu os ombros estreitos.

– Melhor morrer – disse ela – que ser gótico. Sem brincadeira, eu preferia me matar.

– Baaayley – disse Jenny.

Gabe sorriu para Jenny para mostrar que ela não deveria se incomodar. Não tinha sido uma refeição ruim, concluiu ele. Os ingredientes não eram da melhor qualidade: o peru inevitavelmente seco (tinha sido congelado), os legumes cozidos em excesso (por causa dos dentes da vovó), o molho salgado demais (por Jenny), as batatas assadas um pouco engorduradas (contribuição de papai). Mas o recheio de castanhas de Gabe tinha saído delicioso, e o molho de pão estava perfeito. No todo, ele tinha gostado de cozinhar para o clã Lightfoot.

Harley pôs o telefone na mesa.

– Ela só é *emo* porque resolveu nos copiar.

– Copiar você? – disse Bailey. – Você? Você nem mesmo é *emo* de verdade. Você gosta de se fazer passar. – Ela arriscou um olhar direto para Gabe. – Ele só faz isso por causa das roupas e tudo o mais.

– *Baaaay-ley* – disse Jenny.

Ted se levantou e saiu da sala, arrastando os pés.

– O quê? – disse Bailey. – É verdade. Eu escrevo poemas, e isso desde que estava com uns 12 anos. Eu sempre fui *emo* de verdade. – Ela cruzou os braços magros como palitos sobre o tórax. – *Emo* é o que está no seu coração, não na sua roupa.

– Poemas? – disse Gabe. – Que tipo de poesia, Bailey?

– Tipo tristeza, tipo dor, como ninguém entende a gente, esse tipo de coisa.

Ela balançou um pouquinho na cadeira, sentindo presumivelmente a dor de falar com essa velharia toda.

– Ah – disse Gabe. E depois: – Puxa!

Harley deu um risinho debochado por trás do cabelo.

– Cala a boca – disse Bailey. – Calaabocacalaabocacalaaboca.

– *Bailey!* – gritou Jenny.

O piercing do lábio de Bailey estremeceu. Seus olhos de marsupial chisparam.

– Harley só é *emo* porque gosta de ficar com outros caras.

O irmão pegou a faca do prato e a apontou para ela.

– Desde quando ser *emo* é ser homofóbico?

– Não sou homofóbica. Só tô dizendo que você é gay. Fim de papo. – Mas ela prosseguiu, com um gemido de mártir. – Pare de me acusar de coisas que eu nunca disse.

– Calma aí – disse Gabe. – Essa história de *emo*... o que tem a ver com ficar com outros caras?

O sobrinho e a sobrinha deram de ombros. Foi como perguntar por que a Terra era redonda.

– Desculpem – disse Gabe –, mas para mim não está claro como o dia. Não se trata de música, roupas e...

– Atitude – disse Harley. – Tipo...

Bailey o interrompeu.

– As garotas *emo* adoram quando um cara *emo* beija outro. Eles fazem isso para ganhar atenção.

– E para explorar sua sexualidade? – perguntou Gabe.

– Não – respondeu Bailey, com um suspiro. – Eles se beijam para ganhar garotas.

Gabriel olhou para Jenny. Jenny caiu na risada. Aos gritos, ela atirou os braços para o alto, detonando ondulações que desceram pela barriga e subiram até o queixo.

– Beijar outros caras – disse ela, quando recuperou o fôlego. – Bem, imagino que seja melhor que bater neles. Apesar de que, com você, Harley, é sempre ou oito ou oitenta. O que mais você vai inventar?

* * *

– Vou cuidar dessa louça – disse vovó, acordando.

Gabe arrancou a garrafa de Advocaat do colo dela, antes que ela tentasse se levantar. Jenny veio empurrando o carrinho de chá e a ajudou a se firmar nele, provocando uma avalanche de sobras de comida pelo vestido abaixo.

– Onde papai se meteu? – disse Jenny. – Espero que não esteja lavando louça.

– Pare de se intrometer, mamãe – disse Harley.

– É – disse Bailey –, ele pode lavar a louça se quiser.

Jenny parecia estar pronta para explodir.

– Tratem de tirar a mesa – disse ela. – *Você* lava. *Você* enxuga. E, se eu encontrar seu avô ajudando, eu acabo com vocês dois.

Os dois estrebucharam como duas víboras negras, mas obedeceram e começaram a empilhar os pratos.

Gabriel guiou vovó até a sala de estar, e logo ao entrar ela tirou uma das mãos da barra do carrinho para colocá-la no braço de Gabriel.

– Ah – disse ela, emocionada, enquanto olhava para a árvore acesa, os enfeites no peitoril da janela e a decoração dourada no console da lareira. – Ah, parece que é Natal, não é? Aqui dentro parece que é Natal.

– É verdade, vovó – disse Gabe. – Vamos sentar numa poltrona?

Ele acabava de acomodá-la, de pôr seus pés para o alto num tamborete, quando o sr. Howarth entrou com um raminho de visgo e lhe deu um beijo estalado na boca.

– Pois é, Phyllis – disse ele –, você me fez um bem enorme.

– Fora daqui – disse vovó, com duas rosas florindo no deserto branco das suas bochechas. – Ande, antes que meu Albert o pegue. Ele vai fazer picadinho de você, vai, sim.

Enquanto os outros viam televisão, Jenny e Gabriel ficaram sentados na sala de jantar.

– Puxa vida – disse Jenny, esfregando os joelhos grandes e redondos. – Eu comi tanto assim! – Ela abriu o cinto largo e branco que marcava alguma hipotética fronteira entre sua metade superior e a inferior. – Veja bem, posso relaxar agora que arrumei outro cara. – Ela deu um tapa na coxa.

– Sorte sua – disse Gabe.

Estava mais ou menos na hora do discurso da rainha. Já estava entardecendo, e todas as formas na sala estavam escurecidas, com exceção do cabelo de Jenny, que parecia estar ficando mais brilhante. Era como ver televisão no velho aparelho Grundig preto e branco, que tinham na casa de Astley Street, com o contraste virado para o máximo.

– Ele se chama Des – disse Jenny –, está quase com 50 anos, dois filhos adultos, divorciado. O que mais você quer saber?

– O último não se chamava Des?

– Den – disse Jenny. – Fiquei três anos com ele e achei que você ia se lembrar... Seja como for, ele não importa. Agora é Des. Trabalha com esgoto. E eu não consigo dizer isso séria. Na realidade, não é nada fedorento. Trabalha na administração na estação de tratamento, usa terno e gravata. Ai, meu Deus, estou falando como vovó agora. *Meu Des trabalha de camisa e gravata, o que é mais do que se pode dizer de certas pessoas.* Bem, ele não é nada assim tão empolgante, mas...

Ela continuou tagarelando como a chuva no telhado. Gabe tomou seu café e ficou esperando que ela terminasse.

– ...e não bebe muito; e, sabe, é uma pessoa firme. E nós somos o que se poderia chamar de compatíveis, e é bom ter alguém para sentar ao seu lado para ver *Countdown*, alguém que massageie seus pés e reveze com você na hora de fazer o chá. E hoje em dia eu sei o que quero no que diz respeito a homens, porque não sobrou mais nada daquela loucura, quando chegamos à nossa idade...

Nada daquela loucura, pensou Gabe. Ela fazia tudo parecer tão fácil. Por que ele não sabia o que queria? Por que ele não queria uma xícara de chá e *Countdown*? Por que ele queria Lena em vez da compatibilidade?

– Por sinal – disse Jenny –, papai me falou do cancelamento do casamento. Desembucha.
– O que ele disse?
– Nenhum detalhe sórdido. Eu soube que existe uma outra garota.
– É isso mesmo. Pisei na bola. Charlie desmanchou o noivado.
– Ah, não, senhor. O senhor não vai se livrar assim tão fácil. Quem é ela? Essa outra moça? Você não continua a sair com ela, continua? E isso eu posso dizer só pela sua cara, portanto não se dê o trabalho de responder. Mas pode me contar todo o resto. Você não vai desistir de Charlie, me diga que não vai, você deveria se casar com essa mulher, pelo amor de Deus.

Gabe coçou a nuca. Abaixou o braço e enfiou a mão debaixo da axila do outro braço.

– Primeiro, você precisa se livrar dessa outra – disse Jenny. – Se não fizer isso, não vai ter a menor chance com Charlie. Isso você sabe, não sabe? Sabe?
– É complicado – disse Gabe.
– É claro que é – concordou Jen. – É alguém do trabalho, não é? É por isso que você não consegue se livrar dela?
– Alguém do trabalho. É, sim.
– Seu panaca. O quê, alguma bonitinha? Uma garçonetezinha apetitosa? Não negue, Gabriel Lightfoot. Leio seus pensamentos como um livro.
– Não é garçonete – disse Gabe. – Mais nova, sim.
– Com que idade? Ou eu deveria dizer com que falta de idade?

Ele visualizou Lena, em pé, emburrada perto da janela, torcendo os brincos, os dedos, os ombros esqueléticos. Viu Lena sentada no sofá, toda ângulos e constrangimento, com os pés recolhidos e um pulôver esticado sobre os joelhos. Meu Deus, qual era a idade dela? Não podia ser muito mais velha que Harley e Bailey. Será que ainda era adolescente? Será?

Ele resmungou alguma coisa.
– Você, o quê? – disse Jenny. – Ai, droga, quebrei uma unha.
– Ela está... não sei – disse Gabe.
– Fale de uma vez, seu velhote safado.

– Vinte e poucos – disse Gabriel. – Está com 24 anos.
Jenny riu.
– Por um instante, Gabe, achei que você fosse dizer 18.
– É, até parece – disse ele, fazendo que não.
Ficou mexendo na xícara de café, pôs uma colher no açucareiro, mexeu, derramou um pouco, espanou o açúcar com a mão. Olhou para Jenny, para os olhos bonitos, o formato delicado do seu rosto oval que flutuava tão leve acima do pescoço e do queixo volumosos. Ela parecia estar espiando para fora do corpo, como se estivesse numa cela acolchoada, pedindo para que alguém a soltasse dali.
Jenny semicerrou os olhos.
– E pode parar com isso agora mesmo.
– Com o quê? – disse Gabe.
– Você está me dando uma olhada geral e sei o que vai dizer.
– O quê?
– Não me venha com "Onde está a Jenny de antigamente?". "Você se lembra de como era?" Bem, sinto muito, mas não *sou* mais uma adolescente. Sou o que sou, Gabriel. Eu sou eu.
– O que eu disse? Não disse nada.
Jenny sugou o ar do inalador.
– Alergias. Está me ouvindo? Está ouvindo o chiado da minha respiração?
– Você devia parar de fumar – disse Gabe.
– Eu sei. Quem dera eu conseguisse. Sou dependente mesmo, é o que sou. – Ela arfou com o inalador. – Você parou de novo?
– Fumo quando estou com vontade. De vez em quando.
– Assuma o fumo, ou pare de uma vez. Será que você consegue, Gabe? Meu peito não devia fazer esse barulho, devia? Vou parar definitivamente. O médico disse que preciso parar.
– Não queremos que você adoeça.
– Eu devia acender a luz. Pronto, melhorou. Nós parecemos o quê, sentados aqui no escuro? Quem cuidaria de papai e de vovó? Isso o que você quis dizer?
– Ele comeu muito ontem – disse Gabe. – Achei que pudesse estar em remissão. Mas aí, hoje...

– Eu sei – disse Jenny. – Eu sei.
– Adivinha o que vovó disse quando a levei para a sala de estar. Ela disse, aqui dentro parece que é Natal.
Jenny riu.
– Coitadinha – disse ela. – Consegui um bom asilo para ela, Gabriel. Ela pode se internar a partir de meados de janeiro.
– E ela precisa se internar?
– Não – disse Jenny, batendo com delicadeza na sua caixa de Silk Cut. – Não, se ela puder ir morar com você.

Eles fumavam com a cabeça para fora da janela da sala de jantar.
– Veja só nossa situação – disse Jen. – Eu parando de fumar, e você nem um pouco dependente.
Os dois abafaram risinhos. Jenny deu uma longa tragada e pareceu em estado de beatitude. Ela se voltou para ele.
– E então, como você tem andado? Sabe, Charlie e tudo o mais.
– Bem, eu vou bem, acho. Não tão mal assim. Um pouco de altos...
– ... e baixos.
– Às vezes.
– Aposto que sim. Depois ainda tem papai, é claro.
– Não sei, Jen. Houve ocasiões em que achei que não estava dando conta. Todo o estresse. Às vezes, estou em disparada, virando noites, depois me sinto mais ou menos...
– ... deprimido... – disse ela, falando ao mesmo tempo que ele.
– ... deprimido, e é difícil conseguir fazer qualquer coisa quando a gente está se sentindo...
– ... desse jeito...
– ... mas estou bem. No fundo, estou...
– ... você no fundo está bem...
– Eu tive um troço, Jenny, tive um.
– Teve, querido?
– Tive. Um ataque de pânico.
– Ah, sei. Um ataque de pânico.

– E às vezes, sabe, eu me sinto mesmo para baixo.
Gabe atirou a guimba no cascalho.
– Mas você está bem.
– Estou.
Pelo menos ele estava se sentindo bem até começar a contar a Jenny essa história toda. Ontem ele estava bem, não estava?
– Tudo isso é compreendido muito melhor hoje em dia.
– O que é compreendido?
Jenny fechou a janela.
– E agora já não existe o estigma. Montes de pessoas criativas têm isso. Está sempre na televisão, não é mesmo, quase como se estivessem se vangloriando.
– Eu não estou dizendo... Não estou...
– Dizem que de fato ocorre em famílias.
– Jenny, eu não sou bipolar. Só andei um pouco...
– ... um pouco deprimido.
– Você quer parar de fazer isso, pelo amor de Deus?
– Fazer o quê?
– Terminar minhas...
– ... frases? Ai, lá vou eu de novo. Às vezes não consigo me controlar.
– Não é o mesmo. Não é o mesmo que mamãe.
– Certo, Gabe. Tudo bem.
Ficaram ali sentados no peitoril da janela. Encostar no vidro conseguia ser mais frio do que se debruçar lá para fora. Jenny ajeitou o cabelo.
– Você já foi ao médico?
– Não.
– Nunca fui partidária de tomar remédio.
– Eu não *preciso* de remédio algum.
– Sabe de uma coisa? – disse ela. – Você é como aquelas crianças na escola. *Sua mãe está no hospício.* Como se eu o estivesse acusando de algum ato condenável.
– Quem na escola chegou a dizer uma coisa dessas? Nunca ouvi isso nem uma vez.

– Pode ser que não – disse Jenny –, mas eu ouvi. Você sabia usar os punhos muito bem.
– Até que eu aceitava mais um cigarro.
– O que é do gosto...
– ...regala a vida.
– Viu, agora foi sua vez.
Eles abriram de novo a janela. Gabriel olhava o jeito de Jenny segurar o cigarro. Às vezes, via mamãe nela.
– Jenny, e você? Está feliz? Quer dizer, tudo vai bem na sua vida?
– Não posso me queixar – respondeu Jenny. – Bem, posso. Quem não pode? – Ela riu.
– Porque eu sei que você tinha planos, coisas que queria fazer na vida e então... outras coisas complicaram tudo.
– Coisas? – disse Jenny. – Você está falando do nosso Harley. Muito obrigada, mas ele não é uma coisa: é meu filho e seu sobrinho. E nunca complicou nada.
– Você sabe o que eu quis dizer.
– Não lhe falei da minha promoção, falei? Eu, supervisora.
– Maravilha. Parabéns. Isso é mesmo muito bom.
Ela fez uma careta.
– Não, não é mesmo muito bom. Ainda é um galpão de galinhas. Mas é razoável. Veja só, Gabe, você diz que eu tinha coisas que queria fazer na vida. Mas, eu nunca tive. Eu queria uma casa, queria um carro, meu próprio dinheiro, filhos... não tão cedo, talvez. *Você* era quem tinha uma coisa que queria fazer. A maioria de nós simplesmente dança conforme a música, aceita o que vier.
– Eu queria de verdade aquelas estrelas do Michelin?
– Feito louco. Você sempre foi tão claro acerca de tudo.
– Não sei, Jen. Não sei.
– Pois estou lhe dizendo.
– Tenho pensado muito. Olho para trás e vejo como distorci as coisas na minha cabeça. É como a história das estrelas. Eu tinha me convencido de que nunca as quis. E então por que quis cozinhar para começo de conversa? Às vezes, acho que só fiz isso para deixar papai furioso.

— Não seja tão infantil – disse Jenny. – Ah, eu trouxe um presunto delicioso para o chá, mas deixei no carro. Vou sair e volto num segundo.

— E por que eu queria perturbar papai? Porque eu não entendia o que estava acontecendo com mamãe e achava que ele era cruel, sabe, com ela. E eu não entendia nada, e tudo o que fiz estava baseado numa total falta de entendimento, porque como se pode realmente querer alguma coisa se esse querer é pelas razões erradas? E não quero nem mesmo pensar nisso. É como se eu tivesse puxado uma ponta solta de fio, e a droga do pulôver inteiro tivesse se desmanchado.

Jenny olhou firme para ele.

— Gabriel – disse ela, devagar –, dá para você se esquecer de si mesmo?

— Está bem – disse Gabe. – Tudo bem.

— Quer dizer, já temos problemas suficientes nas mãos com papai e vovó. Tem importância saber exatamente por que você quis ser chef?

— Não – disse Gabe. – Você tem razão.

— Ótimo – disse Jenny. – Agora vou pegar o tal presunto.

No portal, ela parou e girou nos calcanhares.

— Descobri para você o que aconteceu com Michael Harrison. Não se tem notícia dele há uns dez anos, mas a última que se soube foi que ele tinha aberto uma empresa lá para os lados de Ormskirk, que está casado e tem dois filhos.

Gabe deu um sorriso.

— Valeu, Jenny. Obrigado por ter descoberto. Você sabe que tipo de empresa?

— Salão de tatuagem – disse Jenny. – Aposto que ele lhe daria um bom desconto.

Assim que se deitou na cama, Gabe começou a fazer listas mentais "do que fazer".

Ficou ali fermentando umas duas horas debaixo dos lençóis e então se levantou.

Ted, sentado encurvado à mesa da cozinha, não o ouviu entrar. O aposento estava imerso na escuridão, menos no feixe de luz da luminária que iluminava Ted e seus navios de palitos de fósforos. Ted, absorto, envolvido, fazia suas devoções. Gabe acalmou a respiração, impressionado por alguma razão que estava totalmente fora do seu alcance.

Seu pai, com o cabelo de monge, o rosto de mendicante, o roupão marrom amarrado com um cordão, estava entregue à tarefa. Gabriel, nas sombras, ansiava pela vinda da luz. Que consolo ele poderia receber? Nunca, nem uma única vez, em 42 anos, ele tinha sentido que alguma coisa pudesse ser sagrada, nunca um vislumbre, uma leve sensação. Ai, meu Deus, ele seria uma pessoa espiritualizada se pudesse. Deus nos livre. Esse era um talento que sempre lhe faltara.

Sem tirar os olhos do que fazia, Ted falou.

– Não consegue dormir, meu filho?

Gabe fez que não. Foi até a mesa e se sentou.

– Parece que você viu algum fantasma.

– Estou bem – disse Gabe. – A verdade é que estou com um problema. Uma coisa que estou tentando desvendar.

– Estou escutando.

Gabriel lhe falou de Gleeson, Ivan e das suas armações. Seu foco se desviou para as brigas de Ivan e Victor. Ele falou sobre Yuri e depois sobre Nikolai. Começou até mesmo a contar histórias sobre Oona e Ernie, que fizeram Ted dar uns risinhos. Por isso, resolveu lhe contar uma história sobre Chef Albert também. E então voltou a Gleeson, falou das fotografias e do que Branka, a supervisora das camareiras, tinha dito. Por que ela estava trazendo uma das camareiras para ver Gleeson, que não tinha nada a ver com elas? E, quanto mais ele pensava naquilo, mais certeza ele tinha de que havia algum tipo de ligação com as fotos. Por que elas estavam ali se não fosse porque Gleeson as tinha posto ali? A quem ele as estava mostrando?

– O que você acha que eu devia fazer, papai?

Gabe brincava com um palito de fósforo, e ele se partiu ao meio. Ted sorriu.

– Nunca pensei que viveria para ver esse dia.
– É provável que não seja nada – disse Gabe.
– Meu próprio filho me pedindo conselhos.
– Eu poderia não segui-los.
– É – disse Ted. – Poderia não segui-los.
– Mas o que ele estava fazendo com as fotos? Colocadas no meio da escrivaninha daquele jeito, como se fosse para algum tipo de reunião. O que será que tudo isso significa?

Ted colou uma amurada no lugar com uma pinça.
– Quem dera eu tivesse ficado velho e sábio, Gabriel, em vez de só velho. Uma coisa posso lhe dizer, olhando para trás, nunca me preocupei com o que devia me preocupar. Como com sua mãe. Eu me preocupava tanto com perdê-la por ela enlouquecer de vez, ou perdê-la para outro homem. E ela vai e cai morta. Bem, nunca se pensa. Nem em um milhão de anos.

– Eu deveria parar de me afligir, é isso?
– Alguns de nós foram feitos para se preocupar, Gabe. – Ted limpou a pinça. – Se eu tivesse meu tempo de novo... mas não, algumas coisas nunca mudam. Antes de você chegar, eu estava sentado aqui, me preocupando com a coisa mais idiota. Eu estava pensando em quem ficaria com esses navios. Quem ia querê-los? Jenny diz que estão cheios de poeira e, você sabe, com as alergias dela. Harley e Bailey não estão interessados. Por que estariam?

– Eu cuido deles, papai.
– O que estou dizendo é que nos preocupamos, e isso não faz a menor diferença. O tempo que perdi. Me preocupando com isso e com aquilo. O que acontece com a gente não dá a mínima. Simplesmente avança e chega. É enorme a probabilidade de nem percebermos sua aproximação, porque estivemos olhando para o lado errado o tempo todo.

Capítulo 21

EM FEVEREIRO, A CALDEIRA QUEBROU, A ÁGUA CONGELOU NO ENCAnamento. Gabriel chamou um bombeiro e ficou em casa com Lena. Os dois armaram acampamento debaixo do edredom.

Se conseguissem encontrar em algum lugar um planetinha daquele tamanho, ficariam muito bem.

Fora dos limites do edredom e apesar do progresso que tinham feito, ela ainda se esquivava. Às vezes não se dispunha a falar. Roía as unhas e se consumia. Ele lhe dizia que a amava, e ela se contorcia como se fosse a coisa mais horrível que já tivesse ouvido. Às vezes, porém, ela lhe dava alguma esperança. Sorria. Parecia gostar dele. Dizia-lhe que ele era um homem bom.

Ele não conseguia segurá-la, era esse o problema. Ela escorregava entre seus dedos. Até mesmo sua presença física parecia duvidosa para ele, mais como um fogo-fátuo do que como uma criatura sem teto. Vê-la atravessar a sala era como sonhar acordado. Se ela entrasse pela parede e desaparecesse, ele não se surpreenderia.

Ele tinha tentado extrair dela informações exatas.

– Quanto tempo você passou no apartamento em Edmonton?

– Por quê? Que importância isso tem para você? – respondia ela.

Se ela não sumisse num fiapo de fumaça, poderia desaparecer simplesmente saindo pela porta para nunca mais voltar. Isso o matava. Ele morria uma pequena morte cada vez que pensava nessa possibilidade.

E todas as noites ele a armava como um quebra-cabeça, reunindo tudo o que sabia dela com as pontas dos dedos, num trabalho febril a partir da ponta dos pés. Tudo que sabia dela e tudo que ainda poderia vir a saber, examinando seus calcanhares, o peito dos pés, as panturrilhas, o ventre, os braços, como se seu corpo pudesse lhe fornecer pistas.

– O que ele fez com você? – disse ele numa noite longa e irrequieta, perguntando pelo "cliente" que a tinha machucado.

Ela nunca contou. Disse que ele fumava, e Gabriel examinou seu corpo à procura de queimaduras de cigarro. Não encontrou nenhuma. Imaginou coisas piores. Pensou no homem se agigantando diante dela, fazendo coisas indizíveis. Um homem casado. Provavelmente com filhos. Um pilar da comunidade, sem dúvida. Gabriel pensou em matá-lo, imaginou-se esmagando sua cara horrorosa. Só conseguiu ficar furioso.

– Puta que pariu, me diz o que ele fez – disse ele, apertando-lhe o braço. Imagens passaram por sua cabeça, como lampejos. Que nojo. Mas ela não quis ajudá-lo. Rolou para longe dele. – Lena – disse ele. – Sinto muito. É só que você podia se sentir melhor, se conseguisse se abrir.

Ai, como se odiava. Ele nunca tocaria nela, era o que jurava em silêncio, olhando para suas costas. Haveria de matar esse homem. Não tocaria em Lena, nunca, jamais, a não ser por esta última vez. Só mais esta vez, beijando os dedos dos pés, mais uma vez para consertar tudo, e lá estava ele de joelhos, apalpando às cegas ao longo da perna dela. E então a criatura o dominava, e ele só podia fazer o que era forçado a fazer, muito embora soubesse que ele não era o pedaço dela que faltava; que, por mais que se inserisse nela, jamais a completaria.

É claro que tinham seus problemas, mas em geral ele achava que estavam fazendo algum progresso.

Gabe tinha concluído que a amava e queria muito pouco em retribuição. Quando sentia alguma culpa sobre o relacionamento, ele se forçava a lembrar que a tinha acolhido e lhe dado um teto. Ela veio procurá-lo. Se demonstrava raiva dela, Gabe tinha o cuidado de lembrar que Lena tinha sido grosseira com ele primeiro. Quando se arrependia de apavorá-la a respeito do mundo do lado de fora da porta do seu apartamento, ele não se esquecia de que esse mundo de fato tinha sido um lugar perigoso para ela. Tudo era uma troca. Ele desempenhava seu papel; ela, o dela. Ele sentia uma fisgada na consciência por mentir para ela sobre o detetive particular. Mas Lena tinha mentido para ele.

– Por que seu irmão tem o sobrenome diferente? – perguntou, quando ela repassou as anotações com ele para que pudesse copiar tudo em inglês.

Ela mordeu o lábio.

– Lena, ele é seu irmão? – perguntou ele.

– É meu irmão – disse Lena, se contorcendo.

– Por que ele não tem o mesmo sobrenome?

Ela encolheu os ombros.

– Tem pai diferente – acabou dizendo. – Pasha é meio-irmão, certo?

Gabriel sorriu.

– Por que não disse isso logo de cara?

Ele terminou de copiar as anotações e, no dia seguinte de manhã, quando chegou ao trabalho, as tirou da pasta e jogou-as no cesto de lixo.

Esse Pasha, esse suposto irmão com nome de amante, ia levá-la para longe e, portanto, não devia ser encontrado.

Gabe chegou atrasado para a reunião de fim de mês com o empreiteiro de Alderney Street. Quando chegou, Rolly e Fairweather já estavam ali, imersos em discussões. O salão tinha recebido uma nova camada de massa corrida, e um pintor estava pintando de branco a parede dos fundos. Nada restava da floricultura. O espaço tinha sido restituído às suas características essenciais, renunciando à identidade anterior. Gabriel estremeceu. Disse a si mesmo que estava pronto para isso.

Foi direto para a cozinha. Os fogões Rosinox já estavam instalados. Ele passou a mão por eles e imaginou como seria.

– Legal você aparecer, Chef.

– Me seguraram um pouco.

Rolly enfiou os polegares nos suspensórios e os fez deslizar dos ombros.

– Apertados demais – disse ele. – Devem ter encolhido na lavagem. Espero que você não se transforme numa prima-dona, Chef. Já trabalhei com gente demais desse tipo.

– Olhe – disse Gabriel. – Peço desculpa pelo atraso.

– Ninguém é indispensável, sabia?

– Precisamos dar tanta importância a isso?

Rolly piscou rápido e com força, como que enviando uma mensagem. *Não me imagine tolo porque eu me visto desse jeito.*

– Não voltará a acontecer – disse Gabe.

– Pelo menos, você perdeu Lucinda – disse Rolly. – Essa mulher me deixa apavorado.

Acabaram contratando a mulher de Fairweather como designer de interiores. Fairweather tinha um talento para avançar com suas próprias ideias enquanto aparentava estar cedendo o tempo todo.

– A mim também – disse Fairweather, entrando. – E por sorte ela apavora também os pedreiros. Acho que vão terminar a tempo.

– Faltam menos de três meses para a inauguração – disse Rolly. Ele arrotou. – Estresse e má digestão, muito associados. É preciso encomendar a louça, com seis semanas ou mais de prazo de entrega, com toda a probabilidade.

– Estou cuidando disso – disse Gabe.

– Começar a caçar pessoal durante o próximo mês.

– É.

– Precisamos nos decidir quanto ao nome. Não falamos sobre isso já faz um tempo.

– Estive pensando que poderíamos manter o nome simples, talvez chamá-lo de Lightfoot's.

– Isso mesmo – disse Fairweather, quase pulando de entusiasmo. – Tem um quê. Gostei. *Magnifique.* Sempre tem um algo mais quando o estabelecimento se identifica com o chef. Faz a culinária, a comida, parecer importante, se vocês me entendem.

– Ela é importante, espero – disse Gabe.

– Maravilha – disse Fairweather. – Tudo ligado à comunicação. Concordo totalmente. Esse seu jeito de se gravar nesse estabelecimento elegante, de mostrar como sua personalidade faz diferença.

– Muito bem – concordou Rolly. – Lightfoot's serve. Agora, vamos usar minha turma habitual de relações-públicas. Eles são muito bons, bem, na realidade são uns merdas, mas todos os outros patetas de RP não são melhores.

– É empolgante – disse Fairweather. – O que eles vão fazer? Distribuir releases, organizar entrevistas? Já consigo imaginar... o Chef fervendo de raiva numa versão culinária de Heathcliff nos suplementos de domingo.

Rolly bufou.

– Ou nas revistas especializadas. Veja o que você pode conseguir com seus amigos da imprensa – disse ele para Fairweather. Voltou-se então para Gabriel. – Vou marcar uma reunião com Fleur, essa é a garota da publicidade, e ela lhe fará todas as perguntas que os jornalistas farão. Você sabe, sobre sua paixão pela cozinha, como você começou, algumas histórias sobre as razões que o levaram a querer ser chef. Invente, se for preciso, mas faça parecer legal, entendeu?

Gabe coçou o início de calvície. Pareceu-lhe que tinha dobrado de tamanho. Ele estaria começando a parecer com um monge?

– Bem – disse ele, meio rindo –, essa parte deveria ser franca e direta.

– Ótimo – disse Fairweather –, é isso o que se quer! Os jornais adoram histórias pessoais, adoram descobrir novas personalidades. Pode mandar tudo o que você tiver.

– No fundo, tudo gira em torno da culinária, não de mim.

– Você vai ser uma celebridade – disse Fairweather. Seu celular tocou. – Com licença – disse ele, afastando-se.

– Preciso ir – disse Rolly. – Reuniões. – Mas parecia relutar em se mexer. Encostou-se no balcão e enfiou com força os punhos nos bolsos, talvez como sinal de resistência, ou talvez para segurar as calças agora que tinha baixado os suspensórios. – Não sei por que eu faço isso. Quer dizer, nunca tenho um instante para apreciar as coisas.

– Acho que agora já nos comprometemos – disse Gabe.

– Ninguém está tentando cair fora. Seja como for, é tarde demais. Não é disso que eu estava falando. Estava pensando na minha vida.

Ele sugou a saliva por entre os dentes, ruminando.

Gabe olhou para as bochechas gordas, os olhos pequenos, a camisa de um vibrante estampado *paisley*. Rolly estava triste do modo mais triste possível, como um palhaço.

– Estou nessa atividade há muito tempo – disse Rolly – e parti do zero. Quando começamos, Geraldine e eu, na verdade não tínhamos nada. Engraçado é que eu acho que era mais feliz naquela época.

– Pode ser que você precise de novos desafios – disse Gabe –, como este restaurante, por exemplo.

– Tenho duas casas – continuou Rolly. – Não se pode deixar de ter uma baita casa de campo. Tenho um Jaguar e uma Mercedes. Paguei escolas particulares para dois filhos. Tenho investimentos e um corretor na bolsa. – Ele olhou para Gabe e encolheu os ombros, como se estivesse desnorteado com o significado daquilo tudo. – A construção nunca termina, porque Geraldine precisa disso e daquilo. A manutenção da casa de campo enche o saco. Arrombaram o Jaguar. Algum sacana riscou a lateral da Mercedes com uma chave. É impossível parar de me preocupar. Os filhos ainda pedem dinheiro. Passei uma noite terrível ainda nesta semana porque umas ações perderam vinte mil libras. Ainda acordo antes das cinco da manhã, faz um ano. Por isso, vendi, acabei com o assunto. E continuei sem conseguir dormir. E se vendi cedo demais, e se eu tiver perdido uma oportunidade?

– Você está se saindo muito bem – disse Gabriel. As noites insones de Rolly pareciam mais razoáveis, mais produtivas do que suas próprias noites.

– Começamos num pequeno chalé em Twickenham. Acho que estávamos melhor naquela época. Não sabíamos, não percebíamos, tudo o que não tínhamos. E isso não tem fim. É como estar num carrossel, querer sair dele, mas o carrossel não para. Seria possível pular, mas não se quer correr o risco, e é sempre a mesma musiquinha infernal tocando sem parar na sua cabeça.

– Você precisa pensar em tudo o que realizou – disse Gabe.

Rolly massageou a papada.

– Hoje de manhã eu disse a Geraldine: você é mais feliz agora ou vinte anos atrás?
– E o que ela respondeu?
– Ela disse que sua terapeuta a avisara para manter distância da minha negatividade. E eu disse que talvez eu devesse avisar a terapeuta para manter distância do meu dinheiro, que ela poderia se contaminar com ele.
– É, bem, a vida é cruel – disse Gabriel, rindo.
– É claro que é genético – disse Rolly, preparando-se para ir.
– Algumas pessoas têm uma vantagem injustificada quando se trata de felicidade. E eu sinto inveja de gente como você, Chef, porque não sei por que faço o que faço. Eu simplesmente faço. É sortudo quem puder dizer que faz o que faz por gosto.

Fairweather, ainda ao telefone, andava com vigor de um lado para outro junto da vitrine de vidro laminado. Ele levantou um dedo para Gabriel para indicar que não demoraria. Uma loura passou do lado de fora, e Fairweather passou a mão pela franja. A loura virou a cabeça para olhar para trás.
Fairweather não podia ver um rabo de saia. As mulheres pareciam gostar dele também. Gabe supunha que ele não tinha má aparência. Um pouco baixo, sim, mas não lhe faltava um encanto típico de menino.
– Ótimo – disse Fairweather, guardando o celular no bolso. – Que maravilha! – acrescentou, num tom ao mesmo tempo enfático e vago. – Meu Deus, você está cansado *mesmo*!
Gabriel levou um cigarro aos lábios.
– Não os largou? – perguntou Fairweather. – Eu mesmo nunca vi a atração, mas a verdade é que imagino que ninguém veja, se nunca fumar o primeiro.
– Você se importa se eu? – disse Gabe, procurando o isqueiro.
– Não, não – disse Fairweather. – Todos nós temos nossos vícios, não é verdade?
– Qual é o seu?
– Ah, bem, você sabe – disse Fairweather. – Agora, você queria falar comigo sobre alguma coisa?

– Lembra de você ter me perguntado sobre Yuri, quer dizer, sobre o auxiliar de limpeza? Bem, estive tendo... estive pensando... – Era o sonho. Mas ele não ia dizer isso a Fairweather. O sonho devia ter um motivo. Era ele que precisava decifrá-lo, e com isso ele terminaria. Da última vez, a comida o enterrara. Ele quase tinha se sufocado, subido desesperado em busca de ar. – Bem, Yuri era positivamente um imigrante ilegal, apesar de possuir um número da Previdência Social nacional. Não me pergunte como, porque não faço ideia. E então você acha que isso significa que ele teria sido... como foi que você disse mesmo?... Trabalho forçado, endividado com alguém?

– Correu tudo bem com a investigação? – perguntou Fairweather, incentivando Gabe a falar.

– Correu – respondeu Gabe. – Nenhum problema. Morte por acidente.

– Coitado do cara.

– Você acha que ele poderia ter estado...

– De nada adianta especular agora – interrompeu-o Fairweather. – Quem se beneficiaria?

– Não sei – admitiu Gabriel. – Talvez a agência de empregos devesse ser processada. Se for isso o que fizeram com ele.

Fairweather olhou para o relógio.

– Veja bem, por que enveredar por esse caminho?

– Mas você disse que, em casos como esse...

Fairweather começou a falar depressa. E com mais exatidão.

– Não se pode equiparar uma coisa à outra. Um trabalhador poderia entrar ilegalmente no país e depois conseguir trabalho sem enfrentar uma situação dessas. Acontece com muitos. Por outro lado, a maioria das pessoas identificadas, em termos técnicos, como traficadas entrou no país de modo totalmente oficial.

– Continue – disse Gabe. – Explique por favor.

– Está bem. Se você quer mesmo saber. O que acontece é que os traficantes usam rotas de migração e vistos de trabalho normais, mas depois eles cobram taxas para conseguir emprego, o que endivida os trabalhadores antes mesmo que eles tenham chegado ao Reino Unido. Às vezes, seus documentos são retidos, eles são mantidos em condições inadequadas de moradia, pela qual lhes é cobrada uma fortuna, também lhes é cobrado o transporte de ida e volta do trabalho, e assim por diante. Ameaças, violência, todos os tipos de coisas. Não se esqueça de que essas pessoas costumam falar muito pouco inglês e não têm noção dos seus direitos. Seu auxiliar de limpeza até poderia ser uma *vítima*, digamos. Ou talvez não fosse. O fato de ser um imigrante ilegal não tem nada a ver.

– Mas se ele fosse...

– O que você precisa entender – disparou Fairweather, veloz, como se tivesse trinta segundos para fazer um pronunciamento – é que, mesmo que isso tenha de fato acontecido com seu cara, você não vai mudar o mundo fazendo um escândalo. Está disseminado demais para isso. É endêmico, é um problema estrutural. Aparece uma ou outra reportagem na mídia, mas é só a ponta do iceberg.

– Então por que vocês não estão fazendo alguma coisa para resolver isso?

– O governo? Até mesmo um governo trabalhista? Estamos tentando, mas não é assim tão simples. Um parlamentar da oposição está apresentando um projeto de lei acerca de direitos iguais para os trabalhadores terceirizados, mas por motivos muito complexos não podemos apoiar esse projeto.

– Que motivos? – perguntou Gabriel.

– Veja bem, precisamos pensar no que o empresariado quer também, e no que os consumidores exigem. Mesmo que o projeto seja aprovado, ele não será uma panaceia.

– Mas seria melhor do que nada.

Fairweather fez um gesto de descaso.

– A verdadeira questão é a pressão constante para reduzir custos. O antigo modelo sindical de trabalhismo está morto e enterrado. Temos agora cadeias cada vez mais longas de subcontratação e terceirização, e os empregadores querem comprar mão de obra como compram outras mercadorias: materiais que eles podem ativar e desativar conforme seja necessário, sem aumentar o preço unitário. Portanto, se você quiser abraçar uma causa perdida, esta é ideal para você. No seu lugar, eu a deixaria de lado.

– Eu quero deixá-la de lado – disse Gabriel. Estava tão cansado naquele instante que achou que poderia dormir ali em pé, como um cavalo. – Nem mesmo quero pensar no assunto.

– Bem, você disse que sua consciência estava limpa. Isso é o que interessa no final das contas.

– Eu não disse isso. – Sua consciência *estava* limpa, mas ele diria isso se e quando quisesse.

– Não disse? – perguntou Fairweather, mudando toda a sua atitude, como se tivesse saído do escritório e afrouxado a gravata.

Seria esse seu maior trunfo político, essa simpática indefinição, mais útil que a perspicácia interior? Era em grande parte impenetrável, parecia não representar ameaça e levava o interlocutor de roldão.

– Não disse? – repetiu Fairweather. – Eu prefiro achar que você disse. Talvez devesse dizer, sabe. Já ouviu falar de programação neurolinguística? Diga alguma coisa com frequência suficiente, que você começa a acreditar e, veja só, ela acaba acontecendo. Digamos que você se sinta culpado por alguma coisa. Não pare de dizer a si mesmo que não se sente culpado. No final, vai funcionar.

– Não sei, mas esse não é um comportamento psicótico? Se você diz a si mesmo coisas que não estão ligadas à realidade?

O riso de Fairweather reverberou pelo salão vazio. Ele pôs o braço em torno dos ombros de Gabriel enquanto os dois se encaminhavam para a porta.

– Então, Westminster tem um monte de psicopatas. Ah, ah, ah, diria eu. Faz parte.

Na sua cela quente e apertada, com as pernas mal cabendo debaixo da mesa de trabalho, Gabriel sentado pensava em como não seria nem um pouco pior cumprir pena numa solitária numa cadeia em Bangcoc. Estava pensando também que sua cabeça não parava de devanear e precisava ser arrastada de volta para a tarefa que tinha pela frente, fosse ela qual fosse, quando Oona, toda afobada e estridente, se instalou no canto, aninhando no colo um objeto envolto numa toalha.

Gabriel queria que ela saísse dali. Não havia oxigênio suficiente para dois.

– Oona, o que é isso aí? Uma cabeça decapitada?

– Uh, uh, uh – disse Oona, entregando-se de corpo e alma ao riso.

– Na realidade, estou no meio de uma coisa – disse ele.

Oona estalou a língua e fez que não.

– Sempre trabalhando.

Ela ocupava espaço demais. Quando se sentava em algum lugar, era como se fosse lançar raízes, como se fosse ficar ali até seus filhos, seus netos se tornarem adultos. Esperava-se tropeçar no seu tricô ou nos bebês que sairiam engatinhando de debaixo das suas saias.

– É verdade – disse Gabe.

– Trouxe uma coisa para você – disse Oona, franzindo os olhos amendoados. – Olhe como você emagreceu!

Gabe fez que sim. Como queria que ela fosse embora. Fechou os olhos e desejou que ela sumisse.

– E como está exausto, também, hum?

O que ela pensava que aquele lugar era? Quem ela pensava que ele era? Uma dona de casa cujos filhos a estivessem enlouquecendo, parada trocando mexericos por cima da cerca?

– Um delicioso ensopado com bolinhos de batata, numa bela panela de barro – disse Oona. – Trinta minutos a 180 graus, querido. Sei como é quando supostamente se está cozinhando só para um. É fácil deixar passar as refeições.

Gabriel abriu os olhos. Sentiu que eles se arregalavam saindo das órbitas. Oona pôs a panela bem protegida na mesa dele. Em cima dos seus papéis, suas listas, de todas as suas coisas importantes!

– Oona – disse ele, engasgando de indignação.

Ela permaneceu ali parada, como que arrulhando bem no fundo do peito.

– Eu... – disse Gabe. – Eu...

– Ora, não precisa agradecer. – Ela uniu as mãos diante de si e começou a mexer os lábios em silêncio.

O que ela pensava que estava fazendo? Estava dizendo uma prece? Ele conseguiu captar a última frase enquanto ela ia se afastando com seus pés de chumbo. Deus nos abençoe e Amém.

Ele foi correndo até o departamento de Recursos Humanos e disse que era preciso que ela fosse mandada embora, que não poderia mais trabalhar com ela. Falta grave, disse a mulher de Recursos Humanos. Preencha este formulário. Ele sentou e roeu a caneta. O que poderia alegar? Preces durante o expediente? Oferecimento de ensopados indesejados? Ele já lhe tinha dado uma advertência formal. Não seria possível acrescentar alguma coisa, por atraso ou algo semelhante, e com isso fim de papo? A mulher de Recursos Humanos consultou os arquivos. Não há registro, disse ela. É preciso que haja um registro, ou a advertência não conta. Ele protestou. E implorou. A mulher de Recursos Humanos batucava com a caneta. Gabe, sem aceitar a derrota, sugeriu o enxugamento do pessoal. A mulher de Recursos Humanos disse que não. Não, a menos que estivesse incluído no "esforço de reestruturação" do sr. James. Gabriel agradeceu muito a ajuda prestada. Ela sorriu e disse, disponha e não se esqueça de lidar com aquele auxiliar do recebimento de mercadorias.

Durante o jantar, ele rondou a cozinha. Observou o lavador de louças empilhar pratos e arear panelas. Esse era da Somália. O outro era do Sudão. Ou talvez fosse o contrário. O homem limpou as mãos no macacão e esguichou água da mangueira na pia. Arrastou para ali um enorme caldeirão, abriu a torneira e começou a esfregar, debruçado quase até as axilas, com a cabeça enfiada como se estivesse se esforçando para se esconder. Para um lavador de louças, não era bom ser notado. A única hora em que se era notado era quando se fazia alguma coisa errada, quando se deixava cair uma bandeja cheia de copos ou quando ficava alguma sujeira numa panela.

Gabriel foi se afastando dali para o centro da cozinha.

– Meu Deus – disse Victor, girando. – Não ouvi você chegar. Parece um fantasma ou sei-lá-o-quê, cara.

Ele ficou olhando seus rapazes, Benny e Suleiman, ocupados nos seus postos. Nikolai, velho demais para esse trabalho, massageou as costas na altura da cintura. Ivan aumentou suas chamas.

Uma garçonete veio dizer que um cliente tinha uma queixa e queria falar com o chef.

– Sobre a comida? – perguntou Gabriel.

A garçonete não sabia. Ela o conduziu até a mesa e girou nos calcanhares.

– Olá – disse Gabriel. – Em que posso servi-lo?

– Lamento dizer que tenho uma queixa – disse o homem.

Sua aparência era razoável, calças de brim cáqui e camisa, provavelmente um advogado de empresa numa sexta-feira informal, mas não muito cheio de si.

– Sinto muito – disse Gabe. – Espero poder corrigir as coisas.

– Dê uma olhada no meu prato – disse o freguês.

– Não gostou do bife? Está excessivamente bem passado?

– O bife está bom. Mas o prato. Olhe.

A namorada do homem pressionou os dedos contra os lábios. Gabriel se inclinou e examinou o prato.

– Deseja um prato diferente?

– Está vendo isso? – disse o homem, indicando com o garfo um vestígio de alguma coisa na borda. – Não o lavaram direito. Tem um pouco de sujeira velha ali.

A namorada sorriu entre os dedos. O que pareceu incentivá-lo.

– Quando se está pagando bem mais de dez libras por um prato principal, pode-se esperar uma guarnição, mas não se calcula que ela seja feita de sujeira.

A namorada deu um risinho. O homem se recostou, inflando o peito e abrindo as pernas como se seu saco de repente tivesse aumentado.

– Vou trocar o prato para o senhor – disse Gabriel. – Vou mandar fazer outro bife também.

– Quer dizer – disse o homem, divertindo-se demais para parar –, vocês estão servindo essa bela refeição, e ela vem decorada com vômito. Você poderia falar com quem quer que seja o responsável?

– Está bem, David – disse a namorada, retesando as costas, de olho em Gabriel.

Mas agora o homem já estava embalado pelo som da própria voz.

– Será que é demais pedir um prato *limpo*, um pouco de atenção pessoal e limpeza? Será? Ora, faça-me o favor.

– Sem dúvida – disse Gabriel. – Eu mesmo me encarrego disso, imediatamente. – Com um floreio, ele removeu o prato do homem e o levou até perto da boca. Cuspiu na borda. – Pronto, senhor, aí está a atenção pessoal. Agora a limpeza. – Ele esfregou a borda vigorosamente com a manga do uniforme e devolveu o prato à mesa com uma reverência. – Tenha uma boa refeição. *Bon appetit.*

– Você finalmente perdeu todo o juízo? – perguntou Gleeson.

Ele fechou a porta do cubículo de Gabriel e se encostou nela como se Gabe fosse procurar fugir.

– Que diferença faz para você? – disse Gabriel, dando de ombros.

– Você enlouqueceu? Ficou biruta? Devemos providenciar a camisa de força?

Gabe roeu uma unha. Gleeson arrumou os punhos da camisa.

– Você se dá conta de que todos viram? Você sabe que todos o estavam observando?

– E daí? – disse Gabriel.

Gleeson tremia com os olhos brilhando de retidão.

– Precisei resolver esse seu probleminha. Demorou bastante para eu conseguir acalmar o homem.

– Não lhe pedi para fazer nada.

Gleeson continuou encrespado e então desistiu, avançando com um sorriso de cumplicidade, gotejando veneno pelo chão, como uma serpente.

— Nesse caso, vamos dizer que eu lhe fiz um favor. De cavalheiro para cavalheiro, uma boa ação, amor com amor se paga, se você quiser, em algum momento futuro.
— Creio que não – disse Gabe.
— Eu amenizei as coisas – Gleeson falou entre os dentes. – Poderia ter posto você no olho da rua.
— Está arrependido por ter perdido a oportunidade?
Gleeson crepitava de hostilidade. Ela pairava em torno dele como uma estática.
— Você é louco – disse ele. – Você perdeu o juízo. Ficou doido de pedra.
Gabriel se pôs de pé de um salto, quando Gleeson ia saindo pela porta.
— Sei muito bem quem você é – gritou ele. – Você não é um cavalheiro. Você é totalmente... – ele mal conseguia pronunciar as palavras – falso... uma tapeação.
Gleeson pôs as mãos nos quadris de corte perfeito e deixou aparecer um sapato brilhoso.
— Falso? – disse ele, com sua fala arrastada mais afetada. – Me diga então o que você é. Um autêntico o quê? Diga por favor.

De manhã, Gabriel subiu para ver o sr. Maddox sem agendar. Ele bateu uma vez e entrou sem esperar pela resposta.
— Entre – disse Maddox –, não faça cerimônia. Por que não entra logo e fica à vontade?
— Preciso lhe falar – disse Gabe.
O sr. Maddox com um gesto lhe mostrou o sofá no canto do escritório e se voltou para o sr. James, que esperava junto da mesa como um menino com medo de uma surra.
— Gareth, explique de novo por que motivo eu preciso me envolver.
— É o seguinte, sr. Maddox – começou o subgerente.
— Problemas – disse Maddox, esfregando o queixo. – Por que você sempre me traz problemas? Não dá para, de vez em quando, me trazer uma solução?

– Se eu ao menos pudesse lhe dar umas pinceladas...
– Não quero saber de pincelada nenhuma – disse Maddox. – Que vou fazer com pinceladas? Um quadro?
O sr. James sorriu e não disse nada. Abaixou a cabeça e os olhos.
– Para que eu lhe dou emprego?
O sr. James não parou de sorrir.
– Vamos. Relembre-me. Porque não está assim tão evidente.
Gabriel fingiu que estava olhando para uma revista na mesinha de centro, mas não parava de observar o sr. James. Seu sorriso era doloroso de ver. Era como ele sorria sempre, e era um sorriso nervoso, involuntário, como o tremor no olho direito de Damian.
O sr. Maddox passou os dedos peludos pelo rosto. Tinha perdido o interesse. Desistiu do golpe final.
– Volte ao Departamento de Marketing, Gareth. Diga que falou comigo. Veja se consegue resolver o caso.
O sr. James foi embora, agarrado à sua prancheta e à sua dignidade.
O sr. Maddox deixou a mesa de trabalho e veio ocupar a poltrona de couro diante de Gabe. Ela pareceu encolher quando ele se sentou.
– Estou tentando controlar – disse ele.
– Como assim?
Maddox girou a cabeça, agarrou-a entre as mãos e a torceu num sentido e no outro, até o pescoço estalar.
– Consegui subir com grande esforço, Chef. Velhos hábitos, sabe?
– É – disse Gabe.
Ele viera falar de Gleeson e Ivan, do fato de estarem usando... de ainda estarem usando o quarto de hóspedes sem permissão, pois Gabe tinha mantido uma vigilância intermitente...
– Naquele tempo – disse Maddox. Seus olhos se tornaram distantes e voltaram ao foco normal. – O respeito, sabe, era algo que se conquistava. Geralmente à base de pancada.
Gabriel olhou para a testa do sr. Maddox. Parecia que podia ser usada para martelar pregos. Era provável que Maddox tivesse

dado algumas marradas com ela no seu tempo. Talvez fosse melhor não dizer nada sobre Gleeson e Ivan por enquanto. Melhor esperar até ter uma solução, ou pelo menos até saber exatamente qual era o problema.

– Seja como for, isso aqui com Gareth foi uma escorregadela. Não sei.

Gabe se perguntava que razão poderia dar para ter subido e entrado ali daquele jeito.

O sr. Maddox, entretanto, parecia estar sem pressa e ofereceu um charuto a Gabriel.

– Meu avô prestava serviços, e meu bisavô, bem como o pai dele, desde sempre. Servidores, todos eles. – Calou-se por um tempo. – Por sinal, o que acha do charuto?

– Saboroso – respondeu Gabe. – Carne vermelha, castanhas assadas.

– Às vezes – disse Maddox –, acho que ainda sigo os passos deles. Penso que não me distanciei o suficiente... Ainda há umas duas horas, estava inspecionando a roupa de cama na cobertura. O que lhe parece em termos de complexo de inferioridade? É ou não é impressionante?

– Prestar serviços era bastante comum naquela época – disse Gabriel. – Minha família toda trabalhava numa fábrica.

– Um fato interessante para você, Chef: hoje em dia tanta gente trabalha no setor de serviços, limpando, cozinhando, cuidando de crianças, cuidando de jardins, quanto trabalhava na década de 1860. Que progresso, hem?

O charuto estava deixando Gabriel um pouco estonteado. Ele se esquecia o tempo todo de que não deveria tragar. Foi fazendo que sim.

– Minha neta – disse o sr. Maddox – está com 10 anos. Ela me perguntou: Vovô, por que você está zangado o tempo todo? – Ele mexeu com os pés e puxou as calças. – Bem, o que eu poderia responder? Disse: Amorzinho, não estou sempre zangado. E disse: Nunca me zanguei com você.

– E aí? Ela acreditou?

– Ela é esperta, sabe – disse Maddox. – É a primeira da classe.
– Bom para você. Bom para ela.
– Ela criou uma caixa de xingamentos. E guarda o que angaria. Está fazendo uma fortuna. – Ele deu um riso, sem alegria. – Agora, o que você queria falar comigo?
– Ah – disse Gabriel. – Eu queria lhe dizer que o serviço de copa noturno está começando nesta semana. Benny vai cobrir os primeiros turnos.

Ele descobriria o que Gleeson estava aprontando. Não precisava levar o assunto a Maddox. O que precisava fazer era agir, forçar um confronto, parar de enterrar a cabeça na areia.

Capítulo 22

—⋙—

A PRIMAVERA ESTAVA CHEGANDO. Ela estava na tira de céu azul entre os prédios, estava no ar delicadamente encrespado, nos transeuntes que levantavam rostos esperançosos para a luz. Como sempre, Gabriel se lembrou da estação de esqui em que tinha trabalhado em alguma cidadezinha tirolesa revestida de lambris. Um dia ele acordou de manhã e ouviu uns estalidos: a neve de cima do telhado fazia a contagem regressiva até deslizar ruidosamente até o chão. Quando olhou pela janela, viu no jardim de um branco cintilante um trapézio minúsculo de um verde milagroso.

Pãezinhos de canela, pensou ele, pisando de leve pela rua a partir da entrada dos fundos do Imperial. Devo ter feito milhares naquele lugar. Ele ainda sentia o cheiro deles. Estancou de chofre na calçada, embalado numa onda de nostalgia por uma cozinha e por colegas dos quais mal conseguia se lembrar.

Do outro lado da rua, uma turma de demolidores com coletes fluorescentes deu para o guindaste o aviso de tudo pronto. Uma mulher jovem seguindo pela rua de salto alto viu os trabalhadores e assumiu uma atitude defensiva. Ela cruzou os braços. A turma não lhe deu a menor atenção. Ela olhou ao redor.

Os tapumes tremiam com o lento avanço do guindaste. Ouviu-se um grito fraco. As casas sem beleza estavam escancaradas, desdentadas, com portas aqui e ali. Gabriel ficou olhando o balanço do braço do guindaste. A bola de demolição recuou, parou um pouco para refletir e depois se lançou, numa viagem longa e vagarosa, repleta de pequenas colisões, marcadas por espectrais nuvens brancas.

A mochila pesava aconchegante nos ombros de Gabriel, lotada de comida dos refrigeradores e despensas do trabalho. Ele estava indo para casa depois do serviço do almoço para passar a tarde com Lena e preparar uma refeição civilizada. Tanta coisa por fazer. O que era importante vinha em primeiro lugar. Assentam-se os alicerces. Selecionam-se as pedras angulares. Na noite anterior, ele tinha sido perturbado por pensamentos sobre Gleeson, como se a camisa de força não tivesse sido uma simples provocação, como se ele estivesse contido e amarrado pela fúria. Ia lutar até se livrar dela. Gleeson estava na sua lista. Listas e mais listas. Dê uma estrutura às listas, veja como se empilham, como se unem. Veja, visualize, guarde mentalmente. Algumas tarefas serviam de sustentação para outras, representavam a base; outras atuavam juntas num arco. Era como a construção de uma casa. Deixar entrar luz, gerar calor, manter a chuva lá fora. Era uma questão de arquitetura, e com a comida não era diferente. As estruturas moleculares, o modo de arrumar um prato, era preciso construir. E, quando se organizava uma cozinha, quando se formava uma equipe, era preciso ver a arquitetura, ter um projeto, manter a ideia firme e forte.

Antes de virar a esquina, Gabriel olhou para trás para a obra. Enquanto olhava, uma parede foi ruindo em câmera lenta, com um vago suspiro de protesto.

O apartamento estava vazio quando ele chegou. Lena devia ter ido fazer compras. Ele esperou 15 minutos e ligou para o celular dela. Deixou uma mensagem e fez uma xícara de chá. Desceu para procurar por ela. Tentou de novo o celular.

Ficou parado junto da longa janela da sala de estar, esperando a cada instante que ela surgisse. Supersticioso, passou a achar que ela não viria enquanto ele permanecesse ali. Sentado no sofá, massageava os joelhos, esperando pelo som da chave na porta.

Ela chegaria no momento exato em que ele parasse de pensar nela. Era assim que as coisas funcionavam. Ela talvez tivesse ido ao cinema. Tinha feito isso uma vez ou duas, e depois lhe contara. Ele a incentivara.

Pôs-se de pé de um salto e foi ao quarto, abrindo com violência as portas do armário. Todos os vestidos que tinha comprado para ela estavam ali. Para ter certeza, abriu as gavetas.

De volta à sala de estar, ele andava de um lado para o outro, a passos comedidos. Quanto mais olhava para a mobília, maior sua sensação de que ela não lhe era familiar. O sofá verde e duro caberia numa sala de espera. A *chaise longue* preta era medonha. As prateleiras laqueadas estavam vazias, e a mesinha de centro branca em forma de cubo era incrivelmente pretensiosa. Quem haveria de querer morar ali? Quem conseguiria chamar esse lugar de seu próprio lar?

Houve um som no corredor. Ele saiu correndo. Do outro lado, o vizinho estava meio enrolado com a chave.

– Ah, desculpe – disse Gabriel. – Estava esperando uma pessoa.

– Oi – disse o vizinho, com um sorriso distante. E entrou no seu apartamento.

Típico, pensou Gabriel. Era assim que as pessoas egoístas eram. Recusavam-se a trocar algumas palavras. Não davam a mínima para você. Esses vizinhos, sempre que ele os via, nem mesmo reduziam a velocidade dos passos. *Oi*, e ponto final. Gabe admitia que também não fazia muito mais que isso, mas pelo menos pensava em convidá-los, tinha estado a ponto de fazê-lo, quase os chamou para vir jantar assim que se mudou para ali.

Voltou a andar de um lado para o outro. A verdade era que as coisas tinham ido ladeira abaixo. Quando ele era criança, não era assim. Naquele tempo, as pessoas se interessavam. Elas se uniam por uma causa. Sabiam seu nome, pelo menos. Agora ninguém tinha tempo. Não ficavam atentos. Se ele fosse até a porta deles e batesse, perguntando se a tinham visto, eles sorririam educadamente e perguntariam, *quem?*

Gabriel roeu uma unha. Fumou um cigarro. Foi olhar pela janela, o que lhe causou novamente a sensação de mau agouro. Precisava se afastar dali.

Descobriu-se parado na cozinha, abrindo e fechando a torneira. A mochila estava no balcão. Ele ainda não a tinha aberto.

Quando tivesse um filho, ele lhe diria *quando eu era criança,* e o garoto pensaria *isso foi no século passado, no milênio passado.* Ele levaria o garoto às vezes ao trabalho, se ele quisesse vir.

Onde será que Lena estava? Pare de se preocupar. Sem dinheiro, até onde ela poderia ir?

O que ele mostraria ao garoto no trabalho? Ele teria sentido orgulho do pai ontem? Bem, havia pressões, complicadas demais para uma criança entender.

Já eram quase sete horas. Onde ela estava? Se não chegasse antes das sete, não viria mais. Isso estava bem claro.

Quando ele ia à Rileys com papai, era diferente. Ele pregava lealdade, honestidade, respeito, como se tudo isso estivesse entremeado na textura do seu trabalho. Mas agora já não era assim. O mundo estava diferente.

Eram sete. Isso não podia continuar. Ele apanhou uma faca, a lâmina do próprio demônio, e a fincou na superfície de trabalho de faia maciça com toda a força que Deus lhe deu. O cabo preto tremeu quando ele recuou, emitindo um pedido mudo. *Se você existe, se puder me ouvir, faça com que eu não seja louco.*

Ele abriu uma garrafa de vinho e se forçou a sentar no sofá com a televisão ligada. Ele estava bem. Ele era racional. Era provável que Lena estivesse no cinema. Ela só esperava que ele chegasse do trabalho depois das dez. Se podia ver um filme, por que não dois, uma entrada dupla? Todo mundo se enrolava de vez em quando. Dificilmente se poderia dizer que, por isso, eram todos loucos. Gleeson... por que ele deveria sequer pensar em qualquer coisa que aquela víbora tinha a dizer? Jenny... bem, Jenny, que Deus a abençoe, tinha metido os pés pelas mãos. Ela disse que ocorre em famílias. Mas ele não era mamãe. Ele não tinha acessos de compulsão por compras. Não fugia com o leiteiro. Não, sua vida ainda estava nas suas mãos.

Sentindo-se desconfortável, ele mudou de posição, experimentou uma almofada atrás da cabeça, desistiu dela, pôs os pés na mesinha de centro e voltou com eles para o chão. Levou as pernas para cima do sofá e ficou olhando para o teto.

E se sua vida fosse uma série de mancadas baseadas em interpretações equivocadas, em enganos, numa quantidade de erros infantis? Se ele fazia escolhas sem uma compreensão verdadeira, que tipo de escolha tinha feito? Era como algum louco, acreditando-se rei da Espanha, decidindo com cuidado se deveria entrar em guerra com a França ou com o Brasil. Calculando as opções na sua cela acolchoada, ponderando e deliberando, remexendo nas próprias tolices.

Quando olhava para trás, parecia-lhe... não, espere, melhor não olhar. As coisas eram melhores do jeito que ele costumava se lembrar delas.

Se tivesse dado ouvidos a papai, teria ido para a universidade. Uma coisa era consequência da outra. Não se percorria uma trilha. Embarcava-se num trem, e as estações eram poucas e muito esparsas.

O que aconteceu entre papai e você? Não se podia apontar um dedo para o passado, tocar em alguma coisa e dizer *aqui, foi isso, isso aqui.* Havia motivos demais, um excesso de modos de olhar, pensar, lembrar. Ah, sim! O que era importante não era o que tinha acontecido, mas como o fato era lembrado. Foi papai quem lhe disse isso. Você tem tanta razão, papai. Papai, você sabe como isso é verdadeiro?

Gabriel se levantou do sofá e voltou a andar de um lado para o outro. Agora tudo o que precisava fazer era escolher o jeito certo de lembrar. Estava claro que era isso o que lhe cabia fazer. Se bem que, tendo dito isso, não fosse tão fácil expulsar pensamentos da sua cabeça. O que ele precisava, não, o que ele precisava era de um juiz, alguém que o conhecesse, que soubesse como ele de fato era. Um amigo, veja bem, um amigo poderia dizer, com imparcialidade, *ah, você sempre foi predestinado, você foi feito para isso, não havia como impedi-lo.* Alguém que tivesse fé nele.

Ele tinha amigos. Ligaria para um deles agora. É claro que tinha amigos. Será que tinha? Mas o que ele precisava era de uma testemunha. Alguém que soubesse do que ele era feito. Alguém que se levantasse e dissesse: *Sim, eu respondo por esse homem.*

* * *

Quando Jenny atendeu o telefone, ainda estava falando com outra pessoa perto dela.

– Jen – disse Gabe –, sou eu.

– Ah, Gabe – disse Jenny –, espere um instante.

Gabriel ouviu vozes alteradas, seguidas de uma batida surda.

– Parece a Terceira Guerra Mundial aqui – disse Jenny. – Bailey está de castigo, mas acabou de sair pela porta. E eu disse para ela, Bailey, nem pensar, porque você vai pagar caro por isso; e ela olhou para mim tipo... é, vamos ver, e foi embora. E Harley, nem quero começar...

– O que ele fez agora? – perguntou Gabe, sorrindo.

– Ele só pegou e... não, não quero nem começar. Eu lhe conto quando você vier, porque hoje tenho roupa para passar. Você vem, Gabe? Papai não anda tão bem.

– Vou – disse Gabriel. – Logo.

– Não deixe muito para depois.

– Jenny, eu estava pensando no tempo em que a gente era criança.

– Você está querendo dizer que sou rígida demais com meus filhos?

– Não – disse Gabe. – Estava só pensando naquela época em que a gente descia para brincar perto da linha do trem...

– O que decididamente não era permitido.

O que ele poderia dizer para fazer com que ela entendesse? Jenny tinha suas próprias preocupações.

– Aqueles dias de verão, eles não terminavam nunca. Você se lembra de como eram longos?

– Já entendi – disse Jenny. – Não éramos anjos de jeito nenhum. Nunca voltávamos para casa na hora certa. Mas Harley e Bailey acham que são adultos, acham que podem fazer o que quiserem, e eu imagino que estejam com a razão, mas não debaixo do meu teto é o que digo para eles. Tudo tem seu limite. Gabe, quando você acha que vai vir?

– Logo – disse Gabriel. – Na semana que vem ou na seguinte, assim que puder sair daqui.
– Ótimo. Agora é melhor eu ir – disse Jenny, meio ausente. – Foi bom falar com você.
– Para mim também – disse Gabe, tentando disfarçar a tristeza da voz.
Um buraco profundo se abriu dentro dele, um espaço negro e imenso. Tudo a que ele tentava se agarrar era sugado para dentro do vácuo; e esse lugar oco bem no centro dele permanecia vazio.
– Bem – disse Jenny.
– Espere! O salão de tatuagem de Michael Harrison, você sabe qual é o nome? Achei que podia tentar descobrir por onde ele anda, beber umas cervejas, sabe, em nome dos velhos tempos.
– Vai ser bem fácil encontrar ele – disse Jenny –, mas pode ser que você precise se contentar com um chá. Bev soube pela sra. Tisdale, que soube de Sandra Sharples, que está saindo com...
– Jenny!
– Não se descabele, Gabe. Temos muito tempo, ele não vai sair de onde está. Ele está em Warrington, pegou oito anos por agredir um policial, com algum tipo de agravante, não sei bem qual, e lesão corporal grave.
– Mas você disse...
– Eu sei, mas isso foi há séculos. Seja como for, parece que você não vai beber a tal cerveja.
– O que aconteceu? O que deu...
– ... errado? Não sei. Mas, para dizer a verdade, não fiquei surpresa. Quer dizer, é claro que fiquei chocada, é terrível. Mas quando se pensa em como o pai dele era. Foi a bebida, provavelmente, para eles dois. Alcoólatra, sabe.
– Que...
– ... pena, e ele era um rapaz tão bonito – disse ela, com um suspiro, como se isso fosse tudo o que estava perdido. – Mas acho que vocês dois não iam ter muito em comum, não depois de todo esse tempo. Mesmo que ele não estivesse por trás das grades.
– Não – disse Gabriel. – É provável que não.

– Certo – disse Jenny. – Estamos esperando que você chegue logo.

– Está bem.

Em desespero, ele procurou por um jeito de manter Jenny falando. Foi como pescar num poço seco: não conseguiu trazer nada para cima. Ah, aquela vez, Jenny ia adorar ouvir isso, no alto da torre Twistle, e Bev estava lá... ou seria Jackie? A lembrança lhe voltaria se ele fechasse os olhos.

– Vou avisar papai – disse Jenny –, mas era melhor você ligar para ele também. Nos vemos, Gabe. Tchau. Adeusinho!

Quando o viu à mesa da cozinha, Lena teve um sobressalto e levou a mão ao peito.

– É você – disse ela, sorrindo.

– É, sou eu – disse Gabriel. – Quem mais poderia ser?

– Eu faço chá – disse Lena. – Você quer chá também?

– Quer dizer – disse Gabe –, você não está esperando ninguém, nenhuma visita? Nada desse tipo.

Ela estava enchendo a chaleira e cantarolando sem melodia.

– Eu ouvi – disse ela, rindo, torcendo as costas felinas. – Ouvi uma história engraçada hoje.

Ela falava, e ele escutava, achando que tinha visto isso antes. Aquilo não estava acontecendo, era algo de que se lembrava, sim, tinha sido exatamente como agora. Havia música, é verdade, ela tinha ligado o rádio e estava se movimentando e dando risinhos, até mesmo dançando alguns passos. Coisas tão simples assim enchem o coração. Contando a história do homem que ficou dois dias trancado num banheiro público. Ele riu porque ela riu, e seu cabelo, no qual tinha feito uma trança, balançava atrás dos ombros. E ela estava usando um vestido colorido.

O que acontecia agora? Ele ia até ela? Ele a abraçava?

– Onde você ouviu essa história? – Ele se ouviu dizer.

Lena olhou no cesto de pão.

– Eu faço torrada.

– Quem lhe contou, Lena, quem?

– É notícia – respondeu ela.

Ele se levantou e se aproximou. Sua sombra se lançou por cima dela.

– Você não assiste ao noticiário. Não lê jornal. Aonde foi hoje?

– Eu saio – disse ela, dando-lhe as costas.

– Certo. Aonde? Aonde foi? Olhe para mim, Lena. Eu perguntei aonde.

Ela girou de volta.

– Por que você pergunta desse jeito?

A partir desse ponto, a cena foi piorando, ao que ele se lembrasse. O que podia fazer? Estava se sentindo mal. Estava suando. Tudo o que precisava fazer era manter a boca fechada.

– É uma pergunta razoável – disse ele.

– Você me deixa aqui como... como prisão. Como bicho na jaula.

Ele percebia o que estava fazendo de errado. Olhava para si mesmo com uma mistura de pena e nojo. Que panaca. Que pateta. Será que nunca iria aprender?

– Eu tranco você aqui dentro? Eu a espanco? – Ele deveria saber que era melhor não gritar. Sabia, sim. Mas lá vamos nós outra vez. – Não lhe dou tudo o que você pede, e mais?

– Você promete – disse Lena, atacando uma unha da mão. – Mas não dá.

– O quê? – disse ele, o pobre palerma. – O que eu não lhe dou?

– Você diz que procura Pasha. Você diz que paga uma pessoa. Mas eu não acredito.

O idiota estava ali parado com as mãos nos quadris, tentando ficar ofendido com a ideia. Qualquer um podia ver como ele era. Acorda e põe os pés no chão, cara.

– Posso lhe provar...

– Você diz que me dá dinheiro. Há quanto tempo eu espero?

Ele a via torcer a ponta da trança em volta do dedo. Olhava fundo nos olhos azuis vidrados, tentando fazer com que ela os focalizasse nele. Estava pensando milhares de pensamentos, e nenhum deles estava certo.

– Não encontrei aquele dinheiro. Nikolai o pegou e mandou para a família de Yuri. Ele sempre foi de Yuri, não é? Aquele dinheiro não era seu.

Ai, não, não. Pare de olhar. Não ouça mais nada.

– Eu ganho aquele dinheiro. *Eu ganho*. Aqui, com você, não é de graça. Por que você não me paga? Me paga o que me deve.

Ele levou Nikolai lá para baixo, para o depósito de mantimentos secos, para ajudar na verificação do estoque. As estantes subiam pelas paredes, cheias de garrafas e caixas, potes e pacotes, latas e recipientes, rótulos gritantes, letrinhas de exame de vista, latas de chá embaçadas, vidro cintilante, metal irritante. O piso, uma pista de obstáculos de sacos e caixas de papelão, não apreciava a presença de Gabe e sempre tentava fazê-lo tropeçar. Aquilo ali embaixo era o *bunker* de um louco. E ainda assim eles continuavam a fazer mais pedidos.

– Favas, feijão – disse Gabriel. – Arroz arbório. – Ele ficou olhando Nikolai escrever no bloco de prescrições. – Diga-me uma coisa. Você é feliz? Ser *commis* não é o que você calculava ser.

Nikolai fez com as mãos um gesto de indiferença.

– Suponho – continuou Gabe – que muita gente não seja.

Nikolai fez que sim, talvez ainda avaliando o paciente.

– Quer dizer, mesmo que sejam ricas, tenham sucesso e tudo o mais, essas pessoas se sentem infelizes, ficam deprimidas.

Na noite anterior, Gabe tinha fumado um cigarro atrás do outro, dando voltas no quarteirão. Lena não conseguia ter sentimentos, era incapaz disso. Foi aquele cliente que a deixou desse jeito. Se algum dia ele visse o homem, haveria de matá-lo com as próprias mãos.

– É normal – disse Nikolai.

– Não estou falando de mim. Comigo vai tudo bem. De modo geral.

Com os olhos fixos num saco de aniagem, Gabe sentiu vontade de se enrodilhar nele para dormir. Mas, se adormecesse, teria o sonho que não queria ter.

– Na cidade onde eu nasci – disse Nikolai, com os dedos brancos e longos acariciando a caneta –, quando eu era menino, tínhamos uma Parada do Dia da Felicidade. Todo mundo tinha de ir. É claro que zombávamos daquilo. Recebíamos a ordem de ser felizes e por isso, num ato de subversão, fazíamos o maior esforço para nos sentirmos desgraçados; e nada poderia nos ter deixado mais felizes do que essa desgraça proibida.
– Vocês precisavam desfilar pela cidade?
– Com faixas – respondeu Nikolai. Ficou então calado um pouco, preparando-se para dar o diagnóstico. Gabe podia ver pela expressão no seu rosto. – Ideologia tosca, fácil de ser ridicularizada. A sua é mais sofisticada e tão dominante que já está internalizada e funciona muito melhor assim. A infelicidade é normal; mas, se estamos infelizes, acreditamos que fracassamos. Todos os dias neste país é Dia da Parada da Felicidade, mas não marchamos lado a lado. Cada um precisa marchar sozinho.
Gabe se sentou num engradado.
– Sabe, se eu conseguisse uma boa noite de sono, me sentiria feliz. Ficaria realmente extasiado. O problema é a droga do sonho.
– O sonho – disse Nikolai. – Você me contou.
Por que ele não dizia nada? Por que ele dava a impressão de saber mais do que se dispunha a dizer?
– O que ele significa? – Gabriel não se conteve. – Tem de significar alguma coisa. Está acabando comigo.
– A interpretação dos sonhos – disse Nikolai –, um dos assuntos preferidos de Freud. Por mim, considero essa parte da sua obra menos satisfatória, e sei que você não é um grande admirador dele. Existe quem afirme interpretar os sonhos da mesma forma que se lê o futuro na borra do chá ou na palma da mão.
– Mas por que eu não paro de ter esse sonho? Repetidamente. Talvez ele represente – disse Gabe, enlouquecido – alguma coisa significativa, como, por exemplo, que a morte de Yuri não foi acidental. Poderia querer dizer que o sonho não vai parar, enquanto o assassino não for apanhado.

Nikolai olhou para ele com seus olhos de roedor.

– Você quer dizer – concluiu ele, com seu jeitinho preciso – que o fantasma de Yuri o está assombrando?

– Não, é claro que não. Não, meu Deus. É só que é a mesma coisa, que se repete sem parar. Eu estou aqui embaixo, em algum lugar nas catacumbas, e tem uma luz horrível. Ela... ela pulsa, palpita como um coração ou coisa semelhante, e é como se ela estivesse me atraindo. Ou às vezes é como se me perseguisse, não sei. E, parece bobagem, mas acho que ela vai me *afogar*. Seja como for, sempre acabo no mesmo lugar, com o corpo de Yuri e... será que lhe contei essa parte? Contei, sim. É como se eu tivesse de engatinhar em torno do corpo e examiná-lo. E depois tem a comida...

– A comida. Você a come?

– Como. Não. Eu comia, mas ela está cheia de vermes e sei lá mais o quê. Ou pode ser que já não esteja podre, eu não como, só procuro impedir que ela me soterre vivo.

– Quer dizer que o sonho não é sempre o mesmo, ele muda.

– Mais ou menos, mas essencialmente é o mesmo.

– Entendi – disse Nikolai. – E essa luz que você menciona, o que acontece quando você para junto do corpo de Yuri? Ela consegue alcançá-lo?

Gabe coçou a cabeça com as duas mãos, batendo os cotovelos como asas.

– Não, nessa hora não há luz.

– Então, como é que você enxerga o corpo? Como você o examina?

– Não está escuro, está normal, sabe. Não sei, nem tudo faz sentido. É um sonho.

– Mas você quer encontrar um significado nessa coisa que não faz sentido?

Gabriel riu.

– Acho que estou perdendo a mim mesmo. Não consigo me sentir no controle. Não importa. Vamos adiante. O que está ali no alto? Não estou vendo. A farinha de trigo fica ali?

Nikolai se esticou na ponta dos pés em cima de um tambor de vinte litros de Frymax.

– Frutas secas, açúcares, castanhas. – Ele se virou. – Mas o que é esse tipo de eu que você está perdendo? Está se referindo a uma espécie de alma?

De nada adiantava, pensou Gabe, ter essas conversas com Nikolai. Ele não se deixava ser levado.

– Só estou me referindo ao que as pessoas comuns se referem quando falam de si mesmas.

– Ah – disse Nikolai –, mas é o mesmo que andar em círculos.

Gabriel ergueu a mão como se quisesse se defender de Nikolai.

– É perfeitamente óbvio para todos. Todos, menos para você.

– Em termos científicos...

– Ora, esqueça os termos científicos – disse Gabriel, com raiva. Nikolai afirmava ser médico. Uma história provável. Não se anda por aí acreditando em todas as histórias que se ouvem.

– Entendi – disse Nikolai, com delicadeza. – Afinal de contas, parece que somos programados biologicamente para ter o que se poderia chamar de sentido do eu.

Olhem só para ele, pensou Gabriel, em pé no seu palanque, a lata de óleo, pronto para se dirigir a uma plateia. Nikolai não era um cientista, era um político, sempre tentando converter mais um. Dava a impressão de morar num porão, como se nunca tivesse visto a luz do dia, um pequeno revolucionário albino, promovendo a subversão clandestinamente.

– Ah, seja lá como for – disse ele.

Eles continuaram com a verificação do estoque. Gabe não parava de olhar para Nikolai. Eles contavam garrafas e latas. Nikolai encontrou excremento de rato nos fundos de uma prateleira.

– Não – disse Gabe. – Não, isso aí é velho. Esse problema já foi resolvido. OK?

– OK – disse Nikolai. Os dois continuaram o trabalho.

– Sabe qual é seu problema? – disse Gabriel.

Nikolai esperou com paciência.

– Não, não consigo me dar o trabalho de lhe dizer.

Eles continuaram, dizendo em voz alta nomes e quantidades, afastando caixas e erguendo sacos pesados.

– Vou lhe dizer qual é seu problema – disse Gabe. – Você não para de falar na ciência. Acha que sabe tudo, mas você não conhece as pessoas de modo algum.

– Minha ex-mulher concordaria com você.

– A ciência nos diz isso, a ciência nos diz aquilo – disse Gabe, aumentando a voz. – Nós somos máquinas, não temos livre-arbítrio. Bem, a maldita ciência não me diz nada a respeito de como me sinto.

E isso, concluiu ele, sempre tinha sido seu problema. Como chef tanto quanto em qualquer outro aspecto. Sua maravilhosa abordagem científica. Tinha até mesmo dado a Oona uma aula sobre a estrutura molecular do creme inglês. Pelo amor de Deus! Quem precisava saber isso? O que se precisava saber, em pé ali, mexendo, era a sensação exata que se tinha quando estava prestes a engrossar.

– Pode ser que você tenha razão – disse Nikolai, continuando com uma calma irritante.

– Vamos – insistiu Gabe. – Vamos, fale, não me trate como se eu fosse um idiota.

– Talvez – disse Nikolai, lentamente, – seja interessante encarar isso tudo a partir de outro ponto de vista. Deixemos a ciência de lado. Digamos que você está lendo um romance, e esse romance seja a respeito da vida de um homem. Começa com a infância dele e o acompanha passando por vários eventos até, talvez, uma crise em algum ponto da meia-idade.

Nikolai fez uma pausa, e Gabriel no mesmo instante se exasperou.

– Ora – exclamou ele –, prossiga. Não me faça um discurso. Basta falar.

– Está bem. Digamos que se trata de um romance razoável e você acredita nesse personagem. Você começa a entendê-lo. Agora, à medida que você lê, o personagem está sempre tomando decisões, fazendo escolhas a respeito da vida, pensando, hesitando, sobre o caminho que vai seguir.

– É! Exatamente! É assim que ocorre. É assim que as pessoas são.

Nikolai olhava sem titubear por baixo do seu monte de cabelo inflamável.

– Mas se nós tivermos chegado a conhecê-lo, sua formação, suas circunstâncias, saberemos como ele vai agir. São esses livros que se revestem de autoridade, de inevitabilidade, porque sentimos que são fiéis à vida. Não há como o protagonista ser diferente, não há como ele agir de modo diferente, e, no entanto, ele está condenado a se comportar, como todos nós, como se fosse livre.

– Ai, não me venha com essa – disse Gabriel, furioso. – Como isso é entediante! Como é entediante um livro sem reviravoltas? E o que dizer das personagens que agem por impulso, sem nenhum motivo, sem nem saber por que estão fazendo alguma coisa?

– É claro. Isso também – disse Nikolai, em tom tranquilizador. – Mas, se eles forem controlados pelos impulsos e agirem sem uso da razão, esse também será um argumento contrário à existência do livre-arbítrio.

– Isso é só... – disse Gabriel. Nikolai se achava tão inteligente, e vejam aonde sua inteligência o levara. Um *commis*, nada mais, nada menos. Gabe ia lhe explicar com clareza como esse seu argumento era falso. – O que você não... – ele começou novamente e fraquejou. Sua mente girava como uma batedeira elétrica numa tigela vazia. Ele precisava falar. – É você que anda em círculos. Você torce tudo para que se encaixe numa única ideia. Você acha que está provando alguma coisa, mas é só sua opinião, sua crença. Pelo amor de Deus, você até parece um crente fanático – disse ele, tremendo de raiva. – Para você, é como se fosse uma religião.

Quando terminaram a verificação do estoque, Gabriel disse a Suleiman que saísse por um instante com ele. Precisava de um cigarro.

Suleiman olhou com espanto, franzindo os olhos, com a consternação causada por essa irregularidade.

– Relaxe – disse Gabriel. – Você não está sendo levado a um tribunal.

Suleiman torcia o toque entre as mãos.

– Não, Chef, é um enorme prazer conversar com você.
– Eu queria... bem... ver como tudo está indo. Fazendo progressos? Tudo certo?
– É a avaliação? – disse Suleiman, parecendo um homem que tivesse esquecido a pasta no trem.
– Esse tipo de coisa – disse Gabe. – Estou muito impressionado, devo lhe dizer, muito impressionado por sua concentração, sua atitude. Pretendo abrir meu próprio negócio. Por enquanto, é preciso manter isso em segredo. E sem dúvida eu poderia encontrar uma posição para você. Seria uma promoção. Você se interessaria?
Suleiman balançou nas pernas tortas.
– Obrigado por essas palavras gentis. Posso lhe pedir um pouco de tempo para refletir sobre sua oferta, por favor?
– Claro, pode – disse Gabriel, expansivo, encostado na parede fria do pátio, com o rosto voltado para o sol. – Pense, e depois nós conversamos. Veja se isso se encaixa nos seus planos. Não me esqueci de como você tem tudo já planejado.
– É a influência do meu pai – disse Suleiman, sorrindo. Quando ele sorria, sorria com enorme vigor, como se fosse uma espécie de exercício executado pelo bem da saúde.
– Que bom. E me diga, por favor, é só sua carreira que você tem toda planejada ou também tem projetos para... mulher, filhos, todas essas coisas?
– Com toda a certeza – disse Suleiman. – Seria uma extrema negligência deixar essas coisas nas mãos do acaso.
Gabriel fez que sim. Estava apreciando o cigarro.
– Neste momento, meus pais estão selecionando uma série de garotas – continuou Suleiman – de boas famílias, é claro.
– E então você escolherá aquela de quem mais gostar.
– Dependendo da triagem da compatibilidade, depois dessa fase.
– Mas é impossível saber se vocês são compatíveis, a menos que passem algum tempo juntos. Sua presença será necessária.
– Com o tempo, sim – concordou Suleiman. – Mas não numa primeira fase. De início, nossos mapas devem ser comparados.

– É, como é que funciona?
– Mapas astrológicos. É imensamente importante. Para que não se tome uma decisão errada.
– É mesmo? Como um horóscopo do casamento?
– Baseado nos astros que regeram o nascimento do rapaz e da moça. É uma ciência antiga, muito complexa, e revela muitos detalhes. Por exemplo, a existência de um alinhamento determinado, o acordo Dina Koota, garante que o marido e a mulher permanecerão saudáveis e livres de enfermidades. A Ganam e também as Yoni Kootas determinarão a compatibilidade sexual. E se Rajju estiver em alinhamento, ele concede à noiva uma vida feliz com o marido por muito tempo.

Gabriel acendeu outro cigarro. Ele o fez tossir e deixou seus olhos lacrimejando.

– Mas você – disse ele, entre espirros, – acredita em tudo isso?

– Na minha família – disse Suleiman, sério, – ninguém jamais se divorciou. Pode ser que, como homens modernos, nós não devêssemos acreditar no que está escrito nos astros. Mas, como método para escolha de uma noiva, ele parece funcionar tão bem quanto qualquer sistema que vocês têm por aqui.

O trem do metrô já estava parando em Russell Square antes que ele percebesse o que tinha feito. Tinha pegado a linha errada. Como isso podia ter acontecido? Ir numa direção totalmente errada quando tinha feito esse percurso tantas vezes. Correu para as portas e elas se fecharam no seu nariz. Na estação de King's Cross, estudou o mapa do metrô como se nunca o tivesse visto antes. Não fazia sentido voltar agora. Ele poderia pegar o Hammersmith e City ou o circular para Edgware Road. Ficou olhando para o mapa, todas as conexões e interseções, dava para conhecer todos os detalhes e ainda não ter a menor ideia de como era Londres no nível da rua, ainda se perder no mundo real. Quando ele tinha vindo morar ali pela primeira vez, costumava pegar o metrô entre Covent Garden e Leicester Square.

Ele se voltou para olhar para a plataforma e viu um pequeno camundongo preto nos trilhos, correndo valente e apavorado. Viu um ancião chinês com a barba trançada, um casal se beijando, uma garota com um curativo no joelho e um homem carregando uma gaiola de passarinho prateada. O trem roncou ao longe, eles deram um passo adiante, todos os que estavam ali, e um vento forte soprou da boca do túnel, como se Deus em pessoa estivesse prestes a falar. Gabe ficou sentado em contemplação solene e distante, e foi só quando chegou a Edgware Road que ele hesitou e depois decidiu prosseguir. Ao som da voz de Charlie no porteiro eletrônico, ele quase fugiu correndo.

– Alô – disse Charlie. – Alô?

– Sou eu, Gabriel. Posso subir?

Ela acionou a abertura da portaria; e, quando ele chegou à porta do seu apartamento, ela estava aberta. Ele espremeu os olhos por um instante, tentando pressionar o cérebro, fazer com que voltasse a funcionar. E entrou.

Charlie estava na sala de estar, com uma das mãos no quadril, linda como um dia de verão.

– Eu... – disse Gabriel. – Eu lhe trouxe umas flores. Deixei no trem.

– Olá, sumido – disse Charlie. – Não quer se sentar?

– Sei que você não quer me ver e não a culpo.

– Adivinhe o que fiz hoje. Passei a manhã numa escola.

Charlie puxou a cadeira da escrivaninha e a virou para se sentar nela ao contrário, abraçando o encosto.

– Passou mesmo? Legal. Vai se dedicar ao ensino, então?

– Foi tão barulhento. Meus ouvidos ainda estão retinindo.

Gabriel riu. Ele olhou ao redor para a janela de escotilha, o teto inclinado, os cartazes de cinema emoldurados, o vaso de tulipas, a colcha de *patchwork* que cobria o sofá, todo o acúmulo de coisas vistosas na sala.

– Tudo bem se eu tirar meu casaco?

Charlie olhou para ele com os olhos verde-jade.

– Você é engraçado. Eu o convidaria para sentar e depois o mandaria ficar de casaco?

– Senti sua falta.
Ela olhou para longe, respirou fundo, olhou de novo para ele.
– Eu também.
– Charlie... – Seu coração chorava e cantava.
– Quer dizer – disse ela, apressada –, ainda podemos ser amigos, certo? Depois de todo esse tempo. Creio que há uma amizade a ser resgatada.
– Pensei que você não quisesse me ver. Você não respondeu às minhas ligações.
Ela tirou o cabelo de trás do pescoço e o puxou para a frente por cima de um ombro, e esse gesto delicado, familiar, quase o fez chorar.
– Isso foi há séculos – disse ela. – Você não me liga há séculos. Não parei de esperar que você ligasse ou aparecesse por aqui. – Ela sorriu. – Você sabe, aparecer para pedir desculpas, humilhar-se um pouco.
– Quantas vezes eu pensei...
Charlie veio até o sofá. Ela se sentou de lado no braço, com os pés na almofada junto a ele. Estava usando uma saia creme com a cintura marcada e uma blusa escura de *cashmere*. Estava fantástica. Parecia a garota que ele tinha passado metade da vida tentando encontrar.
– Então – disse ela –, se me permite a audácia, o que por fim o traz aqui?
– Meu Deus, como senti sua falta. E sinto muito mesmo, e se pudermos ser amigos – disse ele, pronunciando as palavras sem clareza. – É tão... tão maravilhoso, e eu me arrependo, me arrependo de verdade... e é incrível como me arrependo.
– Continue – disse Charlie, rindo e cutucando a perna de Gabe com um pé. – Vamos, humilhe-se mais.
Ele olhou para ela, transbordando de emoção, embolando a língua.
– Diga como você está, Charlie. Como tem andado?
Ela forçou as mãos contra as coxas, erguendo os ombros.
– Ah, o de sempre, ainda preocupada com Darfur, com as calotas polares, com as rugas em volta dos meus olhos.

– Todos os principais problemas do mundo – disse Gabriel. – Dê uma olhada nisso aqui. Estou ficando careca. – Ele virou a cabeça.

– Não estamos ficando mais jovens, certo?

Gabe abriu as mãos.

– Eu venho em busca de ajuda, e o que recebo? Supostamente você deveria dizer, não, esse trechinho careca não é visível ao olho humano.

Charlie ficou séria.

– Por que agora, Gabe? Por que vir agora? Ajuda em quê?

– Tem um negócio – disse Gabriel. Ele lhe contou a história de Gleeson, Ivan e a supervisora das camareiras; e de como tinha encontrado as fotografias em cima da mesa. – Não sei o que está acontecendo, mas alguma coisa não está certa. E, seja o que for, eles continuam fazendo, continuam usando o quarto. Você é a única pessoa com quem eu posso falar, Charlie, e naquelas fotos estão você e o Penguin Club. Achei que você tinha o direito de saber.

Charlie pensou um pouco.

– Quando foi isso tudo? – perguntou ela.

– Antes do Natal.

– E você achou que eu tinha o direito de saber... mas só veio me contar agora.

– Eu liguei. Deixei mensagens.

– Certo. E aconteceu de novo? Você viu a mesma coisa, a mesma armação?

– Bem, eles estão mais cuidadosos agora, mas eu sei que ainda estão usando o quarto.

– Entendo.

– Charlie?

– Gabe, já lhe ocorreu que talvez você esteja imaginando tudo isso? Não me parece nem um pouco provável. Você não gosta de Gleeson, gosta? Você *quer* que isso pareça sinistro.

– Se você não acreditar em mim... – disse Gabe. – Achei que você fosse a única pessoa com quem eu poderia falar sobre isso.

– Pare de roer as unhas – disse Charlie, irritadiça de repente. – Você anda dormindo direito? Parece que está cansado.

Gabe pôs a cabeça nas mãos. E gemeu.
– Para ser franco, as coisas andam difíceis.
– Ai, Gabe, seu pai. Não perguntei.
– Perdeu muito peso, não come direito, mas continua lutando como as pessoas dizem. Fizemos uma caminhada no Natal. Mas Charlie, não tem sido fácil, de um modo ou de outro. Estou passando por um período complicado.
– Coitadinho – disse Charlie, num tom que ele não soube avaliar. O relógio bateu as horas, e ela se levantou para ir até ele, uma peça *kitsch* que tinha comprado num brechó em Camden Town. – O homem e a mulher não saem mais. Parece que ficaram presos. – Ela abriu uma portinha e remexeu ali dentro, girou os ponteiros para a hora seguinte. O relógio bateu mais uma vez. – Perda total.
– De fato – disse Gabriel –, praticamente não durmo há semanas.
– Não sei por que estamos evitando o assunto – disse Charlie. – Não sei por que eu o estou evitando.
– Eu podia dar uma olhada nesse relógio para você.
– Acho que vou ter de fazer a pergunta sem rodeios.
– Eu me lembro de quando você o comprou.
– O que aconteceu com a garota? Lena, não era? O que aconteceu com ela?
– É bom a gente poder conversar, Charlie. É bom podermos ser amigos de novo. Sabe, não importa o que aconteça, você sempre vai poder recorrer a mim.
– Aconteceu alguma coisa, Gabriel? Gabriel, o que você fez?
– Nada. Não fiz nada. Ela está bem. Eu ainda estou... cuidando dela.
Charlie remoeu um pouco. Pôs as mãos nos quadris.
– *Cuidando* dela?
– Você achou que eu tinha feito alguma coisa contra ela? Ora, vamos, você me conhece.
– Ela ainda está com você.
Se havia uma pessoa que entenderia, seria Charlie. Se ele pudesse lhe explicar.

– Ontem de noite, Lena me disse uma coisa realmente terrível. Bem, acho que foi no meio de uma briga séria. – Ele deu um risinho. – Ela pode ser jovem, mas sabe revidar à altura.

Charlie abriu a boca e emitiu uma nota que poderia quebrar um copo.

– Que foi? – gritou Gabriel, pondo-se em pé de um salto. – Que foi?

– Revidar à altura? – berrou Charlie.

Ela apanhou uma revista de uma pilha caprichada e a atirou na cabeça de Gabe.

– Sinto muito – disse Gabe, abaixando-se. – Achei que estava tudo terminado entre nós. Achei que você não ia me querer de volta.

– Você de volta? Ficou maluco? – Ela jogou a cabeça para trás.

– Olhe, se eu soubesse que você ficaria tão perturbada...

Ele passou a língua pelos lábios ressecados. Faltavam-lhe palavras. Um minuto antes, estava cheio, transbordando, quase sem caber em si mesmo. E agora, do nada, essa seca, esse *canyon* estorricado.

– E você aparece aqui em busca de um ombro amigo? *Não tem sido fácil.* Quer que eu sinta pena de *você?*

Um vento de deserto soprava dentro dele. Soprava a poeira e os novelos de plantas secas. Tremendo, ele estendeu a mão.

– Mas você disse... que podíamos resgatar uma amizade. Você disse isso, disse, sim.

Ela bambeou e olhou para ele, até com certo carinho, e o vento causticante se acalmou no ventre de Gabe.

– Vá embora, Gabriel – disse ela, com tristeza. – Vá embora agora. Conte só consigo mesmo.

Capítulo 23

AFASTANDO-SE DA CASA DE CHARLIE, MAL PERCEBENDO EM QUE direção seguia, Gabriel acionava constantemente o celular, tentando reerguer sua vida antiga. Conseguiu três secretárias eletrônicas, dois "números indisponíveis" e uma mulher que disse não ver o filho da mãe havia seis meses. Nathan Tyler atendeu ao segundo toque.

– Gabriel Lightfoot! Seu sacana. Já não era sem tempo.

– Nathan – disse Gabriel, com a voz embargada. E então pigarreou. – Oi, amigo. A fim de um copo?

– Sempre.

– Ótimo. Onde é que você está?

– Numa praia na Tailândia, sendo massageado por duas prostitutas adolescentes. Onde você acha que eu posso estar?

– Acho que está no trabalho.

– Você é um gênio. Veja só, depois do turno preciso ir para casa, ou Lisa vai comer meu fígado. Agora que o bebê chegou, sabe...

– Ei – disse Gabe – estou totalmente... menino ou menina?

– Menino, chama-se Sam. Tem o nariz da Lisa e o maior pinto de bebê que você já viu – disse Nathan, com um orgulho inconfundível.

– Parabéns – disse Gabriel. Do jeito que a palavra saiu, pareceu meio estrangulada, pouco generosa. Ele tentou de novo. – Maravilha!

– Eu sei – disse Nathan. – O que você vai fazer na quinta? É minha noite de folga, vou dar uma escapada.

– Eu ligo – disse Gabe.

– Seu filho da mãe – disse Nathan, com carinho. – Você diz que vai ligar, mas não liga.

* * *

Eram mais ou menos 5:30 quando Gabriel voltou para o Imperial. Trabalhou nos preparativos com Benny e Suleiman. Para o serviço do jantar, pôs Oona à janela e cozinhou com sua brigada, com todos os rapazes. Manteve-se firme a noite inteira e não evitou a limpeza. Depois, foi para o escritório e remexeu em alguns papéis. Não ia para casa nessa noite. Ia ficar ali para vigiar o quarto. Mas agora ainda tinha horas e mais horas, que se penduravam nele como um colar de crânios encolhidos. Hoje não veria Lena. Não ligaria. Na noite anterior, quando ela... mas que diferença fazia, de um modo ou de outro?

No elevador, subindo até o último andar, ele olhou para si mesmo na parede espelhada em tons de bronze. Segurou na barra de latão e encostou a cabeça no vidro, que ficou embaçado e ocultou seu rosto. As portas se abriram discretamente. Gabriel como que foi flutuando pelo corredor cor de creme das coberturas e suítes principais. O silêncio era enjoativo, e o ar tremia, todo o lugar imerso numa vertigem de suntuosidade. Nem uma única criatura passava por ele. Gabe desceu um andar, repassou todos os cantos do hotel e começou a verificar cada quarto em busca de uma fresta de luz por baixo da porta. Uma mulher passou, com os pés cobertos apenas por meias finas, o casaco jogado sobre os ombros, levando pelas tiras um par de sapatos de salto alto. Gabriel estremeceu. Só um *déjà vu*, mas ele detestava essa sensação de uma vida já vivida. Continuou perambulando, descendo e subindo, pisando com delicadeza naquela suavidade anestesiante, cumprimentando com a cabeça, num reconhecimento recíproco, quando as portas do elevador se abriam para ele com uma reverência.

Quando por fim gravitou até a cozinha, viu Benny em pé junto do balcão, lendo um livro.

– Benny? São quatro da manhã.

– Pois é, Chef – disse Benny. – Está muito tranquilo agora. A maior parte dos pedidos veio entre uma e duas horas.

– Ah – disse Gabriel. – É claro.

– Você não se importa, Chef, se eu estudar enquanto espero os pedidos?

– Tudo bem. Eu não vim inspecionar seu trabalho.

– Eu agradeço – disse Benny, o sotaque floreando a palavra com muitas sílabas – seu apoio nesta primeira noite do serviço de copa.

– Só queria me certificar de que você estava bem.

– Obrigado, Chef.

Benny falou com tanta elegância que Gabriel se sentiu humilhado por ter se esquecido totalmente do assunto. Ele pegou o livro.

– O que você está estudando? Contabilidade?

– Espero conseguir me formar. Mas vai demorar muitos anos.

– Como você consegue tempo? Vai precisar parar de trabalhar em dois turnos.

– Mas nesse caso não vou conseguir pagar o curso. – Benny deu um risinho lá do fundo das entranhas.

Ele ia estudar e trabalhar de dia e de noite? Gabriel olhou para a compleição pequena e enxuta de Benny. Como ela poderia conter tantas reservas?

De repente e com uma força tremenda, ocorreu a Gabe que tinha entendido tudo errado acerca de Benny. Ele não era uma simples vítima da guerra, da pobreza e do destino. O fato de ter chegado até aqui, atravessado continentes, não podia ser um acaso. Ali estava um homem que tinha talhado a própria vida, do material mais difícil, do granito, com um canivete cego.

– Chef, tudo bem?

– O quê? Ah, é claro. Vou deixar você continuar. Pode voltar a estudar.

Benny esperou educadamente.

– Desculpe – disse ele, depois de algum tempo –, mas será que posso ter meu livro de volta?

Gabriel soltou o livro, que de algum modo estava grudado no seu coração. Benny procurou o lugar onde tinha parado, passando o dedo pelo texto para cima e para baixo.

Gabe pensou na história de Benny, a que ele se recusava a contar. *Havia guerra, e eu fugi.* Pensou em Kono, o pequeno general que precisou do incentivo de uma faca. Olhou para a cicatriz de uns doze centímetros de um lado ao outro do rosto de Benny.
O telefone do serviço de copa começou a tocar.
– Kono? – disse Gabriel.
Benny olhou para ele com seus olhos tristes, amarelos. E atendeu o telefone.
– Serviço de copa, boa-noite. Aqui é Benny. Em que posso servi-lo?

Gabriel devia ter cochilado enquanto estava à espreita, enfiado no nicho no primeiro andar. Branka, prestes a fincar os dentes numa camareira, bateu na porta, e a língua bifurcada de Gleeson respondeu:
– Entre, entre.
Branka deu na garota um pequeno empurrão à altura dos rins. Elas entraram juntas, e o coração de Gabriel começou a disparar. Ele decidiu entrar ali com vigor e botar a mão na massa de uma vez. Mas, quando ia se afastando da parede, Ivan vinha chegando com a bandana cobrindo a orelha deformada e ameaça no balanço dos braços, e Gabriel se encolheu, recuando. Quando a porta se fechou atrás de Ivan, Gabriel atravessou o corredor na ponta dos pés. Ele colou a orelha na madeira da porta, mas não conseguiu ouvir nada a não ser o som da própria respiração. Seria uma idiotice entrar agora, três contra um, melhor esperar até mais tarde e pegar Gleeson sozinho e desprevenido.

Durante as três horas seguintes, ele revirou papelada na mesa até que, por volta das 8:30, Ernie entrou apressado, com a cabeça baixa.
– Justo quem eu esperava – disse Gabe. – Muito bom.
Se demitisse Ernie logo de manhã, teria menos uma coisa a ser feita mais adiante.
– Eu queria que você soubesse – disse Ernie – que andei me atualizando.

— É sempre útil, Ernie, para atender ao que o mercado pede. Quer se sentar?

— Foi Oona — disse Ernie, ainda em pé.

Seus pés eram virados para dentro, o cabelo era espevitado, e as calças mal roçavam no alto das meias. Ele não estava num emprego, mas num centro de convivência de idosos.

— O que Oona fez? — perguntou Gabe.

— Me ensinou a usar o computador — disse Ernie. — Não tenho mais nenhum problema.

— Ernie, a questão é que... — disse Gabriel. Mas talvez fosse verdade. Quando fez o levantamento de estoque com Nikolai, todos os registros bateram. — Quer dizer, você consegue fazer tudo sozinho? Arquivar pedidos, rastreá-los, registrar todas as entradas?

A cabeça de Ernie subiu e desceu, frouxa.

— Chef, você me diria se... se eu fosse ganhar o bilhete azul?

Gabe olhou para Ernie e viu que ele estava com os dedos cruzados, como uma criança.

— Seu emprego está seguro, Ernie. Enquanto eu estiver aqui, eu garanto.

— Ah! Obrigado.

— E como vão os poemas, Ernie? Os cartões? Como vão as metas de negócios e tudo o mais?

Ernie deu um sorriso sereno para o alto do arquivo.

— Na verdade, estava indo bem mal. Eu não conseguia atingir nenhuma meta, sabe? Mas agora consertei tudo.

— Consertou? Como conseguiu?

— Foi simples — disse Ernie. — Mudei os números para que eles batessem. Ajustei as previsões para combinar com o que eu tinha vendido. Revisão, é como se chama. *Re-visão*, ver de novo.

— Incrível — disse Gabriel. — Você só mudou o que queria que acontecesse, o plano, de modo que refletisse o que realmente aconteceu.

— É — disse Ernie, modesto. — É. Exatamente isso.

Daí a alguns minutos, Maddox entrou com seu jeito habitual, como se aquilo fosse uma batida policial.

– Aquele ali fora era o Ernie? Achei que cabia a você lhe dar o golpe de misericórdia.

– Tive uma conversa com Ernie – disse Gabriel. – Ele está se saindo bem. Teve um pouco de treinamento e está bem mesmo.

– Eu não lhe disse... – De repente, Maddox interrompeu a investida armada. Afastou uma pilha dos papéis de Gabriel e se sentou com cuidado na beira da mesa de trabalho. – Deixa para lá.

– Sei que ele fez cursos antes, mas creio que não eram adequados. Consegui um treinamento individualizado para ele dessa vez.

Maddox descartou o assunto com um gesto.

– Estive pensando – disse ele, devagar – que estou começando a envelhecer. E não há nada mais ridículo na nossa sociedade que um velhote zangado.

– Eu decididamente quero manter o Ernie.

– Isso é para os jovens – disse Maddox. – Fique furioso enquanto é jovem, Chef, esse é meu conselho.

– Você quer que eu...

Maddox atropelou sua fala.

– Não quero estar no meu leito de morte com toda a família reunida, e lá estou eu, papai, tio-avô Brian, vovô, chamando o médico de idiota e dizendo ao padre que ele é um palerma.

– Quer dizer que tudo bem? – perguntou Gabriel.

– O quê? Ah, Ernie, sim. – Maddox mudou de posição. – Eu vim aqui para que mesmo? – Ele apanhou o grampeador e disparou grampos pelo chão. – Desculpe. Preciso parar de fazer isso. Ah, certo, o evento de sábado à noite, você sabe que metade da diretoria da PanCont vai comparecer. Precisamos repassar tudo.

Eles passaram ao exame do assunto, e Maddox deu suas instruções com enorme civilidade. Gabe achou aquilo desconcertante. Era como nadar na água rasa e morna, sabendo que ali perto o fundo do oceano apresentava uma queda íngreme e que as águas escuras de repente ficavam geladas. E Gabriel estava tão cansado que mal conseguia olhar em linha reta. Desejou que o sr. Maddox fosse embora. Se pudesse tirar uma soneca, ficaria bem. Fazia dois dias que não pregava os olhos.

Assim que se viu sozinho, Gabriel baixou a persiana no cubículo e fechou a porta. Afundou-se na cadeira, com as pernas esticadas por baixo da mesa. O corpo inteiro arfou com gratidão quando ele se entregou ao sono.

O doce esquecimento não durou o suficiente. O sonho o agarrou e o puxou para baixo. E, quando ele estava estendendo a mão para o corpo, acordou com um soluço e um forte torcicolo.

Saiu voando para a cozinha, aos gritos.

– Onde ele está? Por que ele não está aqui?

Victor, organizando seu posto de trabalho, rufou tambores com duas colheres de pau.

– Quem, Chef, quem?

– Nikolai – disse Gabriel, procurando se acalmar. – Onde está?

– Trocando de roupa no vestiário – disse Victor. – Qual é o...

Mas Gabriel já estava à porta do porão e descia pela escada em disparada.

Nikolai estava sentado num banco, abotoando o uniforme branco.

– Você tem de me dizer – disse Gabriel. Ele empurrou a porta de um armário, que se fechou com violência e voltou a se abrir. – Não consigo dormir. Preciso dormir.

– O que é – disse Nikolai, trançando os dedos delicados – que você precisa de mim? Já não sou médico, não posso prescrever nenhum medicamento.

Gabriel pairava para lá e para cá entre a pia de esmalte lascado e a lata de lixo de plástico preto.

– Esse sonho, você sabe tudo sobre ele. Eu lhe contei, e você não diz nada. O que ele é? Que porra ele é? O que significa? Ele tem de parar, estou lhe dizendo, porque para mim chega.

– Ah – disse Nikolai. – Você ainda acredita que ele tem... um significado. – Ele inseriu a palavra como uma sonda retal.

– Droga, droga! – gritou Gabe, pulando de um lado para outro. – Eu não sei. Você o conhecia. Ele era seu amigo. Você não se importa? Você deve saber de alguma coisa. Deve ter uma ideia, um palpite, qualquer coisa.

Nikolai desamarrou os sapatos e calçou os tamancos de trabalho.

– Como por exemplo?

Gabriel chegou perto de Nikolai.

– Talvez tenha sido morto – disse ele, ofegante, com a boca muito aberta. – Pode ser... o que acha disso? Pode ser que haja uma pista. A pista está no sonho, sabe, em algum canto do meu subconsciente eu sei alguma coisa, mas ela está enterrada, e só poderei encontrá-la... cavando. Está na comida. Ou... – Ele ergueu um dedo trêmulo. – Ou a pista está no corpo, e é por isso que não posso parar de olhar muito, muito de perto. Tão *repugnante*. Dá para eu ver os pelos nos dedos dos pés... Mas a verdade é que... não, como poderíamos... onde ele está enterrado? Mesmo que eu... é possível desenterrá-lo? – Ele se interrompeu e se jogou contra um armário, gemendo. – Ai, tudo me dá muito nojo. E ainda talvez houvesse... alguém, outra pessoa morando no porão com Yuri. Não sei. Não estou dizendo, você precisa entender... – Ele continuou balbuciando sem a menor ideia do que estava tentando dizer.

– Chef – disse Nikolai. Ele pôs os sapatos num armário, virou a chave e a guardou no bolso. Tudo o que tinha de fazer era tão nítido, tão fácil. – Chef, houve uma perícia, uma investigação criminal. Não encontraram nada de errado. A morte de Yuri foi um acidente.

– Eu sei – uivou Gabriel. – Mas o sonho!

Nikolai deu de ombros.

– Essas coisas não podemos controlar. – Ele pôs o toque na cabeça e se dirigiu para a porta.

Gabriel ainda estava dominado pela convicção de que Nikolai sabia por que ele tinha aquele sonho. Era uma fé que ia além da razão, não tinha explicação e desafiava toda a lógica. Ele sabia disso nos seus ossos. Tinha vontade de segurar Nikolai pelos ombros e o sacudir até ele revelar a resposta. Mas era Gabriel quem tremia quando pôs a mão no braço de Nikolai e murmurou, entre os dentes.

– Pelo amor de Deus, diga-me por quê.

– Está bem, vou falar – disse Nikolai, com um sorriso delicado. As palavras percorreram todo o corpo de Gabriel.

– Você acha que ele tem algum significado. Você quer saber que significado é esse. Estou certo?

– Está – murmurou Gabriel. – Está.

– O significado da morte de Yuri – disse Nikolai – é que ela é insignificante. É por isso que é tão perturbadora. É por isso que você sonha. – Ele soltou o braço das mãos de Gabe. – Mas essa é somente a minha interpretação; e naturalmente o sonho lhe pertence. É claro que você pode interpretá-lo como bem entender.

A última pessoa que ele queria ver naquele momento era Oona, e para variar lá estava ela, toda pensativa, com seus braços gorduchos, sorrindo para ele com olhos de aconchego.

– Ai, o que foi agora? – disse ele, como se ela o estivesse perturbando a manhã inteira.

– Procurei você por toda parte – disse Oona, rindo.

– Bem, não pode ter procurado muito bem. Eu estava no vestiário.

Por que ela não podia rir como uma pessoa normal? Por que precisava rir daquele jeito? Fosse como fosse, o que havia de engraçado em encontrá-lo na cozinha? A cozinha era o lugar em que se esperava encontrar um chef.

– É sobre o sábado – disse Oona. – Tive umas ideias. Até bastante boas, uh, uh, uh.

Seu riso o enfurecia. Ele não tinha escala. Se você quisesse rir depois de elogiar a si mesmo, era preciso fazê-lo da forma adequada, com um sorriso cúmplice. O riso cósmico de Oona era simplesmente errado para todas as ocasiões. Ela nunca acertava.

– Deixe o sábado por minha conta, Oona – disse ele. O evento era importante demais para ele permitir que ela estragasse tudo.

– Não vai levar um minuto – disse Oona, lambendo o dedo para virar as folhas na sua pasta. – Podemos repassar tudo agora.

Ela abaixou o traseiro em cima de um enorme saco de roupa suja que estava logo atrás dela e se acomodou para chocar um ovo. Gabriel olhou em volta para sua equipe. O serviço do almoço estava prestes a começar. Ele não tinha tempo para aquilo.

– Não – disse ele –, não podemos.

Oona riu mais uma vez.

– Não me faça levantar daqui, Chef. Para mim, está muito confortável.

– Certo – gritou Gabriel. – Chega! Mais uma advertência. Segunda advertência formal para você.

Oona pressionou a mão fundo no peito.

– Divertência? – disse ela. – Por quê, querido? Por quê?

Gabriel estava arrancando os cabelos.

– Por rir – disse ele, andando para cima e para baixo – de modo inconveniente. Riso inconveniente. Desta vez, vou levar a Recursos Humanos. Está na minha lista. Você está na minha lista, Oona. Não há como escapar. – Ele continuou andando.

Oona se levantou e deu uns tapinhas no peito como se o estivesse convidando para se aconchegar ali.

– Vamos entrar no escritório e tomar uma boa xícara de chá.

– Olhe só para aquilo – disse Gabriel, quando ela segurou seu braço. – Olhe para o Damian! Que horas são? Nem mesmo meio-dia, e ele está bebendo. – Ele soltou o braço que Oona estava segurando e saiu correndo em torno dos balcões. – Não na minha cozinha – disse, quase aos berros. – Você não vai se embebedar na minha cozinha. Nem aqui, nem no meu expediente.

Damian foi recuando diante dele, tremendo e mascando a língua como um bezerro recém-nascido.

– É á-água – gaguejou ele.

– Água? – esbravejou Gabriel. – Água? – Ele apanhou o copo. – Isso aqui é água?

Oona veio bamboleando para a frente de Damian.

– Ai, valha-me Deus! O coitadinho não bebe mais, certo?

Damian, com sua cara de palerma, espiava por cima do ombro de Oona. Gabriel levou o copo à boca. Baixou-o de novo e girou nos calcanhares.

– Todos estão olhando? – O trabalho tinha parado na cozinha. Suleiman, Ivan, Victor, Nikolai e os demais olhavam fixamente para ele. – Todos estão olhando? – repetiu Gabriel. – Oona, você está protegendo esse garoto? Ele não está bebendo? Isso não é vodca? Eu não sei nada?

Ninguém falou. Uma coifa de exaustor arfou e chiou. Um bom gole de vodca, pensou Gabriel, era exatamente o que ele precisava. Não, era o que ele merecia. Ele deu uma bebericada. Água. Empurrou o copo na mão de Oona.

– O garoto teve uns problemas – disse Oona. – Alguns problemas em casa. Consegui um pouco de aconselhamento para ele e...

Mas Gabe não estava escutando. Estava observando Ivan desafiar Victor com o olhar, enquanto fazia o gesto de degola.

– Venha comigo! – Gabriel chamou Victor, com um gesto. – É, você, é o seu dia de sorte. Venha! Aproveite a oportunidade.

Ele estava tão grudado nos calcanhares de Victor que quase o empurrou escada abaixo.

– Entre ali. Não, não, ali. E, é claro, vou fechar a porta.

Os dois estavam dentro da câmara de carne. A cabeça de Victor estava posicionada entre as duas metades penduradas de um leitão.

– Desta vez – disse Gabriel, apanhando um pedaço grande de perna de boi e o brandindo como um cassetete –, vou conseguir umas respostas. Vou conseguir respostas de você.

– O machão – disse Victor, com a perna direita vibrando de nervosismo –, acha que me põe medo?

– Vamos ver – disse Gabriel.

Era Victor quem ia lhe contar o que estava acontecendo com Ivan e Gleeson. Victor sabia. A briga com Ivan não tinha sido por causa de alguma garota.

– Cara – disse Victor. – Isso é uma palhaçada.

– Qual é o problema entre você e Ivan? Ele tirou você de alguma jogada? Algum negocinho sórdido que você tinha com Gleeson?

Gabriel sabia quando um bife estava pronto. Não precisava calcular. Não precisava cronometrar. Ele simplesmente sabia.

— Você vai me espancar com esse osso? — zombou Victor.

— Pode ser — disse Gabriel, jogando o osso com violência numa superfície metálica.

Victor guinchou alguma coisa sobre assédio e processos.

— Continua assistindo a filmes policiais? — disse Gabe, aproximando-se de Victor, chegando perto o suficiente para ver as espinhas aninhadas nas sobrancelhas.

— Cara... — disse Victor.

Victor era o elo fraco da corrente. Era ele quem ia abrir a boca. Era por isso que Ivan não parava de ameaçá-lo. Gabriel deixou de lado a perna de boi.

— Você acha que Ivan é seu pior pesadelo? Eu posso proteger você de Ivan. Mas quem vai proteger você de mim?

— Na Moldávia... — começou Victor.

— A Moldávia que se foda. — Hora de cortar o bife. — Agora você está em Londres.

Gabe pegou as metades do leitão e as balançou contra a cabeça de Victor. Com os antebraços, ele as forçou a se unirem, grudando-as nos ossos malares do rapaz. Só o nariz dele aparecia. O nariz ficou vermelho, depois arroxeado. Começou a ter pintas brancas. Victor refez os últimos sons de lamento do animal.

— Você vai falar? — perguntou Gabriel. Estava tonto de tanto esforço, como se todo o ar tivesse sido extraído dele.

Um sim abafado escapou do leitão. Gabriel soltou as mãos. Victor desabou no chão como se estivesse sendo suspenso pela cabeça. Gabe se agachou ao seu lado.

— Pode falar.

Victor esfregou o rosto com as mangas. Cuspiu e esfregou a boca.

— É fedido.

— Mais alguma coisa que eu possa fazer para lhe dar um incentivo?

Victor se empertigou, ainda sentado, encostado numa prateleira de peitos de pato embalados a vácuo.

— Ivan, aquele filho da puta — disse ele. Remexeu no bolso e tirou um frasquinho de água-de-colônia. Cheirou-o como se fossem sais aromáticos.

– O que ele fez?
– Ele pega garotas do hotel. Pega elas pra vender.
– É – disse Gabriel. – Garotas do hotel.
– Faxineiras. Camareiras. As novas que estão chegando e ninguém conhece. Ninguém sente falta delas. – Victor tocou nas bochechas. – Você me deixou marcado? Você marcou meu rosto?

Gabriel fez que não.

– O gerente do restaurante – disse Victor – mostra fotos para elas. Ele diz: Você pode ganhar mais lá, trabalhando nesse bar como garçonete, ou dançarina, seja lá qual for a história. Se elas quiserem dançar, ele mostra fotos de dançarinas. Se quiserem cantar, olhe, você pode cantar como ela. *Fui eu que consegui o emprego para essa aqui.*

É, pensou Gabriel, isso agradaria a Gleeson, usar a foto de Charlie desse jeito. Daria um toque especial. Quando ele tinha começado a usá-la? Imediatamente depois daquela saída do pessoal à noite? Ou mais tarde, quando eles já tinham começado a entrar em guerra?

– E depois? – perguntou Gabe. – O que acontece?

Ele sabia o caminho que a história ia seguir agora, mas queria que Victor contasse.

– No terno elegante, contando mentiras.

– É, Gleeson, uma boa fachada. Elas acreditariam nele. Teriam medo de Ivan. E depois?

– Aquela mulher encarregada das camareiras? Não sei o nome dela...

– Branka.

– Parece uma pessoa cruel. Se você a visse num filme, seria quando eles acabam de se registrar num albergue, e a recepcionista vem atravessando uma parede com uma motosserra. Ela seria a recepcionista, é claro.

– É – disse Gabe. – Continue.

– Ela traz as garotas. Seleciona as novinhas. Sabe quem está aqui legal, quem está ilegal; quem está desesperada por dinheiro, quem tem amigos aqui que se importariam se elas sumissem, está me acompanhando?

– Estou, estou. E depois o quê? O que acontece então?
– Não tenho medo daquele filho da puta – disse Victor, esticando o queixo. – Vou contar para o mundo inteiro.
– Comece por mim – disse Gabe.
– Ivan, tipo, apresenta elas na boate, no bar, sei lá onde, esse é o combinado. Ele leva elas para vender feito carne, cara, dois dólares o quilo.
– Ele mesmo explora as garotas ou vende para um cafetão?
Victor pegou o chapéu. Levantou-se e se empertigou. Passou a mão pelo cabelo para levantá-lo em fileiras atrevidas.
– Como eu poderia saber? Já lhe contei o que sei.
– Bem, parece que você sabe muita coisa – disse Gabriel. – Você participava? Participava?
Gabriel ficou em pé, de um salto, e socou uma alcatra que oscilava pendurada num gancho.
– Vá se foder, cara.
– Então, o que lhe dá tanta certeza?
– Eles escolheram a garota errada. Amiga minha da minha terra, mas ela não contou pra ninguém que me conhecia. Dois dias antes, uma das outras camareiras disse pra ela que ia aceitar um emprego novo, como garçonete, que Ivan tinha conseguido pra ela, e o pagamento era bom. Depois, eles levaram minha amiga e conversaram com ela de manhã bem cedo. Disseram que era uma oportunidade excelente, mas que ela precisava ir agora, hoje mesmo.
– Para ela não ter tempo para pensar.
– É, mas minha amiga veio falar comigo. E eu disse não, que ia checar primeiro. Fui até o lugar, a tal boate e... adivinha só... eles não estavam contratando ninguém. Não conheciam nem Gleeson nem Ivan.
– E a primeira garota? A que aceitou o emprego?
Victor estalou os dedos.
– Sumiu. Desapareceu.
– E sua amiga? Ela está aqui? Posso falar com ela? Ela ia querer falar comigo?

– Acha que ela ia ficar aqui dando mole? Puta merda!

Victor tinha recuperado a autoestima. Estava avaliando seu reflexo numa porta de vidro, voltando a si mesmo.

– É tudo especulação – disse Gabriel, perambulando entre as carcaças. – Não sabemos de nada.

– Pense bem – disse Victor. – É um sistema perfeito. Tem-se um fornecimento constante de garotas. Nenhum trabalho de tirá-las do país de origem, trazê-las como clandestinas, toda essa merda. Menos problemas, menos despesas, é só passar a mercadoria e receber o dinheiro. Quem vai se importar?

– Mas não temos provas – disse Gabriel, estremecendo, sentindo finalmente como estava frio.

Victor abriu a porta da câmara.

– Como eu lhe disse antes. Na primeira vez que você me trouxe aqui para me interrogar.

– Disse o quê?

– É melhor não saber. Então para que chegar a perguntar?

Ele caçou Gleeson até encontrá-lo numa sala de reuniões no setor de marketing. Mandou que os outros saíssem.

– Ai, meu Deus – disse Gleeson com um sorriso debochado. – Será que nos esquecemos de tomar nossa medicação hoje?

Gabriel chutou a cadeira de Pierre.

– Vamos. Fora daqui. – O gerente do bar se levantou, com os punhos cerrados.

Os executivos de marketing respiravam ruidosamente.

– Creio – disse Gleeson, com um sorriso tenso, – que o sentimento que o Chef está tentando expressar é *vocês poderiam nos dar licença, por favor?*

Quando estavam sozinhos, Gabriel andou ao longo da extensão da mesa e voltou.

– Bem – disse Gleeson, ajeitando os punhos –, não quero ser intrometido, mas do que se trata?

– Eu sei – disse Gabe.

– Sabe? – Gleeson inclinou a cabeça.

– Eu sei de tudo – disse Gabe, com veemência, estendendo as pontas dos dedos para o teto.

– E eu poderia indagar qual é a natureza dessa revelação? É do Damasceno?

– Tenho conhecimento das fotos. Sei o que você faz com elas.

Gleeson organizou seus papéis.

– Por mais que eu adore esses jogos de salão...

Ele estava prestes a se pôr de pé, mas Gabriel, de um salto, o alcançou e o empurrou de volta para a cadeira. Gabriel girou a cadeira e a segurou pelos braços, prendendo Gleeson, olhando fundo nos seus olhos azul-claros.

– Você nega? – disse Gabriel. – Você nega?

– Nem confirmo nem nego. Não faço a menor ideia do que está dizendo. E suspeito que você também não faça.

Gabriel não via nada nos olhos de Gleeson a não ser o chispar da retidão. Ele passava pela íris como um fluido de limpeza, eliminando tudo o mais.

– Eu sei sobre as garotas. Eu vi. Branka é quem as traz. Pelo amor de Deus, eu vi.

Gleeson começou a sibilar.

– Você está chegando perto demais de mim.

Gabriel se inclinou ainda mais perto. Sentia o cheiro de amaciante de roupas, tintura de cabelo e medo.

– Sei o que Ivan faz com elas. Sei onde você vai passar os dez próximos anos.

Gleeson ergueu um pé e chutou o joelho de Gabriel, de modo que a cadeira recuou girando sobre os rodízios. Ele foi escorregando do assento.

– Para mim, chega.

– Mas é você, seu canalha, que as convence a ir com ele.

– Se você um dia, um dia... – Gleeson espirrava as palavras pela sala como veneno. Depois parou, repuxou o lábio superior com desdém e abanou a cabeça. – Você está nitidamente louco. – Ele riu. – Ai, meu Deus.

– Eu vou...

– Prossiga, por favor. Você vai o quê?

A mandíbula de Gabriel travou.

– Você não sabe de nada – disse Gleeson, com frieza. – Talvez tenha tido alucinações, o que é bem possível.

– Eu vou... eu vou...

O braço de Gabriel teve um movimento brusco. Ele batia na mesa repetidamente. O outro braço se lançou para a parte de trás da cabeça. Seu corpo inteiro tremia e corcoveava, com o esforço, tentando fazer parar a agitação dos braços.

– Como eu estava dizendo – disse Gleeson, soprando um cisco de pó da manga –, já estou farto das suas insinuações ensandecidas. E embora devamos admitir que o teor das suas alegações permanece um pouco nebuloso, é claro que elas são totalmente caluniosas. Caso você queira repeti-las, serei forçado a me queixar com a maior veemência à administração, se bem que naturalmente mencionarei as circunstâncias atenuantes da deterioração da sua saúde mental.

Gabriel, por fim, libertou os braços das suas contorções e de imediato segurou um firme com o outro, de modo que ficou mais ou menos se abraçando.

Gleeson passou a língua depressa pelos lábios.

– Chef, como parece que você não sabe o que vai fazer, permita-me uma sugestão. Tire uma licença, uma pequena folga, interne-se numa clínica. Você pode não ter percebido, mas parece estar tendo algum tipo de colapso nervoso medonho.

Capítulo 24

JÁ DE VOLTA AO ESCRITÓRIO, COM A PORTA FECHADA, E A PERSIANA ainda abaixada, Gabriel passava os olhos de um canto para outro, sem encontrar um ponto de apoio em parte alguma.

Gleeson se acreditava tão esperto, virando a mesa daquele jeito, ameaçando-o com... com algo que já não estava claro na cabeça de Gabriel e que, em consequência disso, lhe parecia ainda mais terrível. Gabriel fervia de raiva em silêncio.

É, ele estava furioso. Quem em sã consciência não estaria? Era uma afronta, a situação do ar-condicionado. Por que não tinha sido consertado? Ele já estava sob estresse suficiente sem mais isso. Não culparia Lena, embora estivesse claro que ela... Tirou o jaleco de chef e o jogou na cadeira. Sentia tanta falta de Charlie. Seu relacionamento estava terminado, e ele não tivera tempo para chorar a perda. Mas a questão era Gleeson, o filho da mãe. Não se desconcentre, Gleeson era o culpado. Gleeson ia ter o que estava reservado para ele. Fazia calor demais. Gabe tirou a camiseta. Gleeson podia fazer as ameaças que quisesse. Gabriel nem se importava. Ele como que flutuava acima daquilo tudo, porque estava deixando aquele lugar em breve.

Prometera a Rolly uma planilha revisada, agora que os custos finais da construção tinham entrado. Tinha muito a fazer, e se dedicaria a isso imediatamente. Hoje era quarta? O baile beneficente da PanCont era na noite de sábado, e ele mal tinha começado os planos. Tirou a calça e se sentou.

Agora estava pronto para trabalhar. Abriu a planilha. O celular tocou. Ele viu que era Jenny, mas teria de ligar mais tarde para ela, ou não conseguiria fazer nada.

Lightfoot's seria o lugar aonde ir. Ele por fim ia ter seu próprio restaurante. Nada melhor do que fazer seu próprio lugar, *chef patron,* gravar ali sua personalidade, exatamente como Fairweather dizia.

Ele foi cortando os números. Era realista. Ou talvez não. Quem sabia? Quem poderia dizer? Fosse como fosse, qual era sua personalidade? E, se ele não sabia qual era, como poderia gravá-la em algum lugar?

Mas estava perdendo tempo. Levantou-se, com um pulo, afastando-se da mesa, quase tropeçando com a pressa. Precisava ir à cozinha de confeitaria, ver o Chef Albert e lhe dar instruções sobre o baile agora, neste instante, imediatamente.

– *Bienvenu* – disse o Chef Albert, passando um braço pelos ombros de Gabriel. – Sem formalidades, *bravo!* Somos todos amigos, *n'est-ce pas?*

– Escute – disse Gabriel, preocupado.

Aquilo ali estava uma bagunça. Ele talvez precisasse arrumar tudo por si mesmo. Apanhou uma bandeja de folheados finos e começou a jogá-los na lata do lixo.

– Sente-se – disse o Chef Albert, posicionando um banco e empurrando para que se sentasse nele. – Sente-se, meu amigo. Você está cansado, não está?

Com um suspiro, Gabriel admitiu que estava.

– Bebida energética – disse o Chef Albert, entregando uma lata a Gabe. Ele abriu outra para si mesmo. – Lhe dá asas, assim. – Ele bateu os braços dobrados no cotovelo, e deu voltas correndo num círculo pequeno. – Eh, eh, não beba mais que três. Quatro no máximo. Se estiver com muito sono, tome mais uma ou duas.

O auxiliar de Albert reprimiu risinhos por trás da mão. O Chef Albert agitou um rolo de pastel na direção dele.

– No ânus – prometeu, todo alegre.

O auxiliar recuou por trás de uma barricada de pães *ciabatta* e baguetes de massa de fermentação natural.

Chef Albert puxou mais um banco e se sentou com Gabriel junto do balcão de mármore.

– Eu também sinto essa exaustão – declarou ele. – Minha namorada nova tem trinta anos. *Mon dieu!*

Gabriel terminou sua bebida. Chef Albert lhe passou outra lata. Assim de tão perto, a pele do Chef Albert era abiscoitada, o nariz estava coberto com glace cor-de-rosa, e os olhos, que tinham sido profundos e melancólicos no passado, não passavam de duas passas queimadas engastadas na cabeça.

– Bem, tenho certeza – disse Gabriel. – Mas não estou aqui para falar disso. Estou aqui para falar de comida.

– Nosso primeiro amor – exclamou Chef Albert. – Não falaremos de outra coisa. Minha *maman*, que Deus a tenha, era da Dordonha, e ela me ensinou o que adora: *comfit,* trufas, *foie gras.* E meu *papa,* que Deus o tenha, era da Bretanha, e com ele aprendi sobre os alimentos do mar. Uma vez fomos até o rio e... isso vai fazer você rir... – Ele deu um tapa no balcão e riu perdidamente.

– O que precisamos... – começou Gabriel.

– Isso, isso mesmo – rugiu Chef Albert. – O que precisamos: relaxar, rir... Você sempre é bem-vindo aqui na minha cozinha. Uma vez fomos até o rio... – Ele parou de falar quando o auxiliar veio se aproximando, com uma pergunta nos lábios. – Para trás! – gritou Chef Albert, agitando os braços. – Os homens estão conversando. Para trás!

– Eu estava com 23 e 24 anos quando prestei serviço militar na África – prosseguiu ele. – Dois anos na costa do Marfim e no Senegal. Aprendi tanto. No Senegal, eles têm um prato de arroz com legumes e peixe frito, que se come de um panelão no chão. Você arregaça as mangas assim e, quando o óleo escorre até o cotovelo, é... – Ele estalou os lábios. – É perfeito. E, essa é muito engraçada, um dia eles me deram um chutney muito apimentado, eu mergulhei um camarão e... *incroyable*... como fogo na minha língua, e vem essa tia... – Ele parou novamente de falar para jogar um pãozinho integral no auxiliar que, mais uma vez, tinha se aproximado demais. – Ela diz: eu vou ajudar, e nós dois fomos até um coqueiro e então... mas você precisa tomar mais uma.

Ele se levantou de um salto. Quando voltou a se sentar, começou outra história, sobre a Córsega, que não chegou a completar antes de passar para mais uma anedota.

O auxiliar observava de uma distância segura. Todas as vezes que Gabriel levantava os olhos, flagrava o auxiliar vigiando. Gabriel amarrava a cara para ele.

Por mais uns vinte minutos, ele ficou ali sentado sem prestar muita atenção às histórias truncadas do Chef Albert. Bebeu mais duas latas. No fundo da sua cabeça, havia uma noção, cada vez mais tênue, de que tinha vindo ali para falar sobre alguma coisa específica. Quando suas pernas por fim se mexeram e ele se levantou, tentou mais uma vez desencavar que assunto específico poderia ser. Não conseguiu se lembrar, mas não teve nenhuma sensação de fracasso por esse motivo. Pelo contrário, sentiu sua carga mais leve, como se tivesse realizado alguma coisa. Se alguém estava ficando pancada por ali, não era Gabriel, mas, sim, o Chef Albert.

– Somos espíritos livres, não? – exclamou Chef Albert, agarrando Gabriel ao se levantar.

Com a sensação pegajosa da mão na sua pele, Gabriel olhou para baixo.

– *Liberté, égalité, nudité* – gritou Chef Albert, tirando o jaleco branco, enquanto Gabriel, de cueca samba-canção e meias, se afastava discretamente do seu alcance.

Entre os turnos, a cozinha principal ficava deserta, e Gabriel conseguiu voltar para seu cubículo sem ser visto. Ele se vestiu. Pelo menos, agora não estava suando. Pelo menos tinha se refrescado. Na realidade, tinha sido uma boa ideia ficar sentado um tempo se resfriando na confeitaria. Ele algum dia tinha sido dado a seguir convenções mesquinhas? Não, sempre tinha seguido seu próprio caminho. Coçou a parte de trás da cabeça com as duas mãos. Coçou até doer. Olhou para as unhas. Estavam cobertas de sangue.

Droga, por que tudo estava se voltando contra ele? Por quê? O que tinha feito para merecer isso? Não tinha feito nada. Era um homem bom. Basicamente, no coração, onde fazia diferença, ele era bom. A vida inteira, tudo o que tinha feito foi trabalhar muito, seguir o caminho da retidão e ser o mais razoável possível.

Bem, que se foda, que se fodam, que se foda tudo. Gabriel encostou na parede de modo que seu braço ficasse preso. Sentia o sangue escorrendo lentamente pela nuca.

Ele se enfiou com esforço no espaço entre o arquivo e a parede. Era um bom lugar para pensar. Ah! Ele era despachado. Tinha alta capacidade de recuperação. Era disciplinado. Ia mostrar a todos.

Força de caráter, era isso o que era necessário. Isso ele tinha, aos montes. Ficou olhando para o reboco rachado no canto. Os braços formigavam.

Ele era disciplinado? Era despachado? Que provas ele tinha?

Forçou seu peso contra o arquivo até ele se mexer um milímetro ou dois.

Se houvesse uma única palavra para ele se descrever, seria "ponderado". Ele nunca se precipitava.

Embora com Lena fosse preciso admitir que os acontecimentos o tinham atropelado.

Alguma coisa crescia e recuava dentro dele, como uma maré que vai baixando. Ele precisava saber agora, e precisava saber com urgência o que ele era. Tentava agarrar palavras. Justo. Ele era justo, ah, sim, todos diziam isso, todos sabiam. Ele era justo e era razoável. Ele era assim. Uma descrição perfeita. Acima de tudo, era um homem razoável. Talvez não naquela manhã com Oona, não, aquela atitude foi atípica. Na realidade, ele não era daquele jeito.

O que ele era... embora fosse difícil pensar, com a dor no braço e a dor na cabeça... o que de fato era... para todos os mais chegados... e ele incluía... a principal característica dele... lealdade... ora, droga... divertido, engraçado... pelo amor de Deus... ele sabia o que era.

Ele estava vazio. A maré estava longe da costa.

Por alguns minutos, ficou ali com a cabeça pendente, sentindo que as pernas estavam bambas e que a única coisa que o mantinha em pé era estar enfiado entre o arquivo e a parede.

O que eu sou?, pensava. O que eu sou? A pergunta ricocheteava em torno dele como um lamento até que, sendo disparada com velocidade cada vez maior, ela assumiu uma qualidade ainda mais cortante. O que eu sou? O que eu sou? Um ninguém? Um nada? Um zero? Eu sou um homem oco? Estava zangado. Estava furioso. Foi recuando para sair do buraco no qual tinha se forçado a entrar. Ficou esfregando os braços para reativar a circulação.

Começou a andar de um lado para outro no escritório. O que ele era? Era um homem sem qualidades? Um homem sobre quem nada se poderia dizer? Não, ele era alguém. Sabia quem era.

Tinha trabalhado num restaurante de duas estrelas em Paris. Com apenas vinte e quatro anos, tomara conta de um restaurante londrino com um amigo. Tinha cozinhado na Áustria, na Suíça, em Brighton e Lyon. Trabalhara no Savoy. Ele era alguém. Puxou a persiana e se sentou à mesa de trabalho para observar seus domínios. Ele era alguém. Só lhe faltavam as palavras certas. Com a mão trêmula, ele pressionou o botão da mensagem no telefone. Escutou e então a fez tocar de novo, e ainda mais uma vez. *Você ligou para o escritório de Gabriel Lightfoot, chef executivo do Hotel Imperial.*

– Este sou eu – disse Gabe, em voz alta. – Este é meu telefone, meu escritório e eu mesmo.

No instante seguinte, foi dominado por uma nova ideia. Ela pareceu entrar não tanto na sua mente mas no seu corpo, fazendo com que ele desse um salto e saísse correndo.

Ele não conseguia se descrever. Não conseguia ver o próprio rosto. Teria de perguntar a outra pessoa.

– Suleiman – disse ele, arquejando de empolgação. – Suleiman, se você precisasse me descrever em três palavras, o que diria?

Suleiman espiou ansioso por cima dos seus óculos imaginários.

– Chef, daria para repetir a pergunta por favor?

– Três palavras. Me descreva. As três primeiras coisas que lhe ocorrerem.

– Sem preparação... – começou ele, com ar desnorteado.

Gabriel já tinha passado para Benny.

– Está bem, preste atenção. Não estou lhe pregando uma peça. E você pode dizer o que quiser. Como você me descreveria em três palavras?

– Só três? – disse Benny.

Gabe fez que sim, ansioso.

– Isso, maravilha. Você pegou a ideia. Muito bem.

– Eu diria, alto. – Ele olhou devagar para Gabe, da cabeça aos pés. – Alto. Branco. Masculino.

– Não – gemeu Gabriel, caindo por cima da superfície de trabalho.

– Chef?

Gabriel voltou depressa à vida.

– Não importa. – Ele correu na direção da porta. Só Charlie podia ajudá-lo. Precisava vê-la agora.

Duas vezes, pelo interfone, ela o mandou ir embora.

– Por favor – ele implorou –, só vou ficar dois minutos. Se algum dia você me amou... por favor.

– Ah, você não existe – disse ela, acionando a abertura da porta.

Ele tentou dar-lhe um abraço na soleira da porta, mas Charlie se desviou, recuou depressa e se enfiou numa poltrona.

– Obrigado por me receber – disse ele, procurando se acalmar. Ficou pairando sobre o tapete.

– É melhor que valha a pena.

– Preciso conversar com você, Charlie. Você precisa conversar comigo, não há mais ninguém.

Ele mordeu a língua para parar de tagarelar. Precisava encontrar alguma âncora. Disparou na direção da mesa e a segurou por dois cantos. Se soltasse as mãos, poderia flutuar até o teto como um balão de hélio.

– O que é isso aí na sua gola? Você está sangrando? – disse Charlie, quase se levantando. – Por que você veio de uniforme?

– Não é nada, nada. Só um arranhão.

Ele olhou para as faixas escuras nos dedos da mão, o sangue solidificado por baixo das unhas.

Charlie cruzou as pernas. Estava tão empertigada que suas costas se tornaram côncavas.

– Bem, vamos ouvir o que quer que seja.
– Querida... – disse ele.
– Se você pensa...
– Não, não, deixe-me explicar. Você é quem me conhece de verdade. É por isso que vim aqui. Sei que você não vai... Sei que você não pode... Tudo o que eu quero é que você me diga. E eu sou quem conhece você também. – Ele estava pasmo com toda essa falação, mas mesmo assim prosseguiu. – Nós tivemos bons momentos, você se lembra? Eu me lembro. Não me esqueci de nada. Quando o salto do seu sapato quebrou, isso no nosso primeiro encontro, e eu precisei...
– Gabe! Vou sair daqui a pouco. O que você quer? O que você quer que eu lhe diga? Que está tudo terminado? Pois está!
– Eu sei – disse Gabriel, gemendo. – Você não precisa me dizer isso. – Ele largou a mesa e começou a perambular pela sala. – Ah, pelo amor de Deus, Charlie, estou na maior confusão. Tudo está confuso. O que aconteceu comigo?
Charlie cruzou os braços. Com as pernas ainda cruzadas, ela prendeu um pé em volta do tornozelo da outra perna. Quanto mais Gabriel falava, mais ela se enroscava para longe dele. Mas ele não conseguia parar.
– Você me perguntou por que me tornei um Chef. Você se lembra? Lembra, sim, eu sei que sim. Viu, eu conheço você. Sei como você é. Cada olhar. Esse olhar também. O que eu estava dizendo? Ah, sim. Por sinal, eu estou falando demais? Não vou ficar falando sem parar. Vou me sentar e depois lhe pergunto... É a única razão para eu ter vindo, e não vai demorar dois minutos, eu garanto. Por que Chef? Não posso me sentar. Você se importa se eu ficar andando? – Ele andava e falava.
Abruptamente, ele parou de andar e girou veloz para encará-la. Charlie tinha se agarrado a uma almofada e a espremia contra o peito. Sua voz tremia ligeiramente quando ela falou.
– Gabriel, quer fazer o favor de se acalmar? Sente-se e respire fundo algumas vezes.
– Charlie – exclamou ele, saltando para chegar ao seu lado. – Não se preocupe. Estou bem. Sinto muito, devo estar com péssi-

ma aparência. Quer que eu lave as mãos? Tem sangue no meu rosto? Não? Tudo bem, não vou tocar em você. Agora, olhe para mim! – Ele respirou fundo algumas vezes. – Estou calmo. Estou normal. Estou bem.

Charlie pôs a almofada atrás das costas e se descontraiu um pouco.

– Seu pai, do que você estava falando? Estava falando tão depressa que não consegui... Tudo bem com ele?

– Está, sim – disse ele, em tom tranquilizador. – Papai está perfeitamente bem. A não ser pelo câncer. A não ser isso. Agora, onde é que eu estava? – Ele voltou a andar de um lado para o outro. Seus dedos estavam cavando um buraco na parte de trás da cabeça. A dor não o deixava pensar direito. – Já sei – disse ele, batendo rapidamente nos bolsos. – Vou fumar um cigarro. Você não se importa. Se não fizer isso, não paro de coçar, entende? É um truquezinho que aprendi. – Ele fumava e caminhava, desviando-se da mobília. De repente, viu tudo com clareza. É, agora ele poderia encarar o que viesse. – Minha vida inteira, Charlie, não criei raízes. É verdade. É o meu problema. Estou admitindo. – Sua voz subiu de tom como em êxtase. – Vagando, de cidade em cidade, de emprego em emprego. É, de uma mulher para outra. Não... não me olhe desse jeito. Será que você não entende? Minha mãe me dava medo. É verdade. Um garoto nunca se recupera. É tudo... você não consegue se livrar do...

– Pare – gritou Charlie, levantando-se. Feroz, ela pôs as mãos nos quadris. – Já ouvi o suficiente. Você chega aqui, dando desculpas, umas desculpas de dar dó, culpando sua mãe. Como pode achar que vai se safar com uma desculpa dessas? Você me passa para trás, você tem um... não-sei-o-quê... com uma pobre coitada que... e depois vem aqui e *explica* que tudo é culpa da sua mãe. E supostamente eu deveria... o quê? *Eu tinha pavor da minha mãe* como se... papo-furado, Gabriel, esta é a primeira vez que ouço falar disso.

– Eu não tinha pavor dela – disse Gabriel, deixando cinza cair num vaso. – Ela me dava medo. Você não percebe a diferença?

Não, você não pode me expulsar daqui. Feche a porta. Feche. Eu mesmo fecho. Droga, desculpe. Cuidado com meu cigarro. Tudo bem com você? – Ele ia atrás dela como uma sombra enquanto ela adejava pela sala. O braço esquerdo de Gabe começou a voar para o alto, espasmodicamente. Ele ficou imóvel por um instante para acender mais um cigarro. Segurou-o na mão esquerda para fumar alternadamente da mão esquerda e da direita. – Agora estou chegando aonde queria, Charlie. Estou chegando direto. – Ai, ela era adorável. Ele adorava seu jeito de jogar o cabelo. Deveria se ajoelhar. Deveria beijar seus pés.

– O que você está fazendo? – disse Charlie. – Seja como for, por que está fumando? Está deixando cair cinza em todos os cantos. Gabe, quero que você vá embora.

– Eu vou – disse Gabriel, emocionado. – Eu faço o que você quiser.

– Você não devia fumar.

– Estamos num país livre, não estamos? É uma escolha minha.

– É uma dependência. Que tipo de escolha existe nisso? Ai, nem quero discutir com você. Só quero que vá embora.

– Eu não sou dependente – disse Gabe.

– Você está fumando dois cigarros.

– Porque eu quero – protestou Gabriel, acendendo um terceiro na guimba do primeiro. – Agora, você quer me dizer, e depois eu vou embora, para sempre, se você quiser. Você não quer que eu me vá para sempre, quer, Charlie? Você não quis dizer isso.

– Dizer o quê? – perguntou Charlie.

Ela ficou em pé por trás do sofá. Gabe parou em frente do sofá, forçando os joelhos contra o assento. Ela olhou para as mãos dele como se estivessem segurando duas armas recém-disparadas.

– Diga-me como eu sou. Descreva-me. Com todas as palavras que quiser.

Charlie abriu a boca. Balançou a cabeça. Pronunciou uma palavra que Gabe não conseguiu decifrar.

– Um pouco mais alto – disse Gabriel, tremendo de expectativa.
– Não ouvi nada.

– Inacreditável – disse Charlie, alto e bom som. – Não dá para acreditar que você seja assim.

– É? – perguntou Gabriel. – Verdade? Assim como?

– Você quer que eu fale de você? – gritou Charlie. – Tudo tem a ver com você? Você quer que eu lhe diga como você é?

– Você é a única pessoa que me conhece.

Ele mal conseguia respirar, mas tragou num cigarro e depois no outro. Num instante, ela lhe diria. Charlie, quem o conhecia melhor.

– Não – berrou ela. – Eu me recuso. Não vou ficar aqui falando sobre você. Não tenho nenhum interesse. Não me importo.

– Ai, por favor – disse Gabriel, com enorme fervor. – Nunca mais eu lhe peço nada. Tudo o que estou pedindo são algumas palavras.

– Então, vou lhe dizer como você é – gritou Charlie. – Você é egoísta. Você é a pessoa mais egoísta que conheci na vida.

– Ah, obrigado – disse Gabriel, quase chorando de alívio. – Egoísta, entendi. Tenho certeza de que você está certa. Não é a melhor qualidade, mas mesmo assim... e o que mais? Não lhe ocorre mais alguma coisa? Mais nada?

– Egocêntrico, cabeça-dura... – disse Charlie, começando a contar nos dedos. Seus olhos chispavam. As narinas se dilataram. Ela parecia estar totalmente louca, mas Gabriel não se importava nem um pouco. – ... insensível, frio, teimoso, pateta, egoísta, e-go-ís-ta!

Gabriel caiu de joelhos no sofá. Tentou segurá-la mas ela escapou.

– Quero lhe agradecer – disse ele, ofegante –, sua franqueza, sua fala tão direta. Sou-lhe grato por você... me conhecer.

Charlie desmoronou numa poltrona, murchando dentro da roupa.

– Ah, Gabriel, eu não o conheço. Não o conheço mais.

Sem saber como, ele estava na rua; e de algum modo estava se movimentando apesar de parecer não estar mantendo nenhum contato com o chão. Talvez estivesse sendo levado pelo vento como um saco de papel. Não sabia onde estava. Prédios, calçadas, asfalto e depois prédios novamente. Que diferença faria se ele continuasse assim para sempre? E ele estava avançando ou era a rua que se movimentava? Ela parecia flutuar em torno dele. Parecia passar através dele.

Agora tinha certeza de ter parado. E tremia. Estava escuro e fazia frio. Por um tempo, ficou ali em pé, assombrado com o milagre do próprio corpo, tão fiel a si mesmo, tão plenamente ocupado com a atividade de tremer. No instante seguinte, um enorme solavanco o sacudiu como se ele tivesse recebido um choque elétrico. Começou a correr. Seus pés batiam na calçada com tanta força que ele sentia o impacto nos dentes.

Correu sem parar, com todos os músculos, tendões e terminais nervosos em alerta máximo. Ele sentia tudo. Sentia a medula borbulhar nos seus ossos. Apenas minutos antes, ele não era nada, uma casca vazia, e agora isso. Milhões de coisas estavam acontecendo dentro dele, uma atividade frenética, dilatações, contrações e conexões, circuitos sendo criados e perdidos, pulsações e pancadas, absorvendo, excretando, reagindo, cada pedacinho dele vivo, muito vivo desde a pele da ponta dos dedos até as profundezas das suas entranhas.

E ainda havia mais. Ele estava repleto de fragmentos, lembranças, imagens, canções que passavam velozes pelo seu cérebro, uma cena de sua mãe cantando, uma premonição de que iria chover, um slogan publicitário – *a viagem da sua vida,* um trecho de conversa repetitiva, Jenny andando de bicicleta, a dentadura ruidosa de vovó. Ele não parava de correr. Estava começando a se aquecer. Ele olhou para o alto, para janelas iluminadas, para os postes de iluminação da rua, para os letreiros de neon. As luzes o transpassavam, e ele a elas. Os carros formavam riscos de luz, os prédios perdiam a nitidez, pessoas fora de foco passavam. E ele não era inteiro, fazia parte daquilo, ou aquilo fazia parte dele. Ele estava na circulação sanguínea da cidade que estava no seu sangue. E estava ficando com calor, calor demais, e não era mais do que uma molécula, um cisco de proteína na cidade, e suas cadeias estavam começando a se romper. A uma determinada temperatura, uma proteína globular começa a se desenovelar. A ciência básica da culinária. Ele corria apesar de suas pernas estarem tremendo agora. Aqueça uma molécula, e ela vibrará cada vez mais; e, se as vibrações forem fortes o suficiente, uma proteína se separará das suas ligações internas. Ele se lembrava. Ainda sabia tudo isso. Chamava-se desnaturação.

Olhou para trás e para o alto, com a cabeça entre os joelhos, procurando recuperar o fôlego. De cabeça para baixo, leu uma placa de rua: Holloway Road. Oona morava ali, ali bem perto, exatamente nesta área, talvez ele a visse, ela poderia saltar daquele ônibus que estava parando no ponto. Ele se endireitou e foi correndo na direção do ponto. As pessoas na fila tiveram a gentileza de abrir caminho para ele, mas Oona não estava lá. Os passageiros que desembarcavam passaram com cuidado ao largo dele. Como eram cheios de consideração. Ele ia esperar ali, sentar no abrigo e descansar. Oona sem dúvida viria. Ele não tinha visto uma placa – tinha sido um *sinal*. Como poderia ser coincidência? Ele não tinha tido intenção de vir ali, e no entanto era ali que ele estava. Como se alguma mão o tivesse guiado para aquele exato lugar. Era de Oona que ele precisava. Oona lhe faria bem. A doce e querida Oona. Ela o levaria para sua casa. Faria para ele uma xícara de chá. Seus olhos se dilataram. Ele balançava de um lado para outro.

Ele se afastou um pouco para abrir lugar para uma mulher com pesadas sacolas de compras, mas ela não percebeu, andou até o meio-fio e pôs as sacolas no chão.

Do outro lado da rua, na vitrine de uma pizzaria, uma palavra piscava – ENTREGAS. Ele ficou olhando o ir e vir dos ônibus. Havia avisos por todos os cantos. Nas vitrines, acima das portas, nas paredes. Colados nas laterais dos ônibus, pintados na traseira dos táxis. Estavam nos folhetos e jornais que floriam a partir das calçadas. Estavam inscritos nas latas de lixo. Brotavam nos cruzamentos, se espalhavam pelos tapumes e gritavam dos outdoors. Aberto, fechado, retorno proibido, três motivos para, proibido jogar cinzas quentes, grandes descontos, beleza, melhor preço, frango frito, grátis. Gabriel fechou os olhos. Onde estava Oona? Por que ela não vinha?

Ele sentiu o cheiro ácido de urina velha, o cheiro forte de queimado da rua. Freios faiscavam, alguém irrompeu, um rádio berrava de dentro de um carro. Gabriel entrou em ação de imediato. Precisava sair dali antes que tudo aquilo se incendiasse.

Por um tempo longo e não registrado, ele vagou e se dissolveu de uma rua para a seguinte. O trânsito começou a escoar, e as paredes sugaram as pessoas. Luzes se apagaram, janelas se fecharam. Gabriel ia sendo puxado para a frente. Viu um homem com uniforme hospitalar tendo ânsias de vômito num portal. Um vagabundo passou segurando uma lata de Special Brew e um telefone celular. Uma mulher andava de bicicleta pela calçada, com um livro enfiado na parte de trás da saia. Gabriel tentou se localizar. Olhou ao redor. Lá estava uma estação ferroviária. Onde estavam as placas quando se precisava delas?

    Um homem se aproximou. Seu rosto era redondo e ceroso, como uma vela de igreja.

– Há quanto tempo você está nas ruas?
– Ah – disse Gabe. – Não sei. Perdi a noção.
O homem sorriu com uma bondade infinita.
– É – disse ele. – É difícil, não é?
– Não sei onde estou.
– Não sabe se está indo ou vindo. Já comeu hoje de noite?
– Não.
O homem fez que sim. Parecia que ele concordava com tudo.
– Quer vir comigo, para a gente poder ajudar você?
Afinal, pensou Gabe, começando a tremer.
– Quero. Aonde vamos?

– Podemos começar com alguma coisa para comer, e partimos daí.

Gabe estendeu a mão para o homem e tropeçou. Quase caiu em cima do seu salvador.

– Aonde vamos ir? Conheço muitos lugares. Sou chef e conheço...

– Chef, é o que você era? – perguntou o homem, recuando um pouco. – Vá me contando tudo isso enquanto vamos andando. A caminhonete da sopa está estacionada logo ali atrás. Onde você está indo? Ei! Não quer vir comigo? Podemos conseguir uma cama para você passar a noite.

Gabriel estava parado na ponte, olhando para as águas negras e lisas lá embaixo. A cidade inchada fervilhava ao seu redor. Ele abriu a boca e soltou um gemido grave. Olhou para o céu que parecia conter, não estrelas, mas o reflexo das luzes fracas da terra interminável. Se Oona estivesse ali, ela rezaria por ele. Ele rezaria por si mesmo se soubesse. Ele caiu de joelhos e abaixou a cabeça até a balaustrada. Cavou fundo, espremeu, torceu, não conseguia, não tinha como conseguir, não tinha, não possuía o dom, nunca fora abençoado, e o que veio foram só lágrimas. Ai, que pena. A pena. Levantou a cabeça, jogou-a para trás, tem piedade, tem misericórdia, oremos. *E agora restam três: a fé, a esperança e o amor. E o maior deles é o amor.* Ai, amado Senhor, por que não me ouves? Por que não me ajudas? Por que não existes?

Capítulo 25

—⋙—

ELE ESTÁ NAS CATACUMBAS, VAGANDO. E, QUANDO CHEGA AO LUGAR, o corpo não está lá. Ele olha para dentro dos outros cômodos enquanto segue flutuando por todos os corredores. Só resta um aposento, e, quando ele abre a porta, o lugar está cheio de luz branca e ofuscante.

– Alô – chamou ele. – Alô?

– Ah, aí está você – diz sua mãe. Ela estende a mão dos fundos do aposento e dá um passo na direção dele, com a gola do casaco branco e ondulante virada para cima, e os brincos se enganchando nela. – Ah, aí está você. Procurei você por toda parte.

– Mamãe – diz ele, semicerrando os olhos diante da luz brilhante. – Desculpe, mamãe.

– Não foi por isso que vim – diz ela.

– Isso aqui é... Nós estamos no...? – Ele não enxerga com clareza. – Você está com asas nas costas?

– Não seja bobo, Gabriel Lightfoot – diz ela, rindo. – E trate de se aprontar. Vista logo o roupão. – Ela gira nos calcanhares e o chama antes de ser tragada pela luz. – Você já viu uma estrela cadente? Depressa, Gabe! Não perca. Rápido. Não deixe de vê-la desta vez.

Ele acordou e se sentou no sofá. O sol lançava uma larga faixa de luz pela sala de estar desde a janela de batente até a porta. Por alguns instantes, ele lutou para se lembrar do que tinha acontecido e do motivo para ter dormido sem trocar de roupa. Piscou com o clarão amarelo-pálido e esfregou os olhos, desenrolando-se do sono. Tinha encontrado o caminho de casa, atravessando a longa noite andando, com as bordas escuras do céu começando a se desfazer na hora em que ele estava subindo a escada. No máximo, tinha dormido umas duas horas. Algum instinto o salvara. Algo muito no fundo dele o levara para casa. Apesar de todo o cansaço, aquilo agora brilhava nele.

Entrou de mansinho no quarto e ficou olhando para Lena adormecida. Geralmente ele se sentia como um ladrão quando a observava, mesmo que ela estivesse acordada. Mas agora, ele sabia, nunca mais tiraria nada dela. Apenas daria. Ela não acreditou quando ele lhe disse que a amava. Bem, ela estava com a razão. Mas agora ele a amava, um amor puro e verdadeiro. Se a tivesse amado antes, teria sido apenas com chispas azuis e crepitações vermelhas, não com esse coração branco e imóvel da chama. Ela virou de costas. O amor fez com que ele se pusesse em pé. Ele amava Lena como deveria. O amor fazia parte dele. Amava Charlie e sempre tinha amado. Amava papai. E amava vovó, Jenny e Harley e Bailey. E era inesgotável, inextinguível, esse seu amor. Olhou em volta do quarto de mobília despersonalizada e viu seu potencial. Tudo o que lhe faltava eram umas fotos, umas flores, alguns toques para lhe conferir vida. Até mesmo um quarto precisava de amor.

Foi até a cozinha para olhar as horas. Quase oito. Encheu a cafeteira elétrica.

A noite inteira tinha andado e pensado. Tinha organizado os pensamentos, tinha chegado à percepção, ao entendimento... Não, o que tinha feito era sofrer. Se agora havia luz nele, não era porque ele tivesse colocado as lâmpadas nos bocais: era a luz do sofrimento. Ela o tinha mudado; e não deveria ser uma surpresa que ele tivesse despertado para um eu novo e melhor.

Estava feliz com isso. Não sentiria falta do velho Gabe, aquele pão-duro, computando seu amor como se fosse dinheiro, acumulando e racionando-o, procurando levar vantagem em tudo. Com Lena, ele estava sempre calculando quem fazia o que para quem, numa troca que nunca era justa nem livre. Toda aquela contabilidade cuidadosa para garantir que ele recebesse sua parte. Fosse como fosse, o que ele queria dela? O que ele merecia?

Lembrou-se envergonhado das muitas ocasiões em que tinha extraído informações dela, examinando sua história em busca de falhas e incoerências, classificando-as de mentiras, cada mentira sendo registrada na coluna de débitos. Ele não tinha compreendido nada.

– Por quê? – dizia ela, quando ele lhe perguntava se a primeira garota com quem tinha morado era búlgara ou ucraniana, e se tinha sido por três ou seis meses. – Por quê? Qual é a diferença para você?

Ele queria acreditar na história dela. Era preciso que apresentasse ordem e clareza. Tinha de ter credibilidade.

Mas a vida não tinha sido razoável com Lena. A vida foi aleatória e cruel. E por que ela, para agradá-lo, deveria tentar lhe dar algum sentido?

Gabe quis saber se as mudanças no seu interior estariam refletidas no rosto. O amor era visível? Foi ao banheiro para se lavar e sorriu serenamente para si mesmo. Queria ver o que os outros veriam.

Quase caiu para trás mas se agarrou à pia e baixou os olhos para o ralo. Não era possível. Tinha de haver algum erro. Ele tentou mais uma vez. Novamente se defrontou com a imagem. Um maluco estava olhando para ele de dentro do espelho, com os olhos injetados. Sua pele estava cinzenta e descamada, com a barba por fazer. Havia um corte na testa e uma contusão roxa e verde numa bochecha. Estava com a aparência descontrolada, com o cabelo arrepiado em tufos e grumos, como se ele tivesse tentado arrancá-lo. O jaleco de chef estava manchado de sangue e de outras substâncias não identificadas. Parecia um homem em fuga: alguém que tivesse escapado do hospício num casaco branco roubado, uma tentativa patética de disfarce.

Gabriel respirou fundo. O que era importante era o que havia por dentro. Todo mundo sabia disso. Mas ele abriu a água quente, tirou a roupa para o batismo, barbeou-se e escovou os dentes. Arrumou o cabelo da melhor forma possível. Entrou então no quarto na ponta dos pés e se atribuiu uma nova identidade, com um moletom vermelho e jeans limpos.

Lena tinha se livrado das cobertas. Estava estatelada de um lado a outro da cama como um caso de homicídio. Gabriel se encheu de ternura, e uma nova sensação cresceu nele. O fato de ter conhecido Lena era de enorme importância. Era algo destinado a acontecer. A sensação se nutria sozinha. Ela cresceu e vicejou. Seu encontro tinha sido momentoso. Tinha mudado a vida dos dois. Não tinha sido um acontecimento infeliz e vulgar. Ele ia garantir que não fosse assim. Ele levou os dedos aos lábios.

Embora minutos antes tivesse tido certeza de que a vida era aleatória e fora de qualquer controle, naquele momento ele não tinha a menor dúvida de que tudo acontecia por um motivo. Ele estava destinado a ajudar Lena, e ajudá-la era o que faria. Lena não era insignificante. Ele não iria permitir que tudo que tinha acontecido não tivesse sentido.

Começaria esvaziando as contas bancárias. Não restava muito depois que ele pôs as sessenta mil libras no... Não importava. O principal era dar o primeiro passo. Ele percorreu veloz o apartamento, apanhando a carteira, relógio, chaves, talões de cheques e, num movimento inspirado, a caderneta de uma conta de poupança dos Correios, havia muito tempo inativa. O que o impelia era um sentido de propósito. Havia tanta coisa que se podia fazer quando se abria o coração. E não era só Lena, ele aproveitaria qualquer oportunidade.

Todos os limites que tinha estabelecido, todas as muralhas que tinha erguido! Que ruíssem. Ele não continuaria a se isolar. Ele se envolveria. Viveria. O que iria fazer? Tudo. Sairia de casa agora para isso. Estava pronto e começaria imediatamente com atos aleatórios de bondade e atos disparatados de amor. Isso era a letra de alguma música? Tinha ouvido essas palavras em algum lugar, alguma coisa parecida, e eram belas. A beleza existia. Existe a beleza se você se der o tempo para olhar. Mas ele estava desperdiçando tempo, e agora iria sair, descer para o mundo e ver o que poderia fazer.

* * *

Imediatamente uma oportunidade se apresentou. A porta do apartamento em frente ao dele estava aberta e não poderia ser mais óbvia.

– Alô – chamou ele, enfiando a cabeça pelo vão da porta. – Alô – disse novamente, com enorme cordialidade, enquanto entrava na sala de estar. – Não está um dia lindo?

Começo excelente. Ele estava conseguindo se manter calmo, embora estivesse transbordando de boa vontade e energia. Ele não queria surpreender os vizinhos. Começaria uma conversa sem tropeços.

– Ah – disse a mulher. – Oi. – Ela parou de chofre no meio da sala.

– Sou Gabe, seu vizinho. Engraçado, não é? Mas nem sei seu nome.

– Sarah. Como você pode ver...

– Sarah, lindo nome. E seu marido... ou seu namorado?

– Está lá embaixo na caminhonete. – Ela parecia um pouco nervosa. Empurrou o cabelo para trás das orelhas. – Mas vai subir logo, logo. Posso... posso ajudar em alguma coisa?

Gabriel a observou com atenção. Antes de hoje, ele não tinha percebido nada nela. Cerca de trinta anos, cabelo castanho-escuro, era só isso que ele poderia ter dito. Agora, porém, via tudo: ombros atléticos, mãos fortes, sardas esparsas, um incisivo torto, a ruga no alto do nariz que fazia com que ela desse a impressão de estar lendo a letra miúda de algum contrato.

– Posso ajudar em alguma coisa? – repetiu ela.

– Não, não – disse Gabriel. – Por sinal, estou aqui para... mas vamos começar com uma conversinha. Tipo para a gente ter como se conhecer. O que você faz? Publicidade? Você dá uma impressão de... alguma coisa na mídia? Ah, ah, estou chegando lá. Televisão? É isso?

Ela recuou um passo.

– Sinto muito – disse ela –, mas, como você pode ver, estamos muito ocupados. Estamos nos mudando hoje.

Gabriel olhou ao redor. Para seu espanto, a sala, que um momento antes parecia perfeitamente normal, estava devastada: restavam um par de cadeiras e algumas caixas de papelão. Ele coçou a cabeça. Parecia impossível. Ele era tão atento, tão... tão... ah, havia duas prateleiras que tinham sido esquecidas. Ele embalaria as peças para ela. Carregaria as caixas até a caminhonete.

– Que pena! – exclamou ele, dando um salto. – Mas deixe-me ajudar.

Apanhou alguns livros e os pôs numa caixa aberta. Enfiou ali dentro alguns papéis e pastas de arquivo.

– Com licença – disse Sarah. – O que você acha que está fazendo?

– Não é nada – disse Gabe, ofegante, trabalhando febrilmente. – É um prazer ajudar.

– Não toque nisso. Por favor! Pare! Você misturou meus papéis. Eu estava guardando essas coisas... Ai, meu Deus, agora você quebrou isso aí. Deixe isso aí. Não, deixe tudo. Eu apanho. – Ela se abaixou para recolher a caixa de joias. A tampa tinha rachado. Quando ia se levantando, o braço de Gabriel, num movimento involuntário, disparou e ricocheteou no lado da cabeça de Sarah.

– Ai, meu Deus, ai meu Deus – berrou ela.

Sua voz ficou tão aguda que fez com que ele se contorcesse e voltasse a ter movimentos abruptos. Gabe abaixou a cabeça mais para perto dela.

– Acho que, se pudermos falar mais baixo, murmurar desse jeito, tudo vai dar certo. Deixe-me dar uma olhada nisso aí para você? Você tem gelo em casa?

– Afaste-se de mim.

– Ah, que pena vocês irem embora – disse ele, transbordando de sentimentos de boa vizinhança. – Vão para onde? Espero que não muito longe. Quer dizer, ainda poderíamos nos ver, certo?

Sarah estava tentando dizer alguma coisa, mas tudo o que saiu da sua boca foi um pouco de saliva espumante.

– Ainda está doendo? – perguntou Gabriel. – Coitadinha. Tem certeza de que não quer que eu dê uma olhada?

Era provável que ela fosse muito tímida. Desde o instante em que entrara ali, ele tinha percebido como era difícil para ela se comunicar. Não surpreendia que eles não tivessem se conhecido até agora. A culpa cabia a ele.

Sarah sacou seu celular. Recuperou a voz.

– Estou ligando para a polícia – disse ela, um pouco histérica. – Vou mandar prendê-lo, se você não sair daqui.

Sem dúvida, foi mais difícil do que ele havia imaginado. Antes do meio da tarde, já tinham gritado com ele, já lhe tinham dito impropérios, tinham cuspido nele, dado chutes e praticado outros tipos de abuso. O pior de tudo, uma menininha tinha caído no choro. Mas ele se sentia bem. A luz não tinha se apagado. Pela primeira vez na vida, podia dizer com franqueza que em nenhum momento daquele dia ele tinha sido indiferente aos outros.

Tinha ido ao banco e ao Correio e estava com o dinheiro no bolso: 8.570 libras e alguns trocados. Subiu correndo para o apartamento, com os tênis mal roçando o piso de madeira da escada.

Lena, com seu traje de luto, estava sentada na beirada da cama, com as mãos enfiadas por baixo das coxas. Ele se postou diante dela, tremendo muito de leve.

– Ei – disse ele, com delicadeza. – Adivinhe onde estive. Adivinhe o que andei fazendo.

Ela levantou a cabeça e olhou através dele.

– Não dou a mínima.

– Eu sei – disse ele. – Por que haveria de se importar? Mas veja... Trouxe isso para você.

Ele tirou os envelopes do jeans e do moletom e os pôs no colo dela.

– O que é? – disse Lena, ainda sentada sobre as mãos.

– Dá uma olhada – implorou ele. – Vamos. Pode abrir.

Lena liberou as mãos. Ela apanhou o primeiro envelope, sentiu que era um maço de notas e deslizou o dedo por baixo do lacre. Rapidamente ela passou para o segundo envelope e para o terceiro. Pôs os envelopes na cama, apanhou o primeiro de novo e tirou o dinheiro de dentro. Começou a contar. Depois de alguns segundos, parou.

— Meu dinheiro — disse ela.

Ele lhe garantiu que era isso mesmo.

Ela continuou a contagem. Começou com o segundo envelope e então logo comparou seu tamanho com o do primeiro.

— Quanto? — disse ela. — Quanto dinheiro para mim?

— Tudo. — Ele trouxe uma cadeira e se sentou diante dela.

Lena respondeu estalando a língua.

— São 8.570 libras — afirmou ele. — Tudo o que tenho. Bem, ainda estou com mais ou menos sete libras no bolso, mas só isso.

Lena torceu os brincos. Parecia zangada. Os tendões no pescoço ficaram salientes.

— Lena — disse Gabriel, veemente —, não é uma piada. Estou falando sério. Quero que você fique com esse dinheiro. Quem dera fosse mais.

O telefone tocou na cozinha. Ele deixou que a secretária eletrônica atendesse.

— O que... o que eu preciso fazer?

— Nada. Não precisa fazer nada. Ele é seu. Você pode fazer qualquer coisa que quiser com ele. Vou ajudar você a encontrar um apartamento, um emprego...

Ela estalou a língua, o sangue subiu veloz para o rosto.

Agora quando olhou para ela, ele se assombrou com o fato de ela ser extraordinariamente real, pois tinham sido inúmeras as vezes em que tivera a sensação de que ela era apenas uma criação da sua imaginação mais sombria.

— Eu a decepcionei — disse ele. — Peço que me perdoe. Mas pode confiar em mim, pode mesmo.

De algum lugar da sala de estar, seu celular gritava, alarmado.

— Você encontra apartamento e emprego? — disse Lena. — Como você encontra Pasha para mim.

— Sinto muito, sinto muito mesmo — murmurou ele.

Ela permaneceu calada e, depois de um tempo, ele levantou o rosto para olhar para ela. Olhou para essa mulher jovem, de bochechas vermelhas e articulações da mão brancas em desafio, e se sentiu totalmente arrasado. O que tinha feito? Como poderia pedir perdão, se o perdão era a última coisa que merecia?

Como, ai, como aquilo tinha acontecido? Por que não tinha se comportado como desde o início sabia que deveria se comportar? Tinha dado total liberdade aos seus impulsos, transformado seus desejos em necessidades, e suas necessidades em obsessões, tudo a serviço exatamente do quê? Dele mesmo, é claro. Eu, mim e eu mesmo. Era como se ele tivesse algum monstro à espreita dentro de si, alguma fera enorme, voraz e em alimentação permanente, algum animal meio cego enfurecido por um ferimento antigo, algum monstrengo escondido debaixo da ponte, uma criação mental estreita e ilimitada, seu eu declaradamente monstruoso.

Achava que tinha acordado para um Gabe novo e melhor. Quem ele estava tentando enganar? Não, ele não tinha matado a fera. Tinha feito curativos nos seus ferimentos. E agora estava – *perdoe-me* – pedindo a Lena que fizesse o mesmo.

Gabriel segurou a cabeça nas mãos. Soluçava, envergonhado.

– Tudo bem – disse Lena. – Não precisa chorar.

Ele não conseguia parar. Sentiu a mão dela no seu ombro, como se ela quisesse consolá-lo. Tentou enxugar os olhos para poder olhar para ela e lhe dizer com franqueza que estava tudo bem, que tinha todo direito de desprezá-lo, que não precisava fingir.

– Lena – disse ele ainda engasgado. – Sei que você...

Ele olhou no fundo daqueles olhos, para onde tinha olhado tantas vezes sem ver nada, como se eles estivessem leitosos por conta de cataratas. Agora estavam límpidos, brilhantes, azuis. E neles ele viu pena. Viu compaixão. Isso não era uma espécie de amor? Sentia mais medo disso do que do ódio. Apesar de tudo... a despeito de tudo... o amor era o que permanecia. Gabriel não conseguiu falar. Ele abaixou a cabeça.

– Gabriel – disse Lena, depositando-lhe um beijo casto na testa –, como o anjo.

Ele a ouviu recolher os envelopes e sair de mansinho do quarto.

* * *

Pouco depois, Gabriel ligou para Oona e lhe disse que no dia anterior tinha chegado em casa com uma enxaqueca, que só agora ela estava passando e que ele estava a caminho. Assim que deixou o prédio, deu meia-volta e subiu de novo para o apartamento. Tinha se esquecido de alguma coisa. Se ao menos conseguisse se lembrar do que era. Como um tonto, verificou todas as bocas no fogão. Não fazia sentido, mas era tranquilizador. Lena estava sentada fazendo círculos em torno do exemplar de *Loot*, que acabava de adquirir.

– Esses condomínios de apartamentos – disse Gabriel –, seria melhor eu ir com você para dar uma olhada. Nunca se sabe o que...
– Não conseguiu terminar a frase. A hipocrisia o deixou enojado.

– É, é melhor – disse Lena, mal erguendo os olhos.

Ele foi até a banca de jornais e comprou um maço de cigarros, o que o deixou com menos do que as duas libras de que precisava para o ônibus. Em algum momento da noite anterior, devia ter perdido seu vale-transporte. Por um instante, pensou em pegar emprestado algum com Lena. *Pode confiar em mim*, dissera ele, *o dinheiro é seu.* Teria de ir a pé mesmo.

Atravessou a ponte de Westminster no sentido contrário ao do fluxo de funcionários de escritório no meio de seu êxodo diário. Para chegar ao trabalho, ele precisava seguir para o norte ao longo de Whitehall e depois por Haymarket. Em vez disso, seguiu para o sudoeste por Victoria Street e virou à esquerda em Buckingham Palace Road. Quando chegou à rodoviária, ficou parado do lado de fora no cruzamento, olhando para o prédio branco em estilo *déco*, depois para o local em construção, a fileira de cabines portáteis, cor de turquesa e a colunata de pedra na fachada do shopping. O que estava fazendo ali?

Entrou no prédio e perambulou sem rumo algum tempo. Olhou para os letreiros lá no alto, como se eles pudessem fornecer uma pista. Chegadas, Portões 2–20, Banheiros, Câmbio, Registro para Embarque para o Continente, Guarda bagagem, Lanches. Ele se sentou perto do Portão 12, que era o do ônibus para

Harrogate. Uma grande família africana, com a bagagem embalada em sacos de lavanderia, estava brigando entre si em francês. Dois árabes discutiam com um fiscal por conta de passagens. Um par de carregadores asiáticos, num intervalo, comia arroz acondicionado num *Tupperware*. Gabriel já tinha tirado os cigarros do bolso quando leu o aviso – PROIBIDO FUMAR, *ZGODNIE Z PRAWEM*.

Seguiu em frente, procurando um lugar para fumar. Parou diante do quadro de horários, preso a uma parede. Quem haveria de querer pegar o National Express com destino a Port Talbot às 03:35? Ou o Megabus para Sheffield com saída às 04:45, ou ainda o das 03:20 para Bridgend?

Encontrou um café e gastou uma libra numa xícara de chá. Fumou um cigarro e depois mais outro. Um mendigo lhe pediu uns trocados, e Gabriel esvaziou o que restava no seu bolso. Precisava ligar de volta para Jenny. Era provável que tivesse sido ela naquela ligação mais cedo. Vasculhou a mochila, mas tudo o que encontrou foi um uniforme limpo. Devia ter deixado o celular em casa. Assim que chegasse ao Imperial, ligaria para ela.

Depois de cerca de uma hora, o garçom tentou recolher sua caneca. Gabriel não a largou. Com a mudança do turno, veio outro garçom, mas ele o deixou em paz. Gabriel ficou observando o movimento do terminal. À medida que foi ficando tarde, os viajantes começaram a mudar. Havia menos famílias e mais rapazes, muitos usando roupas sujas do trabalho.

Com o tempo, Gabriel se levantou e foi se sentar num dos bancos de metal cinza junto dos portões. Aquela hora era a do meio do serviço do jantar, e ele deveria estar postado à janela. Mas sua longa caminhada da noite inteira agora o atingia, e todos os seus músculos doíam. Suas pernas estavam enferrujadas. Ele ficaria ali sentado mais um pouco. Um funcionário com um quepe com pala passou por ali girando um molho de chaves numa corrente. No banco em frente, um senhor idoso de óculos e sapatos resistentes para caminhadas lia um catálogo de mapas antigos. Ao lado dele, um grupo de operários da Europa Oriental passava de mão em mão, com atitude séria, uma revista pornográfica. A estação foi ficando mais movimentada quando a noite se instalou. Algumas pessoas precisaram sentar na própria bagagem, e o ar se tornou úmido.

    Rígido, Gabriel não conseguia se mexer. O que estava fazendo ali? Uma vez, no passado, dissera a Lena que tinha ido ali procurar pelo irmão dela. Era esse o motivo para estar ali agora? Uma parte sua acreditava nisso, outra não acreditava, e alguma outra parte não queria nem pensar no assunto. Era como se ele estivesse dividido em três eus. O primeiro eu queria voltar no tempo e consertar algumas coisas. O segundo ria do absurdo dessa ideia. E o único e fervoroso desejo do terceiro era que os outros dois desaparecessem.

    Finalmente, quando o cheiro de comida barata e cerveja em lata tinha impregnado sua pele, quando o rangido e os guinchos dos ônibus entrando na via de acesso tinham deixado seus ouvidos retinindo, quando ele sentia na língua o gosto não só do seu próprio cansaço, mas também o dos viajantes, ele se sacudiu e saiu dali. Do lado de fora, observou uma procissão de ônibus: brancos, laranja, verdes e azuis. Olhou de relance pela rua transversal. A primeira coisa que viu foi um micro-ônibus do Imperial Hotel, parado junto a uma travessia de pedestres. O símbolo e as letras estavam gastos ou tinham sido removidos, mas os contornos permaneciam, de modo que as palavras eram perfeitamente legíveis. O ônibus avançou, virou na primeira à direita e estacionou diante de um restaurante. Gabriel foi acompanhando.

    Um grupo de cerca de vinte pessoas, em sua maioria jovens e do sexo masculino, com pouca bagagem e expressão desconfiada, esfregava os pés nas bordas do meio-fio. Era improvável que fossem hóspedes do hotel. Gabriel levantou o capuz. Encostou-se num muro e ficou olhando. O motorista desceu do ônibus e falou em alguma língua eslava. Começou a contar as pessoas. Devia estar escolhendo faxineiros para levar para cumprir um turno no hotel, embora Gabriel naquele instante não conseguisse imaginar por que eles estariam levando bagagem consigo.

O motorista pareceu não estar satisfeito. Voltou para o ônibus e saiu novamente com uma folha de papel, talvez algum tipo de lista. Gabriel se desgrudou do muro e se misturou de mansinho no grupo. Um homem, um dos mais velhos, começou a tossir, como se estivesse querendo expelir um pulmão. Uma mulher olhou para Gabe por cima do ombro e, quando ele começou a lhe dar um sorriso, ela se encolheu e olhou depressa em outra direção. Gabe revidava os olhares carrancudos, que chispavam, aqui e acolá. Descontraído, ele se virou e ali, entre as pessoas reunidas, viu o irmão, ou amante, de Lena. Pavel. Pasha.

Gabe voltou o rosto para o céu cor de púrpura como em reconhecimento por uma prece atendida. Não sentia ciúme algum e por isso, mesmo que por mais nada, estava profundamente agradecido. Arriscou mais um olhar na direção de Pasha para ter certeza de que não estava enganado. A cabeça quadrada, os lábios arroxeados, tinha de ser ele. O motorista recomeçara a contagem. Gabriel permaneceu na fila. Ia pegar carona até o Imperial e lá teria uma conversa particular com Pasha. Se tentasse se explicar ali, somente provocaria uma comoção.

O grupo começou a embarcar. Gabe subiu e ocupou um lugar nos fundos. Por alguns minutos, ele ficou olhando as luzes salpicadas da cidade que vinham velozes na sua direção, enquanto conversas abafadas iam sumindo como pingos de chuva, e então sucumbiu ao zumbido do motor, ao ar já bem desgastado, ao balanço ruidoso do assento. E fechou os olhos.

Capítulo 26

—⚜—

OS FARÓIS ESTREMECIAM SOBRE SEBES, E GABRIEL, NOS FUNDOS DO ônibus, estremecia também. Por mais que tentasse enxergar alguma coisa pela janela, sempre seu próprio reflexo vinha atrapalhar. Ele passou a mão de um lado a outro da janela e depois se virou para olhar para os outros passageiros. Dos três lugares nos fundos, um estava ocupado por Gabriel, outro por bolsas e o terceiro pelo homem que tinha estado tossindo quando eles estavam se enfileirando. Ele usava um anoraque preto e vermelho, que escondia boa parte do seu rosto; e as mangas tinham engolido suas mãos. Pelo ângulo no qual estava inclinado no canto, Gabriel achou que ele estava dormindo. Outras pessoas também estavam jogadas, mas a maioria parecia determinada a examinar a escuridão para lá do vidro, despedindo-se em silêncio de cada novo trecho da estrada.

Não estavam em Londres; mas, onde estavam ou quanto tempo tinha passado, Gabriel não sabia dizer. Ele via, mais para a frente do ônibus, a parte de trás da cabeça de Pasha, embrulhada num gorro preto grudado. O lugar ao lado dele estava ocupado, para grande alívio de Gabe. Ele ia falar com Pasha, mas graças a Deus não havia a menor possibilidade de fazer isso agora. Precisava de tempo para pensar. Pasha ia lhe fazer milhares de perguntas, e Gabe queria estar preparado com as respostas.

SWAFFHAM, disse a placa da estrada, 8 quilômetros. O que um micro-ônibus do Imperial Hotel poderia estar fazendo em Norfolk? Gabriel sentiu um aperto no estômago. Seu lugar não era nesse ônibus, com essas pessoas, ele não pertencia àquele grupo. Quis gritar para o motorista parar e deixar que saltasse, mas se forçou a se manter em silêncio. Cantarolou mentalmente uma melodia, alguma canção infantil, e ela o acalmou. Estava tudo bem. Ninguém o tinha sequestrado. E havia um bom motivo para ele estar ali mesmo que não soubesse exatamente onde estava. Não podia saltar do ônibus naquele fim de mundo, no meio da noite, sem dinheiro e sem telefone. Por enquanto, ele dançaria conforme a música, descobriria o que estava acontecendo, e de manhã tudo seria diferente quando ele lhes contasse quem ele era. Por enquanto, fixou os olhos na cabeça de Pasha e então voltou a adormecer.

Despertou ou bem com o cheiro de esterco ou com os solavancos convulsivos do motor à medida que o ônibus baixava a velocidade para seguir por uma trilha de terra solta. Na escuridão cinzenta, ele viu um cachorro perseguindo um raio de luar num campo cheio de restolho. O ônibus entrou num pátio diante de uma longa fileira de galpões para animais. Deixando os faróis acesos e o motor funcionando, o motorista saltou e fechou as portas atrás de si. Dentro do ônibus, houve uma movimentação sem que ninguém saísse do lugar, o som de coisas que não estavam sendo ditas. Gabriel grudou o rosto na janela e conseguiu uma visão melhor dos galpões, que agora estavam mais parecidos com alojamentos para soldados, de telhado plano, janelas de metal, projetados para um fim, sem conforto. Numa corda estendida entre uma construção e uma árvore, roupas derrotadas estavam suspensas como uma advertência, que reverberava nas extensas rachaduras do reboco, um destino inscrito na forma sem vida dos objetos.

De algum lugar na penumbra, um segundo homem veio se juntar ao motorista, e eles entraram por uma das três portas. A luz escapava por trás das folhas das janelas, vozes cresceram, gritos se ouviram, uma ou outra coisa caiu com estrondo. Gabriel se agarrou à mochila como se sua vida estivesse contida nela. Ficou olhando quando os homens saíram do recinto baixo e se postaram, inseguros, no pátio. Formavam uma fileira desigual. Eram altos, magros e vigorosos, morenos, barbados, estrangeiros, afegãos ou curdos, e parte do conteúdo saía das suas bolsas arrumadas às pressas. Estavam ali em pé em silêncio. Um deles correu até a corda e começou a enfiar as roupas num saco plástico. Os outros permaneceram diante da luz ofuscante dos faróis, como que encarando um pelotão de fuzilamento.

Gabe tentou trocar olhares com os outros passageiros, mas parecia que ninguém queria olhar para mais ninguém, para evitar confirmar o que estavam vendo. As pequenas reservas de resistência dos afegãos tinham se esgotado, e eles agora estavam resignados. Gabriel tinha essa mesma sensação. Não havia saída a não ser esperar para ver como aquilo iria se desenrolar. Mesmo que falasse, será que alguém entenderia? Se entendessem, escutariam? Se escutassem, eles se importariam? Na cozinha, ele falava, e outros obedeciam. Mas se ele se levantasse e começasse a falar agora, que diferença ia fazer?

O motorista voltou para abrir as portas do ônibus e dar instruções aos gritos. Gabriel desceu, acompanhando os outros. Escutou atentamente enquanto o segundo homem gritava mais ordens, como se pudesse captar alguma coisa a partir da entonação, pudesse ouvir algum sentido nas palavras estrangeiras. Mais uma vez, ele não teve opção a não ser a de seguir o grupo, formando uma fila indiana para mais uma contagem. Era como se ele tivesse caído em outra dimensão. Uma viagem de ônibus, e ele tinha deixado para trás o mundo conhecido.

Fosse como fosse, estava exausto. E de manhã, quando tivesse falado com Pasha, iria embora dali.

Eles entraram nos alojamentos em fila indiana e se espremeram no que parecia ser algum tipo de cozinha, se bem que também houvesse um colchão no chão. Gabriel olhou para trás quando estava entrando e viu os afegãos num borrão de luz, sendo sugados para o interior do ônibus.

A cozinha tinha um cheiro tão forte de cebola, óleo queimado e suor que fez os olhos de Gabe começarem a arder. Havia um fogão de duas bocas no canto, um micro-ondas com a porta enegrecida, uma pia cheia de panelas, pratos sujos e pacotes de cereal abertos nas mesas e tampos de armários; e, abaixo da janela, estava agachado um freezer horizontal, salpicado com pontos de ferrugem. Gabriel olhou para as duas únicas mulheres, de rosto crispado e mãos vermelhas e grandes, paradas bem juntas, cada uma protegendo o espaço da outra. O companheiro de Gabe do banco traseiro do ônibus se apoiou numa mesa precária e sucumbiu a um acesso de tosse, com um barulho horrível, como se seus próprios ossos estivessem se sacudindo. Abaixo dos seus olhos, havia rugas negras e espessas, tatuagens da exaustão. O supervisor começou a falar. Embora ninguém dissesse nada, pareceu que ele se enfureceu, com a careca vermelha pegando fogo. Ele bateu palmas.

Dado esse sinal, um homem simples se deixou cair deitado no colchão, mas os outros começaram a se dispersar pelo corredor e a se dividir para ocupar os quartos. Gabriel não viu onde Pasha entrou. Por isso, acompanhou o homem da tosse.

Uma lâmpada nua iluminava o quarto, que se adequava melhor ao escuro. O lugar era fétido. Havia duas camas de solteiro com estrutura de metal, uma feita de pinho macio barato e uma cama de campanha. Um colchão estava encostado numa parede, num canto um armário alto com dobradiças quebradas e uma geladeira de acampamento disfarçada de mesinha de cabeceira. Apesar dos indícios de habitação, parecia improvável que qualquer forma de vida pudesse vicejar ali, a não ser talvez o bolor que ocupava grandes espaços pelas paredes.

Gabriel acabou ficando com a cama de campanha, sentindo gratidão por ter evitado o colchão, que agora estava espremido no lugar estreito que restava no chão e teria de ser deixado se alguém precisasse abrir a porta. Ele tirou o moletom, mas ficou de jeans, meias e camiseta, e entrou nos lençóis ainda com o calor do ocupante anterior. Deitado de bruços, ele ficou olhando uma traça-dos-livros atravessar veloz o carpete. A luz se apagou.

Por um tempo, ele tentou criar uma história para contar a Pasha, mas não sabia o quanto dizer nem como dizer. Passou umas duas horas inquietas, sem saber se acordado ou dormindo, incapaz de distinguir entre a realidade e o sonho: um cachorro latindo, um soluço, o grito de uma coruja, uma figura humana que se avultava, um peso esmagador nas pernas, criaturas minúsculas arranhando seu rosto. Quando a luz se acendeu de novo, ele ficou feliz de poder sair da cama. Entrou na fila para o banheiro e na cozinha comeu uma fatia fina de pão branco do saco que foi passado. Alguém lhe deu uma caneca de chá preto. Dentro de meia hora, calculou ele, estaria na estrada, enquanto esses pobres coitados desenterravam batatas ou suavam em estufas plásticas, colhendo alfaces para as prateleiras do supermercado.

Lá fora, eles entraram em fila mais uma vez. O supervisor repassou as fileiras, marcando nomes e preenchendo detalhes. Gabriel não conseguia ver Pasha, mas ele tinha de estar em algum lugar ali. No instante em que avistasse Pasha, iria conversar com ele, para então ir embora, levando consigo o irmão ou amante de Lena, se ele quisesse ir. Agora que tinha amanhecido, ele voltava a enxergar com clareza. Era uma tolice ter esperado a noite inteira para se aproximar de Pasha. Seria fácil. Tudo o que precisava fazer era lhe passar o número do celular de Lena, e ela poderia lhe contar o que quisesse. Gabe não podia contar a história no lugar dela. Cabia a Lena decidir o que dizer.

    Gabriel examinou de novo a fila e dessa vez felizmente viu Pasha. *Enfim*, pensou, *fiz alguma coisa. Fiz alguma coisa por ela.* Seu coração começou a disparar. Ele saiu da posição e foi se aproximando de Pasha, que assumiu imediatamente uma expressão furiosa, como que dizendo a Gabe para recuar. Na esperança de tirá-lo discretamente dali, Gabriel pôs a mão no braço de Pasha. Num gesto de certo modo ameaçador, Pasha tirou o gorro.

    Será que era Pasha? Gabriel já não tinha certeza.

    – Lena – disse ele. – Ela está procurando por você. Posso levar você até ela.

    O homem como que o xingou com os olhos. Teria ele sequer compreendido o que Gabriel dissera?

    – Lena. Você conhece? Lena. Ela é minha amiga.

    O nome pareceu não causar o menor impacto. O homem cuspiu no chão. Gabriel passou arrastando os pés e foi para o final da fila.

    Ficou olhando para uma carreira de bétulas, fingindo não perceber que todos o estavam observando. Embora estivesse em pé, empertigado, por dentro estava desmoronando. Praticamente não aguentava mais. Nunca conseguia fazer nada direito. Não importava o que fosse que tentasse fazer, acabava saindo diferente. Tinha tentado fazer alguma coisa por Lena, mas não tinha jeito. Ele estava errado, errado a respeito de tudo, desde o instante em que acordava até o instante em que adormecia, e em todo o resto do tempo também. Repetidamente ele desfez de si mesmo, até que todas as palavras perderam o significado e ele não conseguiu se atrelar a um único pensamento, incapaz de compreender uma única coisa, como se tudo o que sabia tivesse sido retirado dele, o mundo inteiro revelado como uma mentira.

Por fim, o supervisor chegou ao lugar de Gabriel.
– Im'ia? – disse ele.
Gabe fez que não.
– Im'ia! – exigiu o supervisor. – Nazwisko?
Gabe ficou olhando alguns homens saindo da extremidade mais distante dos alojamentos, seis trabalhadores que tinham escapado da expulsão na noite anterior. Ele sentiu inveja da determinação com que subiram na caçamba de uma picape.
O supervisor cutucou o peito de Gabe com uma caneta. Gabriel deu de ombros. Tudo o que fazia daria errado, então resolveu não fazer nada. O supervisor disse alguma coisa entre os dentes, atravessou o pátio e voltou com outro homem, que estava usando uma jaqueta verde encerada, botas verdes de borracha, o cabelo repartido de um lado e uma expressão de desdém cintilando nos olhos. Se Gabe o tivesse visto alguns minutos antes, teria jurado que o reconhecia de algum lugar, mas agora desistira de fazer julgamentos desse tipo.
– Quer dizer – disse o homem, enquanto o supervisor fazia mesuras respeitosas à sua volta – que é esse aí?
– É – disse o supervisor, com um sotaque tão pesado que caiu estridente nas lajes do calçamento. – Ele não diz nada.
O patrão – apesar de não querer julgar nada, Gabriel não pôde se conter – estendeu a mão para pegar a prancheta.

– Quer dizer que esse aí não sabe dizer quem é. – Rapidamente, ele verificou os papéis e deu um sorriso discreto, de superioridade. – Só resta um nome aqui, Tymon, meu amigo. Para que eu lhe pago, hem?

Tymon tentou destroçar Gabriel com um olhar furioso.

– Danilo Hetman? – disse o patrão, dando as costas para eles.

Gabriel não disse nada.

Tymon dividiu os trabalhadores em grupos de três e quatro; e pôs Gabe junto do homem da tosse, que se apresentou como Olek, e das duas mulheres, que se mantiveram de boca fechada. Saíram andando, passando pelas bétulas e por uma placa que dizia Fazenda Nut Tree. Passaram por um chalé em ruínas com espinheiros saindo pelas janelas sem vidraça e por um regato todo coberto de samambaias. Os campos se estendiam até onde a vista alcançava. Tymon lhes entregou garfos de jardinagem. Abaixou-se e desenterrou um molho de cebolas novas, soltou a terra batendo-as contra os dentes do garfo, completando a operação em movimentos rápidos, desnorteantes, como se esse fosse o trabalho mais simples do mundo. Olhou para o grupo com uma mensagem nítida: estão esperando o quê?

As mulheres rapidamente se organizaram, cada uma de um lado da longa carreira verde seguinte e, agachadas, começaram a romper o solo. Gabriel, afinal, abriu a boca. Antes que pudesse falar, Olek o cutucou nas costelas e então se abaixou para trabalhar. Tymon se virou para ir embora, e Gabriel, consciente de que aquilo tudo já tinha durado o suficiente, deu um passo adiante também, mas Olek atingiu seu tornozelo com o garfo de um jeito que o fez parar de imediato.

Gabriel se encurvou e revirou um torrão de terra preta, soltando dele algumas cebolas. Olhou para Olek, que estava trabalhando mais adiante na carreira, e viu como seus olhos pareciam encobertos e arroxeados. Era comovente que Olek, um perfeito desconhecido, tivesse tentado ajudá-lo, impedindo que ele se encrencasse por agir fora das normas.

Gabe passou a mão abaixando as folhas verde-esmeralda das cebolas e viu como elas voltavam com firmeza para a posição anterior. Inspirou a riqueza mineral do solo e a suculência vívida das plantas. Uma brisa acariciou sua nuca. O sol brilhava fraco num céu quase sem nuvens. Dali até o horizonte, os campos ondulavam amenos e luminosos. Gabriel começou a trabalhar.

Tymon veio até ali numa picape branca em péssimo estado e descarregou uma pilha de engradados de plástico azul, que Olek distribuiu pelo grupo. Gabriel se ajoelhou para reunir suas cebolas e as dispôs cuidadosamente na primeira caixa. Continuou de joelhos para cavar, tentando se livrar das dores que tinham se concentrado nas costas e ombros. A umidade se espalhou depressa pelas pernas do jeans, com manchas escuras que lhe chegavam até as coxas. Fincou o garfo e torceu para soltar mais um molho de cebolas. Espanou a terra com a mão, admirando a casca perolada e as delicadas raízes crespas. Entrou num ritmo, empurrando, puxando, torcendo, esfregando, com o corpo no comando, a mente apenas acompanhando. Uma hora, olhou para o alto e viu um maçarico, com seu longo tronco castanho e as duas listas brancas nas asas, dando voltas em cima; mas, sob todos os outros aspectos, estava totalmente absorto, com os joelhos afundados na terra como se ele próprio tivesse lançado suas raízes. A primeira caixa ficou cheia, e ele começou mais uma. Enquanto trabalhava, escutava atentamente o golpe macio do metal entrando no solo, protegido no silêncio em todo o redor. Ficou olhando uma centopeia subir pelo cabo do seu garfo, uma poderosa paradinha militar, e com um dedo a depositou delicadamente no chão. Continuou a trabalhar.

Quando Olek lhe deu um tapinha no ombro e com um gesto simples indicou que estava na hora de fazer uma pausa, Gabriel ficou espantado ao ver que as mulheres tinham enchido quatro caixas cada uma, e Olek já estava na quinta, enquanto ele conseguira completar somente duas. Todas as suas articulações protestaram enquanto ele se esforçou para ficar em pé. Sentaram em caixas viradas de boca para baixo e bateram as mãos para soltar a terra. Os outros tinham trazido mochilas com pão, queijo e água.

Gabe sentiu a boca se encher de saliva. Seu estômago uivava. Ele se afastou um pouco e acendeu um cigarro, não querendo perturbar os outros com sua necessidade.

O cigarro tinha um gosto horrível, e ele o apagou. Não estava com vontade de fumar naquele dia.

Olek se aproximou, chegando ao seu lado.

– Ucraniano?

Gabriel fez que não.

– Polyak? – Olek tossiu e tirou do bolso um pacote de tabaco. As pontas dos seus dedos eram grossas e ligeiramente achatadas. – Sérvio? Rosiyanyn? – Ele encontrou os papéis e começou a enrolar.

– Inglês – disse Gabriel, com um sorriso de desculpas.

Olek assustou-se.

– Inglês?

– É.

Olek deu de ombros e olhou ao longe como se eles tivessem vindo ali para admirar a paisagem.

– Certo – disse ele.

Depois de alguns instantes, ele enfiou a mão no bolso interno do anoraque e tirou dois biscoitos simples, que ofereceu sem fazer comentários.

– Obrigado – disse Gabriel. Ele os comeu, despreocupadamente, tentando esconder sua fome. – Aqui – disse ele, estendendo o maço de cigarros. – Não os quero mais. Pode ficar com eles se quiser.

Olek fez que sim e apanhou os cigarros.

– Precisa trabalhar – disse ele, quando Tymon passou por ali dirigindo, com a janela aberta e a cabeça raivosa para fora.

De início, Gabriel achou que não teria como curvar as costas o suficiente para continuar. Ele conseguiu se ajoelhar, mas então emperrou. A dor fez com que mordesse a língua. Ele pôs tudo o que lhe restava, seu ser inteiro, no esforço de puxar o maço seguinte. E, quando conseguiu, teve uma enorme sensação de realização, como se tivesse produzido não um punhado de cebolas para salada, mas algo de imenso valor. Ele não deu atenção à dor, concentrando-se no cabo de madeira tosca do garfo quando o apanhava, no faiscar dos dentes quando a terra se soltava, no frescor ousado dos brotos verdes, no perolado tímido dos bulbos. Ele trabalhava e mal olhava para o alto, pois havia tanta coisa a ver onde estava ajoelhado, uma centena de nuanças de preto na turfa. Era como se até agora ele tivesse visto o mundo apenas num borrão, em pinceladas grosseiras, sem conseguir distinguir os detalhes. Observou um besouro caminhar intrometido pelo dorso da sua mão. Esfarelou o solo com a ponta dos dedos. Acompanhou as ondas de contrações musculares que faziam com que uma minhoca, encolhendo-se e se estendendo, atravessasse um sulco. Sentiu o toque fresco do vento no rosto, sentiu a respiração entrar e sair do seu corpo, sentiu-se vivo.

Continuou a trabalhar, percebendo tudo e não fazendo perguntas, de tal modo que havia apenas o fluxo de um momento para o seguinte. Ocorreu-lhe então que nunca tinha feito isso antes. Toda a sua vida tinha sido passada em planejamento, perguntas sobre o que viria depois, ou retrospectivas do que já tinha acontecido, tanto que o presente, essa fatia infinitesimal do agora, entre um futuro que não chega nunca e um passado que já está fora do alcance, era apenas uma possibilidade remota, como se a vida jamais pudesse ser vivida de verdade. Ele se deu conta do pensamento mas, em vez de encher a cabeça com vozes, com argumentos favoráveis e contrários, esfregou a seiva de um broto verde entre os dedos e encheu de ar os pulmões.

Naquela noite, dormiu como um rei numa cama de dossel, sem ser perturbado por sonhos. Quando acordou, embora pudesse sentir o cheiro do próprio corpo e, quando esticou os braços e esfregou os olhos, pudesse ver a terra por baixo das unhas, estava relaxado e renovado. Em vez de entrar na fila para usar o banheiro imundo, ele saiu para urinar no campo e escutar o canto dos pássaros. A mente de Gabe estava agradavelmente vazia. Sentiu vontade de se abraçar, como uma criança que fugiu pela porta dos fundos, com uma felicidade desmedida por escapar da última briga dos pais. Em algum momento, precisaria ir para casa, mas por enquanto ainda não.

Alguns rapazes chutavam uma bola no pátio, e um usava um balde de água para se lavar. Olek estava sentado num banco no seu anoraque gigante, jogando uma moeda para o alto. Gabe sentou ao seu lado.

Olek atirou a moeda, apanhou-a e a tampou com a mão no dorso da outra mão. Fez um gesto de cabeça, pedindo o palpite de Gabe.

– Cara – disse Gabriel.

Olek tirou a mão. Sorriu, mostrando os dentes amarelados. Jogou outra vez.

– Cara – disse Gabriel.

Olek revelou a moeda e então a jogou para cima.

– Cara.

Dessa vez, os dois riram.

Olek jogou e bateu a moeda no banco, mantendo-a oculta.

– Qual é chance de ser cara?

Gabriel refletiu.

– Uma hora a sorte acaba. Acertei três de enfiada e calculo que a chance de sair cara de novo é... um para dez, um para cem, não sei.

Olek fez que não.

– Não, chance é um para dois; 50%. Só duas possibilidade. Toda vez chance é igual.

Um furgão entrou no pátio, e Olek apanhou a moeda.

– Comida – disse ele, levantando-se.

O motorista abriu as portas traseiras do furgão, e um grupo se reuniu, comprando pão, presunto embalado, cereais, leite.

– Quando vamos receber?

Olek tossiu e acendeu um dos cigarros de Gabriel. Ele exibiu dois dedos da outra mão.

– Dois dias? No final do dia de hoje?
Olek fez que não.
– Duas semanas?
– É, normal.
– Meu Deus – disse Gabe. – E quanto? Quanto vamos receber?
– Quantas caixas você enche? – Olek fez uma careta.
– Bem, quanto por caixa?
– Muita despesa – disse Olek. – Precisa pagar transporte, casa, imposto. Desculpa meu inglês.
– Transporte? – disse Gabriel. – Aquele micro-ônibus velho?
– Sim.
– Quanto de aluguel?
Olek deu de ombros, e os círculos escuros em volta dos olhos pareceram ainda mais escuros.
– Diz trinta, mas pode cobrar mais.
– Mas eu só tenho uma cama de campanha.
– É. Carro vai embora. Precisa comprar agora. Depois, amanhã, compra na loja, comida mais barata, mais boa.
– Tudo bem comigo – disse Gabriel. – Não preciso de nada.
Olek se abaixou como que fosse amarrar o cadarço do sapato. Tirou uma nota de cinco libras da meia e a enfiou na mão de Gabriel.
– Quando você recebe, você paga.
Gabriel foi até o furgão com Olek e comprou um saco de pãezinhos, bolachas, queijo e creme dental. Depois do café da manhã, foram andando juntos até a plantação, com as duas mulheres vindo atrás. Gabriel fez algumas perguntas, e Olek, num inglês hesitante, lhe contou um pouco da sua história. Ele era da Ucrânia, trabalhava na contabilidade da companhia telefônica, mas tinha perdido o emprego. Veio para a Inglaterra na esperança de juntar dinheiro suficiente para abrir seu próprio negócio quando voltasse. O primeiro emprego que lhe prometeram não deu em nada. Ele conseguiu trabalho numa obra; mas, quando entrou de licença depois de um acidente de trabalho, outra pessoa ocupou sua vaga. Depois ele trabalhou num frigorífico em algum lugar no

Norte; e, quando chegou o envelope de pagamento, depois de duas semanas de 65 horas de trabalho, só havia 44 libras nele. Olek não tinha sido informado da taxa de "agenciamento" de 150 libras. Ele se queixou, foi demitido e passou um tempo morando num parque. Agora sua única ambição era juntar dinheiro suficiente para pagar a viagem de volta para casa.

– Puxa, quanta aflição.

– Igual para todo mundo – disse Olek. – Ninguém escolhe esse trabalho.

– É verdade – respondeu Gabriel. – Acho que eu também acabei chegando aqui sem perceber.

Eles começaram de onde tinham parado na tarde anterior e trabalharam em silêncio, interrompido apenas pelos acessos de tosse de Olek, que estavam mais frequentes do que antes. Quando tossia, ele se encolhia dentro do anoraque, como se estivesse sendo comido aos poucos. Quando parava, porém, ele respirava fundo, pigarreava e fazia um gesto de cabeça para Gabriel mostrando que estava bem. Durante os primeiros minutos, uma voz irritante na cabeça de Gabriel lhe dizia que não deveria estar ali. Ele não lhe deu atenção e se concentrou em arrancar as cebolas do chão com a máxima limpeza possível. Os minutos se transformaram em horas e, acorrentado pelo garfo àquele trecho de terra, ele se sentia extraordinariamente livre, como se estivesse enterrando seus fardos, um a um.

Havia não mais que dois dias, ele estava atormentado pela preocupação com quem ele achava ser. Ele era assim ou assado? O que as pessoas pensavam dele? Isso fez com que sorrisse internamente. Que diferença fazia? Ele não era Danilo Hetman. Não era Gabriel Lightfoot. Não era ninguém, era só um homem, cavando a terra. Deixou tudo para lá e se afundou num lago morno de profunda calma. Todos aqueles dias de ansiedade, correndo atrás do próprio rabo, planejando, organizando, tramando, passando inquieto de uma preocupação para a seguinte, justificando-se, argumentando, discutindo consigo mesmo, todas as tensões e contradições, a busca interminável para conseguir não importa o que fosse que queria, mesmo que ele não soubesse o que era. Soprou o ar de si com força e por muito tempo, desapegando-se de tudo. Não precisava de mais nada daquilo.

Quando levantou os olhos, viu um coelho, pelo brilhoso e membros ágeis, seguir bruxuleante pela carreira seguinte. O coelho relanceou o olhar para trás para Gabe, abanou o rabinho peludo e fugiu correndo. As nuvens formavam pregas delicadas de um lado a outro do céu. O verde se seguia ao verde pelos campos, e um freixo solitário, bem nos limites do campo, deixava suas tranças quase chegarem ao chão. Gabriel continuou a cavar. Ele arrancou uma erva daninha com uma florzinha amarela e examinou o estame minúsculo. Quando mamãe entrava no jardim e ele estava coberto de mato e fora de controle, ela costumava dizer que, por mais que se arrancassem ervas, sempre apareciam outras.

Ele trabalhava e, enquanto estava absorto, ficou surpreso de encontrar um novo eu se desenvolvendo no espaço que tinha desocupado. E esse eu não tinha voz nem pensamento. E Gabe o sentia mais que o conhecia. E ele não retinia nos seus ouvidos, nem o dividia, mas, pela primeira vez, o tornava inteiro. E, pela primeira vez na vida, ele sentiu que estava ligado à terra, às árvores e ao céu; e que havia nele uma prece, não palavras a serem oferecidas, mas uma vida a ser vivida. Pensou, *isso não pode ser verdade, estou só imaginando coisas.* E pensou, *vou acordar amanhã, e tudo continuará como antes.* Mas isso era só sua mente remexendo nas coisas, como é claro que as mentes fazem. Os pensamentos, como os ônibus, iam e vinham, e ele os observava, em pé bem afastado do meio-fio.

Olek tinha recebido instruções de Tymon de que eles deveriam voltar ao alojamento para almoçar porque de tarde era necessário que trabalhassem num campo mais distante, para terminar a limpeza de outra colheita. Enquanto andavam, uma série de reflexões aleatórias entrou na cabeça de Gabriel. Ele se lembrou de um terno que tinha deixado no tintureiro em janeiro, e se perguntou se ainda estaria lá. Pensou que deveria entrar para uma academia e fazer exercícios com regularidade. Teve a impressão de ter parado de coçar a cabeça e se perguntou se ia começar a coçar novamente, agora que tinha percebido. Um filhote de coelho – será que era isso mesmo? – era chamado de coelhinho. Uma imagem de Oona entrou flutuando no seu pensamento. Ela estava dando sua risada cósmica, mostrando o dente de ouro, mas isso não o irritou. Pensou em Charlie. Tinha metido os pés pelas mãos com ela, e agora estava tudo estragado, sem remédio, e ele recebeu esse pensamento sem agitação. Aceitou-o, de tal modo que, em vez de permanecer, como tinha permanecido tantas vezes antes, como uma espécie de oscilação no cérebro, ele rapidamente foi embora.

– Quanto tempo você vai levar para juntar o dinheiro? – perguntou ele a Olek, quando atravessaram um regato com um pulo.

Olek começou a responder mas foi tomado por outra crise de tosse. Quando se recuperou, parecia que tinha se esquecido da pergunta. Acendeu um cigarro.

– Será que você devia fumar? – disse Gabriel. – Quer dizer, com uma tosse dessas?

– Não – respondeu Olek, tragando mais uma vez.

Ele falou a Gabriel sobre uma mulher que tinha conhecido em Londres quando estava trabalhando na obra. Quando ficou encostado com o ferimento na perna, perdera contato com ela; mas, antes de voltar para sua terra, ele pretendia parar em Londres para ver se conseguia encontrá-la.

– Londres é grande – disse Gabriel. – Se você não tem o endereço dela nem nada, topar com ela seria... uma enorme coincidência.

– Chances não boas – disse Olek. – Mas preciso fazer perguntas. Desculpa meu inglês.

– Não... escute, obrigado por aquele dinheiro.

– Vinte e duas pessoas chegam aqui no ônibus com você – disse Olek, observando Gabriel com seus olhos de sabujo, para ver se ele estava acompanhando. – Qual é chance de duas pessoas dessa ter mesmo dia de aniversário?

– Quer dizer, dos 23 que chegamos, dois terem o mesmo aniversário? Não sei fazer o cálculo, mas não parece muito provável. São 365 dias no ano. Portanto, seria baixa a probabilidade. Seria de... cinco, seis, sete por cento.
– Mais de cinquenta por cento – disse Olek. – Com cinquenta e sete pessoas ou mais, probabilidade é noventa e nove por cento. É quase certo.
– Verdade? – disse Gabe. – Você tem certeza?
– Tenho – disse Olek. – Eu sei. Formado em Matemática. Universidade de Donetsk.
– Espantoso.
– Probabilidade – disse Olek, sério –, muita vez não é como você pensa que devia ser.

Estavam sentados no banco do lado de fora do alojamento, comendo bolachas de sal e nacos de queijo com gosto de plástico. Tymon estava no pátio, dividindo trabalhadores para entrar na caçamba de duas picapes.
Gabe pensou em Ted, fazendo purê recheado para vovó. Pensou na última vez que tinha ido à Rileys e em Ted em pé no galpão de tecelagem com as mãos firmemente espalmadas sobre um tear parado. *Lembre-se, garoto, o importante...*
Um rapaz se aproximou correndo de Tymon, gritando e agitando um envelope.
Tymon respondeu aos berros.
O rapaz tirou um pedaço de papel do envelope e quase o esfregou no rosto de Tymon. Com um golpe, Tymon atirou o papel no chão.
– O que está acontecendo? – perguntou Gabriel.
– Ele diz alguma coisa errada com pagamento, só cem libras por duas semanas – Olek deu de ombros.
Ele era mais garoto do que homem. Quando olhou com atenção, Gabriel viu que ele era jovem o suficiente para acreditar que estar certo significava que você sairia ganhando.
Os gritos continuaram. Tymon agitou os braços como que para enxotar o garoto, como um cão sem dono.

– O que estão dizendo? – perguntou Gabriel. – O que está acontecendo?

– Tymon diz para ele ir embora se não gosta daqui, e garoto diz que pegaram o passaporte.

– O que...

– Psiu – fez Olek. – Para eu escutar.

Gabriel ficou sentado, calado e imóvel, tentando encontrar um espaço de calma dentro de si.

– Pronto – disse Olek. – Tymon diz, esse garoto agora está ilegal, não pode trabalhar em lugar nenhum.

– Por que seguraram seu passaporte?

– Para registro, para trabalho dentro da lei.

– Mas não fizeram o registro?

– Não. Agora o tempo passou.

– Filhos da mãe – disse Gabe.

– É.

Eles achavam que podiam se safar porque imaginavam que ninguém ali estava numa posição que lhe permitisse defender o garoto. Gabriel tentou deixar que esse pensamento fosse levado. Tentou deixar essa ideia para lá. A última coisa que queria era perder a paz que tinha encontrado.

A gritaria continuou. Olek ofereceu a Gabe uma fatia de pão.

– Não está certo – disse Gabriel. – Alguém deveria impedir que eles façam isso.

– É mesmo.

Mas a questão é que você acaba louco se não aceitar o fato de que o mundo é o que é.

– Alguém precisa ir dar um chega pra lá no Tymon.

– É – concordou Olek. – Quem?

Tinha de ser Gabriel. Não havia mais ninguém. Ele sabia que precisava agir e ao mesmo tempo sabia que era só seu ego que lhe dizia isso. Quem era ele? Não era ninguém. Não havia nada que pudesse fazer.

O garoto protestava feroz com Tymon, que de repente lhe agarrou o braço e o torceu para as costas. Gabriel se levantou de um salto e correu até lá.

– Solte – berrou ele. – Solte o garoto agora!

Tanto Tymon quanto o garoto se sobressaltaram, e seus rostos foram tomados de expressões curiosas, como se Gabriel tivesse falado em japonês.

Tymon largou o braço do garoto. Por uns instantes, estupidificado, ele fixou o olhar em Gabe.

– Inglês? – disse ele, por fim.

– O que vocês estão fazendo é ilegal – disse Gabriel. – Vocês estão infringindo os direitos desse garoto. – Ele tentou se lembrar do que Fairweather lhe dissera a respeito de práticas desse tipo, e do nome de qualquer lei que ele pudesse mencionar que parecesse ameaçadora. Contentou-se em dizer: – Talvez seja bom você saber que sou amigo de um ministro do governo. Ele terá muito interesse em ouvir a respeito disso tudo.

Tymon olhou para o queixo por barbear de Gabe, desceu então para seus tênis e jeans enlameados.

– Você – disse ele, com a voz e o rosto transbordando de desprezo – espera aqui. Eu trago o sr. Gleeson.

Um alarme disparou na cabeça de Gabriel, tão alto que ele mal conseguiu ouvir os próprios pensamentos. No passado distante, quando ele começou a trabalhar no Imperial, Gleeson lhe dissera que tinha crescido numa fazenda em Norfolk. Quando reconheceu o homem – por que não confiava nos próprios instintos? –, Gabe estava absolutamente certo. Devia ser o pai de Gleeson, não, *pense,* pense direito, mais provável que fosse seu irmão. E... e... havia mais alguma coisa... o quê? O micro-ônibus. Ele não tinha ouvido Gleeson uma vez, falando ao telefone a respeito de apanhar passageiros em Victoria?

Mas não era da sua conta. Ai, por que não tinha ficado de boca calada? Exatamente depois de encontrar um refúgio, por fim um pouco de paz e calma. Ia deixar para lá, ia deixar aquilo tudo para lá. Pense em alguma outra coisa. Precisava ligar para Jenny, não se esqueça. Ah, lá estava papai, mãos grandes e fortes, *Lembre-se, garoto, o importante...*

Tymon deu a volta na esquina, seguido pelo sr. Gleeson.

– Qual é seu nome? – perguntou o sr. Gleeson, aproximando-se a passos decididos, e Gabe pôde ver que ele estava indeciso entre o medo e a raiva e se preparando para associar os dois.

Gabriel hesitou. Se decidisse, poderia recuar e fazer o papel de pateta. Mas ele não era esse tipo de pessoa... ou era?

Gabe se empertigou.

– Meu nome é Gabriel Lightfoot, e exijo que vocês paguem a esse homem. Quanto ele tem a receber?

O sr. Gleeson olhou para Tymon, o garoto e Gabe. A indignação incendiava seus olhos.

– Quem é você? – perguntou ele. – O que você faz? E o que está fazendo na minha propriedade?

– E devolvam o passaporte do garoto – disse Gabriel. – Agora.

O sr. Gleeson olhou ao redor do pátio como se estivesse esperando uma emboscada.

– Para quem você trabalha?

– No momento trabalho para vocês.

O sr. Gleeson semicerrou os olhos e ficou parecido com algum réptil tomando banho de sol. Com languidez, ele se afastou de Gabriel e foi na direção de Tymon. Num piscar de olhos, transmitiu uma instrução rápida, e Tymon e outro capanga, cuja presença Gabe não tinha percebido, o agarraram pelos braços.

– Revistem esse homem – disse o sr. Gleeson. – Peguem suas anotações e seu gravador. Filho da mãe!

Gabriel ficou ali em pé impassível, enquanto os dois homens vasculhavam seus bolsos. Eles estavam vazios.

– Não sou repórter – disse Gabe.

– Estou perdendo a paciência – disse o sr. Gleeson. – Tenho uma empresa, uma empresa legítima, a gerir. Vou lhe perguntar mais uma vez. Quem é você?

– E eu lhe direi mais uma vez: pague àquele garoto.

O sr. Gleeson chegou bem perto e examinou Gabriel dos pés à cabeça. Seu cheiro era idêntico ao do irmão: loção para após a barba e probidade.

– Não é repórter? – Ele agarrou as mãos de Gabriel e inspecionou a terra por baixo das unhas, as antigas queimaduras, cicatrizes e calos, a pele grudada entre dois dedos onde um ferimento tinha sido mal curado. – Não, já entendi. É um maluco qualquer.

– Escute – disse Gabriel. – Conheço muita gente, e você pode acabar encrencado. Um amigo meu está no governo, é ministro, e basta uma palavra que eu diga sobre o que vi...

O sr. Gleeson irrompeu a rir. Bateu no ombro de Gabriel como se os dois tivessem compartilhado uma piada maravilhosa. O capanga se uniu a eles no riso e aproveitou a oportunidade para dar um safanão amável em Gabe.

Tymon saiu do alojamento, carregando a mochila de Gabriel. Ele a abriu e, sem olhar dentro, despejou no chão o uniforme branco de Gabe e os outros objetos que estavam nela.

O sr. Gleeson estava parado com as mãos plantadas nos quadris de veludo cotelê. Ele bateu forte com uma bota de borracha na sua terra verde e agradável.

– Temos alguma vaga, Tymon, para um chef? Não? Imaginei que não mesmo. Certo. Você, trate de se mandar daqui. Corra, antes que eu atice os cães para pegá-lo. Vamos, corra!

Gabe levou o resto do dia, andando e pegando carona, para voltar para Londres. Quando chegou à periferia da cidade, entrou numa estação do metrô e saltou por cima das barreiras. Eram 8:30 da noite quando ele entrou na cozinha, que estava totalmente preparada para o combate, com bandejas em todas as superfícies, a área de preparação de alimentos transbordando. Quando viu Gabriel, Victor cutucou Suleiman, e em questão de segundos todos tinham parado de trabalhar para olhar.

Caiu sobre eles um silêncio extraordinário.

– OK. Muito bem – cantarolou Oona, chegando afobada. – Melhor continuar com o trabalho.

Ela levou Gabriel para o escritório e fechou a porta.

– Vai acontecer alguma coisa nesta noite, Oona? Algum evento?

– Vai, vai, vai – disse Oona. Ela fez com que aquilo parecesse uma canção de ninar. – Baile Beneficente da PanCont. Não se preocupe, tudo sob controle.

– Ai, meu Deus – disse Gabriel. – E Maddox anda furioso?

– Não, mesmo – disse Oona. – Disse que você avisou que estava passando mal. Benny, Suleiman e Nikolai estão trabalhando turnos a mais.

– Sinto muito, Oona.

Ela franziu os olhos amendoados.

– Parece que você precisa de um descanso. Por que você não...

– Preciso falar com Gleeson – disse Gabe. – Você sabe onde ele está?

– Vi ele descer para o vestiário, mas...

– Não posso explicar as coisas agora – disse Gabriel. – Não tenho tempo. Você poderia se encarregar de só deixar os *petits fours* saírem da confeitaria praticamente na hora em que serão servidos? Se não for assim, eles começam a derreter. Na última vez, metade deles grudou nas bandejas. Certo, vou ver Gleeson e depois subo para verificar... Ah, bem, acho melhor eu me trocar primeiro. Será que tem algum uniforme limpo no vestiário? Sabe, para mim nossa lavanderia no fundo não é assim tão boa. Talvez devêssemos pensar em...

Oona o interrompeu.

– Chef, eu e os garotos estamos com tudo coberto. Trate de ir para casa.

Gabriel olhou para as orelhas certinhas de Oona, seu busto grande e quadrado, o jeito de matrona que enchia a pequena enfermaria. Sentiu um aperto na garganta.

– Não sei o que eu faria, Oona, sem minha *sous-chef* executiva.

Gleeson estava no vestiário, trocando a gravata. Sem tirar os olhos do espelho, ele falou com a voz arrastada.

– Quem é vivo sempre aparece. Por onde você andou?

– Pela Fazenda Nut Tree – respondeu Gabe, esfregando o queixo.

O gerente do restaurante se espantou e voltou a aparentar naturalidade em duas rápidas tomadas. Ele ajustou o nó no colarinho.

– Certo, vamos continuar com essa ficção por um instante. O que você estava fazendo lá?

– Colhendo cebolas de primavera – disse Gabriel. – Por dois dias.

Gleeson girou com tanta rapidez que seus calcanhares estalaram um no outro.

– Que divertido! – disse ele, erguendo uma sobrancelha.

– Conheci seu irmão. Ele é muito parecido com você.

– Puxa vida! Em que estado você se encontra! Existem normas de higiene para cozinhas, você sabia?

– Peço desculpas pela minha aparência, mas as instalações na Fazenda Nut Tree são um pouco precárias.

Gleeson baixou a cabeça num cumprimento.

– Bem, como de costume, foi fascinante conversar com você. Você é tão... cheio de imaginação. – Ele seguiu arrogante na direção da porta. – Por sinal, já conseguiu arrumar um psiquiatra?

– Você não quer saber o que aconteceu? – perguntou Gabriel. – Acho que você deveria saber.

Gleeson ficou ali parado no portal. Sua língua saiu ligeira e passou rapidamente pelos lábios.

– Fale, se quiser, e eu escuto. Podemos chamar de cura pela fala.

– Seu irmão me expulsou.

– Você realmente me surpreende. Não consigo imaginar por quê.

– Fiz objeção ao modo pelo qual um trabalhador estava sendo tratado, um cara do Leste da Europa. Não sei ao certo de que país.

Gleeson estalou a língua, em desaprovação.

– Se vai inventar alguma coisa, invente direito. Acrescente detalhes. Dê-lhe solidez.

– Mais uma vez peço desculpas pela apresentação mal-amanhada – disse Gabriel, pacificamente. – Seja como for, como eu estava dizendo, o garoto não recebeu o que lhe deviam, e seu irmão e os capangas tinham apanhado o passaporte dele, supostamente para providenciar seu registro de trabalho oficial. E agora estavam lhe dizendo que não tinham segurado o passaporte. E... – Ele continuou a falar sem rancor, sentindo apenas a inevitabilidade da situação, como se ele fosse não mais que uma nota tocada na melodia de outra pessoa. – ...e ele ficou muito tempo sem permissão no país. Por isso não pode recorrer às autoridades, de modo que está à mercê da benevolência do seu irmão... e benevolência pode ser uma das qualidades que por acaso faltam a seu irmão.

– Tudo isso é muito divertido – disse Gleeson, lustrando uma abotoadura com o polegar –, mas talvez você tenha deixado de perceber que esta é uma das noites mais movimentadas do ano. Só desci aqui rapidamente para trocar minha gravata, que estava com uma mancha. Seja como for, mesmo supondo que qualquer coisa que você tenha dito possa ter a mais ínfima verossimilhança, por que você está me contando?

Gabriel deu de ombros. Olhou para as roupas e os sapatos enlameados. Como tinha chegado àquele ponto? Tudo remontava a Yuri. Se Yuri não tivesse bebido naquela noite, se tivesse secado direito os pés depois do banho de chuveiro, se tivesse caído cinco centímetros mais adiante ou mais para um lado e acordado com a cabeça doendo, Gabriel jamais teria visto Lena parada no portal, olhando para ele daquele jeito, e uma coisa não teria levado a outra. Ele teria viajado numa direção diferente. Mas Yuri tinha sido o primeiro elo de uma corrente bem enrolada, jogada de repente de uma embarcação, e agora não havia como impedi-la de se desenrolar. Yuri poderia ter enxugado os pés. Mas não enxugou. Era tudo aleatório e totalmente inevitável. Gabriel encarava a situação a partir dessas duas perspectivas; e entre essas duas formas de ver não sentia a menor contradição.

– Não sei – disse Gabriel. – Estou só prevenindo, acho. Esse tipo de intimidação, você sabe, equivale a trabalhos forçados, uma espécie de escravidão. Seu irmão poderia acabar na cadeia.

– Ora, pelo amor de Deus! Uma montoeira de mentiras e invencionices.

– Não – disse Gabe, com algum fervor na voz. – Eu sei o que vi. E sei também das garotas.

Gleeson riu.

– Seja o que for que isso signifique. Mas o que você está esperando? Vá direto procurar a polícia. Você deve ter um monte de testemunhas para corroborar esse seu pequeno devaneio.

Quem se ofereceria? Na hora em que tinha deixado a Fazenda Nut Tree, parecia que a única pessoa que Gabe conseguira assustar tinha sido o garoto. Talvez Olek estivesse disposto a protestar. Mas da última vez que tinha agido desse modo, acabou dormindo ao relento.

– Não vou deixar para lá – disse Gabriel. – E o micro-ônibus do hotel? É um veículo roubado, dessa você não vai se safar.

– Roubado? Ah, aquele ônibus velho. Nós o compramos, seu maluco. Por que não vai verificar? Sabe, estou começando a ter até pena de você.

Gabriel passou por Gleeson, que, durante toda a conversa, tinha se deslocado pelo recinto como se estivesse esgrimindo.

– Já lhe disse o que tinha a dizer – anunciou Gabe. – E agora vou embora.

Gleeson correu para a porta e começou a chiar.

– Seu bunda-mole santarrão. O que lhe dá o direito de julgar os outros? As pessoas querem trabalhar, nós lhes damos emprego. Chama-se dar às pessoas o que elas querem. Existe um preço de mercado, chama-se a isso comércio, é assim que tudo funciona. Por que você simplesmente não deixa para lá? Ponha os pés no chão, Chef. Comece a aceitar as coisas como são.

– E se eu não gostar de como elas são?

– Ora, trate de crescer! – Gleeson gritou para as costas de Gabriel que iam se afastando. – Seu babaca! Aqueles trabalhadores vêm através de uma agência. E o que dizer de você? O que dizer da sua cozinha? De onde vêm seus auxiliares de limpeza? Suas mãos estão limpas? Estão?

* * *

Lá em cima no salão de baile, em meio a um turbilhão de vestidos elegantes e ternos de pinguim, o leilão beneficente estava a pleno vapor. Embora o lugar estivesse lotado, Gabriel conseguiu atravessar a multidão com facilidade. As pessoas abriam caminho depressa para ele passar. Ele avistou Maddox conversando com um homem com uma barba importante. O homem não parava de cofiá-la com dois dedos, como se houvesse muita sabedoria a ser colhida nela.

– Vamos, senhoras e senhores – gritou o leiloeiro. – Sei que essa não é a melhor oferta que podem fazer. Lembrem-se, é por uma causa fantástica. Vou lhes relembrar ainda mais uma vez que nossa instituição de caridade desta noite é a Fundação Mãos que Ajudam, e que todos os recursos arrecadados irão ajudar camponeses pobres na África. Agora, eu terei ouvido 1.500? Mil e quinhentas, alguém propôs. Mil e seiscentas, alguém aí? Obrigado, senhor. Mil e oitocentas libras?

A peça em questão, sendo exibida por uma loura escandalosa, era um par de tênis, autografado e já usado por um astro de primeira grandeza do mundo pop.

Gabriel ficou meio oculto num nicho numa parede, esperando uma oportunidade para abordar Maddox. Olhou ao redor para os homens, todos vestidos de preto e branco, uma afirmação coletiva de certeza, sem espaço para nuanças de cinza. As mulheres, de cabelos lustrosos e seios içados, mexiam em joias que pareciam pulsar com a iluminação. Os pequenos grupos parados mais perto iam se afastando constantemente. Discreto, Gabriel cheirou seu moletom. Não cheirava assim tão mal.

Fosse como fosse, ele obteve uma melhor mirada de Maddox, e pouco depois dele agora podia ver Rolly e Fairweather. Fairweather estava rindo e batendo papo com uma jovem num vestido de frente única. Ele passou a mão de leve pela saliência da sua coluna.

– Duas mil e trezentas – disse o leiloeiro. – Estou ouvindo 2.500?

O sr. Maddox registrou a presença de Gabriel. Lançou-lhe um olhar como um golpe de pugilista.

– Espere aí – disse ele, apenas formando as palavras, sem voz.

Gabriel fez que sim, compreendendo o desejo de Maddox de evitar apresentá-lo como chef executivo a um membro da diretoria da PanCont.

Fairweather, com seu sorriso de autodesvalorização aperfeiçoado com esmero, penteou para trás a franja loura, comprida.

Gabriel, começando a se sentir um pouco tonto, encostou-se na borda do nicho. Sua cabeça estava leve, mas havia um peso no estômago, e o salão começou a ficar escuro. Ele não parava de olhar para Fairweather.

O momento foi se aproximando, inexorável; e, embora ainda não tivesse ocorrido, era como se já tivesse terminado.

– Um par de calcinhas pretas e vermelhas, usadas na *tournée* mundial Sugar Daddy, e autografadas pela lenda em pessoa, por três mil e cem... e ouvi a oferta de três mil e duzentas.

Como que no fundo de um túnel escuro, Gabriel viu Fairweather rir e mexer na aliança de casamento, girando-a em torno do dedo anular.

Fairweather, tão hábil com as mulheres, tão hábil em fazer com que enrubescessem! Como ele conseguia viver consigo mesmo?

Mas ele não tinha explicado a Gabriel como lidar com a culpa? *Diga alguma coisa com frequência suficiente, que você começa a acreditar nela. Digamos que você se sinta culpado por alguma coisa. Não pare de dizer a si mesmo que não se sente culpado. No final, vai funcionar.*

Gabriel procurou uma saída, mas as portas bateram com violência em toda a sua volta.

– Uma boa causa, senhoras e senhores, uma causa fantástica. Quem vai me dar 3.750?

Monte de psicopatas em Westminster. Ah, ah, eu diria.

Gabriel foi flutuando na direção de Fairweather. Não conseguia sentir os pés no chão, não conseguia sentir nada a não ser o chumbo na barriga, e o peso nos punhos.

– Pelos camponeses pobres da África, estou ouvindo quatro mil libras, por essa calcinha supersexy, assinada e usada por uma superstar de verdade?

Na periferia meio borrada da sua visão, Gabe podia ver o sr. Maddox, via Rolly comendo um canapé num palito, mas eles pareciam fantasmas aos seus olhos. Fairweather, em carne e osso, corado e sólido, iluminado bem no centro, ergueu a mão e sorriu.

– Dou-lhe uma...

Gabriel ergueu a mão, ainda com o punho cerrado.

– O que você fez com ela? – Ele recolheu o punho.

– Dou-lhe duas...

Ele desfechou o golpe.

– Vendida para o cavalheiro de...

A sala implodiu numa saraivada de gritos sufocados. Fairweather não caiu com o primeiro golpe, apenas oscilou nos pés, com uma expressão atordoada e uma quantidade enorme de sangue escorrendo do nariz.

– Quem? – disse ele.

Gabriel o esmurrou de novo, de modo que logo o tinha jogado no chão, o segurava pelas orelhas para bater com sua cabeça na tábua corrida do assoalho, além de tentar lhe dar uma joelhada na genitália, pressionando os polegares no seu pescoço, sem saber como poderia parar, para então se entregar tranquilamente às mãos que o arrancaram dali.

Embora o sr. Maddox e Rolly estivessem em pé diante dele gritando, Gabriel não conseguia ouvi-los, por causa da algazarra geral. Todos aqueles socos o deixaram arrasado, e um integrante da segurança do hotel o segurava pelas costas, num abraço apertado. O salão foi ficando menos barulhento, à medida que as pessoas se conscientizavam de que talvez não ficasse bem demonstrar tanta empolgação por uma briga.

– Por que cargas d'água? Por que cargas d'água? – gritava o sr. Maddox, incapacitado pela raiva.

Rolly se deixou cair de joelhos para cuidar de Fairweather, que estava rolando a cabeça para um lado e para outro. Fairweather deu um gemido fraco.

– Alguém chame uma ambulância – disse Rolly, perdendo controle das emoções e respingando saliva em cima do amigo.

Fairweather tentou se sentar.

– Ai, meu Deus – queixou-se ele. – Estou bem, não quebrei nada. Nada de ambulância. Não queremos que isso chegue à imprensa – acrescentou ele, antes de se deixar cair de novo.

– Cancelem a ambulância – disse Rolly, olhando para o alto com os olhos injetados. – Você está acabado, tudo está acabado – disse ele a Gabriel. – Não quero nem ouvir... Trate de procurar um advogado, se tiver como pagar, porque, se acha que vou lhe dar seu dinheiro de volta... – Ele foi se calando, dominado pela emoção, e começou a tentar limpar Fairweather com o lenço.

Maddox, impossibilitado de se exprimir abertamente diante dos circunstantes, estava ficando verde e roxo, como uma cabeça de brócolis em brotação.

– Eu nunca... estou dizendo *nunca*... quero pôr os olhos em você outra vez. Saia pela porta dos fundos, não pare para apanhar suas coisas, não volte aqui.

Ele virou as costas para Gabe, mas então deu meia-volta e sucumbiu a mais um sermão.

– Você acha que vai conseguir outro emprego nesta indústria? Você acha que vai um dia trabalhar...

Gabriel parou de ouvi-lo. Olhou para Fairweather, ali sentado no chão, bebericando água, acudido de todos os lados.

Tinha sido forçado a fazer aquilo, não tinha? Em nome de Lena. Tinha feito aquilo por ela. *Se eu vejo esse homem, eu mato ele.* Bem, ele tinha dado o melhor de si.

Uma turma de cinco ajudou Fairweather a se levantar. Um olho estava começando a se fechar, o nariz ainda gotejava, mas ele ajeitou o cabelo com certo garbo, apesar de tudo. E olhou para Gabriel quase com timidez, com a combinação da dor e da perplexidade acentuada pelo inchaço desigual num lado do rosto.

Gabriel ficou constrangido. Alguma coisa não estava certa. A dúvida começou a se espalhar nele como uma peste. Ele abriu a boca mas não disse nada. Por onde começaria?

– Não – berrou o sr. Maddox. – Você não fala. Trate de sair daqui.

Sem que seus pés tocassem no chão, ele foi carregado pela escada dos fundos e então pela cozinha para chegar à saída. Ele podia sentir sua brigada, todos os rapazes, a observá-lo, mas não olhou para eles, se bem que tivesse contado, automaticamente, os pedidos que tremulavam acima da janela.

Oona se plantou como uma rocha, diante da porta, interrompendo a expulsão.

– Oona – disse Gabriel –, é... hum... o que...
– As notícias voam – disse Oona. – Já me contaram.
– Não foi minha melhor hora. Nem meu melhor dia.
– Amanhã melhora, você vai ver.
– Bem, acho que devemos nos despedir.
– Precisou de alguma coisa, é só me ligar.
– Obrigado, hum, Oona, preciso lhe contar, porque você deveria saber... eu tentei demitir você.
– Eu sei – respondeu Oona. – As notícias voam.
– Sinto muito – sussurrou ele.
– Tudo bem – sussurrou ela de volta. – Você não está o mesmo ultimamente. – Ela lhe deu um sorriso, e seus olhos e o dente de ouro cintilaram. – Deus o abençoe e o proteja – disse ela.

Gabriel engoliu em seco. Procurou soltar um braço, e o segurança teve a bondade de lhe conceder esse desejo. Gabriel, movendo-se lentamente, com uma ternura infinita, soltou as presilhas de strass do jaleco branco e as colocou no cabelo de Oona.

– Obrigado – disse ele.

Enquanto era levado pela porta afora, Gabe olhou para trás e viu que toda a equipe tinha se reunido no posto de trabalho mais próximo, Victor, Nikolai, Suleiman, Benny, Albert e seu auxiliar, Damian e os demais, só faltando Ivan.

– Seis pedidos pendentes, seis mesas esperando. De volta ao trabalho – gritou ele.
– Sim, Chef – responderam eles em uníssono.

É claro que ela sumira, sem deixar bilhete. Todas as gavetas que tinha ocupado estavam agora vazias. Gabriel entrou na cozinha, sem acender a luz. Fixou o olhar na secretária eletrônica, com o número vermelho piscando para ele. Daí a algum tempo, acionou a tecla play.
– Gabe, acho melhor você vir para casa – disse Jenny. – Papai não está nada bem. Então, me liga. Vou tentar seu celular também.
– Gabe, dá para você me ligar? É Jenny, OK?
– Onde você está, Gabe? Papai teve de ser internado. Ele está...
Gabriel pressionou *fast forward*. E encontrou a última mensagem.
– Aqui é Jennifer Lightfoot ligando no sábado às dez da manhã. Papai faleceu às 9:15; e, se qualquer outra pessoa ouvir esta mensagem, queira por favor informar a Gabriel Lightfoot que ele deve vir direto para casa.

Capítulo 27

—ᴠᴠ—

GABRIEL CHEGOU ADIANTADO ALGUNS MINUTOS PARA SUA HORA marcada com a administradora da Casa de Repouso Greenglades. Foi encaminhado para uma pequena recepção com vista para os jardins bem tratados. Abaixo da janela, dispostas entre caminhos de cascalho, algumas alfazemas lenhosas, pés estiolados de alecrim e tomilho ornamental compunham o "jardim de aromaterapia", cuja descrição ele tinha visto no folheto. Mais adiante, porém, formando um longo arco que acompanhava a suave descida do gramado, camélias desenfreadamente em flor forneciam um tônico visual alternativo. O gramado acabava num jardim florido, este por sua vez orlado por um bosque, de tal modo que os encarcerados tinham pelo menos o consolo de uma paisagem razoavelmente agradável.

Gabe ficou em pé diante da lareira e contemplou o quadro que estava pendurado acima do console. Era uma natureza-morta. Mostrava duas maçãs e uma pena marrom e branca dispostas sobre uma toalha de veludo numa mesa junto de uma janela. Embora o quadro não fosse de elevado valor artístico, supunha Gabriel, e fosse barato o suficiente para estar em Greenglades, e embora não se pudesse dizer que ele apresentava um realismo fotográfico, e Gabe suspeitasse que ele não era um "bom" quadro, ele sentia que seu olhar era atraído para ele e conseguia ver o luxo do veludo, calcular a explosão de frescor das maçãs. E a pena tinha uma certa qualidade que ele jamais observara, do mesmo modo que a janela pintada oferecia algo que ele deixara de perceber quando olhava pela janela real: a textura, o tom, o jeito com que a luz incidia, o próprio vidrado do vidro.

– Sr. Lightfoot? – A mulher tinha o jeito afetuosamente autoritário de uma supervisora e, na cintura, um molho de chaves de

carcereira. – Sra. Givens – prosseguiu ela, estendendo a mão. – Administradora, para pagar meus pecados. Podemos começar com uma volta pelas instalações?
– Ah – disse Gabe.
– Vejo que estava admirando nosso quadro. Também faz sucesso com nossos hóspedes – disse ela, indo na frente. – Às vezes, nós os sentamos aqui dentro quando eles estão um pouco... agitados. Parece que o quadro os acalma. Acho interessante porque, se eu os sentasse perto de umas frutas e uma pena... bem, creio que não obteria o mesmo resultado. Pronto, cá estamos, escritórios à esquerda, cozinha à direita, no andar inferior vestiários e conjunto de fisioterapia, vamos só dar uma olhada da porta mesmo.

Ela seguia, vigorosa. Gabriel, que já tinha vindo visitar vovó umas duas vezes, não precisava de um tour, mas tinha querido conhecer a sra. Givens, para saber que tipo de pessoa estava no comando ali. Ele deixou que ela prosseguisse.

– Sala de recreação – disse a sra. Givens.

Se bem que houvesse duas mesas para jogos de cartas e um armário com caixas de jogos de tabuleiro empilhadas no alto, a única recreação em uso era a televisão, que parecia estar sempre ligada e no momento estava sintonizada num programa de culinária. Mas a sala, como os outros ambientes de Greenglades, era limpa e arejada, além de nem de longe cheirar a ração de gato e urina, como Gabriel tinha receado antes da primeira visita.

– Muito agradável – disse Gabriel.

– Bingo às onze e meia – disse a sra. Givens –, aquarela às três.

Foram até o salão, onde a maioria dos internos estava instalada e onde a televisão era uma boa companheira constante. Alguns dos residentes, entretanto, não conseguiam assistir, por conta da grave curvatura das espinhas. Estes pareciam estar presos numa busca permanente por alguma coisa de enorme importância e dimensões ínfimas perdida nas dobras do colo. Algumas das idosas mais alertas olharam para Gabe com sorrisos simpáticos, sem saber ao certo se deveriam reconhecê-lo, mas preparadas (se não fisicamente, pelo menos em espírito) para estar à altura da ocasião, caso se revelasse que ele era um neto ou até mesmo um marido.

— Olá, sra. Dawson, como estamos hoje? Pronta para mais uma rodada de uíste, na hora do chá? No outro dia, ela ganhou noventa palitos de fósforo de mim. Alguma pergunta? Quer dar uma espiada na sala de jantar?

A sra. Givens avançava com uma rapidez extraordinária para suas pernas curtas e robustas. Gabriel estendeu o passo para acompanhá-la. Estava claro que ela gostava de permanecer em movimento, e Gabe não a culpava. Se você ficasse sentado por muito tempo naquele lugar, acabaria se lembrando de que todos os ambientes, não importava qual fosse sua finalidade nominal, eram na realidade salas de espera.

— Qual vai ser o almoço?

— Frango ao curry — disse a sra. Givens —, pudim com passas e creme, ou sorvete.

— Não sei se vovó gosta de curry.

— Se não gostam de curry, podem comer frango da coroação com arroz. — Ela lhe deu um sorriso.

— Ótimo — disse Gabe. — E o frango da coroação, será que ele é o frango ao curry ao qual foram acrescentadas passas de Corinto?

— Você sabe das coisas — disse a sra. Givens. — Mas ficaria surpreso com a diferença que elas fazem. Agora, ela está no quarto, sabe que você viria, pelo menos foi o que lhe dissemos — continuou ela, batendo na porta e a abrindo num movimento contínuo. — Sra. Higson, chegou seu Gabriel. Minha porta está sempre aberta, sr. Lightfoot, para falarmos sobre qualquer questão que desejar. Tivemos alguns probleminhas de adaptação, nada que não seja comum com nossos hóspedes, mas eu diria que, no todo, ela se acomodou bastante bem.

Vovó, em seu elegante costume de tricô azul-marinho e com sua melhor blusa branca, estava sentada à janela, com uma expressão distante nos olhos. Iluminado pelo sol lá de fora, o cabelo parecia não estar de fato preso à cabeça, mas como que pairando em torno num suave halo dourado. As mãos estavam agarradas aos braços da poltrona como se ela pudesse por mágica levá-la voando dali, como se fosse uma poltrona dos desejos, o que em certo sentido ela era, um lugar melhor do que qualquer outro para sentar e sonhar.

Ela fez um esforço para dirigir sua atenção para Gabriel.

– Olá – exclamou ela, com uma alegria ansiosa. – Você veio me buscar?

Ele beijou o pergaminho da sua bochecha.

– Oi, vovó, eu lhe trouxe umas revistas. – Ele as pôs na cama e sentou ao lado delas.

– Vou para casa hoje – disse ela, crispando os lábios e revelando essa notícia confidencial, apesar de achar que não deveria divulgá-la. – Estou aqui há três semanas, ou será que são quatro? E o médico diz que já estou bem, é, já estou curada. Agora, por que foi mesmo, é só você me relembrar, que me internei aqui? Minha bacia, não foi? Ui, é uma operação séria, mas não me saí mal, certo?

– Está se saindo muito bem, vovó.

– Ted vem me buscar – disse vovó. – Mas, se você não se importar, rapazinho, vamos precisar de uma ajuda com as malas.

– Lindo jardim que vocês têm aqui – disse Gabe. – Por que não saímos para dar uma voltinha?

– Ah – disse vovó, girando os ombros com ruído –, ele é mesmo bonito. Muito bonito. E está um belo dia ensolarado.

Ela deu um sorriso trêmulo, pondo nele o melhor de si.

Gabriel pôs a mão sobre a dela. Vovó suspirou.

– Mas é triste, não é?

– Tudo bem, vovó – disse Gabe. – Tudo bem com a gente.

– É mesmo – disse ela.

Começou a chorar em silêncio, com lágrimas gordas escorrendo pelo rosto. Gabriel dobrou os dedos por baixo da palma da mão dela. A tristeza de vovó era geral demais, profunda demais para aceitar consolo, e ele não disse nada. Apesar de não ser por uma razão adequada, não parecia pouco razoável que ela chorasse. Gabriel apertou sua mão com delicadeza. Sentiu o próprio corpo percorrido pelo calor que significava que ele estava prestes a chorar. E, pela primeira vez, desde os 6 anos de idade, quando quebrou uma peça da sua melhor porcelana, foi repreendido e depois perdoado, ele chorou com sua vovó. E foi a primeira vez na vida adulta que ele chorou tão abertamente, sem o menor sinal de vergonha.

– Vocês vão me fazer chorar, vão, sim – disse Jenny, entrando saltitante nos sapatos de saltos finos.

Ela se sentou do outro lado de vovó e massageou sua outra mão.

– Todo esse choramingo – resmungou vovó, reivindicando as duas mãos. – Aqui já temos o suficiente, essa é a pura verdade.

Jenny riu, mesmo com os olhos cheios d'água.

– Bem, eu lhe trouxe mais alguns álbuns de fotografias, vovó. Encontrei uma bela foto sua com a sra. Haddock no píer de Blackpool. Bem, naquela época ela não era a sra. Haddock. Não podia ter mais de 16 anos... Olhe, vocês estão com vestidos idênticos. Nem pensar em grandes amigas. Poderiam ser gêmeas, não é mesmo?

Vovó, com o álbum pousado no colo, passou um dedo pelo retrato como se estivesse lendo um texto invisível.

– Essa sou eu; essa é Gladys – explicou ela. – Blackpool, dá para ver a torre ali. Ah, como estou contrariada nessa foto. Olhe aqui, rapazinho. Essa é Gladys. Que atrevida! Ela pegou e copiou meu vestido.

Passaram uma hora com vovó, olhando fotografias antigas; e, quando ela cochilou, Jenny pôs um travesseiro atrás da sua cabeça, e os dois foram sentar lá fora. Encontraram um banco numa parte abrigada do jardim de flores, cercado por hortênsias de um azul de porcelana e por rosas brancas que mal começavam a florir. Jenny acendeu um cigarro.

– Bom você ter parado – disse ela. – Estou decidida a parar, mas agora não é a melhor hora para tentar, certo?

– Não – disse Gabe. – Dê um tempo.

Por alguns minutos, ficaram ali sentados, escutando o canto dos pássaros e o fluxo do trânsito na estrada que não ficava distante, mas estava fora da sua visão. Desde que tinha voltado para Blantwistle, havia seis dias, Gabe vinha tendo conversas intermináveis com Jenny sobre o que lhe acontecera, de início meio como um maníaco, mas com mais calma a cada dia que passava e a cada vez que recontava. Tinha lhe falado de Gleeson, Ivan e seu segredo imundo. Tinha lhe falado de Oona, e do seu comportamento para com ela. Tinha feito o possível para dar uma explicação sobre Lena, sem transformar a explicação numa desculpa. E sobre Charlie também. Não era fácil, mas ele tinha tentado montar a história, sem deixar nada de fora, inclusive seu colapso nervoso e o fato de ter jogado fora tanto o emprego como o novo restaurante junto com os socos com que atingira Fairweather naquela noite de sábado.

Quando chegou a essa parte, ela não se conteve.

– Ai, Gabe, o que você estava usando? Quer dizer, seria impossível você conseguir um jeito pior para estragar tudo, mesmo que tivesse tentado.

– Realmente me superei – disse Gabe.

Jenny reprimiu um risinho.

– Se superou mesmo. Foi demais. O cara gira a aliança, e por esse motivo você lhe dá uma surra. Dificilmente ele seria o único, certo? Uma montoeira de homens faz isso.

– Na hora... – Ele se interrompeu e depois riu. – Pareceu que eu tinha de fazer aquilo. Foi idiota. Mas foi espetacular.

– Você serviu de espetáculo, como vovó diria.

Mas em geral ele tinha falado sério, e Jenny escutara sem julgar, aceitando suas desculpas e só perguntando de vez em quando se ele estava bem. Se tinha certeza de que estava bem.

– O que eu não consigo entender – disse Gabriel agora, por fim rompendo o silêncio – é onde vovó está. Quer dizer, em termos físicos, ela está na poltrona. Mas onde está a pessoa, a vovó que conhecemos?

– Será que lhe contei? – disse Jenny. – Você sabe que ela agora tem um andador e não gosta dele. Bem, no outro dia, ela foi e pegou o carrinho de chá, saindo matraqueando pelo corredor. E uma das cuidadoras disse: "Ora, vamos, Phyllis, você sabe que isso não se faz"; e vovó adotou sua voz mais superior e disse: "Eu tenho um neto com o dobro da sua idade, tome nota disso, e não é Phyllis, muito obrigada. Para você, é sra. Higson." E lá foi ela embora derramando chá por toda parte, com os biscoitos voando do carrinho!

Gabriel sorriu e balançou a cabeça.

– Vovó! Conheci a sra. Givens hoje, e ela me disse que houve alguns... como foi mesmo que ela chamou... probleminhas de adaptação. Você acha que era a isso que ela se referiu?

– Creio que não. Foi meio complicado, nos primeiros dias, conseguir que ela se acostumasse. Houve alguns *incidentes*. Achei que iam expulsá-la daqui, juro por Deus! Parece que ela fez algumas das moças chorarem. Bem, ela pode ser um pouco grossa, você sabe. E ela anda a uma velocidade daquelas naquele andador. E no outro dia pegou de raspão em outra idosa de andador no corredor e quase a jogou no chão.

– Típico de vovó.

– Eu sei – disse Jenny. – Ainda tem alguma parte de vovó ali dentro.

Era um belo dia de abril, fresco e ensolarado como um cesto de limões. Jenny tirou o casaco e o estendeu no banco. Parecia mais magra apesar de garantir a Gabriel que não tinha perdido um grama que fosse. Estava vestida, como tinha estado a semana inteira, totalmente de preto, o que é eficaz tanto para emagrecer quanto para o luto. Com as botas altas e pontudas e a faixa de raízes escuras que agora listava seu cabelo oxigenado, ela parecia ser em parte sobrevivente do movimento punk, em parte *dominatrix*. Gabriel preferia o novo traje às suas blusas de trabalho em tons pastel.

– Você está calada hoje – disse ele. – Na verdade, a semana toda.

– Normalmente você acha que eu falo demais.

– Eu nunca disse isso.
Jenny olhou para ele com os olhos semicerrados.
– Estou falando sério, Jen – disse ele, com tamanha falta de convicção que os dois tiveram um acesso de risinhos.
– Não que eu tenha conseguido enfiar uma palavrinha que fosse – disse Jenny, por fim.
– Desculpe por... você sabe.
– Não seja biruta.
– Não lhe contei a última. Oona ligou hoje cedo.
– Que é uma... ah, sim, já sei, prossiga.
– Ivan, o cara dos grelhados, foi preso e acusado de tráfico de pessoas.
– Puxa – disse Jenny. – Quer dizer que é tudo verdade, aquilo que aquele outro lhe contou.
– Victor. Parece que sim. Vamos ver.
– E o gerente do restaurante? Gleeson, não era?
– Ele desapareceu, assim como Branka, encarregada das camareiras. A polícia está à procura deles.
Jenny assobiou.
– Deve ter sido uma conversa comprida que vocês tiveram hoje de manhã. Você levou cinco dias para me contar.
– Não – disse Gabriel. – Não precisei entrar em detalhes. E Victor já tinha contado o que sabia, de modo que ela já fazia uma boa ideia.
– E como Oona vai se arranjar? Ela não tem você nem Gleeson... e com o restaurante para administrar.
– Oona vai fazer o que sempre fez – disse Gabriel. – Oona vai dar um jeito.
– Eles vão querer falar com você – disse Jenny. – A polícia.
– Calculo que eles entrem em contato comigo em breve. Jenny, você acha que eu deveria falar com eles sobre todo aquele assunto da fazenda?
Jenny cruzou as pernas e o espetou com carinho na canela com o bico fino da bota.
– É claro que deveria! Ora, você não está pensando que não vai dar a mínima para isso, está?

– Não é isso. Mas o que vai acontecer com todos aqueles trabalhadores se perderem o emprego, se chegarem a ser deportados?

– Mesmo assim, não está certo – disse Jenny. – Isso você sabe.

Gabriel deu um suspiro.

– Seja como for – disse Jenny –, pode ser que a polícia vá até a fazenda, à procura de Gleeson. Pode ser que nem tudo dependa de você.

– Pode ser – concordou Gabriel. – Vamos caminhar um pouco?

Eles perambularam pelo jardim, passando por aquilégias brancas e dedaleiras, e por uma moita de lírios do mesmo tipo que tinham posto no dia anterior no caixão de Ted.

– Não entendo – disse Jenny – por que você está desistindo com tanta facilidade do restaurante. Explique para o camarada. Você sabe, do mesmo jeito que me explicou. Vai ser constrangedor, devo admitir.

– Fairweather poderia me dar um aperto de mão e esquecer tudo. Mas Rolly nunca ia fazer isso. Até mesmo quando eu faltava a uma reunião, ele subia pelas paredes. Dizia que eu era irresponsável. E isso... isso foi diferente.

– Pegue seu dinheiro de volta, Gabe – disse Jenny. – Você não pode desistir! Sessenta mil libras! Esse dinheiro é seu.

– Não sei. Eu precisaria de um advogado. Rolly já foi parar nos tribunais com outros sócios, e sempre saiu ganhando.

– Isso é ladroagem!

– Nem mesmo tenho dinheiro para pagar um advogado.

– Quando tivermos vendido a casa de papai...

– Mas o custo deste lugar...

– É. Greenglades não é barato. E, embora vovó esteja oficialmente doente desde 1972, é provável que ela sobreviva a todos nós.

Eles foram subindo pelo gramado. Dois melros desceram voando, com o círculo amarelo em volta dos olhos e os bicos laranja em contraste com a plumagem negra. Com uma postura nobre, eles fizeram uma reverência um para o outro, antes de começarem o duelo. As aves investiram uma contra a outra, e, se bem que a luta fosse curta e, para o olho leigo, inconclusiva, pareceu que a questão estava resolvida. O vencedor subiu para seu poleiro num arbusto espinhento e cantou uma melodia grave, enquanto o derrotado abaixou a cauda e foi embora voando.

– E você? – perguntou Gabriel. – Como está o trabalho? Acha que volta a trabalhar na semana que vem?

– Preciso – disse Jenny. – Não quero perder o emprego. Apesar dos rumores que andam circulando por aí. É provável que o perca de qualquer modo.

– Você está brincando... Como assim?

– Não só eu. O lugar inteiro pode fechar. Parece que estão pensando num centro de atendimento na Índia.

– Então, vamos abrir uma lanchonete de peixe e fritas. As pessoas ainda comem isso, não comem?

– Comem. Mas teríamos de vender kebabs também. – Jenny parou e bufou. – Meu Deus, dá para você ir mais devagar? Essas botas estão me matando! E eu realmente preciso perder peso. A cada passo que dou, me afundo na grama. Como fiquei gorda desse jeito, Gabriel? Nunca cheguei a perceber, sabe? Tudo vai se acumulando. Você se lembra de quando eu tinha 17 anos. Como eu era magra naquela época? E olhe para mim agora!

– Você está com ótima aparência – disse Gabriel. – Eu estava pensando exatamente nisso quando estávamos sentados.

– Vai te catar – disse Jenny.

– Estou falando sério. Gosto de você de preto. Gosto dessas botas. Gosto em especial dessa tira preta no alto da sua cabeça.

Jenny lhe deu um golpe no ombro.

– Cuidado – disse ela. – Você não é o único Lightfoot que sabe dar socos, sabia? – Ela estava satisfeita. – E você também não está tão mal assim.

– Estou ficando careca.

– Onde?

Gabe tocou o local.

– Não dá para ver. Não com todos esses cachos. – Ela estendeu a mão e apalpou seu crânio. – O quê?, isso aí? Francamente. Seja como for, se o centro de atendimento fechar, e nós não tivermos como abrir uma lanchonete, tenho outra carta na manga.

– Eu estava querendo saber o que você guardava aí – disse Gabriel, fazendo cócegas no braço de Jenny.

– Mamãe, Gabriel está me provocando!

– E então – disse Gabe. – O que é?

– Sabe a Rileys? – Ela sorriu para reconhecer que a pergunta não era estritamente necessária e continuou depressa. – Bem, eles estão abrindo um novo setor. Chama-se Túnel do Tempo da Tecelagem, e é mais ou menos uma espécie de museu, centro de tradições, dizem eles, que explica tudo acerca dos velhos tempos, indo até as máquinas primitivas de fiar e os primeiros teares, esse tipo de coisa, até chegar à década de 1990, creio eu. Seja como for, eles estão querendo gente, guias para excursões, e achei que poderia gostar de fazer isso, sabe, que me daria a oportunidade de falar.

– Maravilha – disse Gabe –, maravilha!

Por um segundo, ele se perguntou o que Ted ia achar, antes de se dar conta do erro.

– Estou precisando é de férias – disse Jenny. – Nós realmente queremos passar alguns dias longe, mas não tenho vontade de deixar as crianças, mesmo que Harley já seja maior de idade, como ele não para de me relembrar, e Bailey já tenha idade suficiente. Eu não me sentiria bem, no entanto, se os deixasse. Minha mente não ficaria tranquila.

– Passar alguns dias longe com Des parece uma boa ideia – disse Gabriel. – O que acha de um tio altamente responsável e confiável dedicar algum tempo já muito devido a seu sobrinho e sobrinha?

Jenny afagou suas costas e massageou suas omoplatas.

– Bem, estou desempregado e não sei ao certo se mereço todo esse carinho, mas obrigado, é bom ser valorizado.

– Só estou verificando uma coisa – disse Jenny.

– O quê?

– Por um instante, Gabe, achei que estivessem brotando asas em você.

Jenny lhe deu carona até Plodder Lane e disse que entraria mas não ficaria muito tempo. Eles entraram no alpendre, e Gabriel levantou as persianas, que, por motivos perdidos no passado, estavam sempre baixas quando a casa estava vazia e sempre erguidas quando alguém voltava. Ele apanhou a correspondência do capacho e a empilhou no suporte para legumes que havia muito tempo servia de sistema de prateleiras do alpendre. E, assim que entrou no hall, pendurou a chave da porta no gancho. Embora Jenny tivesse se oferecido para recebê-lo, ele ficara na casa a semana inteira, dormindo sempre que não estava conversando com Jenny, se bem que eventualmente tivesse se flagrado com uma flanela na mão, cumprindo um turno lento, porém meticuloso, de limpeza doméstica. A casa que tinha parecido tão morta com papai e vovó insistia em viver agora que os dois tinham ido embora, uma vida tranquila, porém irreprimível, que Gabriel não podia deixar de presenciar quando limpava o carrinho de bebidas de vovó ou quando erguia o relógio da aposentadoria de Ted para tirar o pó. Ele agora a via quando se sentava no sofá e olhava para a poltrona de Ted, o buraco permanente na almofada do assento, o tecido gasto dos braços nos dois lugares exatos nos quais Ted abriria as mãos.

Jenny se deixou cair na poltrona *bergère* de vovó, que agora lhe parecia natural ocupar quando de visita.

– Bem, vou amá-lo e deixá-lo – disse ela, mas pôs os pés no banquinho, dando a impressão de ser improvável que fosse sair dali para qualquer outro lugar.

– Você tem certeza absoluta de que não quer ficar conosco? – continuou ela. – Não incomoda em nada, temos espaço suficiente. Bem, é claro que não temos, mas podemos dar um jeito.

– Obrigado. Estou bem aqui. Já me instalei.

Os olhos de Jenny estavam brilhantes. Ela fungou e esfregou o nariz.

– Ai, como detesto deixar vovó ali. Odeio cada vez que venho embora.

– Mas ela precisa de atendimento permanente, Jenny, e você precisa trabalhar.
– Eu sei.
– Gostei da sra. Givens. A atitude dela com os internos é muito boa. Ela não vai chamar vovó de Phyllis.
– Não. Esse é o melhor lugar. Olhei muitos. É só que... sinto que não estou agindo certo.
Gabriel olhou para a fileira de cartões no console da lareira. Na última vez que estivera ali, havia cartões de Natal. Agora os cartões diziam *Nossos pêsames* ou *Condolências por sua perda*.
– Você agiu certo com ela – disse ele. – Você sempre agiu certo com todo mundo.
Jenny conseguiu se controlar através de um sorriso.
– O que você vai fazer, Gabe? Todos os seus planos...
– Bem... – Ele deu de ombros e riu. – Faço um plano novo. Vai dar tudo certo.
Ela olhou para ele atentamente.
– Você me diria se houvesse algum problema.
– É claro.
– Prometa que vai procurar um médico se...
– Eu procuro – disse ele, sem culpá-la pelo ceticismo. Ele mesmo estava um pouco cético. – Prometo.
– Tem um monte de caixas no sótão que ainda precisam ser organizadas. Papai começou, e eu fiz mais um pouco, mas... leva séculos porque a gente para e olha as coisas, e fica pensando... Ah, e eu encontrei uma almofada de alfinetes que fiz no primário e dei para mamãe, uma feita com um ponto de cruz daqueles grandes, com a forma de margarida, dei para ela no Dia das Mães, acho, e é isso o que eu queria dizer. Você encontra alguma coisa desse tipo e começa a devanear um pouco.
– Não, aquela almofada de alfinetes – disse Gabriel. – Acho que eu...
– O quê?
– Nada. Não, nada. Legal ela ter...
– ... guardado. Eu sei. Fiquei muito feliz.
Os dois se calaram por um tempo.

– Não sei o que fazer com metade das coisas, é esse o problema. Não quero guardar, não quero jogar fora. E os navios de papai, Gabe? O que vou fazer com eles?

– Eu fico com eles.

– São muitos.

– Eu arrumo espaço. Meu apartamento é muito vazio.

– Sem Lena por lá. Acha que ela vai entrar em contato com você?

Gabriel fez que não.

– Jenny, não sei o que você deve pensar de mim, ouvindo tudo isso.

Jenny baixou os pés, sentou-se mais empertigada e bateu no joelho de Gabe com os nós dos dedos.

– Eu lhe passaria um belo sermão, Gabriel Lightfoot, se você já não tivesse se encarregado disso. A única razão para eu não fazer isso é você ter sido tão competente nessa repreensão.

– Eu gostaria de acreditar que ela ligaria se fosse necessário... mas, para ser realista, não, ela não vai ligar.

Jenny arrumou as pregas do seu novo traje de hipnotizadora.

– Mas tem outra pessoa que pode ligar para você. Falei com Charlie ontem à noite.

– Você falou com Charlie? Ligou para ela? Como conseguiu o número? O que ela disse?

– Lembrei o nome do lugar onde ela canta, você me disse uma vez, e Harley procurou na Internet.

– Você ligou para ela no Penguin? O que ela disse?

– Ela foi um amor – disse Jenny. – Falei para ela a respeito de papai, é claro. Foi por isso que liguei. Achei que ela deveria saber.

– Mas o que ela disse?

– Disse que ia ligar para você. Disse que ia ligar hoje.

– Não vai – disse Gabriel. – Por que haveria de ligar? Não vai ligar.

Jenny suspirou. Fez menção de se levantar, mas depois afundou de volta na poltrona.

– Foi bonito o serviço, não foi?

Eles tinham tido essa conversa algumas vezes naquele dia. Tinha se tornado uma espécie de ladainha.
– É, foi muito bonito.
– Todo mundo foi.
– Muita gente, mesmo.
– Foi bem prestigiado.
Havia uma coisa que ele vinha querendo lhe perguntar.
– Papai... queria que fosse na igreja? Vocês...?
– Falamos sobre isso, sim. Ele queria.
– Mas ele não frequentava. Pelo menos, não desde que éramos pequenos e ele nos arrastava para a escola dominical. Já nem me lembro quando.
– Não – disse Jenny. – Gabe... você rezou?
– Mais ou menos.
– Eu também. Você acredita?
– Não. E você?
– Não.
– Eu não acredito – disse Gabriel. – Mas tenho fé, se você sabe do que estou falando.
– Fé em quê?
– Não sei. Na vida. Em seguir em frente, imagino.
– É.
– Jenny, sei que recentemente andei meio envolvido comigo mesmo, mas...
– Ah, eu não diria isso – interrompeu Jenny.
– Não. Andei, sim.
– Eu não diria "recentemente". – Ela olhou para ele meio de soslaio. – Eu diria nos últimos trinta anos, mais ou menos.
Ela reprimiu um risinho e então soltou um guincho estridente, rindo tanto que jogou as mãos para o alto e as desceu batendo com força nas coxas, como numa montanha-russa. E Gabriel se juntou a ela. Os dois ficaram ali sentados, rindo como crianças pequenas, com lágrimas se derramando pelas bochechas.

* * *

Quando Jenny ia saindo de ré pela entrada de carros, Gabriel se despediu dela com um aceno e entrou na cozinha. Abriu a geladeira. Além dos sanduíches embrulhados em papel-filme que tinham sobrado do chá oferecido na cerimônia fúnebre do dia anterior, não havia muita coisa nela: um par de peitos de frango, um pouco de salame, um pote de *pesto*, alguns tomates. Ele tirou todos os legumes do cesto e os reuniu na tábua de cortar. Dispôs o conteúdo da geladeira e enfileirou algumas latas tiradas do armário. Pensou um pouco. Estava com vontade de cozinhar, mas não sabia o que fazer. Não eram os ingredientes mais promissores, mas bastava que lhe dessem um minuto, e ele haveria de ter uma ideia. É, pensou, com um leve vislumbre, ele poderia fazer alguma coisa com aquilo ali.

Seu celular tocou.

– Charlie – disse ele. – Eu não pedi para ela lhe ligar. Ela pegou seu número na Internet.

– Gostei de ela ter ligado, Gabriel. Sinto muito. Meus pêsames por seu pai.

– Obrigado. Foi um belo funeral.

– Pena eu não tê-lo conhecido.

– Pena mesmo.

Era a sua vez de falar, mas Gabriel não conseguia. Ele fechou os olhos, espremendo-os.

– Gabriel – disse Charlie –, como você está? Ando tão preocupada com você.

– Comigo?

– É, com você, seu pateta. Na última vez que você apareceu aqui, estava se comportando como um maluco.

Gabriel via Charlie com tanta clareza quanto se ela estivesse ali em pé ao seu lado, a curva dos quadris, o movimento do ombro, o jeito dos olhos verdes passearem sobre o rosto dele.

– Acho que estava me faltando um parafuso ou sei lá o quê. Desculpe.

– Devo ter algum de reserva aqui na gaveta.

– Charlie...

– Olhe, quando você voltar, o que acha de sairmos para almoçar juntos.

– Eu adoraria.

– Só almoçar, Gabriel. Só almoçar.

– Um pedaço de pão duro já está ótimo para mim.

Ele sentiu o toque da respiração de Charlie descer pelo telefone.

– O que estou dizendo, Gabriel, é para você não se encher de esperanças.

– Ah, não vou. Eu prometo. Vou tentar – disse ele, com toda a seriedade e uma enorme esperança no coração.

Agradecimentos

Minha gratidão aos seguintes autores, cuja obra inspirou a minha: Peter Barham, *The Science of Cooking*, Springer, 2000; Hervé This, *Molecular Gastronomy*, Columbia University Press, 2006; Robert L. Wolke, *What Einstein Told His Cook*, Norton, 2002; Jo Swinnerton (org.), *The Cook's Companion*, Robson, 2004; Mark Kurlansky, *Choice Cuts*, Jonathan Cape, 2002; Anthony Bourdain, *Kitchen Confidential*, Bloomsbury, 2000; A. Wynne, *Textiles*, Macmillan, 1997; J. E. McIntyre e P. N. Daniels (orgs.), *Textile Terms and Definitions*, The Textile Institute, 1997; Caroline Moorehead, *Human Cargo*, Chatto & Windus, 2005; Rose George, *A Life Removed*, Penguin, 2004; Larry Elliott e Dan Atkinson, *Fantasy Island*, Constable, 2007; Joseph Rowntree Foundation (Gary Craig, Aline Gaus, Mick Wilkinson, Klara Skrivankova, Aidan McQuade), *Contemporary Slavery in the UK: Overview and Key Issues*, 2007; Klara Skrivankova, *Trafficking for Forced Labour: UK Country Report*, Anti-Slavery International, 2006; Nalini Ambady e Robert Rosenthal, "Half a Minute: Predicting teacher evaluations from thin slices of nonverbal behaviour and physical attractiveness", *Journal of Personality and Social Psychology*, 1993; Eliot Deutsch, *Advaita Vedanta: A Philosophical Reconstruction*, East-West Center Press, 1969; Galen Strawson, *Freedom and Belief*, OUP, 1987; John Gray, *Straw Dogs*, Granta Books, 2002; Richard Sennett, *Respect*, Allen Lane, 2003, e *The Corrosion of Character*, Norton, 1998; e Zygmunt Bauman, *The Individualized Society*, Polity Press, 2001.

Este livro foi impresso na Editora JPA Ltda.,
Av. Brasil, 10.600 – Rio de Janeiro – RJ,
para a Editora Rocco Ltda.